AF218694

CRÍTICA

EDICIONES ANTÍGONA

1831
Real
Escuela
Superior | de Arte
Dramático

Serie RESAD Estudios Teatrales

REAL ESCUELA SUPERIOR DE ARTE DRAMÁTICO

Este libro antes de su publicación fue evaluado en revisión por pares ciegos por profesores vinculados a la Universidad Complutense de Madrid y la Universidad de Murcia para garantizar su calidad, originalidad y rigor científico.

Director de la RESAD: Rafael Ruiz
Secretario: Emeterio Diez
Consejo Editorial: Rosario Amador. Fernando Doménech, Vicente Fuentes, Juanjo Granda, Pablo Iglesias, Marta Schinca, Pedro Víllora.

© Asociación José Estruch
© RESAD, 2014. Avenida de Nazaret, 2. 28009 Madrid
© Herederos de José Paulino Ayuso

© Para todos los países en lengua española:
Ediciones Antígona, S. L.
C/ Prim 15, local - 28004 (Madrid)
Tel: 91.119.17.32
info@edicionesantigona.com
www.edicionesantigona.com

Primera edición, 2014

Directora de la colección: Concha López Piña
Diseño de cubierta: Ediciones Antígona sobre un dibujo de Antonio Merlo *Decorado del cuadro tercero* de «La guerrilla» y un dibujo de Salvador Bartolozzi del *Decorado* de *El Señor de Pigmalión.*
Editor: Isaac Juncos Cianca

ISBN: 978-84-15906-38-4
ISBN digital: 978-84-15906-39-1
Depósito legal: M-10128-2014

Impreso en España / Printed in Spain

 Este libro está impreso en papel ecológico.

Cualquier forma de reproducción, distribución, comunicación pública o transformación de esta obra solo puede ser realizada con la autorización de sus titulares, salvo excepción prevista por la ley. Diríjase a CEDRO (Centro Español de Derechos Reprográficos) si necesita fotocopiar o escanear algún fragmento de esta obra (www.conlicencia.com; 91 702 19 70 / 93 272 04 47).

JOSÉ PAULINO AYUSO

DRAMA SIN ESCENARIO

LITERATURA DRAMÁTICA DE GALDÓS A VALLE-INCLÁN

ÍNDICE

José Paulino o la misión del universitario

La muerte de un compañero universitario, con quien se ha convivido durante muchos años, destapa inevitablemente la caja cada vez más atiborrada de los recuerdos; digamos que, en general, la destapa para bien, porque la memoria se va haciendo selectiva con el paso del tiempo y tiende a quedarse con lo mejor que nos deparó la cercanía de las personas, dejando atrás discrepancias anecdóticas, desencuentros accidentales, es decir, todo lo más olvidable e insignificante. Es lo que me ha ocurrido a mí desde que la infatigable Peregrina se llevó un alba de esta destemplada primavera a José Paulino Ayuso (Valencia, 1945-Madrid, 2013). Aun cuando pertenecíamos a generaciones diferentes, casi entramos a la par en el Departamento de Literatura Española de la Universidad Complutense: él, como profesor ayudante vinculado a la cátedra de don Francisco Ynduráin; yo en calidad de lo mismo pero en la de don Francisco López Estrada, los dos don Pacos, como cariñosamente los llamábamos entonces, tan distintos pero tan iguales en algo tan esencial y a menudo tan insólito hoy en el ámbito universitario: el señorío, la caballerosidad, la elegancia, la palabra siempre justa y comedida...La primera imagen que tengo de Pepe Paulino va unida al espacio de trabajo que compartíamos a fines de los años 70: el ala izquierda de la planta octava del edificio B de Filosofía, antes Facultad de Económicas y ahora de Geografía e Historia. Lugar un tanto destartalado e incómodo, como el edificio mismo, siempre amenazado de ruina, era compartido por todos los profesores del Departamento, con independencia de su categoría académica y con la sola excepción de los dos catedráticos mencionados, que ocupaban sendos despachos a uno y otro lado de ese espacio común, como si entre los

9

dos formaran una suerte de paréntesis para protegernos con su magisterio y su autoridad.

La incomodidad del recinto, su falta de privacidad tenían, no obstante, su lado ventajoso pues nos obligaban a estar cerca unos de otros y así conocernos mejor, bien que las conversaciones constantes que se sucedían nos distrajesen más de la cuenta de nuestras labores. Diré ya —perdóneseme la malicia— que aquel palabrerío delataba a veces en público la supina ignorancia de alguna colega no muy leída, que un día nos confesaba perpleja su extrañeza porque los estudiantes no habían acudido a su clase al haber preferido asistir a la conferencia de cierto escritor famoso, un tal Sabato o Sábado o Sábato, vaya usted a saber...

Pepe era de natural reservado; tanto, que yo tardé mucho tiempo en enterarme de que era miembro de la Compañía de Jesús. Al cabo de los años tampoco supe que había colgado los hábitos, por utilizar la expresión tradicional en estos casos pero que en el suyo era improcedente pues Pepe siempre iba vestido de seglar. Lo que sí sabía es que estaba terminando su tesis doctoral sobre la obra literaria de León Felipe (la presentó en 1979), y que era un gran apasionado de la poesía contemporánea. Por eso, cuando Carlos Alberto Montaner, director de la editorial Playor, me confió la dirección de una obra colectiva titulada *Lectura crítica de la literatura española*, le pedí que se hiciera cargo del volumen correspondiente a la poesía a partir de 1939. De aquella colección, que tenía una pretensión fundamentalmente didáctica y en la que colaboraron muchos júniors que hoy en día son catedráticos (Aullón de Haro, Canet, Sirera, Rubio Tovar, Checa Cremades, Pérez Bazo, Rubio Jiménez...), creo sinceramente que el libro de Paulino, en rigor el primero suyo si dejamos a un lado la tesis mencionada, es de los que mejor ha resistido la prueba del tiempo.

La poesía fue, en efecto, fundamental, en su itinerario investigador, con León Felipe como eje en torno al cual giraba su quehacer principal: un poeta del exilio, antifranquista, pero de perfil muy espiritual, como denotaban los títulos de algunos de sus libros, así los *Versos y oraciones del caminante* que Pepe editó en 1979, o *Ganarás la luz,* de 1982... Más tarde publicó una *Antología poética* de este mismo autor en Círculo de Lectores (1998) y, por fin, en 2004 culminó su dedicación al poeta de Tábara con la edición de las *Obras completas,* qué mayor homenaje puede hacer un crítico al poeta de sus desvelos que compilar todos sus escritos para la posteridad.

Pero no fue este el único poeta que le interesó. También en 2004 editó la *Obra poética completa,* de Rafael Morales; del querido poeta Morales, el poeta del toro, que fue compañero nuestro en el Departamento y que era la bonhomía personificada. (Es este de la bondad un aspecto que no cuenta ni para los quinquenios ni para los sexenios, pero que quienes nos vamos haciendo mayores cada vez valoramos más). Dos años después se ocupó de otro poeta de la posguerra, Leopoldo Panero, con motivo de una edición de bibliófilo de *Escrito a cada instante*. Con el estudio que la precede, titulado *La poesía vinculante de Leopoldo Panero* —una variación sobre el concepto de «poesía arraigada» que el gran Dámaso Alonso puso en juego—, Paulino contribuyó a la necesaria reivindicación del poeta astorgano, tan maltratado por el cainismo y la estulticia que tanto nos caracterizan a los celtíberos y de los que no se libra ni la lírica más metafísica. En el cincuentenario de su muerte (2012) le invité a colaborar en el número especial de la revista *Astorica,* al que Pepe contribuyó con un artículo titulado «*Escrito a cada instante* en su contexto». Es un lúcido ensayo que se cierra con una frase que resume extraordinariamente y yo diría que casi de un modo heideggeriano el mundo poético de Panero: «Se trata, en este libro, de la constitución del ser viviendo en la palabra». Nada más y nada menos.

Otros poetas que merecieron su atención son Antonio Machado, Pedro Salinas, Juan Larrea, Tomás Segovia, Blas de Otero, Claudio Rodríguez, Ángel González, José Hierro, Pablo García Baena, Diego Jesús Jiménez, Antonio Colinas, Elena Martín Vivaldi... Quiere ello decir que apenas hubo resquicio de la lírica contemporánea en que no penetrara su ojo crítico. De ahí el gran valor que tiene su *Antología de la poesía española del siglo XX,* uno de los proyectos en que puso mayor esmero y hasta pasión personal, como lo demuestran las dedicatorias: la del primer volumen va dirigida a la memoria de su padre, y la del segundo, a sus hijos Elena y Carlos.

El sentimiento religioso impregna buena parte de la producción crítica de José Paulino. Un rápido vistazo al listado de sus publicaciones revela la frecuencia con que en él aparecen las palabras *religión, religiosidad, sagrado:* «Ángel Ganivet: la secularización de la religión en el modernismo», «Religión y poesía. *El contemplado,* de Pedro Salinas», «La expresión poética del miedo: de la angustia de la muerte al éxtasis de lo sagrado», «La aparición de la religiosidad en la narrativa española de los años sesenta», «Modos de presencia de lo sagrado en el teatro español actual», etc. Esta presencia de lo religioso en su obra crítica debe entenderse en su justa y honda medida, pues nada tiene que ver con esa devoción empalagosa y militante a que tanto beatón es dado. Antes bien, sin haber hablado nunca con él acerca de este asunto, creo que Pepe entendía la religiosidad de un modo muy unamuniano, pues que no en vano Unamuno copó también muchas horas de lectura y de estudio en su vida. Más que León Felipe, cuya desmesura para lo bueno y para lo malo no encaja del todo bien con la discreción de Paulino, es don Miguel —en mi opinión— quien mejor se compadece con su personalidad. Por haber tocado todos los palos, Unamuno es, además, un autor que le permitió salvar el tránsito de la poesía al teatro; a un teatro desnudo y de la conciencia, un teatro de la palabra y no del espectáculo. Son una veintena de trabajos los que Paulino publicó sobre quien fuera *excitator Hispaniae* en la feliz expresión de Curtius; entre ellos, los referidos a su teatro son los más importantes.

No es Unamuno autor de moda en tiempos como los que corren de relativismo posmoderno, modernidad líquida o liquidez posmoderna, como queramos llamarlo, pero su obra sigue planteándonos los problemas más acuciantes en un país como el nuestro donde el pensamiento ha sido siempre escaso, y el parloteo y el activismo, por el contrario, demasiado profusos. Su teatro es, en efecto, un teatro de ideas, que quizá hubiera sido más valorado en otros países con una mayor tradición en ese género; Francia, por ejemplo, con creadores de tanto fuste filosófico como Marcel, Sartre, Camus... Por esto nos sorprende ahora gratamente el triunfo entre nosotros de un dramaturgo como Juan Mayorga, que defiende un teatro enraizado en esa noble estirpe.

Frente a los que consideran el teatro de don Miguel poco dramático y en exceso discursivo, Paulino Ayuso ha sido uno de sus defensores más tenaces. Siguiendo el magisterio de Iris M. Zavala, llega a afirmar que «la ontología de Unamuno es, precisamente, su concepción dramática de la existencia, expresada repetidamente con las imágenes conceptuales del mundo-teatro y del hombre-personaje». Estas y otras claves esclarecedoras de la dramaturgia unamuniana son las que nos brinda en su estudio preliminar a *La esfinge, La venda* y *Fedra* (Castalia, 1987), donde explora con singular acierto la que llama «teología trágica» de Unamuno. En el que precede a la edición de *El otro* y *El hermano Juan* (Austral, 1992) desarrolla la antropología escénica de Unamuno de acuerdo con la metáfora senequista del *theatrum mundi*, o sea, la vida humana en cuanto espectáculo: «La tensión interior, la angustia de la muerte y los esfuerzos por acomodarse a unas prácticas religiosas largo tiempo abandonadas —entre otras circunstancias— producen en Unamuno ese estado de ánimo que favorece el verse como un ser doble, contradictorio, que ejecuta su papel ante los demás, esperando su aplauso».

El teatro ocupó, pues, un lugar importante en la vida intelectual de Paulino Ayuso. De hecho, sus primeros escritos son las críticas de estrenos que, entre 1970 y 1980, publicó en la revista *Reseña*. Tras Unamuno, fue

Buero Vallejo el dramaturgo que más le interesó: «El compromiso teatral en la obra de ABV» (1996), «El compromiso moral como juicio dramático en el teatro de Buero Vallejo» (1998), «El encerramiento, núcleo dramático en el teatro de ABV» (1998) son algunos de sus trabajos, que culminarían en su importante monografía *La obra dramática de Antonio Buero Vallejo. Compromiso y sistema* (2009), publicada también por Fundamentos.

Entre Unamuno y Buero fueron muchos los autores cuya vertiente dramática exploró Paulino, empezando por los poetas que eventualmente fueron tocados por el veneno del teatro, así el León Felipe de *El juglarón*, Miguel Hernández, Pedro Salinas o Gabriel Celaya. Destacó aspectos tan interesantes del teatro vanguardista como el viaje imaginario, y se ocupó especialmente de autores del exilio: Rafael Dieste, Paco I. Taibo, Martín Elizondo y Teresa Gracia, además de otros del interior como Gonzalo Torrente Ballester, Alfonso Sastre, Francisco Nieva, Domingo Miras o Jerónimo López Mozo. Por fin, el año pasado daba a las prensas un libro sobre Ramón Gómez de la Serna, escrito bajo parámetros parecidos a los que le sirvieron para interpretar el teatro de Unamuno: *La vida dramatizada*.

Este libro que ahora aparece póstumo es un compendio de los amplios intereses teatrales de José Paulino, pues que abarca de Galdós a Valle-Inclán. Está escrito con un propósito didáctico que, en ningún caso, va en demérito de la originalidad investigadora, tal como lo expone en la Introducción: «[...] Los capítulos tratarán de integrar tres aspectos que sean útiles a los lectores. En primer lugar, la presentación o descripción de la obra de cada uno: títulos, datos y secuencia de escritura o representación que puedan aportar un conocimiento concreto. En segundo lugar, la crítica que, en su momento y posteriormente, se haya ejercido sobre estas obras, aunque expuesta de manera sintética, apoyándose y remitiendo a una bibliografía selecta, especializada y presentada al final del volumen. En tercer lugar, algunas reflexiones o valoraciones que intentan servir de clave para interpretar el sentido o interés de esa producción individual. En todo esto hay mucho de resumen y síntesis, como se ve, y bastante de la propia investigación, que, a lo largo del tiempo, ha quedado recogida en algunas publicaciones parciales».

Una síntesis de doscientas y pico páginas como esta que me honro en presentar es fruto de muchas horas de lectura, de mucho tiempo dedicado a la preparación de las clases. Como el propio autor confiesa en sus palabras preliminares, bastantes de las ideas que aquí se vierten proceden de sus cursos de doctorado, es decir, de la discusión y del intercambio de ideas con los estudiantes que a ellos asistían. Y es que, por más que investigación y publicaciones sean importantes en la actividad de un profesor, la tarea de este no queda colmada sino en el estrado de las aulas, ante esas generaciones de alumnos cada vez más jóvenes que pasan ante nosotros, los profesores, en justa correspondencia cada vez más viejos. Paulino concibió su dedicación a la universidad como una auténtica *misión* intelectual. Empleo una palabra que seguramente no le disgustaría por las connotaciones sagradas y hasta religiosas que lleva implícitas, aunque yo no hago más que aplicarla según lo hace Ortega y Gasset en su *Misión de la universidad*, un libro que debiera ser de cabecera para tanto pedagogo abstruso y tecnólogo empeñado en la deshumanización de este noble oficio de enseñar como abunda en esta malhadada era de Bolonia.

Pepe Paulino mantuvo a lo largo de su vida una innegable vocación por la enseñanza. Veintitrés tesis doctorales dirigidas, además de incontables tesinas y trabajos fin de máster, acreditan ese compromiso —otra palabra favorita suya— con la universidad. Le quedaban dos años para su jubilación y, sobre todo, unos meses para terminar el curso. No poder hacerlo debió angustiarle más que saber que su fin estaba próximo, porque lo que le gustaba era vivir la Facultad y en la Facultad, donde era una presencia constante desde que asumió cargos de gestión como la secretaría académica y la dirección del Departamento de Literatura, sito ya en un espacio que nada tiene que ver con aquel abigarrado pero entrañable del edificio B en que yo lo conocí.

Pepe sabía comunicarse con su palabra siempre discreta; con el esbozo de sonrisa que llevaba puesta desde que se levantaba por la mañana y con la que se protegía de su natural timidez; con su modo silencioso de pasar por este mundo, como una máscara unamuniana, haciendo bueno el verso de Luis Felipe Vivanco que, estratégicamente, puso como lema al frente de su *Antología de la poesía española del siglo XX,* justo debajo de la dedicatoria a sus dos hijos:

Y en vez de una existencia brillante, tener alma.

JAVIER HUERTA CALVO
junio de 2013

Presentación

Cualquier libro general sobre la historia del teatro español del siglo XX[1] constata, para las tres primeras décadas del siglo, una intensa actividad, tanto en la producción de textos literarios como en el número de las representaciones, en el auge de las salas de espectáculo, en la variedad de géneros y subgéneros, en la creación de compañías y la aplicación de medios materiales y nuevos recursos técnicos. Una actividad en que advertimos cambios continuos, ensayos, aparición y desaparición de locales, formas de comercialización, intensificación de los recursos, dominio de nombres relevantes y, en fin, intentos, logrados o fallidos, de acceso de nuevos autores al sistema de producción y representación. Y, a la vez, se advierte una cierta inmovilidad de fondo, un estado latente de resistencia al cambio, mediante la aplicación repetida de unas fórmulas que solo en lo accidental, en la proporción de sus ingredientes, admite cambios. El teatro español de la época está lleno de éxitos populares, de espectáculos variados, desde la alta comedia y el drama histórico hasta la zarzuela, el «género chico» e incluso la sicalipsis[2].

---

1. Basta recordar los de Javier Huerta Calvo (dir.) *Historia del teatro español*, II, Madrid, Gredos, 2003, el de César Oliva, *Teatro español del siglo XX*, Madrid, Editorial Síntesis, 2003, y los que resumen dos lustros sucesivos de entrenos en la cartelera de Madrid, editados por Francisca Vilches y Dru Dougherty, *La escena madrileña entre 1918 y 1926. Análisis y documentos*. Madrid, Fundamentos, 1990, y *La escena madrileña entre 1926 y 1931. Un lustro de transición*, Madrid, Fundamentos, 1997, además de los varios que recogen las críticas del momento, como los de Díez Canedo, Manuel Machado, Pérez de Ayala, Navas, Araquistain, etc.
2. Panorama y resumen, con testimonios de la época, de Andrés Amorós, *Luces de candilejas*, Madrid, Espasa-Calpe, 1991. (Selecc. Austral).

Casi como apéndice de este panorama suele dejarse constancia de dos hechos más bien marginales y muy a menudo relacionados entre sí: la creación dramática de escritores que no llegaron a implantarse en la escena, o lo hicieron solo ocasionalmente; y las formas alternativas de representación, mediante los conocidos como Teatros de Arte o compañías experimentales. Solo a finales de los años veinte y en los treinta, con el cambio cultural ya logrado de un sector liberal de la sociedad urbana y la aparición de artistas capaces de integrar todos los aspectos de los espectáculos, esta diferencia parece diluirse un tanto, porque los grupos experimentales y las obras difíciles adquieren una presencia o «visibilidad» significativa para la evolución del género. Es el caso del grupo de los Baroja, El Mirlo Blanco, y en relación con él, Valle-Inclán y Cipriano Rivas Cherif. Y es el caso de Lorca, con sus grandes dramas de éxito y, a la vez, con los ensayos del Club Anfistora para su teatro de vanguardia, las adaptaciones de clásicos y los espectáculos de La Barraca.

El volumen que aquí se presenta está concebido desde esa marginalidad del drama apenas representado, aunque pueda ser ocasionalmente favorecido por el reconocimiento e incluso el éxito, escrito por autores de indudable relevancia en otros géneros o por dramaturgos que no lograron implantar su fórmula dramática, si acaso consiguieron definirla bien. La sola excepción a este límite es la presencia de un capítulo referido a Valle-Inclán, pero he considerado que resulta una exigencia para completar el panorama que, sin él, quedaría truncado dentro de la secuencia temporal que aquí se fija.

En el plan general de la obra se va definiendo una actividad dramática y teatral marcada por distintos y sucesivos intentos de crear un teatro propio, más exigente en lo conceptual o estético que el normalmente representado, un teatro distinto, que parte de cierta insatisfacción por lo que se consideraba común y deseable para el público. (Pueden verse a este respecto las opiniones de casi todos los aquí reunidos: Ganivet, Unamuno, Azorín, los Machado, Valle-Inclán, que habitualmente he recogido). Por tanto, se pretendía abrir vías alternativas que implicaban, de modo explícito o implícito, una labor de formación del mismo público.

Comienza con la reforma del drama realista intentada por Galdós, con sus vaivenes de éxito y rechazo, pero con su indudable importancia, en cuyo remolino comienzan a nadar algunos jóvenes escritores que, más tarde, abordarán por sí mismos su propia aventura teatral. Y termina con Valle-Inclán, que, sin perder la marginalidad, sino desde ella, y a partir de 1912, presenta el logro mayor en definir un teatro total (por encima de los tiempos menguados de la historia y en contra de sus permanentes carencias económicas), absolutamente propio y capaz de recoger el ambiente histórico dentro de la complejidad de la representación, en una unidad estética llena de proyecciones míticas y simbólicas que enriquecen su perspectiva dramática sobre la realidad.

De esta manera, de inicio a fin, se traba el conjunto de este volumen, que, en su desarrollo, presenta unidades diferenciadas y discretas, según los distintos autores que se van presentando. Fuera quedan ya otros autores propiamente de la vanguardia y del grupo del 27, desde Claudio de la Torre a Lorca, Alberti, Casona y los demás que comienzan a ser conocidos en los años treinta.

Se trata, por consiguiente, de una obra de síntesis parciales, en cuyo recorrido y contraste se pueda encontrar una serie de rasgos comunes y generales, que sirvan de encuadre conceptual a la serie de exposiciones. No se parte de esa configuración, que tiene mucho de abstracto y de formal, sino de las distintas obras realizadas por los autores en su individualidad y con su particular idiosincrasia. Se percibirá, sin embargo, que nos vamos deslizando, de uno a otro autor, entre la dimensión conceptual e incluso filosófica, en que el drama es expresión de una tragedia ontológica y existencial, y la dimensión simbólica del drama, rica en sugerencias y a veces en propuestas escénicas. De modo que, con distintas formas dramáticas, se pretende la representación en profundidad del drama humano sobre el escenario del mundo.

Y a partir del estudio de cada autor, los capítulos tratarán de integrar tres aspectos que sean útiles a los lectores. En primer lugar, la presentación o descripción de la obra de cada uno: títulos, datos y secuencia de escritura o representación que puedan aportar un conocimiento concreto. En segundo lugar, la crítica que, en su momento y posteriormente, se haya ejercido sobre estas obras, aunque expuesta de manera sintética, apoyándose y remitiendo a una bibliografía selecta, especializada y presentada al final del volumen. En tercer lugar, algunas reflexiones o valoraciones que intentan servir de clave para interpretar el sentido o interés de esa producción individual. En todo esto hay mucho de resumen y síntesis, como se ve, y bastante de la propia investigación, que, a lo largo del tiempo, ha quedado recogida en algunas publicaciones parciales.

Así que una parte del interés de esta obra está en estos tratados particulares y otra parte en las relaciones (que quedan más a cargo del propio lector) que se puedan trazar entre ellas. Es este un primer elemento de tensión, entre lo individual y lo genérico, si se quiere, y entre lo determinado por el momento de cada autor y el trazo histórico de la época. Otro aspecto que queda entre líneas se refiere, sobre todo en relación con las posibilidades o dificultades de estrenos y representaciones, a las tensiones latentes entre el centro, ocupado por los dramaturgos reconocidos, y los márgenes; entre el orden institucional y la alternativa, entre rendirse a la demanda del público o pretender elevar el nivel de exigencia de ese público. Y estéticamente, como explico inmediatamente, en la «Introducción», entre el realismo mimético (algunas veces cómico también y otras sentimental, con sus muchos cruces) y la experimentación. No todos los autores fueron capaces de abrir su teatro a nuevas fórmulas dramáticas o formales, pero en todos se advierte una intención de crear sus obras al margen de las exigencias dominantes, aunque, a veces, como en los Machado, haya claros intercambios y compromisos o contrastes entre la novedad de nuevos significados y contenidos y la popularidad y convencionalidad de la fórmula y las formas dramáticas elegidas.

También es posible advertir que, dentro de este teatro alternativo, que se extiende a los dos grandes momentos del arte en la época, las rupturas entre el teatro simbolista y el teatro de vanguardia no son tales (otras veces sí), sino intensificaciones o aplicaciones, con nuevos recursos aportados por la investigación científica, de principios del simbolismo. Al no representarse las obras en su momento o hacerlo de modo insuficiente, se percibe una falta de evolución adecuada en la estética teatral de los autores. De nuevo la excepción es Valle-Inclán.

Y en este aspecto hay que hacer notar la ausencia general de sincronía. Primero entre los conceptos y la poética teatral de esos autores y el momento en que escriben o representan sus obras, caso de Azorín, por ejemplo. También se advierte otra falta semejante entre el momento de la escritura de la obra y el de su representación, caso de que esta ocurra (Unamuno nos da pruebas suficientes). Otras veces hay un trabajo de años que luego parece rechazado por su autor (¿es así verdaderamente?), como ocurre con Gómez de la Serna, y queda más bien oculto. Y finalmente se suceden alternativas que conducen a la desaparición, como en el caso de Grau.

De esta manera, configurado un panorama de lo que podríamos considerar el teatro alternativo español desde finales del siglo XIX a comienzos de los años treinta, establecemos una posible base para abordar también el estudio del teatro renovador de los autores que se inician en los años veinte y treinta: los más reconocidos, que acabo de citar, y otros menos habituales, como Pedro Salinas, Ignacio Sánchez Mejías, Valentín Andrés Álvarez, Max Aub, Jardiel Poncela, López Rubio, que se proyectan hacia un futuro cultural y socialmente distinto del previsible por efecto de la ruptura de la guerra, pero que, en lo que nos interesa, definen en buena medida lo que fue el teatro vivo español en los diez años anteriores al conflicto. Sin olvidar que es precisamente en ese lapso cuando algunos de los autores aquí tratados (los Hermanos Machado, Azorín, Unamuno, Valle Inclán y Gómez de la Serna) alcanzan una cierta presencia en los escenarios y ante el público general de los teatros.

Quiero terminar con el agradecimiento a los estudiantes que, durante un tiempo, con su interés y acompañamiento, me permitieron impartir unas clases de doctorado en que, con diversas perspectivas, atendíamos a estos autores. Ha sido este el medio en que las opiniones y juicios críticos aquí contenidos se han ido formulando. Aunque no consten sus nombres individualmente, quienes accedan a estas páginas se reconocerán fácilmente. Algunos de ellos figuran ya en la bibliografía de referencia, por sus investigaciones propias. También quiero expresar mi reconocimiento en general a quienes han trabajado sobre esta época del teatro o sobre los autores en particular y me han ofrecido, en sus libros y artículos, datos, ideas y perspectivas necesarias. En particular, agradezco a mi compañera, la profesora Ángela Ena Bordonada, su atención y crítica hacia el capítulo de Valle-Inclán. Y finalmente reconozco con gratitud el interés y esfuerzo de Emeterio Díez y del equipo editorial de la RESAD para que esta publicación pudiera llegar a tener una presencia en el campo virtual y alcanzar así una paradójica existencia real.

JOSÉ PAULINO AYUSO

Introducción

Este volumen intenta presentar la creación dramática de algunos escritores de la primera mitad del siglo XX en España, que figuran entre las personas más destacadas de la cultura y de la literatura de su tiempo. En muchos casos su labor para el teatro fue claramente ocasional, realizada en determinados momentos de su vida, y casi siempre resultó marginal y poco apreciada o discutida, como en el caso de Pérez Galdós entre el siglo XIX y el XX, en el de los Hermanos Machado a mediados de los años veinte, o de Valle-Inclán, en algunas de sus obras. El tiempo ha ido decantando la importancia de esa labor de escritura teatral, aunque solamente Valle-Inclán ha adquirido una nueva importancia a la luz de su estética y de las posibilidades escénicas y actorales desarrolladas posteriormente.

Sin embargo, para una atenta y comprensiva mirada de la literatura dramática española, e incluso para el conocimiento de la época y de la labor de estos autores, el teatro es una pieza importante. Su influencia no siempre se advierte en el tiempo de su producción, porque no llega al público de manera frecuente y adecuada, pero establece una tensión con las demás formas, géneros y realizaciones dramáticas coetáneas y abre a veces vías por las que discurrirá posteriormente el teatro de otros dramaturgos más afortunados.

Nuestra mirada actual se fija preferentemente en el teatro como espectáculo, después de la reivindicación práctica de la dirección de escena y de la teoría del espectáculo durante el siglo XX. Incluso algunos libros de especialización que plantean la cuestión parten de una polémica entre texto y espectáculo. Esta disyuntiva queda aquí fuera de consideración, y parece que tanto en la teoría como en la práctica es un debate superado en la actualidad. De lo que se trata en este volumen es de presentar un teatro posible, casi escondido en su tiempo, hoy aún más desconocido, aunque muchas obras llegaran al escenario, unas de forma limitada y marginal, otras convertidas en éxitos comerciales, lo que indica que no se escribieron solo para la lectura, aunque sus autores casi nunca estuvieran en la nómina de los dramaturgos reconocidos y consagrados. Este hecho nos induce a volver a fijarnos en el carácter literario del teatro, incluso desde la perspectiva histórica, dentro de una sociedad que, en su afición por el teatro, no acertaba a considerarlo más que como teatro de texto.

De modo que el texto teatral debe ser tenido por principio como un texto literario, ya que no abdica de antemano de esa condición, lo mismo que ocurre con el texto narrativo, aunque su peculiaridad reside en que es un texto destinado a la representación y por ello entonces traspuesto a un sistema sumamente complejo de actualización y de comunicación, en el cual encuentra su verdadera dimensión, que es colectiva. Y es claro, frente a lo que fue práctica común conservadora, que el proceso de representación no debe entenderse como mera ilustración o declamación del texto ante un público, sino como una propuesta de integración creadora de varios sistemas de signos (o de sistemas significantes) y de códigos de comunicación, que afectan también a la misma significación actualizada del texto. No cabe, en definitiva, entender el texto teatral, como tal, sin tener en cuenta esa inscripción, algo a lo que fue muy sensible Martínez Sierra y, en cambio, no terminó de reconocer Unamuno.

Hoy es imposible entender ni aun leer la obra dramática sin esa inscripción que lo destina a ser actuado, mediante figuras humanas (aspecto esencial marcado por Aristóteles en su *Poética*) en un espacio acotado, en un tiempo fijado y, en general, previsto, ante una colectividad. Pero también la percepción de su carácter de texto intencionalmente literario, de finalidad estética irrenunciable, aparece como una constante o un presupuesto de orden socio-cultural hasta tiempos recientes (la segunda década del siglo XX). De ahí su inclusión en todos los libros de literatura y en los tratados teóricos de los géneros y las discusiones acerca del género mismo. Es también así como habitualmente se percibe (aún) el texto desde la práctica de la recepción, tanto por parte del espectador como de la crítica; y su carácter fundamental de «obra de ficción» es el que avala tal consideración —previa y general— de obra literaria.

Pero no toda obra teatral alcanza ese grado de excelencia o de cualidad literaria perdurable. Más que otros géneros, y antes que ellos, el teatro ha tenido otras muchas vertientes y han predominado en él otras funciones, bien comercial, bien propagandística, bien de estricto entretenimiento, etc. Mucho teatro de consumo nunca tuvo excesivas aspiraciones y otros que sí las tuvieron han caído en el olvido. Pero no es la ambición subjetiva del autor la que decide del resultado artístico, aunque es significativa marca marcar la dirección de la recepción. Por otra parte, no todo texto dramático, por muy noble que sea su intención y su dicción, puede resultar fácilmente representable o adecuado en la época de su composición. A veces por la limitación de las circunstancias sociales, pero otras por las propias del texto mismo.

Después de los procesos de profesionalización de los dramaturgos y de la producción industrial del teatro, los conflictos se manifiestan históricamente a través del debate entre un teatro «comercial» y un «teatro artístico», por emplear la expresión con que se inaugura el siglo XX en este aspecto. La cuestión será siempre la conciliación o integración de los extremos. Y de ningún modo cabe excluir el logro artístico del teatro comercial. De hecho, algunos de los mayores dramaturgos del siglo XX se encuentran en esta categoría. La cuestión estriba —reduciéndola a su más pura esencia— en la exclusividad o, al menos, primacía de la intención estética, que deriva de la libertad creadora; o, por el contrario, en la subordinación de ella a otros intereses y necesidades, que, desde la estructura social productiva, suelen ser el logro económico y el éxito de los actores, con su adjunto de fama popular. Esta disposición, al privar de libertad al autor, es decir, de posibilidades de experimentación, arrastra consigo el riesgo de incurrir en fórmulas consabidas, en estereotipos, en repeticiones, que, sin sacar la obra teatral del ámbito general de la cultura, ponen en entredicho su carácter de creación o innovación y, en consecuencia, su perdurabilidad hacia el futuro.

Esta cuestión alcanza en los años veinte y treinta de este siglo, en España, una dimensión teórica con el debate acerca de la *mímesis* realista, de su aceptación básica o de su ruptura y negación a favor de una apertura a otros ámbitos mentales, subjetivos, y una experimentación con las formas y los recursos del teatro. Pero tiene también otra vertiente práctica, que deriva inmediatamente del planteamiento general, que es la que ahora voy a precisar, dejando aparte, por el momento, la cuestión de la legitimidad de este planteamiento del texto teatral como texto literario y remitiendo su justificación a la poética del tiempo histórico que consideramos.

Aunque todo texto teatral es, tal como he dicho, por derecho y necesidad, representable y tiene como presupuesto esa «representabilidad», hechos como la aceptación del público y las disposiciones de las empresas (y de los actores), junto con otros factores externos —la censura, por ejemplo— determinan que haya un teatro realmente representado, mientras cierto tipo o grupo de obras y de autores quedan preteridos o ignorados. Así, de la dificultad concreta y circunstancial para ser representados se pasa a la categoría de irrepresentables o (de forma menos tajante) difíciles.

Y esto tiene, a su vez, una consecuencia: la facilidad con que la crítica ha motejado algunos textos de «teatro para leer», a causa no de su carácter verdaderamente irrepresentable, sino de las convenciones escénicas, sociales o morales de la época. El caso de Valle vuelve a resultar paradigmático. Pero resulta que, en buena parte, así lo concebían algunos de los autores que, a comienzos de siglo, publicaban sus tomos de teatro fantástico, de teatro de la ilusión o de ensueño. Y, en contra de esto, los grupos de teatro de arte buscaban textos de tal tipo (entre otros) para proponer una renovación escénica.

Hay, por tanto, una razón teórica combinada con la razón histórica, no solo para defender la importancia del texto teatral (que es, por otra parte, tradicionalmente un hecho ineludible) y su adscripción al estudio filológico y crítico como texto literario, sino para considerar la vía de la lectura como modo apto (si no completo) de conocimiento. De esta razón deriva el planteamiento de este proyecto y la selección de los autores incluidos en él. Porque en todos ellos se encuentra una creación literaria que emplea con originalidad las estructuras dramáticas, logra una intensa expresión verbal a partir del lenguaje cotidiano y ofrece un conocimiento más profundo de la realidad humana. Junto a estas acude la razón pragmática ya expuesta: la lectura es una vía posible y necesaria, en muchos casos única, de conocimiento de los dramas.

Porque a lo largo del siglo XX esta línea de teatro se constituye más bien en un tipo de drama distinto al teatro convencional y de éxito, mediante la intensificación de sus contenidos intelectuales, la novedad escénica y verbal, la tensión con las convenciones genéricas y su transformación en formas novedosas o la mezcla de los «géneros» separados. Son esas dos las dimensiones más destacadas: la inquietud intelectual y la experimentación formal. Aunque se pueden presentar unidas, cabe considerarlas independientemente, en general, ya que Unamuno y Valle se nos ofrecen, a una primera mirada, como puntos distantes y representativos de la preferencia por cada uno de estos aspectos.

Por eso, no me parece inadecuado, sino, al contrario, coherente con el sentido profundo de los hechos, hablar —con matices para España— de un teatro simbolista o de un teatro expresionista o de un teatro vanguardista de ascendencia pirandelliana o de un teatro surrealista (y de una dramaturgia basada en tendencias no artísticas). Porque estos autores están muy directamente ligados a las corrientes de pensamiento o a los movimientos estéticos que marcan (con su novedad y su carácter) la cultura del siglo XX (desde luego también en España) y el desarrollo y evolución de los demás géneros literarios. El teatro comercial se muestra refractario ante ellos y solo se recibe con aceptación y elogio una modernización aparente de las estructuras convencionales (Benavente, Marquina).

CRITERIOS Y PLAN DE ESTE TRABAJO

A partir de las anteriores reflexiones generales podemos establecer algunas consecuencias que justifican el plan que en este trabajo se propone:

1.- La creación dramática de estos autores es históricamente significativa dentro de una consideración general de la cultura en España y, más en particular, dentro de la literatura de creación, constituyendo una rama tan importante como otras de la producción con fines estéticos.

2.- Este teatro es importante e incluso, según los casos, imprescindible, para reconocer la dimensión creativa total de algunos importantes escritores españoles de la mitad primera del siglo, incluyendo a Unamuno, Gómez de la Serna y Azorín. Y, entre ellos, algunos se considerarían fundamentalmente autores dramáticos: Grau y Valle-Inclán.

3.- Entender el momento histórico-literario requiere tener en cuenta también, junto a las líneas hegemónicas y a los autores de éxito y reconocimiento (siempre dentro de la categoría literaria, que se define históricamente), las tendencias o líneas alternativas, disidentes o marginales, porque solo el conjunto presenta la verdadera dimensión, espesor y profundidad del tiempo. Y más en particular porque los autores aquí considerados se vinculan a las corrientes de pensamiento y a las opciones estéticas propias del siglo XX, a partir de la crisis del positivismo, y por ello resultan más próximos a la evolución de los demás géneros literarios.

4.- La falta de recepción pública de una dramaturgia no anula su capacidad de influencia y su valor como productora y modelo para otras posteriores que tal vez sí logren el reconocimiento. Es el caso de Lorca, de Casona, el más reciente de Nieva (con Valle detrás), de Buero (y Unamuno) y de otros experimentos actuales que ya practicaron Azorín, Gómez de la Serna y otros detrás de ellos.

5.- Las diferencias entre autores «singulares», fuertemente individualizados, dificulta trazar una línea que establezca vínculos positivamente apreciables entre ellos o líneas de coherencia ideológica, estética, estilística. Al contrario, se muestran frecuentemente irreductibles, más allá de algunas adscripciones (que no son inútiles) a las corrientes histórico-literarias («simbolismo», «vanguardismo»), de etiquetas críticas (como «teatro de ideas» o «teatro poético») o de inclusiones en géneros dominantes («tragedia», «farsa», etc.). En todo caso, esto es lo contrario de lo que ocurre con los autores del llamado teatro comercial, quienes parecen moverse en su trabajo más al servicio del género y de los presupuestos (ideológicos, formales, etc.) establecidos por el sistema dominante de comunicación teatral. (Francisco Nieva dijo que los autores del «género chico» no eran los padres del género, sino este el padre de aquellos).

Aunque los límites se borran a veces, a mi juicio, como ya dije antes, la línea divisoria se puede establecer mediante la categoría estética del «realismo» en el tiempo histórico que ahora trazamos. Así aparece la «batalla teatral» de los años veinte, que expresa una tensión latente desde comienzos de siglo. La discriminación entre teatro de consumo y representado y teatro renovador y alternativo (no representado habitual o frecuente) se marca por la concepción realista o no-realista (que llegará al antirrealismo) de los espectáculos. Esta diferencia arrastra otra consigo, que, en el caso del teatro es determinante: el empleo o el rechazo de fórmulas estereotipadas, es decir, el dominio de la «convención» en cuanto convención histórica de lo que «debe ser» la obra teatral (no en cuanto fundamento del género mismo) que afecta desde la división en actos hasta el lenguaje, desde la fábula a los caracteres, desde la lógica a la psicología. Esta negación del realismo y el rechazo de la convención los podemos encontrar motivados o determinados por varias razones: el idealismo y esteticismo simbolista-modernista; el esquematismo de una visión intelectual o trágica del mundo y de la existencia, la experimentación con formas y lenguajes verbales disidentes, la referencia a universos poéticos de carácter irracional y a imágenes violentamente distorsionadas o aparentemente arbitrarias.

DIVISIÓN DEL PERIODO Y PLANTEAMIENTO DE LA EXPOSICIÓN

La cultura española, en general, la literatura y, más en particular, el teatro ostentan un desarrollo orgánico y unas señas de identidad durante el periodo 1896-1936, aunque con cambios y procesos de sucesión de grupos, movimientos y claves culturales de las generaciones históricas. La estabilidad política del marco institucional, aun con sus quiebras, y la acumulación de aportaciones culturales, sin rupturas, señalan las condiciones externas de esta identidad. Además, la actividad permanente de autores como Benavente, Arniches, los hermanos Quintero (seguidos de Martínez Sierra, Linares Rivas, etc.), por un lado, y de Unamuno, Azorín, Jacinto Grau, los hermanos Machado, por otro, junto con Valle-Inclán, Baroja y también Juan Ramón Jiménez proporciona un perfil de estabilidad y de continuidad, pues los cambios que se inician —con la obra de estos autores— en la última década del siglo XIX son continuados y proyectados a dimensiones más amplias (y no más hondas), universalizadas incluso, por las siguientes promociones.

En el caso del teatro, parece más visible esa fuerza estabilizadora de los géneros, los estilos, las fórmulas dramáticas y los modos de representación (que aceptan los cambios en menor medida y de forma más ocasional o anecdótica que la narrativa o la poesía, las cuales los acogen e integran con decisión para dar obras plenas de valor estético). Sin embargo, una serie de fenómenos del ámbito sociopolítico, con la Gran Guerra como referente fundamental, del ámbito cultural y, más concretamente, la aparición de nuevos fenómenos en el campo del teatro, nos permiten establecer dos fases diferenciadas. Anotamos en el segundo momento modelos dramáticos nuevos como el «Esperpento» de Valle (que efectúa una síntesis formal y adquiere una dimensión escénica inusitada, así como una aguda penetración y expresión de crítica social), cambios significativos sobre el modelo del teatro cómico popular, con la «tragedia grotesca» de Arniches; la entrada de los Machado en el teatro poético poco después, la «campaña teatral» de Azorín, crítico de teatro y dramaturgo, y, sobre todo, en esta dimensión de la escritura dramática, la aportación, rupturista en distintos grados, de los jóvenes, que podemos llamar del 27 —ampliando justificadamente la noción de generación— con Lorca y Alberti, pero también con Casona, Jardiel, Max Aub, Claudio de la Torre, Sánchez Mejías, Valentín Andrés Álvarez, los humoristas (Ugarte y López Rubio) y los aún no estrenados, como Rafael Dieste. Nuevas influencias en el campo del pensamiento, de la cultura general y un énfasis importante en la acometida contra el teatro repetitivo, formular, antiartístico, marcan algunos gestos de este momento (1920-1936), en el cual adquiere importancia (y fuerza polémica) la crítica, se multiplican los experimentos en teatros de cámara (en los que figuran Baroja y Valle Inclán, con Lorca) y se consolidan las primeras figuras de la dirección de escena en España (después de Martínez Sierra, Rivas Cherif, García

Lorca, Bartolozzi), ayudados por pintores, decoradores, etc. (Barradas, Bürman y también Bartolozzi).

El planteamiento cronológico lleva a establecer dos ciclos que no indican rupturas interiores decisivas, pero sí perfiles diferenciados en cuanto a los textos y sus posibilidades de innovación dramática y teatral, en cuanto a la representación y, finalmente, en la determinación genérica de las obras.

Se inicia con la constatación de un cambio de paradigma cultural (dentro del ámbito político de la Restauración y de la crisis finisecular) para estudiar la producción española afecta al simbolismo y a otras influencias del teatro europeo, que están en el origen de unos autores con preocupaciones propias y evolución diferenciada: Unamuno, Ganivet, Maeztu, Gómez de la Serna, Jacinto Grau. Pero entran aquí también obras breves de Benavente, Valle y Martínez Sierra. Para dar cuenta adecuada de las circunstancias, hay que incluir los intentos dramáticos de Galdós (1892-1918), que representa bien el esfuerzo del giro, desde una perspectiva estética e ideológica insuficiente, y los grupos de teatro de cámara o «teatro de arte» que surgieron en estos años.

El segundo momento se sitúa fundamentalmente en la época de «las vanguardias», como fenómeno artístico-literario más relevante, o «arte nuevo». Aquí se recogen autores que, destacados en otros géneros, arriban en su madurez al teatro para establecer un puente entre el teatro de éxito y el teatro de calidad, entre la tradición y la innovación (a veces solo temática o de lenguaje), con logros solo esporádicos, como Azorín, Machado, Gómez de la Serna, Baroja... Y aquí están los jóvenes que llegan con evidente afán de cambio y un concepto muy complejo de integración del arte literario y el espectáculo, con algunas propuestas nuevas (Lorca, Alberti, Bergamín, Max Aub) y otras más conciliadoras (Casona, Jardiel) o incluso tradicionales (José Mª Pemán). Este teatro aporta otro sentido de la realidad, de las relaciones entre la obra y la realidad (o entre el público y la obra, como dirá insistentemente Lorca en su teatro último) y de las convenciones que marcan la escritura y la representación. Pero este libro no habla ya de los jóvenes, sino de un segundo esfuerzo de renovación de los consagrados y ya maduros escritores del fin de siglo. Enlaza una y otra fase el teatro de Valle-Inclán, ejemplo de permanencia en el cambio, de evolución y de novedad.

Hubiera sido inconveniente en estas páginas trazar líneas de integración, más allá de las que acabo de mencionar, ya que la individualidad de los autores lo hace difícil, pero, además, su labor teatral tiene a veces unos márgenes o límites temporales tan distintos que parecería arbitrario tratar de ajustar su labor a un simple proceso histórico-social. Por otra parte, la relativa escasez de exposiciones sintéticas sobre algunos de ellos invitaba a trazar la evolución personal y marcar sus características de forma independiente.

CAPÍTULO I

EL TEATRO ESPAÑOL EN EL CAMBIO DE SIGLO

I. PROPUESTAS Y POLÉMICAS

INTRODUCCIÓN

Puede considerarse el teatro —con toda su variedad de géneros, serios y cómicos— el espectáculo público fundamental durante los años de la Restauración en el siglo XIX. Domina entonces un teatro melodramático, cuyo representante más destacado y reconocido es José de Echegaray[3]. A este modelo se incorporan también algunos rasgos naturalistas por influencia del teatro francés y referencias al teatro social y analítico a partir del conocimiento de Ibsen. Aparece también en los escenarios el drama social incipiente, gracias al éxito de *Juan José*, de Dicenta, y aun con el fracaso de *Teresa*, de Clarín. Ello muestra la importancia de la llamada «cuestión social» que determina la creación de los sindicatos, de los partidos obreros y será muy viva en los años siguientes. Siguen dominando las formas variadas del sainete y de los géneros escénicos costumbristas, de carácter urbano y popular, generalmente acompañados de música y coreografía, bien en el «género chico» o en la zarzuela grande.

Dentro de este panorama más bien conservador, hacen su aparición los síntomas de una necesidad de cambio profundo, a la vez que se evidencia

---

3. W. C. Ríos Font., *The melodramatic paradigm. José Echegaray and the Modern Spanish Theater*, Ann Arbor, Michigan, Michigan University Press, 1991; *Rewriting melodrama: The hidden paradigm in modern Spanish theater*, Lewisburg/London, Bucknell U. P./Associated U. P., 1997.

el deterioro del sistema político y se ponen en cuestión otros muchos aspectos de la vida nacional y social. La necesidad de cambio se acrecienta en la última década del siglo y se debe a varias causas que, al darse conjuntamente, impulsan un cambio de fase. Aunque en el caso del teatro hay que ser cauto, ya que la resistencia de las tradiciones inmediatas suele ser fuerte (y aun rebrotan después de su aparente olvido, transformadas) y se mantienen como aficiones implantadas en las capas conservadoras del público. Las mutaciones no se producen al mismo tiempo en todos los géneros y tendencias.

Los motivos ahora coincidentes para lograr un cambio importante en el arte dramático se pueden sistematizar en tres grupos:

1.- Agotamiento del propio sistema expresivo, al que algunos críticos comienzan a considerar falso, amanerado y reiterativo. Se trata, pues, de una cuestión inmanente al género mismo y a sus condiciones de producción.

2.- Hay motivos extradramáticos, de carácter social que dependen de la demanda de los públicos y de su capacidad de recepción. En este momento, el desarrollo de la burguesía liberal conservadora, consolidada por la Restauración, y las nuevas formaciones minoritarias formulan unas preferencias que dan pie a la aparición de los nuevos estilos y de los nuevos dramaturgos.

3.- Finalmente existe el condicionamiento metadramático, que proviene de un fenómeno de interacción cultural y produce un efecto de novedad o un atractivo de la moda, debido a las influencias extranjeras que llegan a España desde diferentes países: Francia, Noruega, Rusia, etc.

Al coincidir estas tres series de motivos con un cambio generacional, percibido en la literatura a partir de la publicación de revistas como *Nuestro Tiempo* y *Arte Joven*, *Electra* o *Vida Nueva*, se evidencia más la falsedad y el agotamiento de estas fórmulas anteriores; y los nuevos escritores se hacen eco de la necesidad de una alternativa. Ya en 1884 Leopoldo Alas «Clarín» escribía este comentario: «La mayor parte de los que hoy escriben crítica literaria con algún fundamento, reconocen que el teatro decae, y que para volver a su florecimiento necesitará transformarse... La forma de este teatro nuevo, que tanto desean algunos, no se ha encontrado...» (*Mezclilla*)[4]. Porque él apreciaba una diferencia entre el teatro protegido del público y el que no satisfacía a los inteligentes. Otra cosa es que los jóvenes autores de ese momento cuenten con la capacidad o la posibilidad de producir ese cambio por ellos mismos. Y tal vez por esta razón, la primera actitud es la de agruparse en torno de una figura indiscutible y

---

4. Leopoldo Alas, *Clarín*, «El teatro y la novela», en *Mezclilla*, Barcelona, Lumen, 1987, p. 285.

emblemática, pero inconformista y polémica en sus propuestas renovadoras, como fue Benito Pérez Galdós en sus campañas teatrales.

Las características enunciadas, propias del teatro, los aspectos de comunicación colectiva inmediata y su destacada función social llevan a considerar este género dentro de un apartado especial, pero no lo aíslan o lo separan tajantemente de la evolución de la literatura y de la cultura en general. Por ello, la transformación del teatro sigue las pautas del cambio (filosófico, científico, poético, narrativo) que percibimos en el «fin de siglo» o época del *Modernismo* español y que produce una época definible hasta la Primera Guerra Mundial. Sin embargo, esos condicionamientos de producción, mediación (empresarios, actores, críticos) y recepción del teatro como espectáculo público hacen que, en ese mismo tiempo, haya un teatro tradicional que se mantiene (géneros realistas populares), un teatro nuevo que triunfa (comedia burguesa costumbrista, drama histórico, drama rural) y un teatro nuevo, que aspira a lograr un reconocimiento y un lugar, a partir de sus exigencias artísticas, aunque no pasa de cierto ámbito minoritario, con excepción de algunas obras señaladas.

Esta diferencia justifica el planteamiento de este volumen, pero dice poco acerca de la calidad literaria y aun del logro dramático de los textos, así como de su influencia posterior. Al menos cabe constatar que, fuera del sistema de producción y recepción del teatro en España, hubo una importante aportación de autores, fundamentales en otros campos o géneros, y en ellos perfectamente reconocidos, desde Galdós a Unamuno y desde Valle-Inclán a Lorca.

ALTERNATIVAS PARA LA RENOVACIÓN

Se pueden tomar en consideración dos aspectos que se conjugan y complementan.

Un aspecto es el que se refiere a las cuestiones que las obras dramáticas proponen acerca de ideología, relaciones sociales, convivencia, valores, etc. La novedad discurre por el camino de acercar más las fábulas y argumentos de los dramas (con la condición de los personajes que actúan) a la realidad y a la experiencia común del espectador, descartando el tratamiento tradicional y extremado de los dramas de honor y adulterio.

El otro aspecto atañe a la forma del drama, al acuerdo o desacuerdo con ciertas formas de la organización de la trama, de la caracterización de los personajes, de los recursos y resortes de la acción, del desenlace y del lenguaje teatral.

A finales del siglo XIX y comienzos del XX dos tendencias trataron de dar respuesta a estas exigencias desde planteamientos en cierta medida opuestos. Por una parte, buscando la realidad en el drama, la escuela del naturalismo que suponía una *novelización* del drama, a partir de Zola y los hermanos Goncourt. Por otra parte, aspirando a alcanzar otra dimensión humana, la poética del simbolismo, que construía el escenario como el marco para un recitativo lírico, ajeno a cualquier concreción de orden inmediato o práctico. Estas dos alternativas dejaron su huella en la teoría, en los textos traducidos, editados y en los mismos espectáculos, producidos en general por agrupaciones poco duraderas.

Dos críticos contemporáneos, muy atentos a los fenómenos culturales, han dejado su testimonio fehaciente. Escribe Leopoldo Alas, «Clarín»:

> Lo que hay es que en muchas partes, en Francia, y ahora en España principalmente, los que intentan los cambios teatrales suelen ser escritores de otros géneros, novelistas las más veces y realistas los más. (Aparte ciertas tentativas de muy sutil idealismo que también se llevan ahora a los teatros libres, y a veces con buen éxito).[5]

Por su parte, José Ixart reconoce a Galdós haber sido el primero en afrontar el paso de la novela al teatro y, por eso mismo, plantear las cuestiones que ya se habían debatido en Francia. A saber: «si de una novela podrían hacer ellos un drama, conservando en su género algunos de los caracteres del otro y llevando a las tablas una concepción literaria intermedia que ensanchara y reformara los límites del teatro»[6]. Pero en su obra, el crítico catalán estudia también detenidamente la vertiente de la renovación simbolista en los distintos frentes que vendrán a influir en España: el nórdico (Ibsen) y el de lengua francesa. Y observa: «aunque existen diferencias harto radicales entre uno y otro grupo y su dirección es muy diversa, ambos coinciden en reprochar a las obras contemporáneas su prosaísmo»[7]. Pero, a la hora de observar la realidad española, anota todavía: «ni renacimiento de teatro poético, ni misticismo, ni idealismo alguno. Estamos todavía del lado de allá de las literaturas novísimas, y empezamos ahora a discutir mal y a interpretar a veces peor lo ya discutido en todas partes, esto es, las que todo el mundo llama a estas horas las *nuevas tendencias* del drama de asunto contemporáneo.[8]

---

5. L. Alas, *Clarín*, «El teatro... de lejos. Las tentativas de Pérez Galdós» [1893], *Palique*, ed. de José Mª Martínez Cachero, Barcelona, Labor, 1977, p. 126.
6. José Ixart, *El arte escénico en España* [1894], Ed. facsimilar, Barcelona, Altafulla, 1987, p. 310.
7. J. Ixart, *El arte escénico...*, p. 263.
8. J. Ixart, *El arte escénico...*, p. 294.

Pero en los diez años siguientes las cosas iban a comenzar a ser distintas. En ese momento Galdós habrá escrito y hecho representar algunas obras importantes, con éxitos y fracasos, y la presencia de los dramaturgos europeos y de sus propuestas serán un hecho en las revistas, en la crítica, aunque las representaciones se mantengan en límites modestos de aceptación y de reconocimiento. Al teatro español de estirpe simbolista le corresponderá el capítulo siguiente. Ahora se trata de observar lo que podemos llamar la línea autóctona de renovación teatral, por impulso de Galdós, a través de sus obras y aun de su teoría teatral, aunque la presencia de los novelistas en el teatro y su intento de llevar el mundo narrativo al escenario es también muy propio de Francia, donde Zola es primero crítico y luego autor. Pero con ello buscamos también describir los efectos que esto produjo en el ambiente de cambio del *fin de siglo*, con las polémicas correspondientes. Línea propia de Galdós, como se explica a continuación, recuperación de un interés temprano y proyección de un mundo narrativo, cuyas formas de presentación habían evolucionado. Pero esto no excluye, por cierto, el conocimiento del teatro europeo, sobre todo el drama nórdico, ibseniano, por parte del novelista. También otros autores, dramaturgos consagrados, tratan de renovarse, y precisamente atendiendo a esa línea de los conflictos interiores del drama nórdico: tal es el caso, como comenta Clarín, que hace una defensa de su intento, del drama *El hijo de Don Juan*, de Ecehgaray.[9]

El teatro de Benito Pérez Galdós (1892-1918)

Hay que dejar aparte ahora los tempranos intentos de Galdós de escribir para la escena, ya en los años sesenta. Interesa el momento en que, por su propia evolución estética, que le llevó a la novela dialogada, *teatral,* y por incitación del actor Emilio Mario, empresario del Teatro de la Comedia, decide emprender una aventura teatral que él debía considerar estimulante, pero, a la vez, arriesgada, ya que ponía en juego, de alguna forma, delante del público, su bien adquirida fama como novelista. Su primera obra para la escena fue la adaptación de *Realidad*. Y, pese a las reticencias de algunos críticos, resultó un éxito reconocido. Con ella, Galdós planteaba ya la dirección que quería seguir en sus creaciones dramáticas: humaniza-

---

9. L. Alas, *Clarín*: «Galdós y Echegaray son dos de los hombres más ilustres que cultivan la literatura española, y el ver a nuestro primer novelista y a nuestro primer poeta dramático empeñados en la tarea de dar al teatro cierta novedad, de llevar a él más análisis, más reflexión, mayor verdad y la frescura de lo natural y la fuerza de las grandes ideas morales, debe hacernos pensar que se trata de algo serio...». [1892], *Palique, cit.*, p. 76.

ción y veracidad de los problemas, análisis de seres humanos individuales en ciertas situaciones de conflicto interior y ampliación de la forma cerrada y efectista a un planteamiento de carácter más demorado y analítico. Luis F. Díaz Larios ha resumido en pocas páginas las semejanzas de tema y las diferencias de planteamiento y forma dramática del adulterio en el melodrama de Echegaray y en el drama galdosiano.[10]

En total escribió veinticuatro obras dramáticas, de las cuales estrenó unas dieciocho, con éxitos notables (*La de San Quintín*), e incluso clamorosos (*Electra*), y con fracasos también considerables (*Los condenados*). Tal como Finkenthal ha señalado, esta producción se distribuye en tres momentos o períodos:

> *Primer período*: 1892-1896. Estrena en las salas del Teatro de la Comedia y del Teatro Español: *Realidad* (1892), *La loca de la casa* (1893), *Gerona* (1893), *La de San Quintín* (1894), *Los condenados* (1894), *Doña Perfecta* (1896), *La fiera* (1896).
> *Segundo período*: 1901-1910. Vuelve, después de la interrupción, con *Electra* (1901), *Alma y vida* (1902), *Mariucha* (1903), *El abuelo* (1904), *Bárbara* (1905), *Pedro Minio* (1908), *Casandra* (1910).
> *Tercer período*: 1913-1918. *Celia en los infiernos* (1913), *Alceste* (1914), *Sor Simona* (1915), *El tacaño Salomón* (1916), *Santa Juana de Castilla* (1918).

Las razones que Galdós tuvo para emprender esta tardía, y, a la vez, larga aventura teatral son, sin duda, de órdenes variados. Posiblemente sintió la necesidad de establecer una relación más directa e inmediata con el público, movido por un afán de doctrina y por la voluntad de influir más directamente en la sociedad. El teatro tenía entonces un poder de convicción inmediata y de determinación de la conciencia colectiva de que carece el texto narrativo. Si con esto lograba también una recompensa económica —que el teatro seguía dando más que cualquier otro género— sería muy bien recibida, junto al triunfo y la fama. Pero no hay que descartar razones más hondas, como la necesidad de su evolución artística, pues había pasado de las novelas naturalistas de narrador omnisciente a las novelas puramente dialogadas o dramáticas, género híbrido, que ahora podía transformar en dramas novedosos, con cierta coherencia estética. Así, podemos resumir este complejo de motivos con los propios términos de Galdós en alguno de sus prólogos. En 1903 expone su afán de «hablar alto a la familia nacional», porque «el teatro ha sido siempre el vehículo más eficaz para transmitir una idea cualquiera a mucha diversa gente».[11]

---

10. Luis F. Díaz Larios, «Introducción» a su edición. de Benito Pérez Galdós, *La de San Quintín. Electra*, Madrid, Cátedra, 2002, pp. 35-37.
11. B. Pérez Galdós, «Antecrítica a *Mariucha*». Inman Fox, «En torno a Mariucha: Galdós en 1903» en *La crisis intelectual del 98*, Madrid, Editorial Cuadernos para el Diálogo, 1976, p.79.

Desde el punto de vista del ideario estético, cabe recurrir a dos ideas expresadas en distintos momentos: la que podemos denominar *naturalidad* (frente al énfasis neorromántico) la explica así: «deseando ejercitarme en el procedimiento teatral, he intentado en esta obra emplear los medios más sencillos y elementales para producir la emoción». Y como superación de la forma o *molde*, en que venían expresados aquellos conflictos, es válido este otro testimonio: «El arte escénico propiamente dicho ha venido a encerrarse, en nuestra época, [...] dentro de un módulo tan estrecho y pobre, que las obras capitales de los grandes dramáticos nos parecen *novelas habladas*»[12]. Gonzalo Sobejano ha resumido estas cuestiones artísticas en los términos siguientes: «lo esencial del drama se establece desde una actitud prospectiva, sobre una temática de trascendencia actual, a través de unos personajes expresamente signados por su historia y su ambiente y dotados de relevante potencia simbólica... mediante un lenguaje de variados registros, práctico, funcional, anticonvencional».[13]

Por tanto, Galdós aporta al teatro español del final del siglo un esfuerzo de modernidad, centrada en la materia de los dramas, a la que informa con sus ideas regeneradoras y fusionistas, frente a los conflictos, cada vez más agudos, de las clases sociales y a la degradación de la burguesía en su misión histórica. Pero para ello aporta una renovación formal, cuya modernidad deriva de su realismo, el cual busca también, para ser ese vehículo ideológico y polémico, su superación en cierto simbolismo dramático, como se expondrá más adelante.

Respecto a la materia de los dramas de Galdós, podemos recordar, de modo sintético, los resúmenes de Menéndez Onrubia y las aportaciones de Gonzalo Sobejano. Se aprecia fácilmente que el teatro de Galdós es esencialmente ideológico y se proyecta sobre la realidad sociopolítica española. «Sus objetivos son persistentes —escribe Menéndez Onrubia—: conseguir la educación cívica necesaria que permita el progresivo fusionismo y la convivencia democrática del pueblo español»[14]. Aunque esto no siempre ocurre con la misma mecánica ni con idénticas determinaciones: junto a la exigencia de una renovación vital de la raza y de la nación (regeneracionismo) está la esperanza de un encuentro entre los extremos sociales, la tradición y la fuerza popular, el espíritu y la materia, descartada la desnaturalizada clase media burguesa, la vieja aristocra-

12. «Prólogo» a *El abuelo*, en B. Pérez Galdós, *Obras Completas*, VI, Madrid, Aguilar, 1971, p. 11.
13. Gonzalo Sobejano, «Razón y suceso de la dramática galdosiana», en *Benito Pérez Galdós*, D. M. Rogers, ed., Madrid, Taurus, 1979, pp. 457.
14. Carmen Menéndez Onrubia, «Constantes sociopolíticas en los dramas de Galdós entre 1890 y 1900», *Segismundo*, 35-36, 1982, p.163.

cia anquilosada y las fuerzas despóticas y corruptas. Y junto a la busca de una verdad personal, íntima, se pone la superación de los códigos del honor y de la tradición para vencer los prejuicios de la sangre y para recuperar la esperanza de la historia.

En resumen, Menéndez Onrubia sintetiza los temas de Galdós en dos grandes núcleos: la corrupción y el fanatismo. «Ambos vicios en la vida y en la obra de este escritor están íntimamente conectados. El fanatismo genera corrupción y la corrupción, a su vez, vuelve a producir fanatismo»[15]. De forma compatible con esta síntesis, Gonzalo Sobejano, por su parte, ordena el mensaje que Galdós trasmite a la sociedad española en cuatro puntos que forman una escala de valores superiores: la verdad (contra las mentiras de la sangre y de la conciencia y como expiación del error); la libertad (contra el fanatismo y la hipocresía); la voluntad (fuerza, laboriosidad, empeño que debe ser dirigido y dominado por el espíritu); la caridad (generosidad, abnegación, renuncia y fraternidad).[16]

Si Menéndez Onrubia habla de tragedias (contra el fanatismo) y de comedias (contra la corrupción), Sobejano establece dos grandes categorías de dramas: los que terminan en la separación o segregación de los portadores del conflicto; y los que terminan con la frustración de los espíritus ausentes. En el primer caso, de la separación puede surgir una nueva realidad, según la hipótesis utópica de Galdós, como en *La de San Quintín* o *Mariucha*; o puede instaurarse un espacio de libertad y autonomía personal sobre valores auténticos: *Electra*. El ideal será siempre la armonía de los opuestos (*La loca de la casa*).

La crítica del momento no fue siempre complaciente con esta perspectiva ideológica y social de Galdós, en cuanto a la viabilidad de las soluciones propuestas en la situación real de España. Así, José Yxart, en general favorable, censura, respecto de su drama *La loca de la casa*, que se quiebren los principios que dominan los dos primeros actos en los dos siguientes. Pero es *La de San Quintín* la que provoca las palabras más severas: primero, por el uso de resortes teatrales (hijo natural, carta, móvil de la venganza) que son concesiones al oficio y a la convención; segundo, y sobre todo, porque la esperanza del porvenir en la unión de la aristocracia antigua (y arruinada) con el socialismo moderno —entendido de manera particular en el personaje de Víctor— no corresponde a ninguna realidad ni prospectiva.

Sin embargo, los factores generales positivos son importantes para este crítico a la altura de 1893. Yxart aboga por ampliar los límites que la críti-

---

15. C. Menéndez Onrubia, «Constantes sociopolíticas...», p. 167.
16. Gonzalo Sobejano, «Política y melodrama en el teatro de Galdós», *Teatro, sociedad y política en al España del siglo XX. Boletín de la Fundación F.G.L.*, 19-20, 1996, pp. 13-26.

ca al uso establece para el teatro y ve en Galdós el avance de la naturalidad, complejidad y capacidad de análisis, en la línea del teatro social europeo (Ibsen, Hauptman). En especial resalta la capacidad del autor para acercar el lenguaje teatral al tono sencillo, vivo, de las situaciones dramáticas y de la prosa moderna castellana.

Pero Galdós no solo desarrolló una línea, bastante sistemática, dentro de las variantes obligadas, de drama social, sino que reflexionó acerca del teatro y formuló una cierta teoría crítica, a partir de las determinaciones de su época. Como ya ha aparecido, la cuestión se propone en términos de «nuevos y viejos moldes», la anticipada por *Clarín* cuando, en uno de sus «Paliques», escribe: «Burlarse de la manoseada metáfora de los "nuevos moldes" no es alegar razones contra el argumento poderoso que nos muestra la historia de la poesía dramática a favor del cambio que se solicita, o mejor, en favor de la realidad de la tendencia a buscar esa reforma del teatro [...] siempre ha cambiado el teatro y no hay razón para que no siga cambiando...».[17] La inevitable conexión entre novela y teatro la establece Galdós con estas palabras en el «Prólogo» a su novela *El Abuelo*: «En toda novela en que los personajes hablan late una obra dramática. El Teatro no es más que la condensación y acopladura de todo aquello que en la novela moderna constituye acciones y caracteres».[18] Y después advierte que el arte dramático coetáneo se ha encerrado en un módulo estrecho y pobre. Aunque *Clarín* replicaría: «Pero ni eso es todo lo que necesita el teatro, ni está probado que deben ser maestros en el arte de la novela realista los poetas dramáticos que traigan nueva vida a las tablas». La discusión o la polémica no impidió a Galdós seguir su camino.

Ampliando así los *moldes* establecidos, cree Galdós acercarse a algunos de los grandes modelos de la dramaturgia mundial, como *La Celestina* o Shakespeare, y romper el amaneramiento dominante. Estas son sus palabras: «convenced al público de que soporte actos de más de cuarenta minutos, hacedle comprender que debe prestar atención a un diálogo de carácter analítico, que no hay razón estética para que los actos terminen con una emoción viva; quitadle de la cabeza la preocupación de los *caracteres simpáticos*, y el teatro ganará en verdad».[19] Y esto es verdaderamente una recuperación, porque si el público pide otra cosa, «no pide nuevos moldes, sino los moldes eternos, inmutables, autorizados y arrinconados

---

17. L. Alas, *Clarín*, «El teatro... de lejos. Las tentativas de Pérez Galdós»... *Palique cit...*, p. 124.
18. B. Pérez Galdós, *Obras Completas...*, VI, Madrid, Aguilar, 1961, p.11.
19. B. Pérez Galdós, «Viejos y nuevos moldes». *Nuestro Teatro. Obras inéditas*, V. Madrid, Renacimiento, 1923. Recogido en J. Rubio, ed., *La renovación teatral española de 1900*, Madrid, ADE., 1998, p. 85.

hoy».[20] Aparece aquí una de las ideas que estarán en el fondo de las tensiones de la época, al entender los autores que la renovación parte de una vuelta a la tradición consagrada, y exige una ruptura con el presente. También Unamuno veía el camino del futuro del arte dramático en la síntesis de la tradición española (Calderón) y de la modernidad europea (Ibsen). Y otro tanto proponía Ángel Ganivet por medio del personaje de Pío Cid en su novela *Los trabajos del infatigable creador Pío Cid*.

Pero Galdós añade un nuevo componente a la fórmula dramática de su realismo utópico: el simbolismo, que podríamos considerar el resultado de una alegorización explícita de los caracteres, elevados a modelos sociales y dotados de una dimensión nueva, es decir, la utópica. Dado el componente ideológico fundamental de ese simbolismo, él mismo lo denomina inicialmente *simbolismo tendencioso*. Así tenemos la materia y el espíritu en José María Cruz y Victoria, de *La loca de la casa*, la aristocracia y sus valores y el pueblo y su empuje material en *La de San Quintín*; la ciencia y el trabajo con el espíritu y la inocencia en *Electra*; la rama verdadera y la bastarda, según la sangre o según las obras, en *El abuelo*. La aristocracia inútil y remilgada o el trabajo honrado y redentor en *Mariucha*. Y esto se muestra incluso en escenas particulares y en diálogos precisos. Basta solo recordar la acción de amasar la harina en *La de San Quintín*, que explican los personajes: «las yemas y el azúcar: alegoría de la aristocracia de sangre unida con la del dinero... luego cojo yo las aristocracias y las amalgamo con el pueblo, vulgo harina, que es la gran liga...» etc.[21] Y la escena del crisol, mientras los espíritus adquieren temperatura e intensidad, en *Electra*: ella se compara al aluminio, ligero y tenaz; él al cobre, útil. Y apostilla la joven: «Nos fundimos tú y yo, nos pelearemos en medio del fuego...».[22]

Pero ya en el nuevo siglo —y más extendido y aceptado otro concepto de simbolismo, menos alegóricamente representativo— Galdós estrena, con bastante incomprensión, *Alma y vida*, y ahí propone nuevos matices diferenciadores del concepto, cuyo fundamento no cambia, pero se amplía (como ocurre en sus novelas últimas). No es por ello extraño que el entonces joven Martínez Ruiz (Azorín) y Valle Inclán la tuvieran presente en sus elogios. Lo sigue llamando *realismo tendencioso*, pero lo caracteriza de la siguiente manera: «nace como espontánea flor en los días de mayor desaliento y confusión de los pueblos, y es producto de la

20. B. Pérez Galdós, «Viejos y nuevos moldes», en J. Rubio, ed., *La renovación teatral española de 1900*, p. 87.
21. B. Pérez Galdós, *La de San Quintín*, acto II, escena 8, ed. de L. F. Díaz Larios, p.162.
22. B. Pérez Galdós, *Electra*, acto III, escena 1. ed. de L. F. Díaz Larios (con *La de San Quintín*), p. 276.

tristeza, del desmayo de los espíritus ante el tremendo enigma de un porvenir cerrado por tenebrosos horizontes». Si esto nos mantiene en la referencia social directa —obviamente Galdós no es un converso— a continuación añade otro matiz: «Movióme una ambición desmedida... más bien un vago sentimiento que idea precisa, la melancolía que invade y deprime el alma española de algún tiempo acá». Es posible pensar que esa melancolía de los tiempos históricos declinantes, cuya representación y símbolo es la joven Laura, marquesa de Ruy-Díaz, es percibida y expresada por Galdós como una emoción personal, que tiñe la obra de ese espíritu de decadencia y se muestra en el personaje enfermizo y plenamente espiritual, frente a la necesaria fuerza vital del pueblo engañado y despojado (Juan Pablo). Tal vez por ello, insiste más adelante: «y respecto a la tan manoseada oscuridad del símbolo, tengo que distinguir... No es condición del arte la claridad, sobre todo esta claridad en clave de acertijo que algunos quieren... también puede lograrse el ideal dejando ver formas vagas, bastante sugestivas para producir una emoción que no se fraccione, sino que se unifique en la masa de espectadores y unifique el sentimiento de todos».[23] Los matices indican tal vez un acercamiento de Galdós a las nuevas tendencias, especialmente después de su estancia en París con motivo del estreno de *Electra*, en 1901. Y por ello parece digno de atención ese procedimiento de las *formas sugestivas* que producen una emoción que unifica en sí a todos, aunque siga en relación directa con la situación nacional, más que con una aspiración individual.

La valoración crítica actual del teatro de Galdós debe atender, en resumen, a tres aspectos. El primero atañe a su influjo histórico, al revelar el agotamiento del modelo anterior o inmediatamente vigente y proponer nuevos caminos, no alejados de los que se intentaban en otros países europeos. Y en este sentido, el novelista maduro enlazaba con las dos preocupaciones que estaban en el origen de la rebelión de los jóvenes: el aspecto crítico-ideológico y la renovación de las formas o ruptura de los «viejos moldes». Además de esto, Finkenthal apunta razones más hondas de la modernidad del drama galdosiano, pues muestra las patologías individuales enlazadas con los conflictos sociales, mediante fábulas o argumentos de aparente trivialidad.

En segundo lugar, si observamos las compañías y locales que acogieron los dramas de Galdós, comprobamos que su iniciativa se dirigía a renovar el teatro consolidado, y a captar al público de esos locales, más que a plantear una alternativa global. De hecho, encontramos a Galdós en la estela

---

23. Todas las cita en B. Pérez Galdós, «Prólogo» a *Alma y vida*, en *Obras Completas, Cuentos. Teatro*, VI, pp.521-522 y 526-527.

del naturalismo propugnado por Zola (aunque con una dimensión espiritual muy propia de esos años finales de siglo) y en relación de respeto y reconocimiento mutuo con Echegaray. A este Galdós le invita a buscar el camino de la naturalidad que luego tomará como propio. Se trata, pues, de un esfuerzo más regeneracionista que de ruptura, de busca de la verdad (desde la convención teatral).

Pero, en realidad, como ha reconocido José Carlos Mainer, el camino estético propuesto por Galdós era ya inviable, tanto por el modelo de utopía regeneradora y fusionista como por los modos dramáticos en que esta se expresaba: «Trágicamente anacrónica, la utopía galdosiana se apagó en un silencio incluso hostil cuando la rebeldía radical pequeño-burguesa perdió lo que, de alguna manera, cabía llamar su inocencia».[24] Con todo, Galdós aparece en el centro de un importante episodio de esa rebeldía radical, protagonizado por los jóvenes escritores de «fin de siglo».

Porque, en efecto, es este un tercer aspecto circunstancial pero que ha dejado una significativa huella histórica. Me refiero al caso particular del estreno de *Electra* (1901) y a sus características ideológicas, episodio que hizo emerger y condensarse el magma de esa actitud radical, centrada en la lucha contra el fanatismo y el clericalismo, como muestras visibles de la degradación del sistema. Ese momento fue configurador de la conciencia social y del inconformismo estético de la gente nueva joven (tradicionalmente identificada con el nombre de «Generación del 98»).

Bajo el signo de la ruptura: el estreno de Electra, *de Galdós. Polémica y conciencia de grupo*

Estudios recientes han puesto de manifiesto la importante repercusión que la llamada crisis del 98, con toda su complejidad y su larga gestación, tuvo en los autores maduros que habían participado, de algún modo, en los proyectos salidos de la revolución burguesa de 1868.[25] Los más jóvenes vivían inmediatamente ese estado de desasosiego e inconformismo para el que iban a encontrar, poco después, un cauce idóneo que les permitiría manifestar, incluso de manera provocativa, su radical disconformidad con el estado de cosas de esa «España sin pulso» y con el pensamiento y el arte que le acompañaba. Ese motivo lo daría el estreno

24. José Carlos Mainer, «El teatro de Galdós: símbolo y utopía», *La crisis de fin de siglo. Ideología y Literatura. Estudios en memoria de Rafael Pérez de la Dehesa,* Esplugues de Llobregat, Ariel, 1975, p. 212.
25. Leonardo Romero Tobar (coord.), *El camino hacia el 98. (Los escritores de la Restauración y la crisis de fin de siglo)*, Madrid, Fundación Duques de Soria/Visor Libros, 1998.

de *Electra*, que, con su carácter público, daba pie para lograr una difusión y una repercusión social mucho mayor que cualquier artículo o trabajo ideológico. El hecho es que, en esas circunstancias, se dieron novedades significativas. Por ejemplo, fue la primera obra que realizó un ensayo general con público (29 de enero de 1901), al que le acompañó ya la polémica. Las representaciones sucesivas no solo provocaron aclamaciones dirigidas al autor, sino disturbios callejeros con intervención de las fuerzas del orden. Las razones de todo ello se han encontrado en la delicada situación social y política de esos años, en el incremento del anticlericalismo, frente a las medidas del gobierno Silvela, en las polémicas ocasionadas por el caso de la joven Adelaida Ubao (que ingresó en un convento sin autorización de la familia y fue reclamada por esta judicialmente) y por la boda de la Princesa de Asturias con el hijo del pretendiente carlista al trono.[26] Pero tales circunstancias se llevaron a un texto dramático y a la representación en el momento adecuado. Y de ahí la intensidad de sus efectos. Por eso Inman Fox ha afirmado que *Electra* fue «uno de los acontecimientos más significativos en la historia intelectual española a comienzos de siglo».

Y esto fue así porque la obra de Galdós acertó al recoger los valores e impulsos más activos en el cambio de siglo, en el sentido de un liberalismo progresista, y a exponerlos con una oportunidad que podríamos llamar cronológicamente precisa: el caso de la Srta. Adelaida Ubao se falló en los tribunales dos semanas después del estreno del drama. Sin este marco histórico y sin la resonancia pública que alcanzó, la obra no hubiera pasado de ser un suceso literario. Pero lo fue social y político.

En parte esto ocurrió porque los jóvenes escritores (todos ellos periodistas en activo) hicieron manifestaciones escritas y actos públicos de apoyo a Galdós (frente a los conservadores que tildaron la obra de esperpento y mamarracho). Para ellos, Galdós apuntaba, más allá de los aspectos concretos, a la renovación social española. Y esto les permitía, como Maeztu reconoce, concretar sus aspiraciones vagas; no les propone un programa, sino la elevación, la libertad, el cambio profundo. Con razón constataba Mariano de Cavia: «Galdós ha escrito, con toda su alma de artista y toda su maestría literaria, el drama que hacía falta a toda una generación, a toda una sociedad, cual la española, ansiosa de no concluir

---

26. Elena Catena, «Circunstancias temporales de la *Electra*, de Galdós», *Estudios Escénicos,* 18, 1974, pp 79-112. Y su edición de B. Pérez Galdós, *Electra*, Madrid, Biblioteca Nueva, 2001 (2ª ed.); Inman Fox, «*Electra* de Pérez Galdós (Historia, Literatura y la polémica entre Martínez Ruiz y Maeztu)» en *Ideología y política en las letras de Fin de siglo (1898)*, Madrid, Espasa Calpe, 1988, pp. 65-93.

siendo un rebaño».[27] Históricamente, pues, el estreno de *Electra* constituyó también lo que solemos denominar un *acontecimiento generacional*, ya que sirvió de catalizador a quienes buscaban la modernidad en la ruptura, tanto social como estética. Por ahora, Galdós es su guía, como deja claro el comentario de Andrés Ovejero, quien considera *Electra* «un hermoso, brillante, magnífico manifiesto de las aspiraciones de la juventud intelectual española que... ha encontrado en Pérez Galdós su indiscutible jefe».[28] Este aspecto particular, en que coinciden nada menos que Baroja, Maeztu y Azorín, junto con otros, ya fue expresamente señalado por Lily Litvak.[29] Y, como sabemos, uno de los efectos del entusiasmo fue la creación inmediata de una revista con ese mismo título: *Electra*, otro de los núcleos de los jóvenes finiseculares.

Pero todavía hay que plantear la cuestión de los efectos que esta obra tuvo para la renovación efectiva de la escena española, ya que alcanzó tal repercusión. ¿Sirvió *Electra* para abrir los escenarios y dar entrada a las nuevas tendencias teatrales? Se puede decir que no realmente, pues no ofrecía —pese a tantos elogios— un modelo positivo, adaptable y repetible por otros autores. La crítica actual no ha considerado *Electra* una gran obra (aunque sea muy representativa de su autor), y su estructura de melodrama ideológico resulta evidente. En cambio, sí pudo actuar en forma determinante para descartar modelos anteriores y para abrir la posibilidad de expresión de nuevas aspiraciones sociales y políticas, pero también estéticas. Y esto es lo que se pone de relieve en los juicios y declaraciones de los jóvenes escritores radicales, que aprovechan la ocasión para proponer sus ideas.

Todos ellos se encuentran con motivo del ensayo general y del estreno de *Electra* (30 de enero de 1901). Ahí están Maeztu, Ricardo Fuentes, Martínez Ruiz, Valle, Manuel Bueno, Baroja, Benavente y otros, mostrando los vínculos que les unen y marcando su distancia respecto de los mayores consagrados. Hay aplausos, hay entusiasmo, hay gritos «subversivos». Martínez Ruiz comenta: «enorme de hermosura»; y Valle Inclán llora de emoción (según Maeztu). Al día siguiente, *El País* publica varios artículos definidores. Maeztu, en «El público, desde adentro», termina: «Yo os conjuro a todos, jóvenes de Madrid, de Barcelona, de América, de Europa, para que agrupéis alrededor del hombre [Galdós]... y *Electra* somos nosotros».

27. *El Imparcial*, 1 de febrero de 1901, citado por Inman Fox: *Ideología y política en las letras de fin de siglo*, p. 73.
28. Inman Fox, *Ideología y política en las letras de fin de siglo*, p. 71.
29. Lily Litvak, «Los tres y *Electra*. La creación de un grupo generacional bajo el magisterio de Galdós». *Anales Galdosianos*, 8, 1973, pp. 89-94.

Más allá de los datos de la mera crónica, Baroja y Martínez Ruiz insisten también en el carácter anunciador, profético y estimulante del drama galdosiano. Del futuro «Azorín» son estas palabras: «Yo contemplo en esta divina Electra el símbolo de la España rediviva y moderna... Galdós es su profeta, el estruendo de los talleres, su himno, las llamaradas de la forja, sus luminarias».[30] (Interpretación bien acorde al simbolismo general del teatro de Galdós, como hemos dicho). Y Baroja: «se abre su alma [de Galdós] y nace *Electra*. La idea reflejo se ha hecho idea aspiración, se ha convertido en fe, en entusiasmo, en fuego... El remedio verdadero, y no porque este sea un plan ni un dogma, ni una fórmula, sino porque es entusiasmo, rebeldía, amor, fe...».

Como se aprecia en estas palabras, no se quiso ver solamente el aspecto sociopolítico y nacional, sino también —aunque en segundo plano— el logro estético. Más que a la crítica presente se alude al simbolismo, al impulso, a la conjunción de reforma social y renovación artística. Por ello Baroja apostilla en la doble dirección: «*Electra* es grande, de lo más grande que se ha hecho en el teatro. Como obra de arte es una maravilla, como obra social es un ariete». Y ve en ella la lucha de los dos grandes principios (belleza, vida, bien frente a dogma) que no se puede resolver por la aniquilación violenta de uno de ellos.

Tampoco quedó en silencio Benavente (ya autor de éxito). En otro texto suyo, publicado meses más tarde, de nuevo relaciona la fuerza del arte dramático («conjunto de todo cuanto puede llegar más directamente por los sentidos al corazón y al entendimiento») con su poder de despertar a la opinión contra «la iniquidad burguesa», ya que «la belleza es el resplandor de la Verdad».[31]

Precisamente la reflexión propia acerca de los aspectos estéticos de *Electra* dio pie a un artículo de Martínez Ruiz, contestado ásperamente por Maeztu. Fuera de la injusta acusación de jesuitismo que el segundo lanzó sobre su compañero, interesa resaltar que la sensibilidad del joven alicantino se iba decantando en el sentido que daría a su novela de 1902, *La voluntad*. Por ello salta Martínez Ruiz sobre el significado social del drama (sin negarlo), ya que los críticos se han fijado en él más que en la verdad del arte. Y tal vez exagerando, afirma: «Nadie ha entendido su obra». Y el segundo nivel de lectura que él propone se refiere a un problema metafísico, al problema de pensamiento que caracteriza a la generación: el

30. Todos estos artículos están recogidos también en el trabajo de Inman Fox, «*Electra* de Pérez Galdós (Historia, Literatura y la polémica entre Martínez Ruiz y Maeztu)» en *Ideología y política en las letras de Fin de siglo, cit.*
31. Jesús Rubio, «*Alma y vida*: el teatro de Galdós en la encrucijada de dos siglos», *Segismundo*, 35-36, 1982, p. 190.

problema del conocimiento y el del sentido, el del origen y el del fin. (Parece anticiparse el «Prólogo» de *La voluntad*). Se trata, nada menos, que del «problema de la vida y del mundo, la perdurable ansia por lo definitivo y verdadero». No tiene más valor, para resolver este enigma, el cientifismo, que guarda su verdad, como el dogma la suya. Parece que Martínez Ruiz hace una lectura abusiva o desplazada de la figura de Pantoja, pero lo importante es que termina separándose del conflicto: «el pensador debe saber que las soluciones son indiferentes y que las dos —ciencia y fe— son supercherías que pretenden acallar nuestras conciencias».

Pese a las omisiones e interpretaciones extrañas, Martínez Ruiz muestra haber encontrado en la obra de Galdós un estímulo (tal vez solo un pretexto) para la elaboración de su propio conflicto intelectual que trasladará de modo constitutivo a su personaje Antonio Azorín, con una pregunta que no es ajena al ámbito creado por el simbolismo finisecular.

En resumen, de este episodio o *batalla teatral*, cabe extraer dos tipos de resultados. Uno, de carácter histórico literario, nos muestra la constitución del «grupo de los tres» (Baroja, Martínez Ruiz y Maeztu) y el acceso a ciertas claves de su conciencia generacional, entre ellas el modo polémico y la necesidad de valores nuevos, tanto en el plano social como estético. Por esto, no se fijan en el aspecto realista o naturalista, ni siquiera tanto en la crítica social, aunque destacan su lucha contra el fanatismo religioso. Atienden a la dimensión anunciadora, impulsora y a la función simbólica de la obra dramática. El segundo tipo de resultados concierne a los valores que la obra dramática de Galdós impulsa, aunque ella misma no los pueda llevar a su cumplimiento efectivo: regeneracionismo social, naturalidad como ruptura de convenciones en todos los componentes del drama (especialmente personajes, situaciones y lenguaje), simbolismo que trasciende el realismo (y el melodrama) dentro de un orden de referencia histórica y también utópica.

La protesta ante el premio Nobel de Echegaray

Aunque este segundo episodio no tenga la relevancia del anterior y su fecha sea más tardía, no deja de ser otro síntoma del rechazo de un sistema dramático, de un orden social y de unos valores que relacionan ese orden y aquel sistema, precisamente en la figura de un escritor, científico, político, economista y dramaturgo que encarnaba el éxito social y el reconocimiento intelectual de la sociedad de la Restauración.

Es Azorín quien destaca en esa campaña, desde 1903 hasta 1905, a través de varios artículos. Pero no es en él un sentimiento nuevo. Porque en

Anarquistas literarios (Notas sobre la literatura española), de 1895, ya descarga sus reproches, precisamente en una comparación implícita entre Echegaray y Galdós (recién llegado este al teatro). Literalmente dice: «¿Y el teatro?// Se ha transformado notablemente en poco tiempo. De Echegaray hemos pasado a Galdós». Alaba las primeras obras del novelista y, en particular, *La loca de la casa*. Y de él escribe (anticipando, pues, su posición de unos años más tarde): «Galdós es un dramaturgo genial, inspirado; su teatro se aparta por completo de los moldes clásicos o de los moldes románticos.... Hay en él mucho de universal... al pasar a las tablas se ha ensanchado, su cielo se ha hecho más grande y luminoso, y en su obra dramática hay algo que no es solo de España; palpitan en ella ideas universales, sentimientos que laten en el corazón del hombre moderno, sin distinción de nacionalidades».[32]

Precisamente respecto de Echegaray formula un juicio bien diverso: «El teatro de Echegaray es un teatro ilógico, deforme; sus personajes parecen figuras de cartón... Falta en ellos naturalidad, hablan sin reflexionar, obran como niños...». Luego reconoce otros valores: «No llego tampoco hasta el punto de negar a Echegaray sus méritos de pensador, a ratos grandioso...». Y con ello, presenta este teatro como «enlace entre el Romanticismo y las modernas tendencias, más serenas y delicadas...». Al fin, la obra de Echegaray resulta fecunda.[33]

Al año siguiente, en *Literatura*, se muestra bastante más ambiguo en su crítica a *Mancha que limpia*, pues habla de un drama «efectista» pero «hermoso» y así va conjugando sus adjetivos en función del público que le aplaude entusiasmado. El final puede ser un buen resumen de esa sutil indeterminación: «*Mancha que limpia*, como las anteriores obras, tiene muchas inverosimilitudes, pero también escenas muy hermosas y sugestivas, que hacen que la obra sea hoy una de las más populares del insigne dramaturgo».[34]

Con estos precedentes, y viva todavía la batalla literaria en torno al Modernismo, la concesión del Premio Nobel a Echegaray, en 1904, desató una cierta batalla entre la «Gente vieja» y la «Gente nueva», entre los escritores e intelectuales del viejo sistema (o simplemente del sistema) y los nuevos. Hubo, en efecto, un número de la revista *Gente vieja* dedicado como homenaje al dramaturgo, y, posteriormente, como reacción a la campaña contraria, un homenaje nacional los días 19 y 20 de marzo de 1905.

---

32. Recogido en José Martínez Ruiz, *Azorín, Obras Completas*, Vol. I, Madrid: Aguilar, 1975, p. 100
33. J. Martínez Ruiz, *Azorín, Obras Completas*, I, p. 101
34. En *Obras Completas*, I, pp. 126-127.

De nuevo, el rechazo hay que enmarcarlo en el doble ámbito de la realidad sociopolítica y de las ideas estéticas. Y ambos forman una unidad que no puede ser disuelta. Echegaray, político y economista liberal, afecto al Sexenio revolucionario, es visto o es presentado en este momento como el representante de la ideología y de los comportamientos negativos de la Restauración. Se le puede reprochar, como hace Azorín, que, con su influencia y su ascendiente sobre el público, pareciera indiferente a los males sociales, al desastre histórico. Y por ello, concluye el joven periodista: «El Sr. Echegaray representa en la vida social de España un estado de espíritu que es un deber de patriotismo el dar por terminado definitivamente».[35]

De esta actitud intelectual ha derivado un programa estético, un modelo de teatro que resulta ahora opuesto a los intereses y a las intenciones de la sociedad que tiene que recuperarse. Escribe Azorín: «la obra del Sr. Echegaray corresponde a un estado político anterior al desastre colonial; un estado... que se distingue por la inconsciencia, por la exaltación, por la irreflexión, por el lirismo... Y precisamente esta exaltación y este lirismo es lo que se pretende conmemorar ahora, cuando vamos conviniendo todos en que no es la exaltación loca, audaz y grandilocuente de nuestra persona lo que nos ha de salvar, sino la reflexión fría, sencilla, la renuncia a todo lirismo, la observación minuciosa, exacta, prosaica de la realidad cotidiana».[36]

Por tanto, el rechazo quiere distanciarse del caso personal, sin evitarlo, para elevarse a un nivel de generalidad, para manifestar los intereses colectivos en ese momento y deducir qué tipo de arte al servicio de la sociedad conviene y se necesita. Por ello Azorín comenta que limitar el acto de protesta a la persona de Echegaray sería injusto y cruel. Se dirige «contra los muchos que... en la literatura, en el arte, en la política, representan una España pasada, muerta, corroída por los prejuicios y por las supercherías, salteada por caciques, explotada por una burocracia concusionaria, embaucada por falsas reputaciones literarias, traída y llevada falazmente de un lado a otro con artículos de periódico».[37]

Se trata, por tanto, y en un nivel distinto del caso de *Electra*, de un planteamiento generacional o de un movimiento de ruptura y de propuesta de un nuevo paradigma de arte, que desea otro tipo de sociedad. Ahora bien, ese paradigma tampoco resulta absolutamente nuevo, aunque sí innovador a la altura de 1905. Pero ya antes de la polémica del Nobel estaba descrito por Azorín en crítica al mismo Echegaray. Este representa para

---

35. J. Martínez Ruiz, *Azorín*, «La Protesta» [1905]. Recogido en *La farándula*. Zaragoza, Librería General, 1945, p. 63.
36 J. Martínez Ruiz, *Azorín*, «La Protesta»... p. 61.
37. J. Martínez Ruiz, *Azorín*, «La Protesta»... p. 70.

Azorín lo vulgar, que en literatura es «lo brillante, lo hueco, lo enfático, lo palabrero, lo oratorio...». Por eso insta: «es cosa de que vayamos reaccionando. Hay una enorme diferencia entre la oratoria y la literatura; son cosas totalmente antagónicas e irreductibles». He aquí, pues, la base de esa revolución artística, para la que señala un camino (y de nuevo podríamos recordar sus doctrinas insertas en *La voluntad*): «Principiamos a ver que si queremos ser excelentes escritores, se nos impone, ante todo, la sencillez y la verdad... Comprendemos que el arte es una quintaesencia de la vida, y que para aprisionar la vida en la fórmula artística, menester será una delicada y paciente observación, una reflexión íntima, una independencia fiera y digna, un aislamiento inquebrantable del pensar y del decir de la multitud inconsciente».[38]

La actitud de rechazo ante la consagración de lo que los nuevos escritores entendían como vicios y defectos de la literatura de la Restauración (y del mismo sistema) se concreta finalmente en un sobrio manifiesto, una «Protesta» publicada en el diario *España* con este texto. «Parte de la prensa inicia la idea de un homenaje a D. José Echegaray, y se abroga la representación de toda la intelectualidad española. Nosotros, con derecho a ser incluidos en ella —sin discutir ahora la personalidad literaria de D., José Echegaray— hacemos constar que nuestros ideales artísticos son otros y nuestras admiraciones muy distintas». Siguen las firmas de más de cincuenta escritores. No están los escritores de la generación anterior (por ejemplo, Dicenta) como tampoco los dramaturgos Benavente, Marquina o Martínez Sierra. En cambio, figuran Unamuno, Rubén Darío, los Hermanos Machado, Grau, Villaespesa, Díez-Canedo, Azorín, Pío Baroja y Valle-Inclán. Es una lista no completa (falta también Maeztu) pero sí representativa.

De esta manera hemos completado una trayectoria que puede tener sus puntos de referencia en 1892, con el primer estreno teatral de Galdós, y 1905, con esta nueva manifestación colectiva de ruptura ante el arte de un dramaturgo que representaba —a los ojos de algunos o muchos nuevos escritores— los males sociales y literarios que se querían dejar atrás, conjuntamente[39]. La renovación del teatro —con sus propuestas y polémicas— forma parte del núcleo de temas conflictivos que afectan al cambio en el arte y la cultura a comienzo del siglo XX. Queda por presentar las alternativas que iban dando forma a ese arte nuevo que propugnaban.

---

38. J. Martínez Ruiz, *Azorín*, «Echegaray y el espejo» en *La farándula*, pp. 27-28.
39. Hay que recordar que Galdós formó parte de la comisión nacional que organizó el homenaje público a Echegaray en 1905.

II. NUEVAS PERSPECTIVAS DRAMÁTICAS Y TEATRALES

El espíritu de renovación: influencias, ediciones y traducciones del teatro extranjero en España de fin de siglo

El teatro renovador español, ya en la estela del teatro europeo, comenzaba a orientarse también en otras direcciones, que, con diferencias internas y puntos de conexión y de intercambio, terminaron por marcar el signo y el conjunto de las formas dramáticas adecuadas a la burguesía (comedia de costumbres y sentimental, drama rural, teatro histórico-legendario). A su lado, se presentaron las aspiraciones de crear espacios autónomos de orden *artístico*, es decir, de máxima exigencia (y escasa comercialidad) a partir de la doble influencia del naturalismo simbolista y social de Ibsen y del simbolismo de origen francés (y belga), con la inclusión de autores afines de otras lenguas (Oscar Wilde, Bernard Shaw).

Los mismos jóvenes que apoyaban a Galdós con entusiasmo en el estreno de *Electra*, y que se mostraron (con excepciones) sublevados por el premio Nobel de Echegaray, eran quienes aspiraban a cambiar, desde esta otra perspectiva, el decadente teatro español. Eran precisamente Unamuno (y antes, Ganivet), Azorín, Maeztu, Benavente, Valle-Inclán. El artículo de Martínez Ruiz (Azorín) antes citado y dedicado a Clarín, «Ciencia y fe», puede ser también, entre otras cosas, un síntoma de esto. Pero es preciso recordar las crónicas de Maeztu (y su intento de escritura teatral), los artículos de Ganivet y el capítulo de *Los trabajos del infatigable creador Pío Cid*, los artículos de Unamuno, etc. La labor de estos jóvenes (junto con otros frecuentadores de la prensa, hoy menos recordados) se dirige a aclimatar y divulgar el nuevo teatro por medio de traducciones, ediciones, artículos, glosas, crónicas y, finalmente, mediante su aportación a la creación literaria, de la que al fin hay una cosecha no escasa y digna de recibir atención particular. Este será el objeto del siguiente capítulo, una vez hecha aquí la reseña de los acontecimientos más importantes, de los intentos frustrados y de los logros que fueron marcando esa intrahistoria del drama español (hasta aflorar con pujanza y acierto en el teatro de los años treinta, con Lorca, Casona, Jardiel, etc.). Trataremos allí de la literatura dramática derivada del simbolismo y que, en España, influida por las propias tradiciones, se adapta en el modernismo más esencial (y menos histórico-legendario). Por tanto, los datos que van a ser reseñados en esta parte del capítulo hay que situarlos dentro de la triple respuesta a una pregunta simple: ya que no se le ha otorgado apenas importancia en las historias, ¿es realmente poco importante el teatro simbolista en la España de la crisis finisecular?

Según la perspectiva de la teoría de la recepción puede decirse que, en efecto, la acogida pública de sus representaciones fue escasa y también la difusión inmediata de sus textos, aunque desde ahora hay que distinguir el caso de Cataluña y el de Madrid, con sensibilidades y empeños diferenciados. La importancia de la recepción reproductiva, recogida en reseñas, comentarios o debates debe ser ya valorada como más abundante, tanto en las revistas afines al movimiento modernista como en la prensa. Así que al público interesado le pudo llegar bastante de lo que era la poética y la intención de este teatro. Pero cabe buscar en el tercer aspecto, la recepción productiva o artística, que no puede limitarse a mencionar solo los textos nuevos de los autores contemporáneos, ni siquiera a valorar la proyección e influencia sobre otros escritores como Unamuno, Gómez de la Serna y Jacinto Grau (y aún más allá); debe tener en cuenta cómo afecta —en estos momentos— a la concepción misma del fenómeno teatral como producto complejo, unitario, de arte, en que cada elemento de la representación tiene un valor propio, en conjunción (o en correlación y correspondencia) con todos los demás y que supone la integración de todos ellos en una fórmula propia. Cabe hablar entonces de interpretación, de puesta en escena, de escenografía, figurines, iluminación, movimiento como partes de un todo que actúa como idea fecunda en las representaciones de este tipo de teatro.

Como ejemplo de ese conocimiento y de la crítica reproductiva que se daba ya desde la última década del siglo XIX cabe aducir de nuevo el testimonio de José Yxart en *El arte escénico en España*. Frente a Taine, como representante de las teorías naturalistas, señala la apertura de algunos escritores hacia lo impreciso e indeterminado: «un más allá indefinido, una atmósfera vaga y circundante...». Ha llegado de nuevo el turno de este arte porque —después de la clasificación y definición del positivismo— «quedaba en pie lo mismo que antes, incluso en la ciencia, un mundo oscuro y misterioso... Fue el principio de la reacción que introdujo de nuevo en el teatro los móviles espirituales o poéticos». A continuación pasa revista a algunas obras finales de Ibsen y afirma: «Confieso que me seduce —dentro de estos límites en los cuales la realidad no pierde sus derechos— ese arte de realizarla y completarla arrancándole una idea superior a ella misma».[40] Apunta bastantes reservas respecto de los franceses y se demora en Maeterlinck, a quien entonces ve más como un proyecto que como un logro. Pero reconoce que «las tentativas dramáticas de Maeterlinck presentan en gran parte, como resumidas, todas aquellas

40. J. Yxart, *El arte escénico en España*, Ed. facsimilar, Barcelona, Altafulla, 1987, p. 261.

condiciones a que aspiran los ultraidealistas de última hora».[41] Y por ello entra en demorada discusión acerca del «teatro ideal», de la lectura o de la representación, a partir de la descripción de las obras. Creo que, para su momento histórico, Yxart define con claridad y perspectiva lo que es la aportación de Maeterlinck y, más aún, rasgo definidor de este fenómeno teatral, que trataremos de ver cómo se quiso y se pudo realizar en España. Dice Yxart: «Lo que da al autor una personalidad distinta ante todos los que han pretendido lo mismo, es el haber intentado [y no dice logrado] en el drama, con tales indeterminaciones, no una sucesión de efectos, sino *un efecto total y de conjunto*, vago, de imposible definición, y, a pesar de todo, muy intenso».[42] Otras valoraciones muy afinadas ya no hacen aquí al caso.

Dentro de este ambiente de renovación y de busca hay interacciones e influencias, como hemos apuntado en el caso de Galdós, que nos invitan a relacionar todos los fenómenos. Si, por una parte, Galdós propone un simbolismo a veces fácil y elemental, demasiado didáctico, por otra trata de remontarse en las referencias de las fábulas y en determinadas obras, en la línea que le lleva a sus novelas espiritualistas y a las míticas. Y, en concreto, esto parece haberlo intentado en *Alma y vida*. La obra, de 1903, podríamos verla históricamente como el reverso de *Electra*, ya que supuso un cierto fracaso. Teatralmente busca una distancia que le permita una simbología más general, cargada además de referencias históricas, culturales, literarias... Para ello, Galdós se preocupó de los detalles de la escenografía y del vestuario como antes había cuidado los elementos del texto y de la composición. Buscó, junto al detalle, la sugestión e introdujo, incluso, cierto ambiente de misterio por la intervención de unas brujas moriscas. Parece querer sintonizar con esa apertura hacia vaguedad de los sentimientos y a la vez hacia la fatalidad (histórica) en la medida que eran para él aceptables. El texto citado antes manifiesta esa disposición y, desde luego, parece concordar en el efecto integrador de una emoción vaga con las palabras de Yxart en el párrafo anterior.

La fábula es histórica, o tal vez mejor, de época, pues nada hay en ella de referencia a hechos determinados; y su simbolismo deriva tanto de la caracterización de los personajes como de la acción. Laura, Condesa de Ruy-Díaz, es una joven hermosa, débil y enferma. Sus bienes y estados los administra el corrupto y cruel Dámaso Monegro, un déspota, aunque otras intrigas se ciernen sobre la herencia de la joven. La acción se desarrolla en el centro de Castilla y en junio de 1780. Comienza la obra con el

41. J. Yxart, *El arte escénico en España*..., p. 271.
42. J. Yxart, *El arte escénico en España*..., p. 276.

apresamiento de Juan-Pablo, hombre del pueblo, arriesgado y justiciero. Sigue por su juicio, ante la Condesa, y la prisión decretada por esta. La presencia de Juan Pablo anima y da vida a la Condesa, y, además, le permite darse cuenta del estado de opresión a que están sometidos sus vasallos. La lucha entre Juan Pablo y Monegro se hace inevitable y termina con el triunfo de la sublevación popular y la prisión del administrador. Después de una dura incertidumbre en el palacio, el pueblo —«bueno y generoso», según Juan Pablo— acude a aclamar a Laura, ya en trance de muerte. Sus palabras resumen el ideal, que no pudo cumplir: «Reino grande, paz, justicia». El alma de la nación ha muerto, el ideal que debía animar la vida del pueblo. Juan Pablo se dirige a la multitud: «Era [Laura] la divina belleza, la ideal virtud, y nosotros, unas pobres vidas ciegas, miserables... El mal se perpetúa... Entre vosotros siguen reinando la maldad, la corrupción, la injusticia. ¡Llorad, vidas sin alma, llorad, llorad!»[43].

Cuando años después de que Valle recuerde esta época y esta obra, hará mención de su delicadeza y de lo mal que la trataron los cómicos. Y esto remite justamente a la dimensión espectacular y práctica del teatro, que debemos tratar, pues la renovación decisiva del siglo XX ocurre desde la teatralidad, es decir, desde la escena. Pero surge entonces otro fenómeno, que es la tensión (posible) entre la escritura dramática y la producción teatral. Habrá fórmulas (las del teatro comercial) en que ambas se conjuguen; pero las diferentes teatralidades se muestran a veces difíciles de conciliar y dan entonces en experimentos minoritarios o en un teatro marginal a la producción y difusión de las compañías y escenarios.

Carmen Bobes ha señalado estas diferentes teatralidades, que son, al menos, las del autor, la del director y (como resultado de una costumbre) la que pertenece al público. Es decir, la teatralidad inscrita en el texto, la de la escena y la del receptor. La relación de estos tres factores (o tres fuerzas) determina la dirección, renovadora o tradicional, del teatro en un momento. Y precisamente, al comienzo del siglo XX, el teatro «se inicia con un panorama ideológico de alternancias y contrastes entre el realismo y el simbolismo».[44] Aunque, como se va viendo, ninguna de estas tendencias aparece como una unidad simple, sino bastante compleja en sus determinaciones y en las realizaciones de los autores.

Prestamos atención, en primer lugar, a la presencia de las obras de los autores considerados nuevos en las publicaciones y en algunos espectáculos, en España, para fijarnos más particularmente en los intentos de reno-

43. B. Pérez Galdós, *Obras Completas...*, VI, p. 585.
44. María del Carmen Bobes Naves, *Semiótica de la escena*, Madrid, Arco Libros, 2001, p.466.

vación desde la escena, que es lo nuevo y peculiar. Aunque estos intentos se basan, precisamente, en la presentación de los autores que vamos a señalar y de sus correspondientes españoles.

Ibsen fue editado en *La España Moderna* (1891-1892): *Hedda Gabler*. *Casa de Muñecas*. Estas obras y otras, como *Espectros*, dieron lugar a parodias (*Los aparecidos*, 1890) y a imitaciones serias: *El hijo de Don Juan* (1891) de Echegaray o *La Esfinge* (1898) de Unamuno (sobre *Un enemigo del pueblo*). Las representaciones, en general, tuvieron escasa repercusión. En Barcelona, en 1893 se estrena *Un enemigo del pueblo*; en Madrid, *Espectros*; esta misma obra, en versión catalana, en Barcelona en 1896, el mismo año que *Un enemigo...* se representa en Madrid. En 1900, Adrià Gual pone en escena *Espectros* y en 1904, *Juan Gabriel Borkman*.

También Mauricio Maeterlinck pudo ser conocido directamente, aunque más bien a través de la prensa (Yxart, Francés, Martínez Ruiz, Martínez Sierra) y por las ediciones en traducción. Un momento importante (luego se detalla) fue la primera representación de *La Intrusa* en la segunda fiesta Modernista de Sitges (1893), con traducción de Pompeu Fabra. Adriá Gual representó *Interior* en 1899. En 1904 hubo representaciones de Maeterlinck en Madrid, a cargo de la actriz francesa Georgette Leblanc, aunque sin éxito de público. Por su parte, Martínez Ruiz había traducido al español y editado en 1896, *La intrusa*. En 1901 se publica la trilogía (*La intrusa*, *Los ciegos* e *Interior*) en catalán. El mismo año la revista *Electra* incluye en sus páginas, *Interior*. En 1904 Martínez Sierra traduce varias obras (entre ellas *La intrusa*) y en 1916, cerrando ya este período, publica tres tomos de obras de Maeterlinck en la Editorial Renacimiento. Las menciones y las referencias en las revistas del momento son también frecuentes y sería excesivo reseñarlas aquí.

Esta nueva teatralidad de las obras es lo que el público —según Martínez Sierra— no era capaz de apreciar todavía, aunque rechazara la vieja teatralidad. Pero, como también ha resumido Carmen Bobes, lo peculiar de la renovación del siglo XX es que tiene su origen y su carácter más revolucionario en el cambio de la teatralidad escénica, con la aparición y constitución de la dirección de escena a través de personalidades únicas y, a veces, en la sintonía de un autor y un director. (Habrá que tener en cuenta también algunos avances técnicos que nos parecen esenciales, como la aplicación de los recursos de la luz eléctrica). Así tenemos, en Rusia, el caso de Chejov y Stanislawski (1863-1938) para un drama de realismo psicológico, de escasa intriga, con situaciones estáticas, que se representa a partir de la identificación del actor o de la actriz con los sentimientos que se atribuyen a los personajes. Y luego, Meyerhold (1874-

1942) que partió de las enseñanzas de Stanislawski para proponer una representación antiilusionista, propia del simbolismo que finalmente desemboca en desarrollar el trabajo físico del actor con la «biomecánica». En Francia están André Antoine (1858-1943) y su Théâtre Libre, punto de referencia del realismo naturalista, deudor de las doctrinas de Zola, y Paul Fort (con el primer Teatro de Arte) al que se une Lugné-Poe con L'Oeuvre, esencial para la representación del teatro simbolista, cuyo autor de refernicia será Maeterlinck.

Por otra parte, los escritos y las representaciones más vanguardistas pertenecen a los directores Adolphe Appia (1862-1928) y Gordon Craig (1872-1966). Ninguno de los dos desarrolló un trabajo de dirección muy amplio y sistemático, pero sus ideas, expuestas en las respectivas publicaciones, acerca de la concepción del espacio escénico, de las formas, colores y volúmenes, y acerca de la interpretación no naturalista ni psicologista del actor están en las bases del teatro de vanguardia posterior y su influencia será significativa en España años más tarde. Ahora basta recordar que Appia parte del simbolismo y, en particular, de la ópera wagneriana; se destaca por la monumentalidad volumétrica de los escenarios, por el uso de la luz y la integración de la figura física del actor en esa disposición general. Gordon Craig abandona también el naturalismo ilusionista y busca la tridimensionalidad en la escenografía, su variación rítmica y pretende someter el trabajo del actor a una disciplina en la que no entre su psicología. Habla en ese aspecto de la marioneta.

LOS TEATROS DE ARTE

También en España se aprecia esa misma novedad a partir de algunos intentos de aplicación de las teorías escénicas a textos diferentes, que dieran como resultado espectáculos nuevos y modos de interpretación alejados de la declamación y de los resortes de los divos y profesionales. El teatro en España busca su renovación desde la práctica, desde la teatralidad escénica, aunque apoyada esta en la de la obra. Y esto hace que la crítica se fije tanto en las posibilidades y características del texto como en los ensayos de una nueva estética teatral. Si nos fijamos en las intenciones, propuestas y logros de estos intentos o aventuras, desde finales del siglo XIX hasta después de 1918, hemos de reconocer que aparecen marcados por dos rasgos: la dispersión y la discontinuidad. La primera no afecta solo a los lugares, sino también a la estética y a los planteamientos; la segunda, a la escasa duración y a la sustitución de unos programas por otros, sin que llegaran a una culminación. Sin embargo, en la segunda década del siglo encontramos un modelo limitado pero que llega a superar esas dificultades.

Hay que comenzar de nuevo en Cataluña y recordar a Adrià Gual, como hombre de teatro, y al pintor, poeta y dramaturgo Santiago Rusiñol. Ya he aludido a la representación de *La intrusa*, primera obra de Maeterlinck en España, en el marco de la Segunda Fiesta Modernista de Sitges, que venía a ser, en palabras del poeta Maragall, «la última palabra del pensamiento nuevo y la última moda de la estética contemporánea».[45] *La intrusa* fue representada el 10 de septiembre por una compañía de aficionados y el público venía ya advertido por un discurso de Rusiñol. Sin embargo, a pesar de la comprensión que Casellas (escritor que desempeñó el papel de abuelo) y el mismo Rusiñol mostraron de la obra y de sus novedades, la actuación de Casellas derivó hacia un protagonismo de tipo realista naturalista, que pone en evidencia la dificultad de romper con la tradición adquirida.

A partir de aquí, se impone Maeterlinck a los escritores y a la minoría intelectual catalana. Poco tiempo después, Adrià Gual comienza con su *Teatre Intim* (1898), según el modelo de Teatro de Arte de Lugné-Poe, en París. Gual busca un espectáculo total y prepara sus obras en círculos reducidos, aunque no renuncie a lograr un teatro más popular. Representó —con una tendencia que buscaba la conjunción de las dos corrientes dominantes— obras de Maeterlinck, Ibsen, Rusiñol, Hauptman. Desde 1913 a 1923 Gual prosiguió su trabajo como director de la Escola Catalana d'Art Dramatic; y su proyecto de teatro íntimo tuvo un segundo momento a partir de 1924, con la creación y puesta en marcha de un «petit cenacle» que sirviera de contrapeso a la vulgaridad y desorientación del teatro en esos años. Un poco más tarde, «de octubre de 1926 a junio de 1927... se llevaron a cabo doce sesiones de diverso interés artístico, de un eclecticismo no exento, por otro lado, de una decidida confrontación de lo antiguo, de lo clásico, con lo moderno, con lo más actual».[46] Definitivamente, la trayectoria del *Teatre Intim* se cerró a comienzos de los años treinta.

Dentro de la misma perspectiva de la renovación del teatro a partir de la práctica teatral (que, desde luego, incluía la misma selección de los textos, buscando la novedad y la diferencia respecto de los habituales para el público) se produce en Madrid el encuentro de Benavente y Valle-Inclán

---

45. Eduard Valentí, *El primer modernismo literario catalán y sus fundamentos ideológicos*, Esplugues de Llobregat, Ariel, 1973, p.310.
46. Enric Gallent, «La reanudación del *Teatre Intim* de Adrià Gual en los años veinte», *El teatro en España entre la tradición y la vanguardia*, Madrid, CSIC., Fundación FGL/Tabapress, 1992, p. 166.

con el joven Martínez Sierra. De los dos primeros sale en 1899 el proyecto de un «Teatro Artístico» que solo llegó a representar *La fierecilla domada*, de Shakespeare, en Carabanchel, *Cenizas* (luego: *El yermo de las almas*) de Valle-Inclán, en su propio beneficio, y *Despedida cruel*, de Benavente. Terminó con la separación de los dos dramaturgos. Benavente aún lanzó el proyecto de «El teatro de los niños».

Mayor envergadura y más larga duración (aunque con los mismos problemas generales de discontinuidad y de dispersión) ofrece el intento dirigido por Alejandro Miquis (seudónimo de Anselmo González) y su *Teatro de Arte* entre 1908 y 1911. Tal como anunciaba en su «Manifiesto», publicado en el periódico *El Imparcial* el 19 de mayo de 1909, pretendía constituir el público de vanguardia. En su haber anotamos la representación de obras de Ganivet, Clarín, Bernard Shaw, los Hermanos Goncourt, Maeterlinck, Shakespeare y la pretensión de ofrecer otros espectáculos y nombres, de Calderón a Gómez de la Serna. Se trata, pues, como es lo habitual en estos proyectos, de un planteamiento de gusto ecléctico, en que se combina o alterna la estética naturalista con el simbolismo, las obras modernas con las clásicas. Es así como lo hemos planteado al comienzo de esta segunda parte del capítulo. Y como se muestra en el teatro de otras lenguas y culturas. Todo ello, según se proclama, al servicio de un alto ideal estético, ajeno a intereses comerciales, que pretende elevar la exigencia y la dignidad de los espectáculos teatrales. Y para ello se cuida de manera particular la coherencia de todos los aspectos de la representación, desde el trabajo de los actores (en general, no profesionales) a los decorados e iluminación. Sin embargo, la complejidad de algunas puestas en escena y la precariedad de los medios determinaron que las dificultades pesaran de gran manera en el resultado final.

El *Teatro de Arte* hizo labor de difusión y de propaganda a través de varios folletos en que exponía sus propósitos y logró el apoyo de un número muy amplio de escritores, periodistas, críticos y hombres de letras. He aquí, como ejemplo, parte de su «Manifiesto» de 1908, debajo del cual aparece la firma de escritores como Galdós, Benavente, Jacinto Grau, Valle-Inclán, Díez Canedo y otros muchos, hasta superar los sesenta:

> Sinceros amantes del arte escénico, síntesis y compendio de todas las bellas artes; dolidos y apenados del industrialismo que parece ser la razón única de su vida, pretendemos crear, no frente al teatro industrial, sino a su lado, y completándole para dar la fórmula del teatro íntegro, un *teatro de arte...*
> Eclécticos, convencidos de que la Belleza no es patrimonio de una secta, ni de una escuela, pretendemos abrir ese teatro a todas las tendencias sin pedir a los que las sirvan más que sinceridad en su amor a lo bello y a lo verdadero...

Llamamos a los hombres de buena voluntad, y de cultura de espíritu suficiente para constituir el público de vanguardia que desbroce el camino y abra horizontes nuevos al arte escénico del porvenir.

A continuación propone el Plan de Trabajos, en los siguientes términos:

... Organizar series de funciones en que sucesivamente iremos dando a conocer obras maestras de arte escénico, de todos los géneros sin prejuicios de escuela ni de tendencia, pero elegidas entre las que por circunstancias especiales de originalidad de orientación, incompatibilidad con el gusto corriente, dificultades escenográficas o de otra índole no sean representables en los teatros actuales.

Todo ello, como se aprecia, resulta bastante moderado, en el afán de integrar las fuerzas intelectuales posibles.

Los espectáculos que esta agrupación ofreció fueron los siguientes: *El escultor de su alma*, de Ángel Ganivet, en la primera sesión; después, *Teresa*, de Clarín, junto con *Cuando las hojas caen*, de José Francés (un joven escritor entonces, del que se trata en el capítulo siguiente) y *Peregrino de amor*, de Galo Brada. Esta sesión segunda nos ofrece ya una muestra de las diversas tendencias, naturalistas y simbolistas, locales y cosmopolitas, que convivían sincréticamente en la estética del grupo. Siguió con un estreno polémico, por el tema de la prostitución en *Trata de blancas*, de Bernard Shaw, obra que además no tuvo la adecuada puesta en escena. La siguiente función, la cuarta, todavía en 1908, presentó *Sor Filomena*, de los Hermanos Goncourt, que se apreció como crudamente realista. Después de este medio año intenso, el grupo quedó más de dos años en silencio, hasta su vuelta, en una «Segunda época», en febrero de 1911, con Shakespeare: *Cuento de amor* (*Twelfth Night*), *El desafío de Juan Rana* (de Calderón) y *El príncipe sin novia*, de otro escritor novel, Emiliano Ramírez.

Hasta aquí las actividades más destacadas, pues la Compañía Teatro de Arte no pudo continuar después del nombramiento de su director como director del Teatro Español, frustrando el plan que se había propuesto para el tiempo siguiente, más ambicioso debido a la vinculación al proyecto de Ramón Gómez de la Serna, en 1909, y la inclusión del manifiesto y de las actividades del *Teatro de Arte* en las páginas de *Prometeo* a partir de 1910. Entre las iniciativas pendientes (y varias veces aplazadas) está la representación de *La utopía*, primer drama de Ramón Gómez de la Serna. El grupo cerró, pues, sus actuaciones en los primeros meses de 1911, después de haber llevado a cabo la representación de nueve obras (algunas breves) en cinco sesiones y en varios locales (Ciudad Lineal, Lara, Conservatorio), y dejó como balance este fruto histórico de su actividad y la aportación de quien puede ser considerado uno de los primeros directores de escena en España, Alejandro Miquis. Pero otro nombre debe ser anotado también en la dirección de escena, el de Donato Mosteyrin.

El proyecto del autor, editor y director Gregorio Martínez Sierra resultó crucial desde 1916 desde una triple perspectiva. En efecto, su *Teatro de Arte*, con sede en el local del Teatro Eslava, de Madrid, reúne de nuevo eclecticismo —al combinar distintos tipos de obras—, exigencia artística y coherencia estética y sentido práctico, es decir, económico y profesional. Por otra parte, enlaza con los intentos anteriores y alcanza hasta el momento de la renovación más intensa del teatro (aunque tampoco lograda) desde mediados de los años veinte. (Su última temporada, la décima, fue la de 1925-1926).

El proyecto de Martínez Sierra comenzó a realizarse a partir de su encuentro con Enrique Borrás, quien había participado en la experiencia del teatro de Adrià Gual. Esa colaboración, sin embargo, fue efímera y apenas duró unos meses en Barcelona. La inquietud era ya antigua en Martínez Sierra y había sido expuesta en artículos de prensa. Así, en «Algunas consideraciones sobre el teatro moderno» advierte un fenómeno contradictorio que afecta al público teatral. Ha mejorado su cultura artística; pero esto ha creado un amplio margen de indecisión, de desconcierto: se rechazan las leyes y normas antiguas y no se ha alcanzado la madurez de juicio para apreciar las formas nuevas. Unas se rechazan por gastadas y otras por imitadas. Y esto desconcierta a los autores, a los actores, a las empresas. Y concluye: «Con lo cual el teatro de España languidece por culpa de todos». [47]

Estas opiniones son interesantes para apreciar e interpretar la dirección en que Martínez Sierra dirige sus campañas para renovar el teatro. Muestra de sus intereses estéticos y de su profesionalidad la ofrece una parte de los autores elegidos, la que aporta novedad, desde Jacinto Grau (con *El hijo pródigo*, en 1918) hasta García Lorca (con *El maleficio de la mariposa*, en 1920). Entre los autores extranjeros constatamos la presencia de Molière, Dumas (hijo), Ibsen o Bernard Shaw. El género más frecuentado, con todo, fue la comedia; y no dudó en recurrir a obras de autores de éxito popular, como Benavente, Arniches, Muñoz Seca y a su propio repertorio en los momentos de menor éxito económico. También representó farsas, sainetes, juguetes cómicos, pantomimas e introdujo el cine. [48]

---

47. Publicado en *Alma española*, 15, 14 de febrero de 1904, pp. 5-6.
48. Tomás Borrás y Rafael Cansinos Asséns, *Un teatro de arte en España. (1917-1925)*,

En realidad, la «Compañía cómico-dramática Martínez Sierra» tuvo siempre el propósito de consolidar un teatro artístico pero también un proyecto comercial, contando con la colaboración de la actriz Catalina Bárcena y recurriendo a los géneros y obras que mejor pudiesen satisfacer al público. Su trabajo tuvo una fase ascendente entre 1916 y 1920. Luego dos grandes temporadas, tanto desde el punto de vista artístico como económico, para ir decayendo, hasta recurrir a espectáculos de variedades, musicales y sainetes en los cuatro últimos años.

El aspecto de la coherencia estética buscada en las representaciones es el que debemos destacar. Sin ser propiamente un director de escena, en el sentido moderno, Martínez Sierra supo buscar en sus montajes la integración y armonía de todos los elementos teatrales. Por ejemplo, en la interpretación, evitando el divismo, aunque sin romper el sistema de las primeras figuras (Manuel Collado, Catalina Bárcena); huye de la grandilocuencia y de la afectación hacia el intimismo y la naturalidad. De la misma manera buscaba el reparto equilibrado de los personajes sobre el escenario, el ajuste de los movimientos y un buen gusto general en las composiciones plásticas. Para lograr todo ello supo aprovechar y aun fomentar la colaboración con pintores que aportaban las nuevas tendencias en decoración y escenografía, como Fontanals y Barradas, quienes rompían las tendencias conservadoras profesionales a partir de su conocimiento y aplicación (desde el campo de la pintura) de tendencias vigentes en Francia o Alemania. Pero el gran colaborador fue Bürman, discípulo de Max Reinhardt, que aportó una gran calidad en la confección de los proyectos de Fontanals y una gran originalidad en las propias. Introdujo la concepción espacial de doble planta del escenario y logró dar fuerza imaginativa y atmósfera irreal a sus decoraciones y colores. En cualquier caso, no solo fue un puntal en el éxito de la compañía, sino uno de los más importantes escenógrafos en el teatro español antes y después de la guerra civil con los mejores directores escénicos.

Los grupos de aficionados y los intentos de renovar el arte teatral desde la práctica escénica todavía tendrán un nuevo período de relativa importancia en la década de los años veinte y comienzo de los treinta, hasta desembocar en las experiencias llevadas a cabo durante la República y la Guerra. Pero esto será objeto de un capítulo posterior, en su relación con el arte de vanguardia.

Madrid, Ediciones La Esfinge, 1926; Julio Enrique Checa Puerta, *Los teatros de Gregorio Martínez Sierra*, Madrid, Fundación Universitaria Española, 1998; María Lejárraga, *Gregorio y yo: medio siglo de colaboración*, México, Gandesa, 1953; Patricia O'Connor, *Gregorio y María Martínez Sierra. Crónica de una colaboración*, Madrid, La Avispa, 1987; Carlos Reyero Hermosilla, *Gregorio Martínez Sierra y su Teatro de Arte*. Madrid, Fundación Juan March, 1980.

Capítulo II

Nuevas tendencias de literatura dramática El simbolismo. El drama de Ángel Ganivet

Introducción: El teatro simbolista

De la exposición del capítulo primero puede deducirse que, igual que en otros géneros literarios, también en la literatura dramática y en la representación teatral hubo intentos de renovación profunda, aunque las líneas que finalmente se impusieron trataron de responder sobre todo a las necesidades y exigencias del público, formado por muy distintas capas sociales, alentadas por un deseo de diversión inmediata.[49] El pacto más evidente entre la tendencia del teatro hacia la lírica y los intereses sociales del público llegó, después del éxito bien implantado de Benavente, y una vez superada la batalla del modernismo, con el teatro histórico o legendario de Eduardo Marquina, de Francisco Villaespesa y sus seguidores, entre los que tenemos que incluir a los Hermanos Manuel y Antonio Machado, hasta los años treinta, por ejemplo, con José Mª Pemán.

Pero en las décadas de 1890 a 1910 hay publicaciones de textos dentro de la nueva estética simbolista, marcada por el rechazo del realismo, por la negación de las convenciones del teatro usual y por un nuevo lenguaje, verbal y plástico. Sus rasgos se expresan en las calificaciones de teatro de *ensueño*, teatro *poético* o teatro *fantástico*. En esa órbita se escriben los textos de Valle Inclán: «Tragedia de ensueño» y «Comedia de ensueño», así como «La venda», de Unamuno, y otras de Pérez de Ayala, etc., que muestran una influencia directa de Maeterlinck. Esta corriente, casi siem-

---

49. Véase la «Introducción» y otros trabajos en Serge Salaün, Evelyne Ricci y Marie Salgues, eds., *La escena española en la encrucijada (1890-1910),* Madrid, Fundamentos, 2005.

pre restringida a la escritura y a la edición en revistas o en libro, se prolonga (y transforma) en obras posteriores de Valle Inclán (con la parodia modernista de las farsas y hasta la modulación del *Retablo* al fin de su vida), y marca las obras iniciales de Jacinto Grau o los dramas de Gómez de la Serna que llegan a 1911, hasta penetrar de alguna forma en tendencias más modernas y alcanzar a García Lorca y Casona. Por ello, no se debe desatender esta faceta que no dio resultados evidentes en la práctica de los teatros, sustituida por el «teatro de los poetas», como si fuera una línea interrumpida y sin salida, ya que, a lo largo de casi cuarenta años, su influjo penetra en los autores y está en el trasfondo de algunas dramaturgias renovadoras (como las de Valle Inclán y García Lorca) y detrás de intentos menos logrados, pero con significado histórico, como los dramas de Azorín en los años veinte. En cualquier caso, la estética simbolista, adaptada en España a las características del modernismo, constituye la matriz desde la que se plantea un nuevo lenguaje teatral y una forma distinta de comunicación entre el escenario y la sala.

Respecto del lenguaje teatral, el cambio afecta fundamentalmente a la cualidad lírica de los textos, tanto en las réplicas como en las acotaciones, de modo que toda la escritura del drama queda igualmente afectada. Ello determina una extensión más notable de esas acotaciones, su autonomía respecto de la pura funcionalidad material y la proyección de su determinante función sugestiva. La escenografía que estas didascalias proponen tiene igualmente un valor simbólico, bien de las emociones y aspiraciones del espíritu humano, bien de significado más general, como las edades de la vida, la dificultad de reconocer la felicidad o el amor, la amenaza ineluctable de la muerte o la figuración poética y plástica del trasmundo.

La intensidad lírica, pausada y reflexiva, y el dominio del temple emocional son dominantes en los diálogos, conformando personalidades imprecisas desde el punto de vista psicológico, arquetipos o modelos con un rasgo único esencial (mejor que elemental) y que a veces se presentan encarnadas en profesiones (artistas de diversos géneros y niveles) o en muñecos (marionetas, porcelanas, etc.) o en personajes mitológicos, bíblicos, etc. De esta manera, el personaje teatral se determina también de una manera tradicional (en relación con cuentos, leyendas, etc.) y plástica. Se advierte su dependencia como función dramática de la historia y, más aún, de su significado.

El amor y la felicidad, enlazados, con su dificultad de su realización y cumplimiento por el azar y la muerte, son los temas recurrentes o casi únicos. Y la dualidad puede ser vista desde el lado de la vida, aunque más frecuentemente lo es desde el lado de la muerte (como lo mostrará el drama de Pérez de Ayala). En cualquier caso, ambos, en su enlace de necesidad y oposición, se consideran *los misterios* esenciales de la vida humana y ellos centran todas las aspiraciones al vago e impreciso ideal, mientras la ilusión es su forma de existencia en la mente y el corazón. Pero lo que domina es la imposibilidad o la fugacidad y, por tanto, el destino trágico a que alude esa presencia silenciosa o inminente de la muerte. Ya que parece que la influencia principal para estos dramas se puede atribuir a las primeras obras de Maeterlinck (su trilogía de obras breves) no resulta extraño que el centro de gravedad del significado y de todos los símbolos que lo expresan y articulan, sea esta presencia ineluctable y ambientalmente onerosa, de la muerte, no tanto como cierre de la vida sino como destino de ella.

Los diálogos no suelen mostrar una interacción real entre los personajes, que modifque su actuación, sino un conjunto de reflexiones, aspiraciones y monólogos enfrentados o complementarios, que fácilmente derivan en reiteraciones litánicas, etc. El principio fundamental del drama simbolista es el del resto de la tendencia en literatura y arte: la correspondencia o analogía entre los planos externos (realidad material) e internos (emociones y carácter espiritual), de modo que hay una enunciación más bien evocadora de los ámbitos de experiencia cerrados a la enunciación conceptual. Por ello, la sugestión fónica, el valor rítmico y melódico de la frase sustituyen, en este teatro, al sentido lógico o psicológico; porque subyace en esa práctica una desconfianza en el poder definidor de la palabra o, más bien, se rechaza como reductoramente positivista. De ahí la repetida invocación al silencio, como en el caso de Adrià Gual, que, en el prefacio a su obra *Silenci*, escribe: «Lo más hermoso es lo que se calla, y constituye un placer para nosotros pensar qué debe ser y cómo debe ser lo desconocido...».[50] Por otra parte, la palabra, en su sentido conceptual, se puede sustituir por los elementos plásticos, de valor sugestivo, de color, luz, paisaje, por la música o el gesto. Es de nuevo el modo de proponer lo inefable como significado último y el misterio como dimensión definitiva de la vida humana. Así dice Anna Balakian que el teatro aparece como el nuevo templo de esta forma del misticismo humano.[51]

Las obras tienden a ser breves, de pocos cuadros independientes, ya que no hay acción e intriga que se desarrolle de manera argumental, sino más bien una situación que, a veces, puede resultar solamente un apunte, como ocurre con algunas piezas de Benavente. Sin embargo, hay obras en

---

50. Sigo la traducción de Ignasi García en Adrià Gual, *Nocturno. Silencio*. Ed. de Carles Batlle i Jordá, Madrid, Asociación de Directores de Escena, 2001, p. 120.
51. Anna Balakian, *El movimiento simbolista: juicio crítico*, Madrid, Guadarrama, 1969, pp. 154-155.

varios actos, aunque entonces cada uno de ellos parece más bien la expresión escénica de una situación única, enlazada mediante relaciones simbólicas con las demás. Y para ello se puede servir de un entramado alegórico, como muestran Goy de Silva o Ganivet.

Si esta es la configuración más común de los dramas, que admiten diversas ambientaciones, desde las más aparentemente costumbristas a las irreales o fantásticas, la relación escenario-sala sufre también una modificación drástica. Anna Balakian entiende que el drama simbolista es semejante a un poema, y que su logro es haber creado un marco dramático para la poesía. Y es el escenario el que crea tal lugar, marco adecuado para decir ese poema, del que también forma parte, lo que supone habitualmente la suspensión temporal o cierta incertidumbre en el tránsito y el dominio de las horas, colores y fenómenos de la naturaleza en función de su sentido en el conjunto, de su correspondencia. Y, dada la dificultad de romper con el sistema del escenario mimético, de la interpretación verista y costumbrista (y aun enfática), del enredo argumental, como indica Serge Salaün,[52] es un drama que se conforma como teatro para leer, e, incluso, se escribe exclusivamente para la lectura, para el «teatro de la mente», aunque, si aparece la ocasión, se quiera llevar al escenario.

En definitiva, en este drama hay una nueva teatralidad, que aparece tanto en las relaciones interiores al sistema dramático: réplicas y didascalias, palabra y signo plástico, como en la interacción entre el escenario y la sala, con toda la complejidad de mensajes y sugestiones. Ahora bien, en España este simbolismo, que tiene su punto de referencia principal en Maeterlinck, vino también influido por otros modelos y fuentes, como la revisitación de la Commedia dell'Arte, los muñecos, marionetas y *gignoles*, y las pantomimas. De todo ello tenemos muestras aquí, tanto en el *Teatro Fantástico* de Benavente como en el título del libro de José Francés.[53] Y, sobre todo, en la larga herencia empleada en las farsas de Valle-Inclán, de la cual es ejemplo destacado *La marquesa Rosalinda*.

En los diferentes capítulos de este libro se estudia el trabajo de escritura dramática en clave simbolista de los autores escogidos, dentro de la obra propia, individualmente; por tanto ahora únicamente atendemos a los autores que arrancan con el comienzo de siglo, que escriben y publican

---

52. En su «Introducción» a la edición de Gregorio Martínez Sierra, *Teatro de ensueño. La intrusa*. Madrid, Biblioteca Nueva, 1999.
53. Esta influencia más parisina de la farsa, el *gignol* y la pantomima se proyecta en otras obras, como en la representación que lleva a cabo del poeta modernista Teófilo Everit (trasunto de Valle Inclán) con un teatrillo de muñecos, lo que hace decir a un personaje sensato: «¡Vaya con la novedad! ¿Y esto es lo que llaman modernismo? ¡Unos polichinelas de cartón». (J. Benavente, *La comida de las fieras*, Acto II, escena 1ª).

obras dramáticas específicamente modernistas-simbolistas y que tienen una cierta proyección teatral posterior. Y el primero de ellos, por la fecha temprana de su obra inicial y por su significado e importancia para la historia del teatro, es Jacinto Benavente.

JACINTO BENAVENTE, GREGORIO MARTÍNEZ SIERRA Y OTROS AUTORES DEL MODERNISMO SIMBOLISTA

El Teatro fantástico *de Benavente y sus recepciones de la estética finisecular*

La primera aportación de un nuevo teatro viene de parte de Jacinto Benavente, con su libro de 1892: *Teatro fantástico*, en cuyo título aparece ya la pretensión esencial que lo anima de ruptura con el realismo, abriendo la literatura dramática a otros ámbitos, algunos de ellos plenamente «fantásticos», es decir, irreales, aunque no todos. En la primera edición se contiene tres obras breves: *Amor de artista*, *Los favoritos* y *El encanto de una hora*, con una pieza más larga, en dos actos: *Cuento de primavera*. La reedición de 1905 incorpora otros nuevos textos: *Comedia italiana*, *El criado de Don Juan*, *La senda del amor. Comedia para marionetas*, *La blancura de Pierrot. Argumento para una pantomina* y *Modernismo*.[54]

Hay, por tanto, en este conjunto una diversidad de fuentes de inspiración: Shakespeare, reivindicado en la época, la Commedia dell'Arte, a través de sus máscaras y de los enredos simples y jocosos, la Pantomima y aún la teoría artística, que pasa de una versión más romántica en *Amor de artista* al debate de *Modernismo* como renovación de la tradición. Así que tenemos recogida aquí la versión más estética, clara y sutil del modernismo teatral, que no depende directamente de Maeterlinck y evita, por consiguiente, el tono más trágico, y la morosidad expositiva y recitativa, aunque desarrolla las ilusiones, los deseos y las aspiraciones amorosas, que, aun en el caso de su interrupción brusca por la limitación del tiempo (como en *El encanto de una hora*), no quedan radicalmente frustradas. Es lo irreal que permite vislumbrar lo ideal como un juego de la fantasía que ilumina la vida. Otras obras son verdaderos pasos de comedia, a veces con juego de equívocos y sorpresa final, como en *Los favoritos* y en *El criado de Don Juan*.

---

54. Hay edición actual: Jacinto Benavente, *Teatro Fantástico. La sonrisa de Gioconda*, ed. de J. Huerta Calvo y E. Peral Vega, Madrid, Espasa-Calpe, 2001. Sobre la Pantomima, E. Peral Vega, *De un teatro sin palabras: la pantomima en España de 1890 a 1939*, Barcelona, Anthropos, 2008.

Como características de estas obras podemos señalar su brevedad (rasgo común de todo este teatro), ligada a una sola situación dramática, lo que no excluye necesariamente un enredo. La ligereza y cierto sentido positivo, con final feliz y gozoso, son también rasgos vinculados a la modalidad dramática de la comedia, la farsa o el juego. Los escenarios son elegantes, nobles, distinguidos y en ellos domina (jardines, salones, palacio, etc.) la estética refinada; o bien espacios populares, quizás, pero poco definidos si se trata de personajes como Colombina, Pierrot, etc. Cabe encontrar también una revisión de los mitos y tradiciones, desde las teatrales (Commedia dell'Arte, Don Juan Tenorio) a las legendarias, pero con una frecuente nota irónica, como se aprecia en el desenlace humorístico de *La senda del amor*, a la que se añade (como en *Cuento de primavera*) la perspectiva metateatral.

Revaloriza los signos teatrales, el artificio del juego dramático, la importancia del vestuario, de la máscara y del disfraz, del juego del ser y del aparecer o de los escenarios (ver sin ser visto, etc.). La actualidad de estas máscaras de Arlequín, Polichinela, Colombina en las pantomimas francesas le permiten incorporarlas ya con destreza y finura; sin embargo, el poder mayor de estas obras reside todavía en la palabra: una vez creada la situación, es el lenguaje el que lleva todo el peso del cambio y de su desarrollo.

A partir de 1896 Benavente se encuentra con su público en un tipo de comedia que resultará fundamental para la historia del teatro español, pero de vez en cuando estos atisbos de fantasía teatral, de modernismo estético, se reavivan, bien en pasajes concretos (como el mencionado guiñol de *La comida de las fieras*), bien en los escenarios lujosos y cosmopolitas de *La Princesa Bebé* (1906), bien en los personajes mundanos o frívolos aquejados por el dolor de su fracaso o pérdida del ideal, dentro de un mundo de ensueño y redención moral, como en *La noche del sábado* (1903); aunque, naturalmente, la obra más paradigmática, donde Benavente funde en su crisol dramático, que deriva de estas tradiciones, los elementos de la comedia, la farsa, el teatro y la ironía artística con la visión moral algo desolada, de cierto idealismo conformista, es *Los intereses creados* (1907), demasiado conocida para detenerse en ella.

Gregorio Martínez Sierra y su Teatro de ensueño

Aunque se suele relacionar con Benavente, este conjunto de cuatro piezas muestra también una vinculación con Maeterlinck y una originalidad propia de Gregorio Martínez Sierra y María Lejárraga. Publicado en 1905, cada texto dramático va acompañado de una ilustración lírica de

Juan Ramón Jiménez. Este hecho y las características tipográficas de la edición muestran la aspiración a obra de arte integral del libro modernista. Los títulos que contiene son: *Por el sendero florido, Pastoral, Saltimbanquis, Cuento de labios en flor*. Podemos señalar la presencia de la naturaleza, que no es marco de la acción, sino realidad simbólica que la reproduce o la condiciona: así, los Tiempos de Nieves, de Rosas, de Amapolas y de Hojas secas en *Pastoral*, ciclo del año que simboliza el ciclo de la vida humana; o el ambiente campesino, en que la hora del día marca el sentido de la acción en *Cuento de labios en flor*. Ya en el primer texto se advierte la espiritualización de la naturaleza. En otros dos dramas la ambientación está referida al mundo del circo, de la farándula trashumante, en una simple historia de muerte, acentuada por la indiferencia o crueldad de las gentes, o en una historia de amor ideal, por una parte, y fatal por otra, con dos mujeres opuestas, la que representa la belleza angelical y delicada, toda ella pura, y la se conforma desde la maldad, con belleza seductora. Y en todos los casos hay un proceso, un discurrir que lo marca el camino, como imagen de la vida, que conduce hasta la muerte.

En este camino se busca el ideal, que se centra en la vida, la gloria, el amor. Pero alcanzar el ideal resulta imposible por la ceguera propia, la maldad ajena, el desconocimiento, la fatalidad de la muerte. Es el *Cuento de labios en flor* el que mejor representa este equívoco de la vida y de la muerte, del amor inocente y fatal, en que cada hermana se sacrifica para que la otra alcance la felicidad. Serge Salaün, en la edición mencionada, comenta que «tienen en común ser como fábulas simbólicas... donde los protagonistas esenciales son la Muerte, el Amor, la fugacidad de la Vida, la dualidad realidad-sueño; todos escenifican el carácter implacable del destino y la belleza de la fantasía sobre la vida cotidiana».[55]

Un aspecto que hay que destacar en este conjunto es la calidad poética del lenguaje, que no se proyecta en vaguedades o recursos de ambientación imprecisa, sino que se extiende de manera clara, descriptiva, con ritmo y armonía en las mismas acotaciones, como corresponde a la forma que toman en los textos simbolistas. A veces se destaca la intención de mostrar un cuadro plástico de evocación literaria: dos jóvenes, rubia y morena, ambas con los labios en flor, bajan por el pedregal y vine con ellas «una cordera de égloga». Y como nota de interés en la época, la representación, que no se ve en escena, de una «pantomima» que supuestamente ha escrito el propio Juan Ramón Jiménez para una actriz circense, Lina, con la que obtiene un gran éxito.

---

55. Serge Salaün, *ed. cit.*, p. 82.

El primero de ellos que cabe mencionar en sus intentos simbolistas es Ramón Pérez de Ayala, de escasa obra dramática y por ello más significativa. De él se recuerda *La dama negra*, breve pieza subtitulada muy expresivamente *Tragedia de ensueño*[56], alusión a la presencia de la muerte, por lo que se percibe claramente que es otro de los derivados estricto de la influencia maeterlinckiana. El escenario es un «invernadero tibio», dentro de «un jardín otoñal y moribundo». Ahí aparece la Joven que viste de blanco, la vida que huye, incapaz de salvar al joven enamorado de la Dama negra, a la que llama Aurora y a la que sigue en el doliente atardecer.

Corresponde un lugar destacado cronológicamente a los hermanos Luis y Agustín Millares Cubas, que en 1903 publicaron en Las Palmas el volumen *Teatrillo*, en el cual recogen seis dramas, todos ellos ambientados en espacios de fuerte impresión mortuoria: sala de agonizantes de un hospital, alcoba de velatorio de una difunta, etc. La presencia de la muerte, pues, o su amenaza es determinante y destaca en algunos de estos dramas el componente religioso con que se presenta, mientras en otros triunfa el sentido positivo, la fuerza de la vida, sea en los jóvenes, por el amor, o en el náufrago solitario. Los dramas más intensos y simbólicos son el primero, *José María*, y el quinto, *Pascua de Resurrección*. En este advertimos la apertura de la escena a una interpretación de alegoría metafísica: el hombre como leproso encerrado, que espera el día de Pascua para una libertad limitada, la madre que vela junto a la puerta, el espacio del convento y el paisaje presidido por una gran cruz, la intensidad de los sonidos, el anhelo de la campana, y, sobre todo, la presencia de la Muerte, representada por una figura blanca, bella y que se identifica como la Mensajera de la luz, son los elementos principales.

José Francés (1883-1964) fue escritor en buena medida autodidacto, crítico de arte y miembro de la Real Academia de Bellas Artes de San Fernando, de modo que su importancia en el campo del arte ha oscurecido relativamente su labor literaria, muy temprana y abundante, especialmente en la novela corta, en la que sigue el naturalismo, aunque se vincula al simbolismo en sus primeros dramas, que publica en un tomo titulado

---

56. Como es sabido, los dos primeros textos dramáticos de Valle Inclán, publicados en *Jardín umbrío*, se subtitulan *Tragedia de ensueño* y *Comedia de ensueño* (sin más). Es una marca de época y estilo. Esta pieza de Pérez de Ayala se publica en la revista *Helios*, V, 1903, pp. 14-20. Ramón Pérez de Ayala escribió otras obras, de las cuales solo merece la pena mencionar *Sentimental Club*, luego reeditado con cambios como *La revolución sentimental*.

Gignol. Teatro para leer (1907)[57]. Sus referencias en estos textos son la estética maeterlinckiana y la influencia benaventina, tal como muestran los títulos y subtítulos genéricos: *La fuente del mal. Tragedia*; *Cuando las hojas caen. Paso de comedia*; *La leyenda rota. Drama de una tarde*; *Una tarde fresquita de mayo... Sueño*; *Ofrendas de vida. Drama en cuatro estancias*. Ya el rótulo *Teatro para leer* nos sitúa en la referencia al teatro interior o de la imaginación, lo que no impide que la segunda de estas obras formara parte de una de las sesiones del Teatro de Arte de Alejandro Miquis, en 1908.

Cabe observar el variado elenco de registros dramáticos que componen escenarios de fantasía legendaria (y tragedia), ambiente cosmopolita *fin de siècle*, claustro religioso, recreación irónica y doméstica de un clásico actualizado como el *Quijote*, retiro y convalecencia en ambiente rural de la enfermedad producida por el amor físico. Son escenarios fantásticos o supuestamente realistas, más o menos cotidianos, pero revestidos todos de un tono crepuscular que enlaza con la evocación de un término o final de la vida que se repite como constante en relación con el amor, la felicidad, la belleza, las ilusiones: la caída de las hojas, el otoño, etc.

Los temas y los personajes corresponden, por una parte, a la sugestión de lo oculto y desconocido y a la amenaza de la muerte, es decir, a una perspectiva metafísica; y por otra, a la relación entre la vida y la literatura, que es mantenida en todas, aunque se hace más explícita y central en *La leyenda rota* y en *Ofrendas de vida*.

Se trata, de nuevo, de dramas breves, cuadros de la existencia de una humanidad inquieta y desilusionada, que no encuentra remedio evidente a su mal del espíritu: la joven monja cautiva que sueña con un amante que la rescata, despierta de nuevo en el jardín del convento; y los personajes alegóricos que buscan el origen del mal y preguntan a la Esfinge, mueren ante ella sin llegar a oír más que lo que cada uno quiere; los aristócratas reviven sin esperanza ni ilusión su pasado y el nuevo Quijano decepciona con su cómoda mediocridad a su prima Aldonza. Finalmente, el joven que muere agotado de amor, ansioso de lecturas consoladoras y de sensaciones, es el ejemplo para que su hermana prefiera la muerte a ser causa de otro mal semejante, en una pugna de carácter decadentista.

Todas estas obras, por tanto, nos refieren al misterio y a una mística que se abre en los límites de la vida real. Fundamentalmente intervienen y se

---

57. Más tarde publica otro tomo de obras dramáticas, titulado *Teatro de amor* (1913), en cuya primera edición reproduce *Cuando las hojas caen*, señalada porque fue representada y en ella trabajó la actriz Rosario Acosta, que fue su esposa. En la segunda edición de este libro, incluye ya el resto de estas obras simbolistas.

oponen en el juego dramático, a través de los personajes, los conceptos de la vida y la muerte, la carne y el espíritu, el tiempo presente y el pasado, la ilusión y el desengaño. Se repite, como es propio de este movimiento, la idea de la vida-sueño, pero no en el sentido barroco, moralizador y clarividente, sino en el sentido modernista del sueño de la vida (es decir, su experiencia íntima) y del ensueño que va o mira más allá de la vida, buscando un sentido. Y para eso se presenta el ensueño del arte y la literatura como fuente de consuelo frente al dolor. El Mal (universal) y el Dolor (íntimo) son dos experiencias de la vida a que se opone el Ideal, como respuesta del Espíritu. Hay una idea de época del dolor metafísico, que no llega a mostrarse como angustia, sino como melancolía, y que no resulta convincentemente original, pues parece más una actitud literaria, una posición de escritor de escuela más que algo radical y propio, aunque logra alcanzar en momentos delicadeza y sentimiento.

Hubo más autores que participaron de esta estética y que incluso llegaron a representar sus obras con éxito, como Zozaya, según escribe él mismo. En este apartado destaca Ramón Goy de Silva, con *La Reina Silencio. Tragedia* (1911) y sus obras breves reunidas en *La de los siete pecados. (El libro de las danzarinas)* (1913); y por fin, Antonio Zozaya con *Misterio. Tríptico campesino* (1911), (que en la reedición de *Los Contemporáneos*, 217, 1913, aparece como *Misterio. Tríptico dramático*). Esta breve enumeración proyecta la creación y publicación de textos de específica raigambre simbolista, con mayor o menor influjo materlinckiano, hasta comienzos de la segunda década del siglo, como se ve, en especial con una de las obras de Goy de Silva, que resulta una ambiciosa y esforzada representación de la Muerte, a cuyo reino llega el Peregrino, el hombre, rey destronado, recibido por los siete pecados y servido por una ambigua y enigmática pastora que representa la Fe, la Duda, la Mentira.[58] Este esfuerzo más metafísico cambia en una dirección decadentista, en su segunda obra, pues los dramas breves ahí recogidos están dedicados, entre otros, a Oscar Wilde, Flaubert, D'Annunzio, Maeterlinck y Eugenio de Castro. Presentan una galería de figuras femeninas, tomadas de la leyenda más que de la tradición bíblica, en este caso, fuertemente eróticas, lo que muestran justamente en las danzas que ejecutan para seducir a los varones, que, sin embargo, terminan frustrando esos intentos, por caminos tan diferentes como la gracia de Cristo, que le llega a la Magdalena al contemplarle con las llagas de la pasión, la constancia del Bautista, que se

---

58. En la «Declaración Preliminar» escribe el autor: «Este poema de pensamiento y de misterio... no es sino un vago sueño metafísico, un poema simbólico, donde todo obedece a una idea esencial..». *Teatro escogido*, Madrid, Aguilar, 1955, p. 44.

niega a mirar a Salomé o la vejez y al muerte de Salomón en el momento en que llega al fin la reina de Saba.

La tensión fundamental, por tanto, se establece entre eros-thanatos, de maneras diversas, pero siempre fuertemente contrastadas, el eros es femenino y el poder de la muerte o sujeción, masculino: el resultado surge como una situación meramente humana, con la vejez de Salomón; mística, con la visión de la Magdalena; violenta, con la degollación de Juan. El arquetipo femenino finisecular, que incluye a la pecadora, aparece aquí como la ofrenda y revelación del misterio de la feminidad. Es entonces un planteamiento estético que enfrenta la Belleza a la muerte, y que termina por relacionarlas de alguna forma complementaria. Y esto domina sobre el aspecto supuestamente moral, de victoria de la virtud, que es ajeno al caso de Bélkis, reina de Saba, o de Cleopatra.

La característica formal de estos dramas se precisa en dos aspectos complementarios: el autor los denomina Poemas, y así verbalmente trata de darles una altura lírica, tensando la emoción e insistiendo en los efectos del lenguaje, con un largo desarrollo de los parlamentos y de las acotaciones. Además, la plástica es esencial, tanto por las danzas, velos y vestuario, como por la abundancia y carácter de los personajes secundarios o de ambientación, y por los decorados, con un amplio despliegue de exotismo orientalizante en palacios o mansiones llenas columnas, guirnaldas de flores, frutos, pebeteros, incluso con escalones de plata, en cuyos extremos hay un león de oro, y sobre cada león un niño negro balanceando un pequeño incensario... La hora del día y los juegos de luz y oscuridad (en especial en la cárcel del Bautista) responden a esta sugestión estética.

Antonio Zozaya, en cambio, aunque se remite a los Autos Sacramentales para justificar el origen de su inspiración en su *Misterio*, no pasa de proponer un conjunto de situaciones fuertemente dramáticas, de intensa y creciente tensión, situadas en un clima de ansiedad y misterio, aislamiento y miedo, dentro de la escenografía rural, que remite a conductas violentas y a caracteres primitivos, sin que ese componente de la aspiración ideal y de la fatalidad, ajeno a la voluntad humana, se haga presente. Explica el autor que le interesó «estudiar la impresión producida por el misterio en los campesinos de las montañas de Santander, Asturias y Burgos... Ante la desgracia y el misterio, unos campesinos rezaban, otros cantaban y otros empuñaban las armas». No hay una verdadera dimensión de inquietud metafísica, pero tampoco la estética difiere de cierto costumbrismo, más allá de la ambientación nocturna y de la aparición de presagios o adivinaciones. La fatalidad estaría más bien en las consecuencias de las acciones pretéritas y en el juicio que esas consecuencias acarrean como resultado o desenlace del drama, de carácter moral, por lo tanto.

La existencia de este teatro simbolista en España, al margen de los dramas más citados, de Marquina o de Villaespesa, ha sido por mucho tiempo excluida de las ediciones y los compendios o manuales, pero está ya siendo reconocida en publicaciones recientes. Así ocurre con el volumen titulado *Simbolismo y Modernismo en el teatro español*, en el cual se recoge y edita, con amplio prólogo de Daniel Sarasola, una breve selección, en que figuran dramas de Echegaray, María Lejárraga y Gregorio Martínez Sierra, Ramón Gómez de la Serna, Miguel de Unamuno y Matínez Ruiz, Azorín.[59] Como afirma el recopilador, la ausencia de algunas obras fundamentales de esta tendencia (pensamos en Valle-Inclán y en Benavente) se debe a dificultades de orden extraliterario. Pero las que figuran son dignas de atención y nos llevan a reconocer la existencia de la corriente que aquí ahora hemos tratado de proponer, en sintonía con el cambio de tiempo que supone la época del Modernismo hispánico, al que dedica las páginas generales de su estudio el editor.

También la obra comentada de José Francés, *Gignol. Teatro para leer*, ha sido objeto de una edición, a cargo de Emilio Peral Vega, que viene desarrollando su investigación en este momento y en las diversas formas del teatro breve del siglo XX.[60] Y también en este caso, además de los textos, hay que mencionar la «Introducción», en que el editor traza una interesante y precisa red de relaciones, a base de comentarios cruzados, entre los autores marcados por la influencia simbolista, fundamento del teatro lírico y sentimental, trascendente y melancólico: José Francés, Martínez Sierra, Pérez de Ayala, con los correspondientes comentarios dedicados por Francés a obras de Rusiñol y de Benavente. Con estas referencias, con las menciones a los modelos europeos (D'Annunzio, Maeterlinck, Rodenbach, por ejemplo) y con las oportunas sugerencias hacia la pintura simbolista, la tentativa del teatro de la ilusión o del ensueño de Francés queda situado en su momento.

Por otra parte, podemos tratar también de sistematizar y matizar todavía algunas de las características de este teatro sirviéndonos de algunos ejemplos de autores y obras aquí mencionadas.

Lo común e interesante es la propuesta de la obra dramática y su representación (pues no basta la lectura) como una experiencia personal y a la

---

59. Sarasola, Daniel (ed.), *Simbolismo y Modernismo en el teatro español...* Madrid, Editorial Fundamentos, 2011 (Espiral/Teatro).
60. Francés, José, *Guignol. Teatro para leer*, ed. Emilio Peral Vega, Madrid, Ediciones del Orto, 2011.

vez universal de conocimiento o, si se quiere, según decía Azorín, de atención a los problemas del conocimiento que afectan no al mundo físico y natural, sino al ser y destino propiamente humanos. Estamos ante lo que se puede definir como literatura de intención cognitiva, que nos permite acceder a lo que somos o queremos ser a través de una ficción escénica. En realidad, toda representación teatral es un modo de conocimiento que llama al autoconocimiento. Y esta es la tendencia manifestada de manera central en este teatro del simbolismo (y hasta la vanguardia). El teatro podría ser un medio privilegiado para este reconocimiento, dada la inmediatez de su proyección, que combina ilusión y distancia; pero, a la vez, las limitaciones materiales y circunstanciales, propias del género y de la escena, así como las derivadas de la industria y la atención del público, dificultan el desarrollo de este tipo de dramas.

Lo que es fundamental, a mi juicio, en todas las obras, y en aquellas de otros autores que aún están por comentar, es la dirección hacia el conocimiento y la dimensión de la fantasía, conjunta e inseparablemente, como un modo de interpretar su tiempo de manera no inmediata y directa (realista y anecdótica).

Se busca la verdad del ser humano y su destino, la verdad del Tiempo en que existimos o la verdad del Arte que nos enseña sobre la misma vida. Así, las cuestiones últimas de la existencia humana se plantean en ambientes de fuerte evocación mítica: el desierto y las ruinas con la Esfinge de *La fuente del mal*, la cueva y el jardín de *El escultor de su alma* de Ganivet; la cárcel del leproso y la ermita en los hermanos Millares; o bien, en algunos casos relevantes —Azorín, Goy de Silva, Gómez de la Serna— se escenifica el paso de un estado real a otro que es o se asemeja al de la muerte, en el mundo de los dioses o de los seres infernales. Porque auténticos diálogos de muertos encontramos en *El drama del palacio deshabitado*, de Gómez de la Serna, en *La Reina Silencio*, de Goy de Silva y en *Dr. Death de 3 a 5*, de Azorín.

Como se ve, todo confluye hacia la presentación, en la forma dramática, de «estados inhabituales» y anormales, desdoblamientos, alucinaciones, suspensión del tiempo, etc. Y a este propósito hay que añadir que, al considerar todo el arco temporal desde comienzos de siglo hasta los años treinta, hallamos, dentro de estas obras, la incorporación de las líneas principales de la cultura artística y científica de la época: el misticismo y simbolismo, ahora, más tarde el expresionismo, la teoría piscoanalítica, el cientifismo, y finalmente el cinematógrafo.

Los Hermanos Millares, por su parte, trazan las líneas de unión de lo fantástico e ideal con el naturalismo en algunas de las piezas incluidas en su *Teatrillo*. La primera se titula *La sala de agonizantes* (aunque no veamos directamente a la mujer en trance de muerte); la segunda, *Espantajos*, ofrece la muerte de una joven madre en un bosque de árboles gigantescos; la tercera contrasta la tristeza del velatorio nocturno de Doña Rita, de cuerpo presente, y la fuerza de la vida que llama al sol de la mañana y a la plaza a todos los familiares. La quinta ofrece el consuelo de la mensajera de la luz al leproso que sufre encerrado en una estrecha celda y a su madre, en la fiesta de la Pascua de Resurrección, en medio de un paraje desolado. La última revela al viejo póstumamente la infidelidad de una esposa a la que dedicó todo su amor. Y rasgos parciales se encuentran en otras obras, como el deseo sexual insatisfecho de los espectros de Gómez de la Serna o el aspecto terrible de la Reina Silencio cuando aparece como la Muerte. Azorín nos ofrece el contraste de *La arañita en el espejo* con *Dr. Death*.

Todos estos rasgos se conjugan con otros sutiles e idealizados en el retrato de los personajes o en los ambientes escenográficos. Y un ejemplo señero lo tenemos en la obra *Ofrendas de vida*, de José Francés, que subtitula «Drama en cuatro estancias». Comienza con la llegada de Luis, un joven enfermo del mal del amor, a la casona familiar en Asturias, donde muere agotado, exhausto, en una especie de sublimación de la carne entregada en un esplendoroso atardecer. Finalmente, el miedo a la enfermedad llevará también a su hermana al suicidio para proteger a su novio del mal del amor carnal que devora. De ese modo se impone la relación entre el amor ideal, el amor carnal, la enfermedad y la muerte, dentro del ámbito estético del simbolismo decadentista.

EL SIMBOLISMO PERSONAL DE ÁNGEL GANIVET EN EL DRAMA *EL ESCULTOR DE SU ALMA*

No hay que identificar a Ganivet simplemente con este movimiento o incluir su drama único dentro de esta serie de obras simbolistas, sin más, pero tampoco podemos separarlo de su momento histórico y de su circunstancia literaria, que se produce en la fase de recepción y asimilación del Modernismo hispánico, como se ha puesto de relieve en la moderna crítica sobre el autor. Por ello, describir y analizar esa tragedia, testimonio personal, legado ideológico, testamento literario, es necesario y requiere un espacio propio. Y de esta manera se puede apreciar mejor cómo en él (al igual que en otros autores) ese ambiente o atmósfera del simbolismo se decanta y reelabora desde la perspectiva de otras fuentes y otras poéticas teatrales. Un espacio tan característico como «el jardín», propio de la poesía lírica y del drama, a la hora del crepúsculo además, incorpora la referencia del Paraíso terrenal y abre de este modo su significación y su trascendencia. Un personaje tan propio de la época como el artista (angustiado o poseído por su afán de creación) se convierte en el trasunto del hombre que desea crearse, hacerse a sí mismo, en un esfuerzo frente a la doctrina de la fe y a la sugestión del amor. Ninguna de estas referencias deja de ser propia de la época y la representación que se realizó, y de la que se da cuenta más adelante, indica que se la comprendía, en la medida de lo posible, y se la apreciaba como parte del proceso y del progreso teatral que intentaba desvincularse del teatro realista, intrascendente y costumbrista, para relacionarse con las corrientes internacionales.

Génesis y escritura del drama

La obra del escritor granadino (1865-1898) es breve en todo su variado conjunto, pero en ella encontramos la proyección de un espíritu inquieto que abordó de manera personal distintos géneros: el ensayo descriptivo, el ensayo ideológico o filosófico, la crítica cultural y literaria, la carta personal, la poesía, la novela y finalmente el teatro. Y es por su carácter de obra final por lo que su único drama concluido y editado adquiere una importancia especial, ya que ha sido considerado su *testamento espiritual*. A la vez, esta obra plantea una serie de problemas de situación y de interpretación que la hacen especialmente sugestiva. Por último, parece una muestra definitiva (y extremada) de la renovación literaria propugnada por Ganivet, escrita con libertad y vinculada a tendencias modernas, que en este caso son las simbolistas. Todo ello la convierte en importante testimonio de su autor y muestra de la época modernista, en una de sus vertientes, la más interior y preocupada por los problemas últimos de la existencia.

En este conjunto de escritos no encontramos una teoría literaria personal articulada, aunque de las opiniones y juicios dispersos se puede establecer su «poética modernista».[61] Esta ausencia parece más notable aún en relación con el género teatral, pues nunca escribió, que sepamos, el capítulo de su novela *Los trabajos del infatigable creador Pío Cid,* en el cual iba a presentar la necesidad de una reforma del teatro español. De ese modo, no hay en sus *Cartas finlandesas* noticias del arte dramático, excepto una mención de las aficiones de la buena sociedad a los «cuadros vivos». Más referencias encontramos en *Hombres del norte,* ya que se

---

61. Es lo que procura Nil Santiáñez Thió en *Ángel Ganivet, escritor modernista. Teoría y novela en el fin de siglo español*, Madrid, Gredos, 1994.

refiere a los dos más importantes dramaturgos del momento: Ibsen y Biörjnson. Y de manera que trasluce significativamente sus intereses y preferencias.

En efecto, acerca de Ibsen reconoce su valor y su éxito y observa la doble tendencia con que también será recibido en España: los dramas sociales, que él denomina revolucionarios, porque responden al cansancio democrático de la sociedad; y las obras más simbólicas, que muestran el impulso de la voluntad individual. Es la fuerza de la autocreación del personaje como impulso creador del drama. Este segundo aspecto le interesa más, ya que, en general, rechaza el mensaje social o moral en la obra dramática. En cambio, se fija en Biörjnson por dos motivos. Primero, por sus dramas de carácter psicológico, ya que esto enlaza con su preocupación por los procesos interiores y permite la expresión de aspectos contradictorios de la personalidad, constitutivos de los personajes que concibe el propio Ganivet, en proceso de creación. Y en segundo lugar, por una obra religiosa, en la que sucede un milagro que el espectador no puede atestiguar ni negar: es decir, donde la incertidumbre y la ambigüedad son determinantes para el significado abierto de la obra. Parece, pues, que la atención de Ganivet se dirige hacia lo que es similar a su propio pensamiento y que, inversamente, esto que ha visto y comprendido le ilustrará y enriquecerá en su tarea futura. Y un último detalle nos orienta también: al hablar del simbolismo de Ibsen escribe: «La fuerza, pues, de Ibsen está en ese simbolismo concentrado que anima a sus personajes y sugestiona el espíritu del espectador que lo comprende».[62] Y, sin embargo, no duda en preferir el «más profundo, más bello y más comprensible» simbolismo de Calderón. Tenemos así un dato para buscar la conexión del drama místico y auto sacramental *El escultor de su alma* con el modelo clásico y, a la vez, para intentar comprender la obra como interacción de lo tradicional y lo moderno que lo renueva y vivifica, muy en el espíritu de la época. El simbolismo a que nos referimos no es, por tanto, solamente el que proviene de Maeterlinck, con su correspondencia entre lo natural y lo espiritual, lo material y lo ideal, el arte y la palabra, sino el que recupera la densidad de concepto del drama clásico español, en particular del drama filosófico, como *La vida es sueño*, y del auto sacramental.

Dos referencias hacia la obra dramática propia encontramos en su narrativa y algunas más en su correspondencia y en algún artículo publicado en *El Defensor de Granada* poco antes de su muerte. Veamos, primero, la cuestión en *Los trabajos del infatigable creador Pío Cid*. En el quinto de estos trabajos, «Pío Cid acude a levantar a una mujer caída». Pero el

---

62. Ángel Ganivet, *Obras Completas*, Vol. 2, Madrid, Aguilar, 1962 (3ª), p.1052.

título no da realmente cuenta de la complejidad del texto, que describe la reunión de la «Cofradía del Avellano», trasunto de un grupo real de amigos. En ella se presentan y leen algunos textos y se habla de filosofía y Pío Cid expone su lema ARIMIS, en que, mediante un verso acróstico, explica su pensamiento antipositivista, centrado en el dolor, la creación y la libertad. Inmediatamente, y sin una mención directa, enlazamos esta síntesis con las fuerzas que mueven a su personaje dramático, Pedro Mártir. Poco después, Pío Cid comunica que ha dado con una ley universal, que expone en una obra dramática que titula simplemente *Tragedia* porque su argumento es, según sus propias palabras, «la tragedia invariable de la vida». Pero ahí queda todo. La crítica (véase la edición de Laura Rivkin) ha solido considerar que se refiere a *El escultor de su alma*, pero esto no parece evidente aún.[63]

La publicación de un plan bastante detallado para la redacción de los seis trabajos restantes nos ofrece otro documento importante, que, en lo que interesa, dice así: «Trabajo 9: Pío Cid acomete la renovación del teatro español. Llegada a Madrid. Mercedes... Pío Cid escribe *La Creación*. Lectura (antes encuentro con estudiantes). Se traslada *La Creación* íntegra. *Poesías*: las de la tragedia serán en verso los actos primero y último y dos poesías a Virginia en el tercero y cuarto».[64]

Se da así una serie de referencias que son: la Tragedia, que se supone la obra que ha llamado *La Creación* y, finalmente, *El escultor de su alma*, título que, sin embargo, no figura en ninguna parte de estos otros textos. ¿Es la misma obra, que pensaba incluir en su novela? Hay que sospechar que sí, como hacen los críticos más cuidadosos, pero la confirmación deja sin explicar algunos extremos. Cuando habla de la Tragedia en la novela, ¿se refiere verdaderamente a una obra escrita? De hecho, no parece necesario. Tampoco es evidente la identidad de *La Creación* y de *El Escultor*. En lo poco que dice de la primera indica una división en cinco actos (*El escultor* tiene tres) y tal vez escrita en prosa, pues piensa introducir poesías «en verso». Y *El Escultor* está todo él en verso, y además, contiene poemas anteriores como pausas o intermedios líricos y reflexivos. Pero ¿a qué Virginia se le dedican?

Por otra parte, Hans Jeschke, Javier Herrero, Díaz de Alda creen en la identidad sustancial de estos textos dramáticos. Incluso lo consideran el germen o inicio del ciclo novelesco, ya que, además la creación del alma

---

63. Laura Rivkin en la «Introducción» a Á. Ganivet, *Los trabajos del infatigable creador Pío Cid*, Madrid, Cátedra, 1983, pp. 27-32.
64. Antonio Gallego Morell, *Estudios y textos ganivetianos*, Madrid, CSIC, 1971; Laura Rivkin, en Ángel Ganivet, *Los trabajos...*, p. 28.

coincide sustancialmente con el contenido de proyectado trabajo XII: «Pío Cid crea el *psícope* (o la Tenalma)». Incluso hay algunos testimonios escritos en este sentido: el anuncio de una publicación: *La Tragedia. Testamento espiritual de Pío Cid.* (Esto, en efecto, corresponde a lo dicho en la novela, pero no parece constituir una prueba inequívoca). Por otra parte, uno de los títulos de un manuscrito de *El escultor de su alma* se titula, en efecto, *Creación*. La indudable identidad de tema y de intención aporta una convicción, pero aún quedan las cuestiones planteadas abiertas, si no son producto de un excesivo criticismo.[65]

A estas referencias hay que añadir las que encontramos en su correspondencia. Las cartas a Francisco Seco de Lucena indican su deseo de representar la obra, en cierto modo para comprobar la virtud teatral de ese texto, ya que duda si ha acertado «no a escribir una buena obra, sino a dar cuerpo a mi idea, aunque sea de forma endeble...». Insiste en el carácter religioso y aceptable del final (ya discutiremos esto) y recomienda, paradójicamente, la mayor cautela y reserva, para que solo los amigos más próximos tengan acceso al manuscrito. Esto, entre octubre y noviembre de 1898. Sin embargo, las mismas ideas las expone en un artículo publicado en la prensa el día 26 de octubre, pero añade una nueva nota de interés: «Es un drama místico y los actos no son propiamente Actos, sino Autos o Misterios. Me figuro que la obra es granadina, no solo por ser yo el autor y ser Granada el lugar de la escena, sino porque la pensé hace años, antes de salir de Granada, y aunque la he compuesto ahora, me he mantenido fiel a mi primer pensamiento».[66] «La pensé hace años y la he compuesto ahora». Cuándo se pensó (la primera mención como proyecto parece ser de 11 de octubre de 1897, según recoge Díaz de Alda) y cuándo se escribió realmente.[67] En el artículo (publicado el 26 de octubre de 1898) menciona que la edición de *Cartas finlandesas* le «coge con una obra en el yunque, y me inspira el deseo de dedicarla a pagar mi deuda de gratitud con mis amigos y paisanos». Parece que se trata, por tanto, de algo que se está haciendo. Seco de Lucena cree tardía la redacción de la obra (o su reforma) porque Ganivet no solía demorar la publicación de lo escrito y porque en ella da muestra de la desolación espiritual de los últimos meses de su vida.[68]

---

65. Lo propuso H. Jeschke, al que siguen Javier Herrero, *Ángel Ganivet: un iluminado*, Madrid, Gredos, 1966, p. 135, y María del Carmen Díaz de Alda, «Estudio Preliminar» en Á. Ganivet, *El escultor de su alma*, Granada, Universidad de Granadas, 1999, p. XXVI.
66. L. Seco de Lucena, *Juicio de Ángel Ganivet*, Granada, Universidad de Granada, 1962, p.
67. M. C. Díaz de Alda en Ángel Ganivet, *El escultor de su alma...*, pp. XIV-XIX.
68. L. Seco de Lucena en «Prólogo» a Á. Ganivet. *El escultor de su alma*, Granada, 1904.

En consecuencia, nos encontramos ante una obra dramática, algunos de cuyos datos de gestación permanecen dudosos, pero que recoge el «testamento espiritual» de su autor y expresa de forma intensa su sentido de la literatura como compromiso espiritual, hoy decimos existencial. Es un drama místico, de ambiente intensamente religioso pero bastante ambiguo en su ortodoxia, que trata de expresar literaria y plásticamente una *idea* directriz del autor y que se vincula, como dije, a los Autos sacramentales.

Existe también noticia, por las cartas, de un proyecto de teatro más liviano y tal vez convencional, una «comedia de costumbres andaluzas», escrita en lenguaje más llano, de la que hasta el momento conocemos solamente el título: *La Casa Eterna*.

Los datos de las representaciones de *El escultor de su alma* son los siguientes: la obra no se estrenó en vida de Ganivet, ya que se suicidó el 29 de noviembre de ese año 1898. Al año siguiente se llevó por primera vez a la escena el primero de marzo en el teatro Isabel la Católica de Granada, e interpretó el papel principal el actor Francisco Fuentes. Otra representación tuvo lugar, según indica Mª del Carmen Díaz de Alda en su edición, en Barcelona en 1904, gracias a las buenas relaciones que había mantenido Ganivet con los modernistas catalanes. Hay que prestar atención particular, sin embargo, a la representación de la Compañía Teatro de Arte, dirigida por Alejandro Miquis, en Madrid, en el Teatro de la Ciudad Lineal, el 30 de mayo de 1908, ya que no solo supuso el acercar la obra al público interesado madrileño, sino el inicio de las actividades de este importante grupo.

Unos días más tarde, el 4 de junio, Alejandro Miquis daba razón del estreno en el periódico *Nuevo Mundo*: «Por de pronto [el grupo] en su primera función dio a conocer una obra interesantísima y que autores y empresas creían por lo visto irrepresentable: solo Fuentes la hizo y eso en Granada en función conmemorativa... y sin embargo *El escultor de su alma* vivió en el escenario y se apoderó del público sano y libre de prejuicios con tanta fuerza, que difícilmente podían citarse extremos que fuesen escuchados con más fervoroso silencio».[69]

Análisis e interpretación de la obra

Dos aspectos parece que deben ser destacados conjuntamente, ya que son correspondientes y dan a la obra su configuración propia: el carácter

---

69. Alejandro Miquis, «La semana Teatral.—El Teatro de Arte», *Nuevo Mundo*, 4 de junio de 1908, p. 9. Acompañan al texto algunas fotografías de la representación de los Actos I y II.

«místico» de la acción, como alegoría de la vida humana y de la autocreación de su ser más radicalmente propio e interior (alma); y el valor simbólico de todos los elementos teatrales que se ponen en el escenario y que figuran en el texto (desde los nombres de los personajes a los títulos de los «Autos»).

La estructura ternaria de la pieza y su carácter circular se manifiestan visualmente en la escenografía: cueva de la Alhambra / jardín / de nuevo la cueva; en la sustitución y semejanza de los personajes femeninos esposa / hija; y en la presencia central de Pedro, unido a sus símbolos. La cueva es inicialmente la cámara oscura de la creación y de las dudas, mundo subterráneo y ámbito de encerramiento. En ella se acumulan figuras de yeso, que son el producto de la falsa creación de Pedro: su obra exterior y estéril. Frente a ellas, una masa de barro informe muestra más vida y es la adecuada representación material del alma, que debe crearse por la voluntad y el dolor. El jardín evoca el Edén, vinculado al amor de la pareja primordial, llena de ingenuidad e inocencia, cuyo idilio es interrumpido por la llegada perturbadora de Pedro, con atuendo de mendigo, indicador de la pobreza exterior, pero portador de bellezas y tesoros como las perlas, rechazadas, y el diamante, aceptado como símbolo del alma en su valor y transparencia. Las flores y las aves forman la constelación simbólica primaveral de la mujer joven y su natural belleza espiritual. Sin embargo, el momento del día es el atardecer hacia la noche. Entre la oscuridad inicial y final, solo hay un crepúsculo, no un momento de plena luz.

Dentro de este ambiente escenográfico dos símbolos adquieren una importancia característica y una significación esencial, aunque naturalmente no sea unívoca: la piedra y la luz. La piedra representa la objetividad y expresión externa, duradera, eterna, de la creación interior, pero, a la vez, la cosificación, el endurecimiento y la muerte. Su imagen en la obra es múltiple: la misma cueva, pétrea, el yeso, el barro y la piedra de los torreones de la Alhambra, sobre los que se proyecta esa ambigua aspiración humana de consistencia, perfección, reposo, descanso e inmutabilidad que se asocia a la ausencia de dolor, pero también de conciencia, y a la muerte: «¡Quién fuera como vosotros / y largos siglos soñara / y desde el sueño cayera / en las sombras de la nada!». Adquiere una relevancia especial en el desenlace, cuando los personajes vivos —Alma y Pedro— se eternizan convirtiéndose en imágenes pétreas de sí mismos, en esculturas.

La luz está concebida dramáticamente en su lucha con la oscuridad. Y de nuevo representa los valores de la conciencia, el valor del alma y luz de la fe. Pedro sale de su cueva al despuntar el alba. Y además se produce un sincretismo con el simbolismo de la piedra justamente en el diamante que

Pedro ofrece a su hija. Es la luz que guió por el desierto a un caminante: «y él tras la luz corría / hasta que al fin dio con ella»... Esa luz era el alma. «Verás brillar con más fuerza / del diamante la luz clara...». Luego se muestra la dualidad de las luces: una alta, sobre el torreón, donde se ha escondido Alma y que sustituye la luz del sol; la otra, «fuego fatuo», que brota de la cueva y es la que sigue Pedro. La oposición alto / bajo replica a la de las luces y a la de los personajes asociados: Alma (vida espiritual) y Cecilia, en el sepulcro que es la cueva. Ya en las últimas escenas aparece de nuevo Cecilia (su fantasma) vestida de blanco y llevando la antorcha encendida, en medio de «densas tinieblas». Y dice: «Yo soy la luz de la fe / que estás a gritos pidiendo». Y cuando Pedro se rebela, ella sale, dejando caer la luz apagada. De esta manera de nuevo los dos símbolos vuelven a parecer asociados: la piedra, que es la propia Alma y Pedro, eternizados en su ser, y la luz, rechazada por él y que la reviste a ella (la aureola de la santidad).

En definitiva, creo que en el conjunto domina la representación simbólica del centro, como el espacio oculto, oscuro donde se forja la conciencia, la voluntad, se debate la fe y se alcanza la inmortalidad (y la muerte). La acción tripartita lleva a esta misma conclusión, con la salida y el regreso, así como la correspondencia entre barro y yeso, por una parte, y piedra por otra.[70]

Los personajes hablan y actúan también de acuerdo con determinados rasgos de orden conceptual (simbólicos y representativos) y no psicológicos o naturalistas. Tales rasgos aparecen someramente definidos en las «Indicaciones para la representación»: El escultor (el hombre natural); Cecilia (la mujer creyente), Alma (la creación humana); Aurelio (la vanidad del mundo). Parece entonces que la acción se presenta como el esfuerzo del hombre por crearse a sí mismo, por dotarse de alma, la cual es hija suya y de la fe religiosa. Ocurre, sin embargo, que el final no parece corroborar en todos los puntos este proceso. Pero, al menos, como fundamento de la fábula dramática es adecuado. Naturalmente la onomástica es decisiva para esta consideración, en particular por lo que se refiere a Alma y a Pedro (piedra) y Mártir (forjado por el dolor: *Artis initium dolor* es la primera sentencia de su acróstico ARIMI, glosado ampliamente en la escena inicial del drama).

Por tanto, el lenguaje explica continuamente el significado de las acciones de los personajes y de los símbolos empleados. Es más bien reflexivo, meditativo y lírico. A ello ayuda el empleo del verso como

---

70. Todas las citas de la obra se toman de la edición facsimilar de M. C. Díaz de Alda, Granada, 1999.

vehículo de este lenguaje dramático, ya puesto en desuso, en general (como el propio autor reconoce), pero que cobrará nuevo impulso, unos años después, con la aplicación al llamado teatro poético, que recoge la herencia del modernismo: Marquina y Villaespesa y más tarde los Hermanos Machado.

Todo esto y la advertencia (por otra parte obvia) de que se trata de un drama «plástico», no de acción, y que la declamación debe ser «muy lenta» en los autos primero y tercero y natural en el segundo, sitúa decididamente la obra de Ganivet dentro de cierto simbolismo, aprendido en parte en los poetas de ese movimiento, pero muy vinculado a la tradición española y que puede recordar a las grandes creaciones de Ibsen, con sus personajes individuales y solitarios. La vinculación tradicional se aclara con el nombre de «Auto» para designar a cada uno de los actos de la obra, que el propio autor comenta en carta a su amigo Seco de Lucena: «en suma, la obra es una adaptación de los autos sacramentales al espíritu realista de la época».[71] Es lo mismo que dice en otras cartas de la misma época. Percibimos así cómo el sincretismo espiritual y el conflicto de conciencia (entre el ser natural llamado a realizarse por sí mismo y la fe religiosa heredada y que ofrece grandes valores) se expresan dramáticamente mediante un sincretismo estético que es la marca de la época, en que intervienen los elementos vivos del pasado, recreados desde la nueva conciencia individual. Es decir, estamos en una de las vertientes particulares que puede tomar ese drama estático, de situación, fragmentado en partes diferenciadas que se configura en el fin de siglo como teatro poético o drama lírico. Este, que surge más bien en la forma de teatro breve, de ambiente y situación sugestivos, se proyecta hacia el drama extenso con las mismas características, multiplicando la misma concepción de unidades aisladas y relacionadas más por yuxtaposición que por evolución o progreso dramático, ya que este no existe.

Lo que diferencia, a mi juicio más esta obra, dentro de su circunstancia cultural e histórica, es la referencia expresa y creo que efectiva al Auto Sacramental, aunque sin que sepamos con precisión muy bien la forma como Ganivet la integraba. Y además, el uso de ese simbolismo expreso y tradicional, que puede incurrir en un exceso que Martínez Sierra advertía en uno de sus artículos, cuando escribía: «Y así como es la vida ha de ser el arte dramático... sencillo de forma, nunca simbólico —lo voluntariamente simbólico es odioso y contraproducente: claro que las obras de *vida*, inspiradas en los aspectos evidentes y en las modalidades esenciales

---

71. Luis Seco de Lucena, *Juicio de Ángel Ganivet*, Granada, Universidad de Granada, 1962, p. 67. La cita es de una carta fechada el 11 de noviembre de 1898.

del espíritu y de la existencia serán siempre símbolos, puesto que son figuras que encierran verdad— y poético».[72]

Un elemento más hay que considerar como determinante de la concepción del drama: la proyección en él de la figura del autor. Este *subjetivismo* es realmente esencial, como luego señalamos, pero que conviene fijar desde ahora porque, como afirma Javier Herrero, Ángel Ganivet se identifica en pensamiento e incluso en los hechos biográficos con su protagonista: Pío Cid en las novelas; Pedro Mártir, en el drama.[73] De modo semejante se manifiesta Gonzalo Sobejano.[74] Y Nil Santiáñez dedica un capítulo de su estudio a tratar el asunto de «Autobiografía y autocreación» en las novelas de Pío Cid. Pero el drama es «autobiográfico» no en los episodios, sino en la representación exterior de un proceso interior. Ganivet trata de decirse a sí mismo en los personajes, sea Pío Cid o Pedro Mártir, con énfasis en aspectos distintos de su personalidad. El punto central de esta relación es que Pedro realiza como personaje la aspiración del autor en medio de los conflictos cuyos motivos se encuentran en la fe religiosa desvinculada de un sistema ortodoxo de creencias, en la autocreación personal como tarea y en la consumación artística. Es precisamente este paralelismo el que puede resaltar de manera más plena, al considerar que Ganivet, con aplicación de un rasgo muy de época, pone a un artista (y en plena confusión creadora) como protagonista de su drama. La relación de Pedro con la escultura es semejante a la de Ganivet con la escritura. Como señala nuevamente Nil Santiáñez, por una parte Ganivet piensa que «el *yo* es un proceso de autocreación incesante, provisional, jamás

72. Gregorio Martínez Sierra: «Algunas consideraciones sobre el teatro moderno», *Alma Española*, 15, 1904, p. 6.
73. J. Herrero: «Pedro Mártir, el héroe del *El escultor de su alma*, es una de las encarnaciones artísticas de Ángel Ganivet... Pedro Mártir es Ganivet o, mejor dicho, un Ganivet, una experiencia interior vivida por Ganivet mismo...». *Ángel Ganivet, un iluminado, cit.,* pp. 40 y 41. Por contraste, y para marcar los necesarios distingos en este asunto de la supuesta identidad entre el autor y su personaje, más todavía en el caso de Pedro Mártir que de Pío Cid, escribe Laura Rivkin acerca de «lo problemática que es la relación entre lo autobiográfico y ficción... los temas que ha discutido recientemente la crítica nos bastarán para rechazar las equivalencias categóricas entre autor y héroe...», en Á. Ganivet, *Los trabajos, cit..*, p. 33. Sin embargo, el proceso de subjetivización de la escritura en el Modernismo y el valor de la literatura como proceso de conocimiento nos permiten trazar una serie de vínculos y de relaciones, que es lo que considero proyección externa, articulada mediante un sistema de representación plástica, de un proceso interior, espiritual, probablemente no resuelto de modo definitivo. Para este aspecto es de interés: María Salgado, «Pío Cid soy yo: Mito/Auto/Bio/ grafía de Ángel Ganivet» en *Ángel Ganivet en su centro*, ed. de M. C. Díaz de Alda, RILCE, 13-2, 1997, 223-242.
74. G. Sobejano, «Ganivet o la soberbia», *Cuadernos Hispanoamericanos*, 104, 1958, pp. 133-151.

completado»; y por otra, que «mediante el arte, el creador expresa su intimidad, se autocrea, se forma una personalidad a través de la labor literaria».[75] Por ello, el centro de la obra es la subjetividad, en el sentido de volcar la del autor en la del personaje y hacer de la subjetividad de este el núcleo de la acción; y el problema es lograr la exteriorización de tal dominio subjetivo, la concreción materialmente simbólica de esa conciencia: que en el escritor es su texto y en el escultor su obra... que Ganivet pone como escultura viva, de carne y espíritu: su propio ser como hija suya (su creación, su Alma).

Mª del Carmen Díaz de Alda comenta esta obra en términos adecuados como un drama de autopurificación humana, en que la vida se presenta en forma de viaje de purificación, ya que la libertad se alcanza en el desprendimiento de todos las ataduras materiales (¿incluyendo el amor femenino?, cabe preguntar): el misticismo ganivetiano no sería sino la permanente aspiración del espíritu a doblegar materia. Y esto se puede ver a la luz del diagnóstico de González Alcantud que luego se refiere, acerca de la personalidad *heroica* de Ganivet.

Descripción del drama

La obra se divide, como he dicho, en tres partes, tituladas Autos, y la secuencia de sus acciones sigue el movimiento de salida y regreso de Pedro, con el paso de los años, unos quince entre el primer acto y el segundo y un tiempo breve, aunque indeterminado, entre el segundo y el tercero. En el lapso de tiempo primero ha fallecido la amante, Cecilia, y la niña que estaba en la cuna se ha convertido en la joven Alma. Pero cada Auto lleva un título que quiere dar cuenta de su contenido esencial: Auto de la Fe, Auto del Amor y Auto de la Muerte.

El Auto primero se distribuye en tres tiempos, marcados por la presencia o ausencia del personaje de Cecilia y, en consecuencia, por la forma monologal o dialogal del discurso. En el primer momento, Pedro, el escultor, en medio de la oscuridad de la cueva y rodeado de sus creaciones, se debate en un círculo de contrastes que para él forman la vida: placer y dolor, amor y muerte, conocimiento e ilusión. Todo este parlamento parece glosar el lema expuesto por Pío Cid en su segunda novela, que resume como ARIMI y desarrolla de este modo:

> *Artis initium dolor*
> *Ratio initium erroris*

---

75. Nil Santiáñez, «La poética modernista de Ángel Ganivet», *Hispanic Review*, 62, 4, 1994, pp. 500 y 504.

Initium sapientiae vanitas
Mortis initium amor
Initium vitae libertas.

En efecto, la obra comienza en el primer verso, es decir, en la experiencia de la creación dolorosa e insuficiente por parte de Pedro y camina en este primer Auto hacia la libertad como principio de la vida, iniciada con la salida de la cueva hacia la luz en el amanecer del nuevo día. En medio, la expresión de una crisis de conciencia marcada por la antítesis de amor y muerte (en el plano vital) y por la oposición de conocimiento e ignorancia o ilusión (en el plano gnoseológico). La respuesta a la pregunta crítica acerca de la verdad es nihilista: la única verdad es la muerte. Ahora bien, en esta forma circular que adopta el discurso de las contradicciones, desde el final se vuelve al punto de partida: también la libertad (inicio de la vida) produce dolor, porque este dolor está en el origen del esfuerzo creador, es decir, ahora autocreador. Mediante el riesgo y el esfuerzo de la libertad el hombre se crea a sí mismo, es escultor de su propia alma.

En esta situación de encerramiento vital y de debate intelectual, se impone dar un sentido a la vida y a la creación, hacerse espiritualmente: «la estatua soy yo». Es escultor se duerme. Aparece Cecilia en escena, con una vela encendida, primer símbolo de la fe, que expresa en su monólogo en forma de oración, en que da cuenta del orgulloso afán de Pedro: «abrazado a su *Alma* está... / Es su obra predilecta... / y es solo barro liviano... / y de ahí dice el insano / que formar un Dios proyecta». Despierta Pedro y se establece el diálogo que plantea dos modelos de existencia, la que se arriesga en busca de la autonomía y de la plenitud y la que permanece tranquila, en su dependencia de Dios y del orden divino inmutable. El escultor proclama su autonomía: «yo tengo fe en mí mismo», y su libertad.

De nuevo solo, pues Cecilia sale, herida de muerte en su ánimo por el abandono de Pedro, dispuesto a marcharse, este todavía tiene que vencer sus temores y hacer frente a las voces interiores que le siguen atando a un mundo conocido y tranquilo. Pero él ha elegido la lucha, «que el alma acrisola». Al salir de la cueva (del escenario) el hombre rompe el círculo de contradicciones en que está prisionera su vida, su alma. Y así busca en la libertad su propia creación.

Los tres momentos muestran, por tanto, las fases del encerramiento vital y filosófico, la sugestión de un orden basado en la fe y el amor y la necesidad de la ruptura, interior y exterior. Antes de marcharse, Cecilia anuncia que Pedro volverá y que ella ya habrá muerto, pero estará de nuevo con él y podrá verla.

La intertextualidad calderoniana está muy presente en este primer acto, en particular con resonancias de *La vida es sueño*: el encerramiento en «cárcel oscura», el debate acerca de la vida, el conocimiento y la metáfora del sueño para ambos. Son, por tanto, referencias contextuales que se hacen también casi citas: «y todos reflejos son / de una mísera ficción».... «¿Qué es, sin libertad la vida?... Como un torrente furioso / correr, saltando espumoso... / libre!...».

El Auto segundo, del Amor, está dividido en dos grandes secciones por la llegada de Pedro, disfrazado de mendigo, al jardín donde están viviendo su idilio Alma, su hija, y Aurelio. Aunque la presencia del mendigo antes nos permite hablar también de tres secuencias: los novios solos; los novios con el mendigo, de modo que la atención se divide; Alma y el mendigo. La salida de Aurelio permite la nueva entrada de Pedro. Así, es Alma el personaje que centra el acto y da continuidad a la acción, que es el desarrollo de dos tipos de amor: el juvenil y natural de dos novios casi adolescentes y el oscuro y conflictivo del padre-mendigo hacia su hija.

El primer núcleo tiene un aire de época convencional, de un lirismo que se mueve entre la canción tradicional y folklórica y los presagios que enturbian la felicidad, precisamente en relación con el padre ausente. Su canto y luego su entrada marca un contraste que el espectador puede percibir —y que Alma siente— entre la felicidad ingenua y el tragicismo del saber y del dolor que acompaña a Pedro y que destruye esa imagen del Paraíso antes de la caída. Su condición de mendigo y sus palabras parecen indicar que no ha logrado su meta y que vuelve a su lugar de origen a morir, es decir, a cerrar su círculo vital. Parece que la vuelta es precisa para encontrar aquello que había salido a buscar: el alma, representada ahora materialmente en la hija, fruto del hombre natural y de la fe religiosa.

El segundo núcleo (y tercer segmento de este acto) presenta una recuperación de las relaciones del acto I en un nuevo contexto y bajo la forma disimulada del disfraz de Pedro: «al cabo de mi camino... hallo el amor que perdí». Si al comienzo de la obra recogía la metáfora de la vida sueño, ahora habla del despertar: «detrás del vivir soñando / viene el vivir sin soñar». Alma ocupa el lugar de Cecilia y, del mismo modo que ella, trata de dirigir la atención del mendigo hacia Dios y hacia la situación subordinada a él del ser humano. Pedro —en cambio— insiste en su proyecto de divinización humana, pero ahora el objeto está delante de él, es su propia hija como alma: «Si yo una hija encontrara / haría de ella un Dios».

Resuena en este diálogo parte de la tentación de la serpiente en el Paraíso. Ante los temores de Eva a comer del fruto prohibido, el tentador le advierte: «seréis como dioses». Es la cuestión radical de la obra, la autonomía o la creación humana sustituyendo la imagen de un Dios absoluto; es decir, una versión no explícita pero significativa del tema moderno de la muerte de Dios. Alma entiende la tentación y huye hacia la torre. Otros aspectos propios del simbolismo de este Auto ya han sido anticipados: la hora del día, contrapuesta a la del acto I, pues va de la luz hacia la oscuridad; las dos luces, la alta del espíritu y del ideal y el fuego fatuo que dirige hacia el centro de la tierra y de él mismo, hacia el sepulcro; la condición de mendigo y el regalo del diamante como el alma...

En este acto encontramos materiales antiguos de Ganivet incorporados al nuevo texto. Desde luego el poema a los torreones de la Alhambra, publicado como «Las ruinas de Granada»; también el sueño que Alma relata a Aurelio proviene de otro artículo: «De mi novia la que murió»; la figura del mendigo había aparecido ya en «El rey de la Alhambra».

La posición intermedia de este acto entre los otros dos, la presencia de un personaje más circunstancial (Aurelio), la condición de los otros dos actos, en el mismo lugar y con personajes equivalentes (hombre / mujer, autonomía humana / fe religiosa) confiere al Auto del Amor un carácter de transición entre la ruptura del Auto primero (y su rechazo de la fe religiosa) y la reintegración del Auto tercero. Expresa el fracaso existencial de Pedro, como el acto primero mostraba el fracaso artístico, al no lograr dar plenitud vital a la forma. El sentido del acto parece apuntar a que los valores buscados por el Escultor no se encontraban fuera, sino dentro de su espacio. Pero que para saber esto ha debido realizar la experiencia del viaje, de la ausencia y de la busca. Toda la vida como busca existencial y fracaso (pobreza).

El Auto tercero se titula «de la Muerte». De nuevo sucede en la cueva y son dos los personajes femeninos que aparecen para convertir a Pedro a la fe religiosa: su hija Alma, que viste de desposada (¿acaba de casarse con Aurelio o es más bien un puro simbolismo místico?) y Cecilia, que viene de nuevo a exhortar directamente a su amante en nombre de Dios. De esta manera, a las sugerencias calderonianas con que se abría la obra se pueden agregar ahora las que remiten a *Don Juan Tenorio*, desde las relaciones escenográficas (estatuas, tumbas, músicas) hasta la aparición de la amada muerta como mensajera de la divinidad a que responde la resistencia del pecador.

En la primera parte de este Auto, el Escultor resume por dos veces su vida y la pretensión que le movió a abandonar a la mujer que quiso darle el amor y la fe religiosa. Reconoce que ahora, al regresar para morir, encuentra la belleza y la plenitud que le hacen renacer espiritualmente. Pero el parlamento del hombre muestra un ideal que es el cristianismo sin fe, por lo que Alma le considera blasfemo, por expresiones como esta: «un sueño agitó mi vida / y este sueño fue mi Dios..». Pura autoproyección y divinización humana que se reconoce en la hija. Al regresar de ese sueño fracasado, «hallo en ti el sueño soñado... y adoro el Dios que he creado». Quiere, por tanto, apropiarse de esa realidad soñada y ahora verdaderamente real. Y esto se expresa mediante el desposorio, las bodas que remiten a una imagen repetida en la mística (desde *El cantar de los cantares* hasta la versión sanjuanea del *Cántico espiritual*). Pedro finalmente renuncia a esa boda nefasta —símbolo del amor material— y elogia a su hija Alma con términos que evocan oraciones marianas (Ave María, la décima «Bendita sea tu pureza...») y que refieren un amor ya puramente espiritual.

Libre ya de toda tentación terrena, Alma muere convirtiéndose en piedra, lo que da pie a su padre para contraponer el sueño de la vida al sueño de la muerte, el dolor a la serenidad. Las tinieblas invaden la escena y hacen desaparecer a Alma, mientras se presenta Cecilia con la antorcha, luz de la fe que Pedro rechaza. Cecilia se retira, dejando encomendado a Pedro a la misericordia divina. Entonces de nuevo se abre el fondo y aparece la figura divinizada de Alma, ante la cual Pedro queda arrodillado, en contemplación, convertido también en piedra, en escultura de sí mismo, forma eterna.

Cabe interpretar esta última visión de Alma como la respuesta de Dios a la contumacia de Pedro, y, por tanto, el impulso definitivo para la aceptación de la fe como luz que permite ver la realidad divinizada... O también como realización de esa fuerza de autocreación humana y plenitud de su alma, su liberación de la materia, del deseo carnal, más allá de la vida y de la historia, en el sueño de la muerte. Establecemos fácilmente la relación entre la imagen del alma como barro informe en el Auto I y esta forma pétrea divinizada y luminosa de Alma en el Acto III. Lo que aparecía como no hecho y deseo es ahora realidad definida y definitiva. A todos los símbolos anteriores hay que añadir el recuerdo iconográfico que hace de Alma otra figura de la Inmaculada, tal como aparece frecuentemente en la imaginería española. En medio, la aventura humana de Pedro, fundada en el dolor. La cueva desde la cual nace Pedro a la vida y que guarda la vida de Alma niña, es también el sepulcro de todos, Pedro, Alma y Cecilia, y el centro en torno al cual gira la vida.

Las dudas acerca del desenlace surgen de la interpretación de ese final maravilloso. Dos pueden considerarse, siempre en la relación entre fe religiosa y fe humana como autocreación. La primera es que Pedro alcanza de repente y por gracia una visión de fe. Así lo afirma Javier Herrero: «Esas blasfemias se cortan por la intervención divina que convierte al escultor; expresión —este dramático episodio— de la experiencia que transformó también al Ganivet destructor».[76] Pero cabe más bien entender la última escena como la culminación de la busca del Escultor, la divinización de su alma por su propia renuncia a la posesión, por su entrega al dolor. Ganivet estaría entonces presentando la alternativa a la fe religiosa, aun manteniendo viva la duda y el desgarro del sujeto. Para esa alternativa se ofrece el camino del arte, que es el camino de la sublimación y de la autorealización como resultado de una inquietud radical. Así lo considera en su comentario González Alcantud.[77]

Podemos dejar abierta la interpretación, pero me inclino decididamente por la segunda opción, aunque con una advertencia: parece que el autor decidió ser cauto y no perturbar la conciencia de los espectadores, ya que deseaba que su obra se representara en Granada. Y por ello no descubre de manera clara su pensamiento. Claro que también cabe suponer una razón más profunda: y es que el autor no considerara cerrado el debate entre la fe religiosa heredada y ofrecida por el amor femenino y la fe humana, proyectada en solitario, creadora y dolorosamente, sobre la vida. A favor de la primera razón —más circunstancial— para mantener cierta ambigüedad última habla un pasaje de una carta de Ganivet que, en esencia, dice: «Son tres autos sacramentales en forma realista; un género inexplorado y con la dificultad que el que lo explora soy yo, que no las he visto más gordas. El drama se titula... y parece escrito por un creyente. Te digo esto no vayas a pensar que soy tan estúpido que voy a poner en escena cosas contrarias al espíritu local».[78]

Estas líneas pueden confirmar la heterodoxia doctrinal del drama, ya que si *parece escrito por un creyente*, es que realmente no lo está. Y el comentario siguiente aclara el asunto con una explicación a alguien que está al corriente de lo que ocurre: «no vayas a pensar que soy tan estúpido que voy a poner en escena cosas *contrarias al espíritu local*». Para no ser infiel a su propia perspectiva pero no molestar al posible público (puesto que andaba a vueltas con la representación) una solución es mantener ambiguo el desenlace. El escultor adora a una figura femenina divinizada, con símbolos religiosos (aureola). ¿Pero qué representa? Por otra parte, advierte de la novedad de la obra (auto sacramental y género inexplorado)

76. J. Herrero, *Ángel Ganivet: un iluminado*, p. 47.
77. Ver su opinión en el «Epílogo» de la edición de M. C. Díaz de Alda a *El escultor de su alma*, pp. LXI-LXXII; y José Paulino, «Ángel Ganivet: la secularización de la religión en el modernismo», *Imprévue*, 1991-2, pp. 99-117.
78. La carta lleva fecha de 13 de octubre de 1898. Cito por María del Carmen Díaz de Alda en su edición de *El escultor...* p. XVI.

y de la dificultad que tiene él de desarrollarlo: no parece que se deba solamente a cuestiones de género, sino de contenido: «con la dificultad [de] que el que lo explora soy yo». El género y su novedad como drama simbolista debía ser igualmente difícil para todos. Ganivet encuentra una vía grave, seria, para representar el esfuerzo autocreador del hombre y, a la vez, su desarraigo existencial, mediante la aventura de un artista que tiene como motivos centrales de su busca y de su reflexión los mismos que Pío Cid /Ángel Ganivet: amor, dolor y libertad. (A favor de la ambigüedad deliberada del desenlace de la obra aboga también el comentario de Ganivet sobre un drama de Björnson, de tema religioso y de final incierto, que el granadino valora sobre todo lo demás).

El escultor de su alma queda así bien situado entre los intentos renovadores del teatro español del cambio de siglo, con una fórmula que podemos considerar integrada por tres factores: teatro de conciencia (no de acción exterior), simbolismo (personalmente adaptado) y tradicionalismo español (calderoniano). Entra dentro de una de las posibles vertientes del teatro moderno, como representación de la subjetividad y de problemas existenciales y, a la vez, de conceptos abstractos, carente de cualquier mimetismo, pese a la ambientación granadina que deja ver los torreones de la Alhambra. Con todo, es importante, como voy a comentar luego, la plástica. Alejado del teatro social o de tesis, es sin embargo un drama doctrinal en el sentido más amplio del término. Puede denominarse, según los términos del autor, drama «grave y un tanto religioso», cuerpo para una idea propia, «drama místico». Con todo ello *El escultor de su alma* aparece como un drama cuyo simbolismo es radicalmente antinaturalista.

Formalmente destacan algunos aspectos que también fueron advertidos y propuestos por el autor: el estatismo, que resalta el carácter recitativo de los actos I y III, contra la teatralidad al uso (cambios, incidentes, sorpresas de la fábula); en relación con esto hay que advertir el uso frecuente de los monólogos que tienen más un sentido lírico que dramático; y, sobre todo, un claro contenido reflexivo, que concuerda con la poética general del autor (tal como la expone Santiáñez Tió); el empleo de numerosos símbolos, que no siempre se insertan en la línea de acción propuesta; el uso del verso, del que también Ganivet da cuenta como recurso extraño a la época. La intertextualidad calderoniana se hace patente en el comienzo del Auto I y en el Auto III, por ejemplo: «Si muerte y vida son sueño... / Si todo el mundo sueña... / Yo doy mi vida de hombre / por soñar muerto en la piedra».

El estudio de la versificación de la obra muestra una moderada polimetría, ya que domina el verso octosílabo en un número limitado de combinaciones, entre las que se prefiere la décima, la redondilla, la quintilla y el romance. Estas formas estróficas corresponden también, en términos generales, a algunos personajes: Pedro suele utilizar las décimas; los diálogos de Cecilia están expresados en redondilla y Alma usa el romance o la décima, según hable con Aurelio o con Pedro. La variedad de situaciones y diálogos (con canciones y fragmentos líricos) del Acto II comporta una mayor variedad estrófica, sobre todo por lo que hace al idilio de Alma y Aurelio, con uso abundante del romance en varias rimas.

Por Autos, la distribución general es la siguiente: *Auto I:* quintillas o décimas formadas por la unión de dos quintillas de rimas inversas (aabbacddcc); décimas espinelas; redondillas; tercetos monorrimos; décimas. *Auto II:* romance; 1 décima; redondillas, décimas; romances; estancias; romance; décimas; redondilla; décimas; romance, redondillas, décimas. *Auto III:* romance; décimas; quintillas; décimas; romance; redondillas y romance final.

Aunque no se ofrezca la cuantificación con el número de versos de cada estrofa, este resumen sirve para hacerse cargo del uso de la métrica tradicional (décimas, romances y redondillas) junto con alguno más nuevo: tercetos monorrimos.

También se puede considerar afín al espíritu de la época la estructura simbólica del drama, que abarca la acción, tal como la hemos descrito, las figuras humanas, cuya clave se nos da en la nota de los personajes, y que incluye la onomástica, profesión, etc., la escenografía, con los espacios, la iluminación o falta de ella, el vestuario y todos los demás elementos relacionados. En este sentido, la obra ofrece una integración completa de sus recursos. Dos aspectos quizás se pueden destacar respecto de sus relaciones con el simbolismo teatral (presentado en el capítulo primero): el lenguaje, por su carácter meditativo, de largas tiradas, frecuentemente monologal, que trata de exteriorizar estados de conciencia; y la ambientación escenográfica, tanto la cueva como el jardín, que vienen a ser tanto espacio mítico-simbólicos como representaciones de la subjetividad. Ahora bien, la simbolización requiere que una materia u objeto material tenga un significado propio y una función que nunca pierde, y sea, a la vez, manifestación de un sentido o de una dimensión oculta, que solamente a través de ella se deja conocer. Y esto es exactamente lo que representa, apoyándose en determinadas estructuras o emblemas ya reconocidos, la parte material de *El escultor de su alma*.

Pero si hemos destacado este aspecto de la significación es justo ahora insistir en la coherencia y valor de la plástica del drama, sumamente cuidada por el autor. En este sentido, quizás los dos elementos esenciales estén constituidos por la piedra y la luz, y ambos en relación con la imagen del Alma.

Ganivet en su drama

La interpretación doctrinal que hemos debatido y expuesto deja paso también a una interpretación autobiográfica que ha sido frecuente: en ese sentido se manifiestan Javier Herrero Gonzalo Sobejano o Donald L. Shaw[79], aunque los datos concretos no sean determinantes. Pero la salida y regreso a Granada del protagonista, su nombre coincidente con el de la calle donde nació Ganivet, el uso para los parlamentos del personaje de textos poéticos suyos anteriores... todo tiende a hacernos ver que en ese personaje se proyectó espiritualmente el autor, cosa totalmente concordante con su concepto de arte. Otra cuestión es si en Pedro Mártir se percibe algún síntoma de locura o de desvarío mental. Esto también ha sido aducido a la hora de la interpretación. Nicolás Mª López, corresponsal de Ganivet, escribe en su edición de cartas: «Yo leí esa obra, intensa y desgarradora... con el asombro de siempre; pero a este asombro se mezcló un verdadero pánico; las alucinaciones, la pasión, las ideas, la locura de Pedro Mártir me parecieron las mismas de Ganivet y me infundieron la sospecha alarmante de que su pensamiento se hundía en el abismo de la locura y de la muerte».[80] Otro autor que considera esta obra desde el punto de vista de la enfermedad de Ganivet es Antonio Espina, que escribe: «el documento literario se convierte con frecuencia en documento clínico».[81] La pregunta que cae por su peso es si Ganivet realmente padecía alguna enfermedad mental, algún desequilibrio incurable. Hay que recurrir a Castilla del Pino y, más recientemente a González Alcantud. Castilla del Pino, en referencia a los últimos escritos —en particular a *El escultor de su alma*— considera que Ganivet se vio afectado por fases depresivas cíclicas, en las cuales se apagan los sentimientos vitales y aparecen los de culpa (en contraste con la estima general a su valor moral, que el sujeto no reconoce en sí), «de forma tal que el paso a la acción suicida es sumamente frecuente»... Nada de parálisis progresiva o enajenación.

---

79. J. Herrero, *Ángel Ganive: un iluminado...*, p. 40; G. Sobejano, «Ganivet o la soberbia», *cit.*, 1958, p. 134; Donald L,. Shaw, *La generación del 98*, Madrid, Cátedra, 1978. Interpretación autobiográfica se entiende en el sentido que ofrece D. L. Shaw: «En su última obra Ganivet explora su dilema personal... conseguir la auto-trascendencia a través del esfuerzo y sufrimiento propios, independientemente de cualquier intervención divina». p. 67.
80. N. L. López, *La Cofradía del Avellano. Cartas íntimas de Ángel Ganivet*, Granada, Imprenta Luis F. Piñar Rocha, 1936,
81. Antonio Espina, *Ganivet. El hombre y la obra*, Madrid, Revista de Occidente, 1952.

Ver el vacío de la existencia hace que el suicidio de Ganivet sea «un suicidio lúcido». Por otra parte, Castilla del Pino insinúa puntos de análisis significativos en el drama de Ganivet y comenta la oportunidad de un estudio psicodinámico del texto, ya que, afirma, «se contiene en él la clave de sus dinamismos psíquicos más hondos».[82]

La perspectiva sociológica de González Alcantud es muy oportuna y, sobre todo, complementaria con la anterior, ya que Ganivet se presenta como un individuo de su época, y la enfermedad, caso de existir, tendría posiblemente también un factor de orden social. Creo que dos citas son claves en este diagnóstico. Acerca de las relaciones de la obra con el autor, escribe González Alcantud: «Como en toda mística, *El escultor de su alma* refleja tanteos incoherentes de quien dialoga con las sombras, pero de ello no se infiere que Ganivet presentase necesariamente rasgos de enajenación mental durante su producción».[83] Y acerca del mismo sujeto reflexiona así: «el problema de Ganivet va más allá de la mera incredulidad: es un individuo que biográficamente se construye una personalidad social e individual de carácter *heroico*, y que la cultiva a sabiendas. Se comprende fácilmente ese deseo de construir *solo, sin Dios*, su propia alma. Al final se le parece como una quimera, en el sentido pleno del término. Mas el esfuerzo para realizar ese trayecto lo ha calcinado».[84] En cualquier caso, ya estamos al cabo de la calle de que ningún desequilibrio psicológico da cuenta, por sí mismo, de una obra de arte. Más bien al contrario.

La coherencia artística del drama —pese a sus dificultades de lectura y a sus vacilaciones o incoherencias de organización— se percibe al establecer las relaciones con otras obras del mismo autor. Si ya se ha comentado la conexión con *Los trabajos de... Pío Cid*, no estará de más observar posibles semejanzas con el *Idearium español*. Solamente caben aquí unas notas que deberían ser más ampliamente comentadas. Pero me parecen, aun brevemente, imprescindibles.

Respecto a su intención, encontramos que Ganivet pretende con su ensayo contribuir a la restauración de la vida espiritual de España, con una idea fundada en los orígenes de la nación y de acuerdo con su propio espíritu básico, que es el *espíritu territorial*. También en *El escultor...* se trata de vida espiritual, de vida interior que ha de tomar forma, de acuerdo a un ideal pero no a un modelo exterior preexistente (arcilla informe es el alma). Ese espíritu humano, sin embargo, no es ajeno a un espíritu del

---

82. C. Castilla del Pino, «Para una patografía de A. Ganivet», *Ínsula*, 228-229, 1965, p. 5.
83. Á. Ganivet, *El escultor...*, ed. de M. C. Díaz de Alda, 1999, p. LXII.
84. Á. Ganivet, *El escultor...*, p. LXIII.

territorio, aquí expresado por la Alhambra, que reúne la historia compleja, la Belleza y la Eternidad de sus piedras. Tenemos, pues, unas concordancias básicas, que se pueden ir especificando.

Acerca del método para lograr esta restauración o autocreación del ser nacional, según su verdadero espíritu y del ser humano, hay que hablar del idealismo de Ganivet. que centra su confianza más en los ideales que en las simples ideas; son las ideas activas y dinámicas, que conducen hacia el porvenir. El trayecto que ha recorrido España y el que recorre Pedro Mártir son equivalentes, pues se parte de una situación de encerramiento, de la que se parte en busca del propio ser para perderse en el empeño y poder encontrarse solamente en el regreso. España y Pedro tienen en común el forjar o alumbrar el ser propio después de un largo tiempo de enajenación (*in alienum*) y extravío. Al cabo, ambos se encuentran pobres o despojados. El modelo no conocido se revela solo en el interior, en el centro vital que es la propia conciencia: en la cueva o *in interiore Hispaniae*.

Una misma imagen, de origen religioso pero de proyección secular, enlaza ambas obras y ambos procesos: la de la Inmaculada Concepción, símbolo del alma española e identificación de Alma (la obra viva del escultor) convertida en imagen pétrea. En el primer caso esa imagen tiene un poder de representación colectiva y en el segundo es la representación del espíritu individual y superior, liberado o purificado de Pedro, que ha alcanzado ya su contemplación eterna, igual que el pueblo se contempla a sí mismo (aunque sin reconocerse conscientemente) en la imagen y tradición de la Inmaculada. En uno y otro caso, la figura mariana popular y artística se constituye en la clave representativa e icónica de su pensamiento.

RAMIRO DE MAEZTU Y SU DRAMA IDEOLÓGICO Y SOCIAL

Si la obra dramática de Ganivet ha quedado olvidada, entre otros escritos suyos, la de Maeztu, también única, ha permanecido incluso inédita hasta hace muy poco tiempo.[85] Su título es *El sindicato de las esmeraldas* y presenta solamente un punto de relación con la tragedia de Ganivet: la importancia del pensamiento y la supeditación consiguiente de la construcción dramática a la idea general que presenta. El resto es totalmente

---

85. Debemos su edición al Profesor Emilio Palacios, que la incluye en el libro Ramiro de Maeztu, *Obra literaria olvidada*. Madrid, Biblioteca Nueva, 2000. Ahí señala que reproduce la única copia que ha conocido, copia mecanográfica descuidada y de mala calidad.

diferente, ya que Maeztu se decide por la vertiente social (no individual), por los conflictos de grupos e intereses (no íntimamente subjetivos) y por el planteamiento de posiciones sociales (no por referencias simbólicas). En este sentido, miraría su obra más hacia el lado de Ibsen y de Sudermann, no al de Maeterlinck, y hacia el drama ideológico español del siglo XIX más que al Auto Sacramental o al drama barroco.

La afición y el interés de Maeztu por el teatro son muy semejantes a la actitud de sus amigos y contemporáneos, y ya he mencionado, en el capítulo anterior, su participación en el estreno de *Electra*, de Galdós. Por entonces es un joven periodista y sus críticas y artículos le otorgan prestigio y fama, de manera que se piensa que tiene escritas ya varias obras dramáticas, extremo que él parece confirmar: «Soy, además, de los que tienen en su baúl manuscritos inéditos, guardados con amor, en los que he puesto mis horas mejores de ensueño y de trabajo».[86] Militaba decididamente entre los que deseaban una reforma del teatro y su labor crítica de estos momentos iniciales del siglo es resumida por Inman Fox con las siguientes palabras:

> Tenía muy poca paciencia con las obras y las compañías teatrales españolas del día. Como es de suponer, despreciaba el teatro burgués, creyendo que el arte debía conformar con el momento histórico: eso es, teatro que respondiera a los problemas de la lucha social y económica... una característica que dominaba en el teatro europeo, el único teatro que tenía éxito en España... Por eso declamaba a menudo Maeztu a favor de *Juan José*, *Electra*, *Mariucha*, elogiándolas como las mejores obras españolas de la época.[87]

Esa labor crítica la concibe Maeztu en términos de mediación para lograr la mutua atención y la correspondencia entre el mundo del arte (y el artista) y la humanidad, en particular el mundo del trabajo (obrero y campesino). Porque hay un principio fundamental que mantener: «Antes que artista y después de artista, el escritor ha de ser hombre, y hombre de su tiempo. Es imposible la inactualidad».[88] Y frente al alejamiento, lleno de sospechas y reticencias, de esos mundos del arte y del trabajo humano cotidiano, propone esta tarea:

> He aquí la misión de la crítica, de la crítica con que yo sueño: De un parte, excitará a los artistas para que dejen sus torres ebúrneas por el

---

86. Emilio Palacios en Ramiro de Maeztu, *Obra literaria olvidada...*, p. 157.
87. Inman Fox, en Ramiro de Maeztu, *Artículos desconocidos. 1897-1904*, Valencia, Castalia, 1977, pp. 39-40.
88. La cita en Ramiro de Maextu, *Obra literaria olvidada...*, p. 488.

viento de las carreteras; de la otra, detendrá a las muchedumbres que llenan los caminos para invitarlas a escuchar la canción del artista...[89]

Y le llega la hora de aplicar este programa cuando se pone a escribir su obra dramática, *El sindicato de las esmeraldas*, hacia 1907, mientras reside en Londres como corresponsal de *La Prensa*, de Buenos Aires. Tal vez por esta situación de doble referencia (al mundo británico y al Hispanoamericano) la acción de su obra está situada en Inglaterra, en una fábrica de armamento, no muy lejos de Londres, en un ambiente de alta burguesía económica, y tiene personajes británicos y americanos, procedentes estos de una República Andina imaginaria. La acción de esta obra se plantea como un debate intelectual y ético, encarnado en las conciencias de algunos personajes, sobre todo el protagonista, con la elección final decisiva entre el deber y el amor, o, como propone el mismo texto, entre dos clases de amores, el amor verdadero y alto y el insuficiente y falso. Iznaga, jefe popular de la República Andina, ha llegado a Inglaterra, con otros compatriotas, el inventor Siboney y la joven Guarina, para preparar las armas con que defender la República de los ataques armados y de la voracidad capitalista y colonial. Ahí se le ofrece una nueva vida, de satisfacción personal, en un medio social elevado y con la compañía de la bella y caprichosa Helena. Regresar a su patria o aceptar la nueva situación será su dilema definitivo. Con este planteamiento, Maeztu parece querer llevar a la práctica sus palabras anteriores: «soy... de los que ven la realidad como una lucha de irreconciliables temperamentos... Mi cerebro es de los que no pueden pensar las cosas abstractas sino encarnadas en individuos que me sean familiares...».[90]

Esto nos hace comprender que los motivos de su escritura dramática son más éticos que estéticos, que los personajes están como soporte humano de las ideas y serán más claramente portavoces de posturas ideológicas que individuos complejos, para alcanzar a influir en el público. En este momento su credo social es el socialismo moderado y evolutivo de la Sociedad Fabiana, con algunos de cuyos miembros escritores tuvo relación y a los que admiraba, como el dramaturgo George Bernard Shaw. Para comunicar dramáticamente esas inquietudes, la estética dramática de Maeztu prefiere un planteamiento realista y crítico convencional y un proceso mediante diálogos de pocos personajes, con algunos largos parlamentos muy elaborados. En la dialéctica de su tiempo, se inclina hacia «el arte por la vida», frente a la fórmula de «el arte por el arte», como tenta-

---

89. R. de Maeztu , *Obra literaria olvidada*..., p. 489.
90. La cita en el estudio de Emilio Palacios, R. de Maeztu, *Obra literaria olvidada*..., p. 159.

ción de huida y refugio frente a la realidad y a la dificultad de cambiarla, tal como había rechazado explícitamente en el texto ya citado de «Mi Programa».

Teatro de ideas y de conflictos sociales (más allá de las fronteras locales o nacionales, ya que estamos en un proceso histórico de intenso neocolonialismo económico, con el reparto entre los países europeos de la explotación de los recursos naturales y las materias primas de sus colonias), *El sindicato de las esmeraldas* pone en cuestión y ataca el capitalismo industrial y comercial en el corazón de su imperio económico. Frente a sus intereses opone una civilización natural, que aparece más bien como un país de la Utopía, la imaginaria República Andina, y que pretende, mediante la unión de la riqueza (minas, industria) y la cultura, desarrollarse bajo los principios de independencia, libertad y justicia. Son dos sociedades, con sus respectivos valores, las que aparecen constituidas en los grupos de personajes: los británicos y los americanos, y, a la vez, en distintos órdenes de comportamiento y relación, mujeres y varones. Básicamente la oposición se sustenta en una cultura del tener (capitalista) frente a otra (que supone más natural y limpia) del ser. La dualidad se expresa en este parlamento:

> IZNAGA.— Vosotros compráis vuestras mujeres [con el lujo]. Nosotros las queremos. Vosotros les dais las cosas que tenéis y que ganáis, nosotros nos damos. Son vuestra vanidad, el muestrario social de vuestra posición... [Ellas] son nuestra vida... Son nuestra religión...[91]

Como se observa, este planteamiento del conflicto no oculta un esquematismo dual muy marcado (entre una realidad social existente y conocida y otra más bien deseada, aunque en la obra de presente como real) y un idealismo bastante convencional.

El aspecto de los intereses y de las maniobras comerciales se presenta de manera más convincente, aunque con indudable perspectiva crítica y satírica. Se ha constituido una asociación entre varios acaudalados financieros ingleses para explotar un valle, lleno de esmeraldas, en esa región de la República Andina, patria de Iznaga. Después de que la Revolución popular impidiera al promotor culminar su arreglo con el gobierno anterior, se trata ahora de volver a conseguir la concesión de esas minas o, al menos, recuperar, mediante una operación de sociedad mercantil, las inversiones realizadas. El proceso de las renovadas gestiones llega a desembocar en un resultado final satisfactorio, y aparece la noticia del acuerdo de tal sociedad con el nuevo gobierno. Mientras tanto, Iznaga, con sus compañeros, en defensa de los bienes y del patrimonio de su pueblo, se coloca frente a

---

91. R. de Maeztu en *Obra literaria olvidada*, p. 350.

estas maniobras de los intereses capitalistas. Es entonces cuando surge el dilema, apoyado, más que en la oferta económica, en el sincero enamoramiento del héroe íntegro hacia la sofisticada, frívola, pero en absoluto simple Helena.

Dos principios mueven a Iznaga: la independencia territorial y la posesión nacional de los bienes de producción. (Y a este respecto, comenta Emilio Palacios la posible referencia de Maeztu a la situación española y su posición frente a este problema de la explotación, por empresas de capital extranjero, de las minas españolas). Helena, también enamorada del caudillo popular, está dispuesta a retenerlo, aunque al fin Iznaga reacciona: «Estos días vivía yo en las nubes... El camino de mi vida se perdía entre nieblas... Yo les aseguro que el Valle de las Esmeraldas no será jamás explotado por vuestra Compañía».[92] A esta reacción de Iznaga responde una Helena que sabe cuál es su lugar, su posición social y sus intereses personales y de clase, pero que ostenta también un valor personal y afectivo, cuyo sentimiento profundo convive y se entrelaza con su conducta frívola. Así hay, en este aspecto de la fábula dramática, un cierto margen de posibilidades futuras, un plazo de tres años para el regreso de Iznaga (se supone que caudillo de su pueblo y triunfador): «Ya sé que no me esperarás tres años. ¡Ni acaso tres semanas! ¡Y qué me importa! ¡Cuando yo vuelva serás mía de nuevo!, quieras o no. Si sobrevivo a la lucha que me aguarda, volverás a ser mía».[93] Helena parece rechazar esa conducta «brutal» y alegrarse de la marcha, pero, en medio de peticiones fútiles y frívolas, rompe a llorar.

La fábula dramática está convenientemente integrada en el medio de la burguesía financiera británica, con un diálogo pertinente, para el que tenía modelos en sus admirados autores (Wilde, Shaw), a veces ingenioso, pero sobre todo discursivo acerca de los temas que quiere presentar. Hay alguna escena de clara comicidad satírica, como la que ocurre después de la prueba del torpedo de Siboney, con los comentarios asustados de las mujeres y las ambiciones de los hombres para hacerse con su control y explotación. Un drama, como comenta Emilio Palacios, realista, más bien estático, «esencialmente ideológico».[94] Y ninguno de los demás aspectos formales del drama resulta nuevo en absoluto, ya que se divide en tres actos, formando un conjunto de espacio y tiempo articulado en función de la vida social, de los tipos humanos y de las relaciones que se presentan en la fábula dramática, con clara diferencia entre los sujetos principales y los personajes secundarios y de ambientación.

---

92. R. de Maeztu en *Obra literaria olvidada*, p. 423.
93. R. de Maeztu en *Obra literaria olvidada*, p. 425.
94. Emilio Palacios, «Introducción» en R. de Maeztu, *Obra literaria olvidada...*, p. 173.

Capítulo III

El teatro de Unamuno
El drama de la subjetividad

Introducción

Una reciente publicación monográfica de varios autores[95] señala bien las distintas perspectivas con que suele abordarse la obra dramática de Unamuno y ofrece, a la vez, un testimonio de las conclusiones diversas y aun opuestas que suscita, excepto en el ya manido término de la falta de técnica. Porque, de alguna manera, esta obra para la escena es la parte más conflictiva (y menos lograda) de toda su creación literaria, en cuanto logros formales y alcance renovador.

Una perspectiva trata de situar la labor creativa del drama unamuniano en el marco del teatro de su tiempo, tanto respecto de los textos como de las formas, tradicionales o nuevas, de representación. Y esto puede hacerse desde la relación estrictamente contemporánea o desde los vínculos que, ya desde nuestra perspectiva podamos advertir con personajes del teatro tan alejados, en principio, de su horizonte como Copeau o Artaud. Aunque parece que, en relación con el horizonte teatral en que se movía Unamuno, y además de las referencias a la tragedia clásica, al drama auri-secular español, del que poco parece depender, y al teatro nórdico, las referencias son las adaptaciones vistas en España o las obras del naturalismo costumbrista o del drama modernista. Las posturas son divergentes entre quienes le perciben en cierta sintonía (no llevada a su plena realización) con las líneas renovadoras del siglo XX y quienes lo advierten más

---

95. Fuente Ballesteros, Ricardo de la y Denise DuPont (eds.), *La obra dramática de Unamuno. Hecho Teatral*, 11, 2011.

enlazado con la tradición anterior, sin llegar a constituir un sistema teatral propio. En la obra mencionada, los trabajos de García Lara y de Th. Franz son muestras de esas discrepancias. Y es Serge Salaün quien resume el entronque con la vanguardia teatral por el rechazo de la psicología dominante y del realismo escénico verista, como «alusiones, brevísimos comentarios nunca desarrollados».[96]

Por ello, creo que es muy adecuado este resumen en que muestra que el teatro de Unamuno es «de oposición y no de construcción».

> Como se puede ver —cosa nada original, como ya se ha dicho— las posiciones de Unamuno frente al teatro son contradictorias. Tiene intuiciones y reacciones epidérmicas, y el teatro le sirve, sobre todo, para exponer sus preocupaciones o para «representarse» a sí mismo. Algunos aspectos parecen en franca ruptura con el teatro de su época (su rechazo de la sicología, de la acción, del decorado), pero no ofrecen elementos teóricos o doctrinales concretos de un teatro moderno o nuevo siquiera, y Unamuno escribe en función de una concepción nada renovadora del teatro propiamente dicho.[97]

En estas líneas cabe ver también la propuesta de otras perspectivas. Una de ellas, muy recorrida, es la comparación de los dramas con otras obras, tanto filosóficas como poéticas o narrativas, con el *Diario Íntimo* en algún caso, la correspondencia, etc. Véase, por ejemplo, el caso de *Don Juan*, que estudia en este volumen Stephen G. H. Roberts en relación con la figura de Don Quijote. Se señalan las correspondencias temáticas, ideológicas, las adaptaciones a partir de otros textos, etc. En este sentido se puede ver *Raquel encadenada* en su semejanza y diferencia con *Dos Madres*, por ejemplo, o la síntesis de Ricardo Senabre, que pasa revista a todas las obras en función del tema básico de su obra, pues, dice, «sería un error considerar la producción dramática de Unamuno como algo aparte en la obra del autor...».[98] Y este tema vertebral, expresado en los argumentos de la maternidad y de la paternidad, es el ansia de perduración. Y entendiendo que es el tema central porque no se trata de una idea, sino de «un sistema de pensamiento, un filtro a través del cual se contempla el mundo».[99] Y desde ahí se puede establecer una lectura de la reelaboración de los mitos: Fedra, Raquel, Medea, Juan Tenorio.

96. «Unamuno: *La Esfinge* y *La venda*. ¿Una modernidad contrariada?» en *La obra dramática de Unamuno, cit.,* p. 79.
97. Serge Salaün: «Unamuno, *La Esfinge* y *La venda*...» *cit.,* p 89.
98. Ricardo Senabre, «Unamuno en su teatro», *La obra dramática de Unamuno, cit.,* p. 65.
99. Ricardo Senabre, «Unamuno en su teatro», *cit.,* p. 70.

Una perspectiva de carácter existencial-ontológico es la que ofrece Jonh P. Gabriele, que sitúa a los personajes dramáticos del autor en un proceso inacabable de desarrollo (de autocreación, podemos decir), inmersos en la dialéctica constitutiva del yo y el otro, que se muestra en una serie de escenificaciones llenas de fragmentaciones y rupturas de la trama y hechos que no se acomodan a la lógica. Esto le lleva a la conclusión de que algunos dramas de Unamuno pueden considerarse formalmente posmodernos. Se trata como ejemplos de *Raquel encadenada*, *El otro* y *El Hermano Juan o el mundo es teatro*.

Con ciertas coincidencias respecto de la primera perspectiva se nos ofrece otra nueva, la concepción teórica del teatro para Unamuno, a través de sus ensayos, desde el temprano «La regeneración del teatro español» de 1896. Y esto es fácil ponerlo en relación con su obra realizada o bien con la práctica de otros autores contemporáneos o con las teorías dramáticas de la época. En cualquier caso es importante establecer los criterios de la poética teatral de Unamuno, que tampoco tiene por qué ser definitiva, sino que, a mi juicio, cambia. Naturalmente, uno de los elementos clave para este análisis es el texto que, como prólogo a la representación, se leyó en el estreno de *Fedra* en la sala del Ateneo de Madrid en 1918, y otro la presentación de *El Otro*, más de diez años despues. Esta es la labor fundamental en que se centra la «Introducción» del volumen que comento, a cargo de sus editores. En ella establecen la anticipación de algunas ideas de Unamuno a las que aparecen en los años veinte, incluso al concepto de re-teatralización. Pero, a la vez, sitúan sus intereses en un marco más amplio: Ibsen para el teatro, Kierkegaard, Schopenhauer y Nietzsche para el pensamiento.

Por último, cabe realizar un estudio de alguna o algunas de sus obras. Bien sea a través de algunos personajes, en este caso las tres protagonistas de sendas obras (José Paulino), de la construcción de la misma obra en relación con las circunstancias biográficas (la versión de *Don Juan*, según Roberts) o de la adaptación de *Medea* y las relaciones con Margarita Xirgu, su intérprete, desde una óptica feminista (du Pont) o desde la realización espectacular de su estreno en el teatro romano y el significado nacional que este hecho adquirió (B. Antonio). Pero, naturalmente, en cada uno de los trabajos se encuentra un examen de alguna o algunas obras, pues la labor de Unamuno consagrada y terminada para el teatro es finalmente reducida, en relación con otros géneros e incluso con sus propios proyectos.

Trazado este panorama y puesta al día de uno de los conjuntos críticos más actuales y variados sobre esta faceta de la obra unamuniana, el capítulo debe seguir presentando una panorámica general y un resumen crítico, pero básico, de los temas esbozados como síntesis de una larga historia crítica, que comienza, como es lógico, en vida de Unamuno y con motivo de sus estrenos. La secuencia siguiente, ya antes escrita, revisa, sin embargo, algunos de los puntos anteriores.

La escritura teatral de Unamuno se extiende a lo largo de toda su vida. No la podríamos considerar, por ello, una ocupación simplemente marginal respecto de la novela o del ensayo, por ejemplo. Pero es cierto que ni el número de obras originales y completas, ni los tiempos y modos de su representación, ni siquiera la irregular difusión escrita de los textos permiten situar a su autor en un plano de vigencia en el panorama teatral o considerarlo un referente reconocido, más allá del aprecio por parte de algunos escritores y críticos. Parece Unamuno desplazado teatralmente en toda su vida y escasamente recuperable para los escenarios posteriormente. Frente a un teatro de éxito, popular, como el de Benavente y el de Arniches, con Gregorio Martínez Sierra y los Hermanos Quintero a la zaga, Unamuno no alcanzó a propugnar un concepto dramático total que, como el de Valle Inclán, se insertara anticipadoramente en la progresión teatral del siglo. Sin embargo, el drama unamuniano no carece de relaciones con el teatro de su tiempo y las expectativas suscitadas con motivo de los estrenos o representaciones (por muy irregulares que fueran) apuntan hacia esta capacidad de originalidad y controversia que constituye parte de la personalidad humana y literaria de su autor.

Sus primeros dramas se muestran vinculados a las dos corrientes renovadoras del teatro en el final del siglo XIX, ya descritas en el capítulo primero: el naturalismo social ibseniano y el simbolismo de influencia maeterlinckiana. Sin embargo, el incipiente dramaturgo parece tener también una inevitable huella del modelo aún vigente en España, el neorromanticismo de Echegaray (a su vez lector y adaptador no muy afortunado de Ibsen), que iba a quedar prontamente superado. El mismo Unamuno protesta contra sus procedimientos, pero después de reconocer que había asistido en su juventud a representaciones de Echegaray y que le había admirado.[100] La tensión emocional y verbal de las réplicas, con expresiones exageradas o repentinas, las tendencias exclamativas y enfáticas, el uso del soliloquio son rasgos que se perciben bien en su primera obra, en la cual aparece además un personaje femenino de dibujo impreciso (o contradictorio), a partir de un influjo ibseniano poco asimilado. Ya Jiménez Ilundain, en su crítica a este drama, aún en manuscrito, comenta

---

100. Véase Manuel García Blanco en su Estudio a la edición de Miguel de Unamuno, *Teatro*, Madrid, Aguilar, 1959, p. 27.

que le recuerda precisamente a Echegaray y a Ibsen (*El estigma* y *Un enemigo del pueblo*, respectivamente). Otro de los intentos menos reconocidos de Unamuno, el del sainete, le relaciona también con una corriente tan popular a comienzos de siglo; y conviene recordar que en 1896 afirmaba haber encontrado en él lo que aún quedaba de vivo y de popular sobre el escenario español, aunque reprochándole también la comicidad insustancial.

Esos modelos se pueden percibir latentes todavía en obras posteriores, cuando ya Unamuno ha fijado más personalmente su estilo. Con motivo del estreno de *Raquel encadenada* se vuelve a mencionar oportunamente el tipo femenino del teatro ibseniano. En el caso de *Soledad,* el final del segundo acto acumula efectos melodramáticos que quieren ser superados mediante una frase de contenido reflexivo, no emocional; algo semejante se repite insistentemente en *El otro.* Y la mezcla de trágico y grotesco, o lo cómico intelectualizado, reaparece en momentos de *El Hermano Juan.*

Pero, con todo esto, el carácter problemático del drama de Unamuno lo aproxima a otras corrientes de mayor calado en el primer tercio del siglo XX. En particular, hay que encajar su empeño dentro del teatro de la subjetividad que provenía de dramaturgos como Strindberg e Ibsen. También Unamuno plantea procesos anímicos, íntimos, como una investigación del pasado, o una vuelta hacia él, en relación con una acción presente: son los suyos dramas analíticos, pues se busca la verdad existencial en el ámbito de la intimidad personal (como propugnaba *en Del sentimiento trágico de la vida,* ensayo I), aunque no analíticos en el mismo sentido exactamente que en el teatro de Galdós. Busca más directamente la intensidad, aunque les relaciona la busca de la expresión íntima, del proceso de conciencia dudosa, compleja. Y podemos reconocer en él otra preocupación que recorre el teatro hasta 1936, la de unir la tradición y la renovación y recuperar para la escena un simbolismo a la vez general y personal, coincidiendo en intenciones con Ganivet, por ejemplo, y con otros autores posteriores.

De este modo, en sus obras convergen el llamado «teatro de ideas» y el «drama de la subjetividad», según el modelo que describe Peter Szondi: «La preocupación primordial del dramaturgo subjetivista es cómo aislar y elevar respecto a los demás su personaje central, que generalmente no es sino una encarnación de sí mismo».[101] A la luz de esta teoría, se advierte en el teatro unamuniano un sostenimiento del concepto tradicional del drama (absoluto, dialogal, dialéctico, frente a formas más abiertas, como las que caracterizarán a Valle Inclán y a Jacinto Grau desde mediados de

---

101. Peter Szondi, *Teoría del drama moderno*, Barcelona, Destino, 1994, p. 49.

los años veinte) y, al mismo tiempo, una actitud conflictiva ante él y al final abiertamente polémica. Si nunca llega a romper decididamente el modelo (pues no tenía otro suficientemente maduro), recurre con frecuencia a fórmulas de separación y ruptura: en *La venda* elige el simbolismo, que de nuevo resurge intensamente en *Sombras de sueño*; en *Soledad* establece la reflexión teórica de la creación y del drama, acercándose al metateatro, que es central en *El Hermano Juan*, donde la reflexión interiorizada sobre el mito permite al autor representar su propio conflicto con la forma dramática. En *El otro* emplea también un simbolismo explicado y añade una reflexión anticlimática y antidramática en el «Epílogo», esencial para Unamuno.

Descripción de la obra dramática

En el momento actual el corpus dramático unamuniano se compone de once obras originales, más la traducción, «sin cortes ni glosas», de la tragedia *Medea,* de Séneca, y de un variado conjunto de proyectos y fragmentos, recogidos por García Blanco en sus ediciones. Todo este material puede agruparse en cuatro momentos o fases de la vida del autor, teniendo en cuenta que su conocimiento por parte del público fue casi siempre tardío, a veces parcial, más en libro o en revista que en el escenario, y que algún drama quedó inédito hasta casi veinte años después de su muerte.

Existe una obra de juventud, pieza costumbrista incompleta, *El custión de Galabasa. Sainete jebo*, del que conocemos siete escenas. Entre 1896 y 1901 la preocupación de Unamuno por los problemas espirituales y sus conflictos con la sociedad, que desembocan en la conocida crisis de 1897, dan origen a dos textos dramáticos: *La Esfinge* y *La venda*. También queda un boceto muy insuficiente con el título *La muerte de Sancho* (hacia 1899). Desde esta fecha hasta 1909 deja esbozados o escritos parcialmente una serie de textos que no tendrán el necesario desarrollo posterior. También de estos años puede ser *Don Quijote y Don Juan*, apunte de siete escenas. Sin fecha existe el proyecto de tres actos *Un maestro de escuela. Drama*, que tal vez derivó en el relato *El maestro de Carrasqueda* (1903). Pueden datarse hacia 1910 *¡Al fuego!* y quizás *Los hijos espirituales*.

Hay, por tanto, muestras suficientes del temprano y continuo interés de Unamuno por la escritura teatral[102], más allá del reducido número de obras concluidas. Estas primeras obras presentan, en dos claves dramáti-

---

102. Su actitud ambivalente se trasluce en las palabras del ensayo «Soledad» (1905), donde expresa desdén por la mentira que es el drama. Detrás de ese desconsuelo puede

cas diferentes, el problema existencial de Unamuno. Por una parte, *La Esfinge* (1898) sigue con escasa técnica los planteamientos del drama ibseniano, como dije, y proyecta la crisis espiritual como conflicto entre el ser interior, espiritual, y el ser exterior, el personaje social, impulsado y condicionado por los agentes exteriores (esposa, amigos, seguidores). La fábula que establece la oposición en el terreno de la lucha política no es la mejor para centrar la cuestión que Unamuno quiere plantear. Ni elabora convincentemente los procesos psicológicos y de interrelación humana. Por otra parte, *La venda* (1899-1900) propone, en su breve duración, un drama de tipo simbolista, en que cada elemento (personajes, situaciones, nombres, etc.) se proyecta sobre un modelo anterior (evangélico, sobre todo) y alcanza una dimensión trascendente. La técnica es más simple y efectiva y hay imágenes poderosas y momentos intensos, especialmente la aparición de la mujer ante dos paseantes de la ciudad, llamados Juan y Pedro, y la escena de la muerte del padre. Aquí el conflicto de la fe religiosa (y su necesidad para la vida) se muestra en términos de «la muerte de Dios».

Dentro del período de creación que abarca, en novela, de *Amor y pedagogía* (1902) a *Niebla* (1914) están los sainetes *La Princesa doña Lambra* y *La difunta* (1909), expresión dramática del bufotrágico que informa la concepción de sus relatos «nivolescos» de ese mismo momento. Escribe también, con gran esperanza de estreno, que resulta fallida, *El pasado que vuelve* (1910). Por las mismas fechas, y relacionado con el ciclo que, desde 1905, desemboca en *Del sentimiento trágico de la vida*, concluye la obra más madura de este momento, *Fedra* (1911). Se trata de una versión moderna y cristiana del mito clásico, siguiendo el modelo de Racine, sobre todo, con Eurípides más lejos. Y abre así Unamuno esa tendencia de la revisión de los mitos, desde una perspectiva original y distinta, lejos de la arqueología, como matrices donde introducir nuevas preocupaciones. Su diálogo escueto, la falta de acontecimientos laterales y de situaciones de ambientación y la linealidad del proceso, confieren intensidad a esta obra, aunque la dejan muy esquemática en su tensión sostenida y en la repetición de las escenas. Comienza aquí a realizarse la idea del teatro o tragedia desnuda, que es la de las almas que se manifiestan a través del lenguaje, con la menor decoración y aparato escénico posibles. Unamuno debió considerar que su obra merecía ya la representación, pero esta no

suponerse su decepción por la falta de acogida de sus obras en el medio teatral: «disgustado de todo teatro, y sin encontrar consuelo ni deleite en lo dramático, me refugio en la lírica. Porque en la lírica no se miente». M. Unamuno, *Obras Completas*, vol. I, Madrid, Escélicer, 1966, p.1254. En 1907 publica su primer volumen de poemas.

fue posible hasta 1918, por un grupo de aficionados y en sesión única. Para ese momento escribió un interesante «Exordio» en que expone las razones de su marginación de los escenarios y los fundamentos teóricos que justifican esta obra como «tragedia poética desnuda».

La decepción referida por las escasas oportunidades de llegar al escenario pudo llevar a Unamuno a dejar nuevamente el teatro hasta 1921. Quedaron así sin cumplirse otros proyectos anunciados e incluso parcialmente redactados: *Icaro. El hombre que vuela, comedia burlesca*; *El oso enjaulado* (parcialmente escrita); *Sacrificio*, también perfilada; y aún más que aparecen solo mencionados: *Maese Pedro. Drama*, y *Tristán e Isolda. Tragedia*. Coinciden luego *Soledad* y *Raquel encadenada*, dramas de 1921 en torno a la creación y la fecundidad, en el arte y en los hijos, que ofrecen relación con otros textos narrativos contemporáneos como *Dos madres* (1920) y *La tía Tula* (1921).

Soledad propone de nuevo la idea del mundo como representación, pero, más aún, plantea la necesidad y la dificultad de una proyección eternizadora del propio yo, de una descendencia natural, biológica, en los hijos, social o artística, en la obra de arte. Es el drama del dramaturgo, que finalmente duerme en los brazos de la mujer-madre, de *Soledad*. Obra de reconocida importancia, su diálogo es muy conceptual y juega continuamente con el significado de los nombres propios: Soledad y Gloria, las dos mujeres que vinculan a Agustín a la realidad (la profunda o interior y la exterior y social...). *Raquel encadenada* parte de un personaje bíblico (la esposa estéril que le pide un hijo a Jacob en el libro del *Génesis*) y le añade esa nota clásica con el adjetivo: de nuevo, a través de la necesidad de un hijo que siente una famosa intérprete de violín, frente al egoísmo crematístico del marido, se plantea una ruptura de las convenciones en favor de la vida, de la fertilidad y del amor, que vale tanto como la maternidad espiritual.

En estas obras se vuelve a un modelo de acción y de escenario que podemos considerar realista y convencional. Los personajes están caracterizados de manera adecuada, sobre todo por sus diálogos, y, aunque no hay prácticamente escenas que no tengan directa relación con la escueta fábula, el progreso de las relaciones y la expresión de los sentimientos muestra cierta adecuación al momento dramático y al proceso de los personajes, cuya psicología sigue, sin embargo, muy dependiente de las ideas que Unamuno ha proyectado en sus obras. Como ya he dicho, los personajes no solo dialogan para producir la interacción dramática, sino que apuntan a una interpretación filosófica de la existencia; son así ellos mismos ideas humanizadas y representan las complejas concepciones intelectuales del autor.

El destierro en Fuerteventura, la pronta huida a París y la residencia en Hendaya propician una nueva situación de honda crisis en Unamuno, de la que son testimonio tres nuevos textos dramáticos, escritos entre 1926-1928 y en 1929: *Sombras de sueño* (1926) (adaptación de su novela de 1920, *Tulio Montalbán y Julio Macedo*), *El otro* (1926-1928) y *El Hermano Juan o el mundo es teatro* (1929), que, a su vez, pueden relacionarse con la poesía del momento y con el texto narrativo fundamental *Cómo se hace una novela*. A todo esto hay que añadir otros fragmentos y la supuesta y dudosa obra inédita y perdida a que se refiere Ricardo Gullón[103].

Sombras de sueño (1926) ofrece una acción reducida, de intensidad lírica y emocional muy notable, dentro de un asilamiento reforzado por las continuas alusiones a la insularidad física y psicológica de los personajes. Se representa una vez más el conflicto —irremediable pero aparentemente insoluble— entre el ser interior o contemplativo y el ser histórico, entregado a la acción, en la figura de ese héroe americano que abandona su tierra, fingiendo la muerte, para renacer en otro lugar y con otro nombre, después de atravesar el mar. El amor de Elvira, sin embargo, no podrá reconocer al héroe en su nueva identidad y el fracaso le llevará a una verdadera muerte. La dualidad es el elemento estructural más perceptible, ya marcada desde el título de la novela original (*Tulio Montalbán y Julio Macedo*). A su vez, inversamente, habrá dos mujeres con el mismo nombre. A esto se suma la continua dualidad del escenario y de sus elementos: la biblioteca, la casa, el retrato, el libro, el mar... Todos tienen una función localizadora y ambientadora, pero se constituyen asimismo en símbolos: la historia, el conocimiento, la interioridad, el inconsciente, la muerte, etc. Dos aspectos biográficos se traslucen en este nuevo drama: el destierro de Unamuno en Canarias y el aislamiento de su etapa en Francia.

El Otro (1926-1928) es tal vez el drama más reconocido de Unamuno. De nuevo el ambiente cerrado y opresivo transmite una idea de opacidad de la existencia, y la rivalidad de los dos gemelos, Cosme y Damián, empeñados en una lucha a muerte por la supervivencia y la individualidad, trasluce todo un mundo de tensiones interiores y de dualidades enfrentadas. Las miradas analítica o amorosa del médico, del jurista y de la nodriza aportan la dimensión reflexiva desde el interior del sistema dramático. Y otra vez el conflicto dramático parte de la dualidad como escisión irremediable: dos hombres idénticos, reflejo uno del otro; dos mujeres opuestas y enfrentadas, en relación con la maternidad o la esterilidad. Y la envidia

---

103. Ricardo Gullón, «Un drama inédito de Unamuno», *Insula*, 181, 1961, pp. 1 y 20.

como motor, que se eleva a categoría existencial por la identidad física de los hermanos. La obra comienza con el descubrimiento de la muerte de uno de los gemelos a manos del otro, y con la pregunta: ¿quién de los dos es el muerto? Pero el vivo no responde más con la frase: *yo soy «el Otro»*. El drama discurre así desde el asesinato de uno al suicidio del otro, sin más anécdota que los recuerdos del pasado y el relato del reencuentro y el crimen. El grado de concentración, de tensión emocional, es máximo; pero, a la vez, la integración de los elementos dramáticos (personajes, situación, espacio, diálogo) y sus valores simbólicos está más adecuadamente presentada. La obra se sitúa en un terreno próximo a su novela *Abel Sánchez* y remite a uno de los motivos más insistentes de Unamuno: el mito bíblico de Caín y Abel. La obra se podría resumir con sus mismas palabras: en el fondo de la conciencia hay muertos, y esos muertos nos gobiernan. Esta es la herencia de Caín.

La última obra, *El hermano Juan o el mundo es teatro* (1929 o anterior), ofrece la reflexión de Unamuno sobre el mito donjuanesco, tan debatido en España en los años veinte y, a partir de él, un «ensayo dramático» acerca del gran tema del teatro del mundo, de la vida como representación y de la autoconciencia del ser humano como personaje. Don Juan invierte en esa obra sus características y eso le sirve al autor para establecer su teoría general de carácter irónico y patético. El universo parece un espectáculo que Dios se ofrece a sí mismo, en el que los seres humanos somos muñecos en manos de un director y tramoyista. Nuevo giro de la visión trágica e irónica de la existencia, aunque abierta al final hacia el Misterio.

El interés auténtico de Unamuno por el teatro se advierte en el cuidado con que trabajaba sus dramas. De ningún modo son ejercicios improvisados, sino minuciosamente pensados, escritos y corregidos. Los manuscritos que vamos conociendo dan noticia de varias fases que tienden a mostrar una semejante técnica de trabajo: esquema, diálogos sueltos, primera versión manuscrita, que suele ser comunicada a amigos o actores, versión final.

Así, de *La Esfinge* (que no recibió este título hasta 1908, por sugerencia del actor Federico Oliver) conocemos tres manuscritos, reseñados por García Blanco y estudiados por F. R. Radelat. Dos actos estarían ya concluidos antes de marzo de 1897 (fecha de la famosa crisis). Las conmociones inmediatas le hicieron intercalar escenas en lo escrito y completar la obra con el acto III. Hay ahora otros testimonios escritos, que están pendientes de estudio y de edición, recogidos al menos parcialmente en la traducción italiana, y que cambiarán considerablemente la idea que tenemos de la obra, y, sobre todo, pondrán de relieve que Unamuno atendió a las críticas que se le llegaron de sus amigos. Esto confirmaría el interés autónomo y temprano de Unamuno por el teatro, simultáneo a sus primeros textos ensayísticos de importancia y a su novela *Paz en la guerra*. Todos los géneros parecen haberle atraído a la vez y por igual. También *La venda* muestra un proceso de composición tentativo, creciente y cuidadoso, a pesar de su brevedad. La revisión de los manuscritos aporta algo semejante, aunque menos complejo, al caso de *La Esfinge*. Además del manuscrito, hay al menos tres fragmentos que indican fases anteriores de composición y redacción. Y con este material hizo dos versiones: el cuento publicado en 1900 y el breve drama, proyectado desde el comienzo en esta forma, y no editado hasta 1913. Contamos igualmente con parejos testimonios de *Fedra*. Al manuscrito original y completo se le pueden añadir otros dos, descritos por Nelson Orringer (1997) y llamados por él «Ur-Fedra» y «Pre-Fedra», que contienen un breve guión y esquema, con referencias a Hipólito, de Eurípides, y una primera versión, con detalles y diálogos luego rechazados (como en los casos anteriores). Sabemos también, por propios testimonios del autor (y recogidos por García Blanco) que *El otro* había pasado por fases sucesivas: una primera redacción más breve en 1926 y una ampliación, con motivo del estreno, en 1932. Isabel Paraíso ya propuso tres redacciones, según su análisis del texto, que Ricardo de la Fuente ha podido concretar y describir. En medio queda una edición poco conocida de la versión de 1928, en La Habana.

Al margen de esta actividad creativa, el éxito teatral más considerable correspondió a la escenificación de su novela *Nada menos que todo un hombre*, realizada por Julio de Hoyos y titulada *Todo un hombre*. Se estrenó en el Teatro Beatriz, de Madrid, el 19 de diciembre de 1925. No tuvieron la misma fortuna el resto de sus obras, como puede observarse en la siguiente relación de fechas y representaciones, casi todas ellas de breve duración. *La Esfinge*, por la Compañía de Carmen Cobeña y Fernando Oliver, en el teatro Pérez Galdós, de Las Palmas, el 24 de febrero de 1909; *La venda*, en el Teatro Bretón de Salamanca, el 7 de enero de 1921; *La difunta* en el Teatro de la Comedia, de Madrid, 27 de febrero de 1910, con reposición de homenaje en el Teatro Nacional María Guerrero, el 9 de octubre de 1962; *La Princesa doña Lambra* en el Teatro Candilejas, de Barcelona, en 1964; *El pasado que vuelve* en el Teatro Bretón de Salamanca, el 8 de febrero de 1921. *Fedra* en el Ateneo de Madrid, el 28 de marzo de 1918, (y en el Teatro Martín, de Madrid, el 9 de abril de 1924; *Soledad*, en el homenaje del Teatro Nacional María Guerrero, de Madrid, el 16 de noviembre de 1953 (sesión única) y repuesta, con *La difunta*, en octubre de 1962, en ambas ocasiones con dirección de José Luis Alonso; *Raquel, encadenada* en el Teatro Tívoli de Barcelona, el 7 de septiembre de 1926; *Sombras de sueño* en el Teatro Liceo de Salamanca, el 24 de febrero de 1930; *El otro* en el Teatro Español de Madrid, el 14 de diciembre de 1932, con dirección de Rivas Cherif. Y con la dirección del mismo, *Medea,* versión de la tragedia de Séneca, en el Teatro Romano de Mérida, el 25 de junio de 1933, y en la Plaza Anaya de Salamanca, como homenaje al autor, el 11 de septiembre de 1934.

En verdad, la adecuada consideración de esta obra dramática solo puede hacerse, como se viene proponiendo en estas páginas, dentro del marco de la labor literaria completa del autor, de la que forma parte inexcusable. Por una parte, los temas unamunianos se presentan insistentemente, en variaciones de género, ya que expone «un solo y mismo pensamiento fundamental».[104] Pero, además, algunas obras dramáticas tienen su correspondencia en otras muy próximas: *La Esfinge* y el *Diario íntimo*; *Fedra* y *Del sentimiento trágico...*; *El otro* y *Abel Sánchez*; *El Hermano Juan* y los ensayos sobre donjuanismo; se presentan a la vez en doble versión: *La venda, La difunta* (con los *relatos En manos de la cocinera* y *El de la de López), Sombras de sueño*; o simplemente incorporan textos (poemas, cuentos) y referencias internas: *Soledad, Sombras de sueño* y *El otro*. Algunos proyectos dramáticos no culminados se desvían hacia el relato.[105] Así que el teatro de Unamuno ha de verse tanto en esta interrelación —parte de una obra global— como en su especificidad, buscada y señalada por el autor: «Pero si me he metido en él [el teatro] no es por codicia, sino porque tengo cosas que decir que solo por el teatro pueden llegar: cosas muy crudas y tal vez cínicas».[106]

Teoría teatral

Es también temprano el interés de Unamuno por el teatro como fenómeno social. Ya en 1896 publicó el primer artículo extenso, titulado «La regeneración del teatro español», al que aludí en el capítulo primero. Y

---

104. Tal como se dice en «Soliloquio», según la edición del *Teatro* de García Blanco, 1959, p. 65.
105. Así parece en el caso de *La venda*, del esbozo de *Un maestro de escuela*, antes mencionado, y se deduce de estas palabras de Unamuno: «Como mi novela *Nada menos que todo un hombre* [...] la escribí ya en vista del tablado teatral, me ahorré todas aquellas descripciones del físico de los personajes, de los aposentos y de los paisajes...». (Prólogo de 1933 a *San Manuel Bueno, mártir*).
106. Edición de *Teatro* (1959) por M. García Blanco, p. 65.

aunque luego confesaría no asistir con frecuencia al teatro, toda su teoría posterior se elabora en relación con los conceptos vigentes en su época acerca de la «teatralidad» (y en contra de ellos), con los usos de la escena española y con los géneros dominantes y sus poéticas. En «La regeneración...» traza una historia del teatro español, diagnostica los males presentes y propone líneas de «reforma» (unión de lo tradicional con lo moderno) y de «regeneración» (vuelta a los orígenes populares del teatro, de donde únicamente puede tomar su vitalidad). Este trabajo, entre el socialismo económico y la perspectiva religiosa, establece ya algunos conceptos que serán claves de su futura teoría.

En 1899 confirma su concepción dominante del teatro de ideas y establece la diferencia —o más bien oposición— entre lo dramático y lo teatral, según el mal uso o exagerada aplicación que de este último concepto hacen los profesionales. Lo dramático es, simplificadamente el conflicto, que, en Unamuno es esencialmente interior, de conciencia, y que se expresa mediante la palabra; lo teatral, la representación exterior, mimética, que con frecuencia oscurece el interior y deriva en pantomímica. Por ello exige un cambio en la estética teatral, en la interpretación y en el gusto del público, aunque siempre desde fuera de ese ambiente artificial y artificioso, de ese que llama «teatro de teatro», que solo reproduce lo ya sabido y esperado.

Así aparecen ya unidas las dos caras del problema: la que mira a la crítica de los modelos dominantes (con sus manejos sociales y profesionales) y la que mira a su propia exigencia como creador. En este momento, y supuesto el panorama ofrecido en el capítulo primero, parece que Unamuno está en sintonía plena con los intentos de reforma y que, de acuerdo también con las tendencias de la época, y según su propio criterio, la busca en la práctica por su propio camino, hacia el interior. Unamuno justifica también su teatro como necesaria alternativa a los débiles géneros dominantes y por ello insiste en su poética: pasión, hondura de sentimientos, esencialidad, simplicidad de acción, despojamiento retórico, «en que lo que se ve ayude y sirva a lo que se oye, pero no lo desfigure ni oscurezca»[107] [1913]. La palabra resulta así el elemento esencial de este teatro, ya que es la única expresión verdadera del alma. La palabra es creadora del ser mismo, que no es sino aquello que dice (y se dice). Y con su carga emocional y su intensa verdad humana, se presenta como poesía dramática.

La formulación mejor articulada de esta teoría, en relación con el contexto de la época, está en el «Exordio» que compuso para la representa-

---

107. Edición de *Teatro,* (1959) por M. García Blanco, p. 1175.

ción de *Fedra* en 1918. En este texto —muy conocido y citado— opone de nuevo una visión interior o profunda del drama frente a otra más exterior y espectacular. No niega en realidad la virtualidad y legitimidad de la segunda, pero quiere reducirla al mínimo y supeditarla a la primera, para que lo teatral sea la expresión adecuada, transparente, de lo dramático interior. Reconoce Unamuno en estas ideas la influencia de la tragedia clásica griega, con su estatismo, esencialidad y vitalidad. Y justifica la escasez de acción (mejor, intriga) exterior al apoyarse en la acción interior y en su poder trágico, es decir, cree solo en la riqueza que brota del escueto conflicto anímico y de la verdad de los personajes. Así dice, en referencia al lenguaje: «He tratado, en efecto, de poner al desnudo el alma y el amor de Fedra, pero por creerlo más poético». Con ello se produce la definitiva maduración de esa poética que Iris Zavala denomina «teatro de conciencia» y Pedro Salinas y Ricardo Gullón «Teatro del alma».

La vigencia de estas ideas se mantiene en el artículo «Teatro y cine» de 1921 (en polémica con Ortega) y hasta el estreno de *El otro* (1932). En la «Autocrítica» a esta última obra destacan dos ideas que no son nuevas, pero cobran importancia: la defensa que hace de su arbitrariedad técnica y falta de lógica dramática, en función de la verdad íntima del carácter; y la referencia al espectador (y no público) que este tipo de teatro requiere: el individuo único e inquieto, como había dicho ya en 1909: «Yo hablo y escribo para cada uno de los que me oyen, y no para la colectividad de ellos».[108]

Pero queda algo que añadir. Si hemos establecido antes la necesaria incardinación del teatro en la obra literaria de Unamuno, ahora hay que precisar la centralidad de la dramática como perspectiva teórica adecuada para el análisis de esa obra, bien sea en los ensayos que llama «Monodiálogos» o en la narrativa, a la que repetidamente atribuye un deliberado carácter estructuralmente dramático y una esencialidad en la presentación de pasiones desnudas. Se recuerdan los prólogos a la edición de 1920 de *Andanzas y visiones españolas*, a la segunda edición de *Amor y pedagogía* (1934) y de *Paz en la guerra* (1923). Sus fórmulas literales son: «novelas [...] en esqueleto, a modo de dramas íntimos», «relatos dramáticos acezantes, de realidades íntimas», «... el propósito de dar a mis novelas la mayor intensidad y el mayor carácter dramático posibles». El rasgo de su esencial dialogismo novelesco —los personajes se hacen hablando— es también otro factor determinante de la relación drama / relato.

Más aún, en las nivolas, a las que aquí se refiere el autor, el ser humano es presentado como un personaje en la comedia de la vida y se ejemplifica

---

108. Citado en la edición de *Teatro* (1959) por M. García Blanco, p. 52.

esa realidad con metáforas y ejemplos teatrales en el importante capítulo IV de *Amor y pedagogía* y en el XXX de *Niebla*, así como en los prólogos de ambas obras, de modo metaficcional. La novela unamuniana no es solo dramática por su estructura y por el modo de plantear los problemas del vivir humano y la revelación de la persona en su palabra, sino que manifiesta su más radical concepción del mundo —su ontología— como teatral. La vida es representación y el mundo escenario[109].

CARACTERIZACIÓN GENÉRICA Y FORMAL DEL TEATRO DE UNAMUNO

En general parece acordada la consideración de trágico para el teatro de Unamuno a partir de la relación que se establece con su filosofía existencial. Últimamente ha sido Pedro Cerezo quien ha desarrollado particularmente este aspecto de la tragicidad de Unamuno. Sin embargo, se ha atendido escasamente a la cuestión de las posibles diferencias genéricas, tomando en cuenta tanto las denominaciones del autor en los títulos como los rasgos internos de las mismas obras.

Dos de ellas derivan directamente de la tragedia clásica, griega y latina, y llevan el rótulo de «tragedia». *Fedra* y *Medea* (aunque la primera recibe una determinante influencia de Racine). Otras dos son breves y cómicas y se asimilan a los géneros menores: se denominan «farsa» y «sainete», estableciendo cierta diferencia entre ellas. Las otras ocho obras son formalmente dramas (ni comedias ni tragedias) y así se señala en el título —excepto en *El Hermano Juan*— con indicación del número de actos: uno en *La venda*, cuatro en *Sombras de sueño* y tres en las restantes.

Dejando aparte *Medea*, todas tienen rasgos que las asemejan, incluída *Fedra*, al modernizarse. El marco social de los personajes y sus caracteres en función de la situación, ocupación y psicología, a los que corresponde un lenguaje tenso, pero cotidiano, que trata tanto problemas íntimos, morales, como sociales y aun políticos, nos sitúan en ese nivel. La mayoría de estos textos se conciben con un proyecto convencional de acción lineal y carácter absoluto, sin intervenciones exteriores (*deus ex machina*) y desenlaces conclusivos que liquidan los conflictos.

Sin embargo, atendiendo a rasgos internos, podemos precisar una distribución del teatro de Unamuno en tres distintos grupos: los dramas de sentido y alcance trágicos, los puros dramas y los sainetes. En el primer

---

109. Así lo han considerado Iris M. Zavala, Andrés Franco, Pedro. Cerezo y la mayoría de los críticos.

grupo aparecen *La Esfinge, Fedra, Soledad, Sombras de sueño* y *El otro*. Aunque solo la segunda lleva la denominación de «tragedia», todas presentan una contradicción irresoluble, un conflicto interior que se ofrece al espectador con alcance absoluto y que naturalmente pone en juego la vida humana y su sentido. Dicho de otro modo, en todas ellas hay un personaje principal destacado, escindido de modo irreconciliable (al que denomina Lázaro Carreter, «agonista») y en lucha con el misterio (tales son los componentes trágicos de su carácter). Al conflicto y al carácter les acompaña un *pathos* particular. Y el desenlace es la catástrofe de la muerte del personaje, como consecuencia de sus actos (de su fracaso existencial) y, en varios casos, por su propia mano. De este modo se puede aplicar al caso del teatro las descripciones de la «filosofía trágica» unamuniana: «Siempre como anhelo, nunca como logro; he ahí la tragedia».[110]

En cambio, en las dos obras consideradas temática y formalmente dramas se da el conflicto, pero es eminentemente intersubjetivo y se alcanza o proyecta de alguna manera su resolución; la lucha es tensa, pero los personajes aparecen más íntegros, enterizos, dotados de conciencia y de consistencia. Hay angustia, esfuerzo y dolor, pero en un proceso histórico en el que finalmente cambia la situación inicial planteada. Así ocurre en *El pasado que vuelve* y en *Raquel, encadenada*. Y es evidente que no se da la destrucción final por la muerte, sino la apertura de una nueva posibilidad para el personaje: se establece una «ruptura creativa».

Y en esta diferencia se advierte también que, manteniendo los caracteres formales, estos dramas parecen ofrecer mejor disposición técnica y una coherencia en la acción derivada del ser de cada personaje y de su oposición a los demás. Tal vez a esta distinción apunte la última frase del comentario de Unamuno a Jean Cassou: «Paréceme que *El otro* es como teatro muy superior a *Raquel*. Es más tragedia».[111]

Queda *El Hermano Juan o el mundo es teatro* en una situación menos definible: puede considerarse asimismo un drama, aunque lo que resalta es su carácter reflexivo o secundario, cuyo objeto es la cualidad teatral de la existencia humana; domina la construcción metateatral y muy intelectualizada del conflicto trágico, entendido ahora más como la identidad persona / personaje (o personaje autoconsciente) que como el enfrentamiento de esos dos aspectos. Y la muerte no sucede por efecto de su lucha interior o por imposibilidad de seguir vivo, sino como cumplimiento del

---

110. En esto coinciden Fernández Turienzo, *Unamuno: ansia de Dios y creación literaria*, Madrid, Alcalá, 1966, p. 180; y Carlos París, *Unamuno. Estructura de su mundo intelectual*, Barcelona, Anthropos, 1989, p. 109.
111. Recogido por García Blanco en su edición del *Teatro* de Unamuno (1959), p. 131.

destino humano que debe enfrentarse al Misterio definitivo. Es una muerte dramática pero, a la vez, natural.

Las dos piezas breves y cómicas ofrecen un tercer nivel y apuntan (como antes ya se dijo) hacia otra estética, la que entre 1902 y 1914 se define como el bufotrágico en *Amor y pedagogía* y en *Niebla*. Ambas se fechan en el centro de ese período y Unamuno las presenta como la perspectiva a la vez cómica y cruel (en el caso de doña Lambra también paródica) de la vida. Aquí, siguiendo varias fuentes de inspiración, entre ellas la del «humorismo» de Schopenhauer, recurre Unamuno a la comicidad, «esa categoría de lo risible, basada en el efecto ridículo y grotesco que se desprende de las disonancias y contrastes entre los conceptos nobles y elevados y las realidades bajas y mezquinas, que hemos dado en llamar el bufocómico».[112] En efecto, estos breves textos dramáticos se instalan en el plano de lo bufocómico más que en el bufotrágico (que pertenece a las novelas y, en cierto modo, a *El Hermano Juan*). Aunque novelas y sainetes participen de una modalidad semejante, en estos últimos hay limitaciones relevantes: falta la plena asimilación de la bufonería por parte del personaje y la conversión en devorador de sí mismo, así como falta el momento de autorreflexión del texto, la metaficción que hace consciente al lector o espectador de la dualidad y contraste de los planos, como ocurre en el prólogo de *Niebla* y en la representación de *El Hermano Juan*.

Al teatro de Unamuno se le han achacado muchas limitaciones técnicas, ya desde las primeras lecturas y juicios de sus amigos. La crítica (en particular la de la prensa contemporánea) se ha mostrado severa con los defectos de caracterización de los personajes, con la construcción dramática de las obras, con su «descarnamiento» (Lázaro Carreter) o su «esquematismo» (Andrés Franco). Parece que la intención y necesidad expresivas renovadoras no encontraron un lenguaje adecuadamente teatral a su altura. Iris Zavala escribió: «No le absorbe el teatro como género, sino como un modo de exposición de ideas propias. Es una filosofía propia en teatro, no del teatro».[113] El mismo Unamuno se hizo eco de los reproches en varias ocasiones. En el artículo «Acción y pasión dramáticas» (1922) señala: «Yo tengo escrito y presentado a representación un drama del que he tenido muy buen cuidado de suprimir todo lo externo, todo lo que vaya por de fuera... Al protagonista, un dramaturgo metido a

---

112. Antonio Vilanova, «La teoría nivolesca del Bufo Trágico» en *Actas del Congreso Internacional Cincuentenario Miguel de Unamuno*, D. Gómez Molleda, ed., Salamanca, Universidad, 1989, p. 193.
113. Iris M. Zavala, *Unamuno y su teatro de conciencia*, Salamanca, Universidad, 1963, p. 138.

político, le meten preso. ¿Por qué? Eso no importa nada, y como no importa me guardo muy mucho de exponerlo».[114] Luego proyecta irónicamente esos reproches al Autor / Creador en *El Hermano Juan*.

Se ha señalado la raíz de estas insuficiencias en la base de realismo, nunca del todo superada, en tensión con la «realidad íntima» y el simbolismo (Isabel Paraíso), que afecta tanto a la descripción de los personajes y sus circunstancias como a la escueta pero significativa escenografía, en la que se repite el interior de una sala de recibir o salita de estar. La distribución del proceso es igualmente convencional, dominando los tres actos, con paso del tiempo en los entreactos y repetición simétrica o disposición arbitraria de las escenas y de la presencia de los personajes secundarios. El problema del lenguaje es la continua tensión y el desequilibrio: enfático o excesivamente conciso, patético e intelectualizado, tiende a incluir reflexiones generales acerca de los afectos y emociones de los personajes. En resumen, son tres las consecuencias que se extraen de su limitación básica en cuanto a la técnica: la debilidad constructiva por la violación de la verosimilitud técnica, en primer lugar; luego, el esquematismo psicológico y las carencias en personajes que se presentan como seres humanos convencionales pero que a veces son «conceptos encarnados por un actor», como dice Iris Zavala; por último, la densidad y sobrecarga conceptual del lenguaje. Por esto se ha visto incompatible la representación naturalista que el autor supone con los textos mismos, a causa de su contradicción estética.

Si este teatro prescinde del desarrollo anecdótico de la intriga dramática y carga el lenguaje de explicaciones y conceptos interpretativos, puede describirse como de situación única y de debate. La situación única es más propia de los dramas trágicos, ya que en ellos el conflicto no avanza y se profundiza dentro del personaje que lucha consigo mismo por autoconstruirse (Ángel, Agustín). Pero ese conflicto no existe sin la presencia y la presión de los demás, quienes señalan el comportamiento social del personaje, lo aíslan o lo juzgan. Hay que insistir también en este aspecto, pues el conflicto interior surge precisamente a partir del enfrentamiento interpersonal. De este modo, las escenas dialogales se elevan a un verdadero debate en la exposición de las razones o alternativas contrapuestas. Y más que ideas abstractas, se enfrentan situaciones existenciales marcadas de distintos modos: pura abstracción conceptual en D. Pedro y D. Juan de *La venda*, funciones psicológicas y sociales como perspectivas exegéticas en el médico de *Fedra* o en D. Ernesto y D. Juan *en El otro*, inauténti-

---

114. El texto en Miguel de Unamuno, *Obras Completas*, Madrid, Escélicer, 1968, Tomo V, pp. 1169-1170.

cidad y egoísmo personal y social en los amigos de Ángel y de Agustín en *La Esfinge* y *Soledad*, respectivamente. Y sobre todas esas funciones dramáticas y conceptuales a la vez, la figura acogedora y maternal del ama o nodriza. El debate, con escenas repetitivas, se carga de emotividad que conduce a momentos de fuerte patetismo. He aquí otro rasgo definidor del carácter dramático unamuniano, que no deja de ser una aplicación a este género de su «Credo poético» que exige la implicación recíproca de idea y sentimiento: «Piensa el sentimiento, siente el pensamiento / ... Lo pensado es, no lo dudes, lo sentido». Y esto, de nuevo expresado de manera adecuada para el verso y el drama, lleva a la desnudez proclamada en *Fedra* y en el mismo poema: «no te olvides de que nunca más hermosa / que desnuda está la idea».[115]

La disposición espacio / temporal de las obras (intimidad, encerramiento), los objetos mencionados en las didascalias y presentes sobre el escenario (como los espejos o el caballo de cartón), las escenografías generales (mar y biblioteca), así como otras incidencias en la representación (música) añaden un nivel de simbolización que frecuentemente es objeto de explicación verbal en el diálogo. Últimamente Donald L. Shaw ha estudiado detenidamente los aspectos técnicos de varias de estas obras y ha insistido en la dualidad de estructura dramática (acción) y estructura simbólica (semántica), superpuesta a la primera, no integrada con ella, por lo que los significados no derivan de lo que ocurre, sino de las explicaciones e interpretaciones añadidas. Finalmente, ese análisis confirma el juicio ya establecido: «su inadaptación consciente a las formas tradicionales no le llevó a descubrir una nueva fórmula capaz de cambiar el rumbo del teatro español de su época».[116] Y César Oliva ha resumido de este modo la situación de Unamuno respecto del teatro y de sus posibilidades de representación: «Aunque, en teoría, los planteamientos dramatúrgicos de Unamuno parten de una gran originalidad, pues tienen la austeridad del drama desnudo y descarnado de Ibsen, y la ambigüedad espacio-temporal de Pirandello, en la práctica no consiguen romper con un exceso de teatralidad... su lucha contra el naturalismo y el simbolismo es total. Pero no repara en que en esa operación arrasa con la materia teatral propiamente dicha, escribiendo más que dramas, ensayos dramáticos, bosquejos de lo que hubiera podido ser simple arte escénico».[117]

115. M. de Unamuno, *Poesía Completa*, Vol. 1, Madrid, Alianza, 1987, p. 53.
116. Donald L. Shaw, «Sobre algunos aspectos técnicos del teatro de Unamuno» en *Volumen Homenaje Cincuentenario de Miguel de Unamuno*, Salamanca, Casa Museo Unamuno, 1986, p. 513.
117. César Oliva, *Teatro español del siglo XX,* Madrid, Síntesis, 2002, p. 85.

El teatro de Unamuno ha atraído también secundariamente la atención de la crítica general o académica (así lo pone de manifiesto un repaso a la bibliografía actualizada de Elena Valdés, que abarca los años 1980-1991). Y a veces tanto la opinión de los especialistas en teatro como la consideración de los teóricos ha coincidido en un común juicio negativo, como ocurre con Iris Zavala y Nicolás González Ruiz al considerar que «la representación no le añade, sino que más bien le resta a la lectura».[118] Las crónicas de los estrenos se mueven con cautela para reseñar el valor intelectual de la obra, en ocasiones su poesía profunda o la categoría del autor, sin dejar de señalar los defectos y excesos, aunque en muchas ocasiones el equivocado planteamiento escénico contribuyera a aniquilar las posibilidades de ese mismo texto: «El estreno de *Fedra* de Unamuno es un ejemplo elocuente de las dificultades por las que había de atravesar un autor dramático que se alejara mínimamente del teatro al uso» (comenta Mª Teresa García-Abad, en una revisión crítica sobre el estreno de *Fedra*[119]). Importantes escritores, ya en la tercera década del siglo, implicados en la renovación tan demandada en esos años, encontraron en los dramas de Unamuno valores intelectuales y dramáticos significativos y un serio intento hacia el futuro (entre ellos merece la pena destacar a Azorín, en 1928 y en 1933; y a Pedro Salinas, en 1932); aunque tal vez fueron Díez-Canedo y Melchor Fernández Almagro quienes más le apoyaron en este aspecto. Ya después de la guerra civil el teatro de Unamuno ha sido objeto de estudios académicos, algunos de gran poder analítico, como puede verse en la «Bibliografía», pero ha despertado muy escaso interés entre los directores y empresarios. Algunas de las representaciones modernas no han aportado nada interesante y, a la par, las críticas han insistido en las ideas habituales de intelectualidad, densidad, escaso dramatismo y deficiente técnica. La dificultad de pasar esos dramas al escenario es indudable, pero, como advierte también César Oliva, la dramaturgia de Unamuno no ha encontrado todavía una poética escénica adecuada. La marginalidad se ha convertido así, en el caso de este teatro, en su única forma de presencia.

LA IDENTIDAD INTELECTUAL Y EL PROCESO DRAMÁTICO

Desde el estudio de Iris Zavala (en 1962) al de Pedro Cerezo (publicado en 1996) se traza una línea que muestra la situación del drama unamuniano

---

118. Afirmación en su crítica del diario *Ya*, 10 de octubre de 1962.
119. María Teresa García-Abad, «La recepción de *Fedra*, de Unamuno», *Anales de Literatura Española Contemporánea*, 19, 3, 1994, p. 262.

entre el teatro de la conciencia y la conciencia del teatro, entre el drama de la subjetividad y el metateatro, cuyo momento de integración más evidente es *Soledad*. Mientras *La Esfinge*. *Sombras de sueño* y *El otro* abordan centralmente el conflicto interior, que tiene también su vertiente pública o de «representación», *El Hermano Juan*, por su parte, es la ostentación explícita del mundo como teatro, de su desgarro y su falsedad.

Sin embargo, aún caben algunas precisiones. En ese sistema objetivador que es el teatro, el yo se fragmenta en voces diferentes, la dialogía interior se convierte en diálogo exterior y así el autor —sin romper esa dirección «confesional» que le concierne— establece las mediaciones de la ficción entre su persona y la confesión de sus angustias. Advertimos el proceso que va desde *La Esfinge* (donde la razón de los comportamientos es exterior al mundo dramático y reside en la conciencia del autor y donde Ángel refiere como propios hechos de la vida de Unamuno) a *El otro* o *El Hermano Juan*, de mucha mayor autonomía ficcional. Con precisión, Iris Zavala[120] ha advertido el cambio desde un yo romántico (inicial) a la diferenciación dialógica de varios «yos» en debate. En medio de ese trayecto, *Soledad* es más autobiográfica, mientras en *Fedra* el autor recurre a un conflicto heredado y en *La venda* se proyecta y distancia a la vez, simbólicamente. Lo que en cualquier caso se mantiene es el sentido dramático de la existencia y el motivo de la tensión unamuniana entre autocreación (de él mismo en la palabra, del personaje en la obra) y autorrepresentación (del personaje en la escena, de Unamuno en la sociedad y en el texto).

Otra dimensión característica es el recurso a los mitos —bíblicos casi siempre y también clásicos— como modelos sobre los que dibujar los conflictos y problemas de orden existencial. Así prolonga una tradición del teatro español y se sitúa en la modernidad (señalada por Úrsula Aszyck, 1987). Sin hacer una relación exhaustiva, recordemos desde el título (tardío) del primer drama —*La Esfinge*— que adelanta un modo de comprensión de la obra, a la versión «cristiana» de *Fedra* o a la revisión del mito donjuanesco. Encontramos referencias bíblicas constantes (y estructurantes del contenido) en *La venda*, *Raquel, encadenada*, *Sombras de sueño*, *El otro*. Hay referencias internas a varios mitos en *La esfinge* y en *Soledad* (además de la arqueología paródica de *La princesa doña Lambra*). Finalmente, es continuo el recurso a símbolos y arquetipos naturales y culturales, como el Paraíso, la ceguera, el laberinto, la isla, el mar, la biblioteca, el doble, la tierra, el sueño, el espejo. De esta manera

---

120. Iris M. Zavala, *Unamuno y el pensamiento dialógico*, Barcelona, Anthropos, 1991, pp.15-16.

se forma un tupido tejido que fija la movilidad recurrente de la personalidad literaria unamuniana.

Pero también en este aspecto hay que considerar el proceso y el cambio que sufren estos mitos al incorporarse a la escena, ya que se revisten de una modernidad externa (Fedra o Don Juan) pero sobre todo interna, al constituirse como formas expresivas de la experiencia de incertidumbre y ambigüedad de la existencia: por ejemplo, la relación «visión de Dios» / muerte de Dios, el cristianismo de Fedra, la integración subjetiva de Caín y Abel en el mismo individuo, personaje de ficción, que no había llegado a hacer en Abel Sánchez, y la visión irónicamente «espiritualista» de Don Juan.

Aún hay más, sin embargo. Este teatro es testimonio ineludible de la crisis intelectual de su tiempo. «El pensamiento de Miguel de Unamuno se inscribe en este giro histórico de la filosofía a la tragedia: el llamado mal del siglo [...]. Se trata del malestar de una cultura objetivista hasta el fetichismo que no puede ofrecerle a la vida una guía u orientación».[121] De esta manera, la modernidad del teatro de Unamuno reside básicamente en su dimensión intelectual, en la sintonía con los modelos de la crisis del pensamiento contemporáneo y del «sentimiento trágico», desde Pascal a Kierkegaard, de Kant a Nietzsche y a Schopenahuer, y finalmente a Freud. Pero aún los conflictos con la forma dramática y sus vacilaciones son también muestra fehaciente de la «crisis del drama» que afecta a su tiempo en las figuras más inquietas y renovadoras. De este modo, sus ficciones (narrativas o dramáticas) se insertan creativamente en la conjunción de filosofía y literatura y presentan a esta última como una vía válida para explorar los últimos reductos conceptuales y emocionales de la crisis de la existencia humana.

De manera esquemática podemos resumir el esfuerzo dramatizado por Unamuno en la necesidad de encontrar el yo propio como valor perdido y reconocerle un fundamento —del que carece— en Dios como instancia última. (Ambas cuestiones se tematizan juntas en el ansia de inmortalidad, pero están también en el origen de su recurso a la metaficción). El punto de partida es precisamente la ruptura o escisión del yo íntimo y la ausencia de razón para la afirmación religiosa (diálogo inicial de *La venda*). La solución final llevaría a alcanzar una identidad que solo puede reconocerse como filial (y de ahí el retorno de María en *La venda* y los momentos de filiación, bien del esposo hacia la esposa en *La Esfinge* y *Soledad*, o bien hacia la madre espiritual en *Fedra*, *El otro*, etc.).

---

121. Pedro Cerezo, *Las máscaras de lo trágico. (Filosofía y tragedia en Miguel de Unamuno)*, Madrid, Trotta, 1996, p. 20.

Igualmente se requiere una verdad como condición del conocimiento, un principio que lo sea a la vez del orden cósmico y de la intelección[122], pero con la ficción y el metateatro se evidencia que el pensamiento no responde a otra imagen externa: es invención en sí mismo; la vida es representación y conciencia de representación, aunque con sentido del misterio trascendente, como saben el Hermano Juan y San Manuel Bueno, frente a la simple afirmación inmediata y acrítica —pero feliz— de los demás. Pues ya escribió Unamuno que «la conciencia es una enfermedad» (*Del sentimiento trágico...*, Ensayo I). El teatro de Unamuno, en su conjunto, presenta esta necesidad de afirmación con el nihilismo como horizonte, pero no siempre del mismo modo, sino también como un proceso que podemos describir en sus líneas principales.

Este proceso sigue los momentos de creatividad dramática del autor. Así, comienza con la autorreflexión o busca del yo interior, perdido por la demanda social, y de su fundamento religioso (que representa como la vuelta imposible a la infancia, tanto en *La Esfinge* como en *La venda*) para salir luego en busca de su contrario, lo bufocómico, y regresar a la expresión más concisa y desnuda de la tragedia de la intimidad personal en *Fedra*. Con *El pasado que vuelve* se inician temas que se desarrollan en el momento siguiente: la responsabilidad social, la repetición frente a la ruptura utópica, el egoísmo y la generosidad. Son los aspectos centrales en las obras de 1921, *Soledad* y *Raquel, encadenada*. Si el motivo dominante primero era la autorreflexión, ahora lo será la autotrascendencia personal, cuyo símbolo material es la fecundidad (la muerte del hijo es una presencia ominosa en *Soledad* que equivale a la esterilidad creativa), y el conflicto aparece como la pugna por la libertad propia frente a la esclavitud que los demás imponen.

Y este último concepto nos permite pasar al tercer momento. Ahora el conflicto se interioriza en personajes duales o en dobles de sí mismo, tal como se vivenciaba el autor en su destierro político; el héroe es trágico por el antagonismo de identidades que aparece en la lucha por emanciparse de un pasado opresor y enajenante, en busca de un futuro de integración y plenitud (Julio Macedo). Pero el personaje (Cosme/Damián) no puede acceder al misterio de su personalidad por debajo de la identidad. Este misterio del fondo incognoscible de la conciencia es —como en San Manuel Bueno, mártir— el tema central de esta fase y termina por proyectarse como el vacío del personaje teatral (que no puede saber quién es) sobre la

---

122. Véase el tratamiento de este aspecto en Francisco Jarauta, «*Fin-de-siècle* ideas y escenarios» en J.C. Mainer y J. Gracia, eds., *En el 98. (Los nuevos escritores)*, Madrid, Fundación Duques de Soria/ Visor, 1998, pp. 14 y 17.

escena del mundo en *El hermano Juan*, el cual funda su grandeza y realidad «en que está siempre representando, es decir, representándose a sí mismo» (Unamuno: «Prólogo» a *El Hermano Juan o el mundo es teatro*). En definitiva, Unamuno ofrece ahora finalmente la dualidad interior y la autorrepresentación consciente como formas del existir trágico.

Dentro de esta caracterización general, podemos apreciar también algunos aspectos de la configuración dramática de las obras unamunianas, es decir, de la distribución y oposición de los personajes y de las fuerzas que representan en el conflicto. Por ejemplo, si el protagonismo (fuerza esencial dominante) es de un personaje masculino o femenino; y luego, según esto, se distribuyen los demás personajes como fuerzas oponentes o ayudantes. El elenco de personajes es sumamente limitado, formando normalmente una trama nuclear de conflicto, a la que se suman algunos complementarios, normalmente confidentes que sirven de interlocutores, consejeros, comentaristas de la acción. Y entre estos hay uno cuya función es especialmente significativa: el ama, la figura de la maternidad espiritual, acogedora. Generalmente se ha caracterizado a los personajes protagonistas, sobre todo masculinos, pues son los más relevantes por repetidos, como proyecciones del autor, ideas en acción y esquemas ideológicos al servicio de una concepción unamuniana del mundo y de la existencia. Sus pasiones no son estados de ánimo —escribía Iris Zabala— sino modos de ser. Y, aunque el personaje establezca una dialéctica entre el yo y el otro como modo necesario para su identidad que está *in fieri*, les caracteriza igualmente el conflicto consigo mismo, su «agonismo», en término de Lázaro Carreter. No son necesariamente distintas las protagonistas femeninas, que apenas podrían pasar de tres: María, de *La venda*, Fedra y Raquel. Pero las tres parecen ofrecer otra faceta del espíritu de Unamuno, el ansia (desde luego expresada a través de la maternidad, lograda, deseada, rechazada, arrebatada...) y la entrega que les encaminan hacia la plenitud, acaso frustrada y entonces sacrificada. En ellas, la fuerza de la vida se manifiesta como la dinámica del amor, con una gran profundidad. Son también agonistas (y su ejemplo central es Fedra, en su terrible soledad atormentada) pero son sobre todo, expresión de la inquietud del espíritu, en su tendencia irrenunciable hacia la vida y la creación.

Como se ha venido repitiendo, el alcance final del teatro de Unamuno (como del resto de su obra) es religioso. Dentro de cada una de sus tragedias se plantea la pregunta por la divinidad. Pero de manera progresivamente más implícita en la acción dramática. El tema religioso es dominante o exclusivo en el comienzo. En *Fedra* es la soledad de la mujer la que aparece en primer plano, aunque está presente la pregunta por el sentido de la existencia y la ausencia de Dios, con que se abre cada uno de los tres actos; ausencia y pregunta que reparecen (después de *Soledad* y de *Sombras de sueño*, que cuentan menos) en *El Otro* con su imagen del Dios trágico, escindido en contrarios (Dios y el Destino). El hermano Juan termina su vida ante la puerta del Misterio, con las preguntas: «¿existo? ¿Existe Don Miguel de Unamuno? ¿No es todo esto un sueño de niebla?»; y en segundo lugar, «¿Dormir con Dios? ¿Dormir en Dios, el altísimo Personaje?».

* * *

La consideración crítica del drama de Unamuno se apoya en su contenido filosófico existencial, proyectado en las figuras de la escena, y en su posición testimonial, a lo largo de muchos años, frente a los modelos más convencionalmente aceptados. Es preciso considerar el teatro como plenamente integrado en el perfil literario general del autor, y no es lícito descalificar sus intentos solamente por su fracaso escénico o por las deficiencias técnicas, sin atender también a las posibilidades abiertas por ellos, a su filosofía trágica de la existencia, a su intensa y desgarrada subjetividad. Si sus propuestas son insuficientes y difíciles de asumir, el relieve teatral de la época quedaría recortado de no tenerlas en cuenta y añadirlas a otras a su zaga (Azorín, Jacinto Grau, Ramón Gómez de la Serna), todas inconformistas. Realizaciones dramáticas posteriores más logradas, remiten, si no recurren directamente, a aspectos propuestos ya por los dramas de Unamuno.

Capítulo IV

Ramón Gómez de la Serna
La vida latente en el *Teatro muerto*

Introducción

Los escritos de creación dramática de Ramón Gómez de la Serna (1888-1963) se sitúan en tres momentos bien delimitados, y en cada uno de ellos las circunstancias históricas y las biográficas son muy diferentes. Por este motivo es preciso diferenciarlos y no trazar, sin más, una línea común entre ellos; incluso hay que poner en cuestión la posibilidad de encontrar un proyecto unitario que los relacione. Cada uno de estos momentos ofrece un desarrollo desigual, por la duración y por los resultados. El primer periodo abarca los años de 1908 a 1912 y corresponde a la época de formación y presentación de Gómez de la Serna a la sociedad literaria; el segundo es breve y se refiere a una sola obra de 1929, aislada y probablemente tarea de compromiso, aunque tanto su composición como las críticas recibidas muestren un interés histórico particular; finalmente, ya en los años treinta encontramos el libreto de una ópera y otra obra que articula una alegoría personal. En verdad, poco tiene que ver cada uno de estos momentos con los demás, y las obras resultantes así lo manifiestan. Conviene, pues, ser cautos en la consideración de una evolución o de un carácter unitario de esta labor dramática y proceder a una separación de cada uno de los segmentos.

A pesar de esta discontinuidad y de que los motivos explícitos que podemos rastrear, a partir de los mismos textos y de sus declaraciones, difieren de un momento a otro, tal vez se pueda encontrar un término de relación, aunque no referido a la estética o a la dramática: y es que las obras responden, en cada caso, a un estado particular de conciencia y buscan poner de manifiesto la actitud espiritual o la convicción moral de su autor en la época de su creación, por mucho que tales actitudes y convicciones puedan haber cambiado de una a otra fase. Por lo tanto, no tomaremos como presupuesto la existencia de una transición más o menos continua desde el modernismo simbolista a la vanguardia, y menos aún la simple anticipación vanguardista de su primer teatro, por mucho que haya que insistir en el rasgo de su originalidad y rechazo de lo convencional.

Entre 1908 y 1912 la labor creativa de Gómez de la Serna fructifica en un total de quince dramas, en general breves, y otras obras sin diálogo y con acción esquemática que denomina «Pantomimas». Todas ellas —junto con críticas, ensayos, cuentos, etc.— son resultado de una intensa dedicación y de un trabajo continuo que se proyecta en la revista *Prometeo* y en algunos libros. Y se enmarcan dentro del interés de Gómez de la Serna por definir su posición intelectual y, en ella destaca la actitud estética no solo inconformista sino renovadora de las formas artísticas (tal como muestra la trayectoria entre su polémica conferencia del Ateneo acerca de «El concepto de la nueva literatura» y la creación de la *greguería* y la constitución de la tertulia de Pombo al final de este periodo).[123] Por ello se vincula también a los intentos de alternativa teatral propugnados por el *Teatro de Arte* (tratado en capítulo anterior) y algunos dramaturgos particulares, como Benavente y Valle-Inclán entre los más importantes.

En 1929 Gómez de la Serna es un autor consagrado y ha impuesto su literatura como ejemplo de vanguardismo individual, tanto en las actividades personales, centradas en la tertulia de los sábados como en la literatura (relatos, artículos, greguerías, etc.). En cambio, el interés por el teatro ha decaído hasta hacerle evitar ese género, por su dependencia inmediata del público. Pero al aceptar las sugerencias de escribir una obra «vanguardista» trata de aplicar algunas características más o menos comunes dentro de un esquema que fuera aceptable y comprensible para los espectadores, sin renunciar, sobre todo, a la sorpresa. Ya en 1935 el cambio producido en su vida por la relación con Luisa Sofovich le lleva a publicar una alegoría dramática bastante transparente, sin anhelo renovador, aunque mantiene en ella las peculiaridades de su lenguaje en el diálogo dramático y cierta abstracción en las figuras de los personajes. Se trata

---

123. Ramón Gómez de la Serna, «El concepto de la nueva literatura», *Prometeo*, 6, 1909,1-32; «Prólogo» a *Greguerías. Selección (1910-1960)*, Madrid: Espasa-Calpe, 1983 (3ª); *Pombo*, Madrid, [Imprenta de Mesón de Paños], 1918; y *La sagrada cripta de Pombo*, Madrid, [Imprenta de G. Hernández], 1924. (Reed., Madrid, Comunidad de Madrid/Visor Libros, 1999).

de *Escalera. Drama en tres actos*. Por otra parte, su libreto de ópera *Charlot* se compuso hacia 1932 a instancias del músico Salvador Bacarisse; y podemos encontrar ahí tanto referencias al interés de Ramón por el personaje cinematográfico como a la estética de la vanguardia. Al fin, poco antes había tratado como «ismo» el *charlotismo*. Esta colaboración es una de las escasas aproximaciones de Gómez de la Serna al arte musical.

Esta breve caracterización, avanzada como resumen, nos permite colocar la labor teatral de Gómez de la Serna en el interior de un doble círculo concéntrico: el primero abarca la situación cultural española en el paso hacia la segunda década del siglo y, más específicamente, la situación del teatro dentro de ese panorama; el interior delimita las circunstancias personales, sociales, incluso familiares y psicológicas del escritor en tal contexto.

EL TEATRO DE JUVENTUD Y *PROMETEO* (1908-1912)

El hecho de que el mayor número de obras dramáticas de Gómez de la Serna se localice en estos años, que fueran publicadas inicialmente en la revista fundada en 1908 y dirigida por su padre hasta 1911, y luego por el propio Ramón, y que no parezcan atenerse a ninguna convención usual ha hecho que se percibieran como un producto o prematuro o inmaduro de su genio. Sin embargo, estos dramas forman parte de lo más elaborado e identificador de la labor literaria juvenil y pueden ser vistos como una toma de posición efectiva frente al arte y a la cultura de su tiempo. Además, no deben ser considerados como resultado de una labor solipsista que ignora un horizonte cultural más amplio o que prescinde de él. Desde la consideración de sus ensayos de esta época, Eloy Navarro Domínguez y José Carlos Mainer han puesto de manifiesto las respuestas ramonianas a los distintos aspectos de la realidad social, política, cultural de su momento. Nuestro presupuesto en este punto es que hay una doble coordenada. La primera es *la crisis del arte en general y del pensamiento estético en Europa* (cuyo indicio será la publicación de la «Proclama Futurista» de Marinetti), crisis de la que Ramón se hace eco. De esta manera, el hallazgo de una dirección literaria dominante y de una interpretación personal de la existencia se funde con la solución al problema del arte, a la que su práctica dramática contribuye. La segunda coordenada es *la crisis de la forma dramática clásica*, que aparece en muchos de los autores que Gómez de la Serna aprecia en este momento, desde Ibsen a Oscar Wilde, de Maeterlinck a Valle. Sin embargo, esta conciencia no había penetrado de manera apreciable (extensa y profunda) en España, como ya se ha visto. Dicho de manera muy general: el teatro —hecho sobre todo comercial— solo había aceptado la renovación de Benavente, basada en la desdramatización de la intriga y en el costumbrismo moral e irónico, luego de su etapa inicial.

De estas coordenadas puede deducirse la doble función que Gómez de la Serna parece encomendar a su escritura dramática. Se trata, primero, de *definir su universo literario en formación*, muy activo pero necesitado ya de expresión articulada a partir de sus preocupaciones vitales emergentes. Había practicado el relato corto, el artículo de prensa, la crítica. La forma busca ser expresión adecuada del pensamiento que se define, y también se desborda ya desde el erotismo y el individualismo, como luego se explicará. Esta idea de fijar una forma se advierte bien en la metáfora escultórica con que la expone Ramón en *Automoribundia*: «Era excesivo el bloque de la vida, pero parecía ser practicable. Escoplo y martillo para desbrozarle y crear pretendidos relieves, las estatuas de la inspiración».[124] Y por esto, en segundo lugar —al descartar las formas consabidas e institucionalizadas en el teatro convencional (que es decir realista-costumbrista o naturalista según otras denominaciones)— necesita experimentar *con las formas* e introducir distintas referencias *al teatro finisecular europeo*.

Probablemente —y aunque también tardíos— los comentarios incluidos en su *Automoribundia* sean expresión adecuada de sus actitudes de este tiempo (confirmadas, como veremos, en su intento de un teatro representado de 1929). Escribe en el capítulo 54 de esta autobiografía: «No comprenden [quienes le instan a escribir obras dramáticas] que el teatro sin claudicaciones es casi imposible, y que si vivimos tan estrechamente es porque no quisimos claudicar jamás. ¿Es que nos proponen que incurramos en todos los abusos de la combinación y la coincidencia para triunfar? No saben que aun amañado todo, aun preparados todos los lugares comunes con buen pistón, hay tal azar en el éxito teatral que no lograríamos nada».[125] Aparecen aquí aludidos dos rasgos de la limitación del teatro comercial o «industrial», la servidumbre ante el carácter arbitrario e imprevisible del público y de sus gustos y la necesidad de recurrir a determinada fórmula, precisamente a la que consideraba estética y teatralmente periclitada, basada en una trama de «combinaciones» y «coinci-

---

124. R. Gómez de la Serna, *Automoribundia,* Madrid: Guadarrama, 1974 (2ª), Vol I, p. 207. Es oportuno añadir estas otras declaraciones que figuran en el mismo pasaje de la obra: «Mi lucha era dedicarme solo a mi creación, a mi teatro íntimo... Yo no estaba orgulloso de aquel teatro, yo solo me sentía forzado a escribirlo, sacando de mi pedazo de cordillera carpetovetónica bloques esculpidos» (p. 206).
125. R. Gómez de la Serna, *Automoribundia,* p. 377.

dencias», amaños y lugares comunes. Poco más adelante sigue explicándose en términos más directos: «No escribo para el teatro porque sus problemas no son del Arte ni del alma, sino mezquindades de la mezquina humanidad. Yo no voy a hacer esa concesión al público patológico del teatro».[126] Y todavía añade otros aspectos concretos más que rechaza: la identidad (mimetismo) de la escena con el público, la preferencia por la comicidad y la trivialidad.[127]

Desde el lado personal, tenemos también otro testimonio del propio autor que establece un puente para conectar la autoformación literaria exigente y a la vez renovadora en la escritura dramática y su aventura vital con el descubrimiento de la mujer en una mujer, Carmen de Burgos, *Colombine*, con quien inicia en este tiempo una larga relación. En efecto, como los biógrafos de Gómez de la Serna recuerdan, este encontró a Carmen de Burgos en 1908 y se estableció entre ellos una larga relación amorosa y de estímulo e impulso literario, «dedicado amor y leal camaradería» en palabras de Gaspar Gómez de la Serna[128], aliento y libertad. La lucha, el esfuerzo por dar a luz una visión propia del misterio de la existencia estaba en pleno fervor pero se acercaba a su fin. El resultado último o testamento de este esfuerzo logrado será *El teatro en soledad*, drama con el que se despide antes de su viaje a París en 1909.

De esta manera el teatro juvenil se nos va presentando como el esfuerzo creador de Gómez de la Serna para encontrar, al tratar de expresarlo, el misterio de la existencia, que solo se le da plenamente en la relación personal con la mujer. Este teatro se propone precisamente manifestar un misterio sin degradarlo, comunicarlo sin anularlo o descomponerlo como tal misterio. Y así está precisamente representado, en su obra *La Utopía* (I),

---

126. R. Gómez de la Serna, *Automoribundia*, p. 378.
127. Así en esas mismas páginas. Pero en el capítulo XXX ya había escrito, refiriéndose a sus primeras obras: «Lo tonto hubiera sido ejercitar esa peripecia de salvación íntima, lograr más el asunto, ser un pícaro dosificador de los efectos para ganarme al público», p. 207. Por otra parte, ahora rechaza, contradiciendo de algún modo su implicación en el *Teatro de Arte* de Alejandro Miquis, el «teatro de ensayo». «Eso es una miseria. Al teatro de ensayo va todo un poco muerto», p. 380. Sin embargo, mantiene su idea o exigencia de *otro teatro* desde otro fundamento estético (que enlaza bien con la opinión anterior). Y sigue: «Precisamente todo lo que es inexperiencia es lo bello del teatro, lo que conmueve las profundidades del espíritu, y el teatro futuro estará hecho de sentimientos no confesados nunca y lo inexpresable unido a lo inconsciente», p. 380.
128. Miguel Pérez Ferrero, «Vida de Ramón», *Cruz y Raya*, 30, 1935; Luis S. Granjel, *Retrato de Ramón*, Madrid, Guadarrama, 1963, pp. 42-50 (donde detalla además el episodio de «la hija de la mujer de cera», Carolina,) y pp. 39-42 para otras relaciones; José Camón Aznar, «Esquema de su vida» en *Ramón Gómez de la Serna en sus obras*, Madrid, Espasa-Calpe, 1972, pp. 76-78 y 80-81: Gaspar Gómez de la Serna, *Ramón*, Madrid, Taurus, 1983, pp. 71-73.

por la figura de un escultor, infeliz y destruido por no ser capaz de realizar su obra (sometido a la exigencia de su mujer y a la demanda exterior), traidor a su inspiración a causa de su oficio, y luego traicionado o engañado por quienes le debían amar libremente: su amigo y su amante-modelo de esa «utopía».

En la edición de cinco obras que reunió en un volumen de 1926 (o 1921 según O.C.) bajo el título de *El drama del palacio deshabitado*, califica a algunas de sus obras como «arrebatos de adolescencia» y de «anhelo antiteatral».[129] Recoge así muy expresiva y concisamente las dos características con que estamos situando este teatro de Ramón, las dos dimensiones, interna o subjetiva y externa u objetiva, desde las que conjuntamente se concibe y escribe este manojo de textos y que es preciso tener en cuenta también conjuntamente para establecer su situación y su función. En ambos aspectos se percibe el rasgo de la inmadurez o de la insuficiencia, de la busca y de la demanda, pero, aún más, el rechazo de las convenciones (en el plano personal y social) y de la consolidación de fórmulas esclerotizadas (el mundo absoluto del drama) para el progreso artístico del teatro.

Esta visión del propio autor no es solamente propia de años posteriores y ya maduros, como una condescendiente y, a la vez, crítica reflexión sobre sus años de formación. En el mismo momento de la escritura de los dramas deja bastante claras las dos dimensiones y, por lo tanto, la doble función de estas obras. Escribe en el «Epílogo» de *Los Sonámbulos*: «¿Por qué, es un teatro acaso? Hay que conocer a Gómez de la Serna para desorientar todas las opiniones de tiempo y lugar y armazón que sugiere este teatro ¡como si fuera un teatro! Él, como una tromba, desplaza y descaracteriza sus cosas...».[130]

De nuevo vuelve a la carga en el «Prólogo» a *La Utopía* II, de 1911. Allí opone el drama de la vida o el drama como vida al drama como teatro, ajeno a aquel. El drama como teatro no representa, sino sustituye al drama real y produce el «dolor de imitación» (esto mismo constituye el contenido del Acto I de *Teatro en soledad*). Por otra parte, opone el teatro existente, que es un teatro de «golpe de efecto», bien excesivo o bien reductivo, pero mediocre, al teatro (que, como veremos, él desarrolla) de misterio. Y concluye: «Nunca ese teatro, que es todo el teatro existente,

---

129. R. Gómez de la Serna, *El drama del palacio deshabitado*, Madrid, Ediciones América, [1926?]. Contiene además: *La utopía (II), Beatriz, La corona de hierro* y *El lunático*.
130. R. Gómez de la Serna, *Teatro Muerto*, ed. de Agustín Muñoz-Alonso y Jesús Rubio, Madrid, Cátedra, 1995, p. 282.

que golpea la cabeza porque todo lo arroja sobre ella, hasta el cielo...».[131] Su propuesta, en cambio, va por este otro camino: «el teatro debe solo originar esta sensación de claridad y de vértigo sobre el drama, no complicar en la acción y en las ideas del drama todo lo que lo dilucida, clarea sobre él y entra en él...». Y sigue una página entera de explicaciones y rechazos.[132]

El origen de esa falsificación lo sitúa en los autores que «en vez de tener su teatro *extendido* fuera de sí mismos, de un modo irreprimible y vasto, tienen su teatro infundido, sometido, en epítome, y así resulta un teatro de jaqueca, de obsesión».[133] Dos tipos de obras dramáticas —los más representativos del teatro español a la altura de 1910— pone especialmente en cuestión: el ditirámbico de luz y timbalería (de efectos plásticos, visuales, y sonoros verbales, que puede referirse al histórico-legendario del neorromanticismo al modernismo; y el que pretende un efecto de sombra, adverso, un efecto de sordidez (el melodrama y cierto teatro naturalista, tal vez). En definitiva, frente a estos modelos dominantes, dicho en los términos polémicos del autor, se propone un teatro íntimo, abierto, vital, de misterio y que, al no buscar el efecto ni la limitación de la imitación, parece ser antiteatro.[134]

Ya establecido este presupuesto general, es oportuno enumerar las diferentes publicaciones de sus obras dramáticas y las vicisitudes que experimentaron las ediciones, ya que más adelante entraremos en el comentario sucinto de cada uno de los dramas.

El primero de ellos, *Desolación*, apareció en *Ateneo. Revista mensual ilustrada*. Las restantes catorce obras dialogadas aparecieron en la revista *Prometeo*, fundada e inicialmente dirigida por Javier Gómez de la Serna, padre del escritor. La primera de ellas fue *La Utopía* que se publicó en el nº VIII, del año 1909. En el mismo año aparecieron otros tres dramas: *Beatriz, Cuento de calleja* y *El drama del palacio deshabitado*. En 1910 solo publicó uno breve, *El laberinto*. En 1911 aparece el número más amplio, siete obras, de las que dos (*La casa nueva* y *La corona de hierro*) se desarrollan en tres actos. Las restantes son *Los sonámbulos, Siempreviva, La Utopía* (II), *Los unánimes* y *Tránsito*. Además publica también casi

---

131. R. Gómez de la Serna, *Teatro Muerto*, p. 303.
132. R. Gómez de la Serna, *Teatro Muerto*, p. 299.
133. R. Gómez de la Serna, *Teatro Muerto*, p. 295.
134. De nuevo parece oportuno resaltar la coincidencia con Unamuno, por ejemplo en el rechazo de la artificiosidad del teatro (que se convierte en pura convención adecuada a los gustos del público). Véase en el caso de Unamuno las palabras preliminares al estreno de *Fedra* (1918) y el artículo: «Teatro de teatro» en *Teatro Completo*, Madrid, Aguilar, 1959, pp. 1159-1162.

todas las pantomimas, excepto *La bailarina*, del año anterior. Las dos obras finales aparecen en 1912 y son *El teatro en soledad*, otro drama extenso, y *El lunático*. Las obras publicadas en 1911 se recogen luego en *Ex-votos (dramas)* de 1912, mientras las pantomimas se reúnen en 1913, dentro de *Tapices*. Sin embargo, como excepción, *Fiesta de dolores. Drama pantomímico* se incluye en *Ex-votos*[135]. Algunas de estas obras fueron objeto de nueva edición en 1926 (o 1921). Bajo el título de *El drama del palacio deshabitado* se recogen la obra del mismo título y además *La Utopía* (II), *Beatriz, La corona de hierro* y *El lunático*.[136] Dos observaciones pueden realizarse en relación con este volumen. Tal vez la selección obedezca a un acercamiento de las obras al público, al resaltar el componente anecdótico (digamos, la intriga argumental) de algunas de ellas. Pero lo cierto es que introduce bastantes modificaciones (que luego incorpora a las *Obras Completas* de 1956, al recoger las mismas piezas bajo el título de «Teatro muerto»[137]). Advertimos los cambios más importantes en la supresión de los «Prólogos» y «Epílogos» que ofrecen el lado más polémico del joven escritor, así como de algunos pasajes, y en la modificación de la estructura externa de algunas obras (*La Utopía* I se reduce a un solo acto, cambia algunos aspectos del texto y de la presentación de *Beatriz*, etc.). De las demás ediciones se tratará más adelante, en relación con *Los medios seres*. Ya más recientemente, la revista teatral *El Público* (nº 56, mayo de 1988) incluyó en el «Cuaderno» nº 33 un Homenaje a Gómez de la Serna, con varios textos de crítica y las obras *La Utopía* (I) y *El lunático*. La edición de *Teatro muerto*, preparada y prologada por Agustín Muñoz Alonso y Jesús Rubio Jiménez, incluye ocho de estos dramas y algunas pantomimas y danzas, siguiendo las versiones primeras. Por fin, la edición de *Obras Completas*, preparada por Ioana Zlotescu, ha reunido en el volumen II, con el título «*Prometeo*» II. *Teatro de juventud (1909-1912)*, todas las obras escritas en estos años, bajo los siguientes epígrafes: «Teatro suelto», «Ex-votos», «Teatro muerto», «Otros textos». El criterio de edición para este volumen se atiene al general preferido en la obra de reproducir las últimas ediciones garantizadas por el autor, pero

135. R. Gómez de la Serna, *Ex-votos*, Madrid: Imprenta Aurora, 1912; *Tapices,* Madrid: Imprenta Aurora, 1913.
136. Para la datación del libro, sin fecha, véase Alfredo Martínez Expósito, *La poética de lo nuevo en el teatro de Ramón Gómez de la Serna,* Oviedo, Universidad, 1994; y A. Muñoz-Alonso, ed., *Teatro muerto,* quienes dan la fecha de 1926, mientras Pura Fernández, en el vol. II, p. 760 de *Obras Completas* (Galaxia Gutemberg/Círculo de Lectores) indica s.a.: 1921. La B.N. lo tiene catalogado y datado c. 1920.
137. R. Gómez de la Serna, *Obras Completas,* Vol. I, Madrid, A.H.R., 1956. Se publican como «Teatro muerto» las obras referidas, excepto *La Utopía,* ya que aparece la obra de ese título de 1909 y no la de 1911, es decir la que citamos como *Utopía* (I).

incluye la adecuada referencia a los cambios en las notas de edición y recupera en apéndice los textos omitidos.

En su rápida evolución ideológica, Ramón llegará primero a un solipsismo vitalista, afirmativo del yo, y a un rechazo de la sociedad y de las instituciones represoras, que «recargan y entenebrecen» la vida. La actitud intelectual de Ramón se centrará en la investigación de sí mismo y el autoanálisis, favorecido por sus lecturas de orden filosófico y psicológico, a la vez que detesta el egoísmo burgués, enfermizo, al que quiere oponer otro egoísmo «natural» de base epicúrea. Llega así, por fin, a la actitud del «intelectual inconformista integrado» que describe Navarro Domínguez, punta extrema del individualismo de su generación. En este proceso resultan decisivas las lecturas; unas son comunes a los autores de esta etapa, caso de Nietzsche y de Schopenhauer. Otras pertenecen al ámbito de la filosofía y de la ciencia, como Haeckel y Max Stirner, o de la literatura. Aquí entran los ya bien conocidos: Ibsen, Oscar Wilde, Maeterlinck, además de la literatura decadentista francesa, los poetas simbolistas y otros autores, como Strindberg.

Desde aquí abordamos otra aplicación directa al teatro juvenil de Ramón, pues tanto por la vía negativa de la frustración del ideal artístico (expresión de una veta anarquista en *La Utopía* I), como por la reivindicativa de la plenitud vital no alcanzada (en *El drama del palacio deshabitado*) se nos sitúa precisamente en el cruce de estos dos vectores: del monismo como fundamento y del individualismo vitalista como expresión del yo frente a la imposición social aniquiladora de la diferencia: «Yo necesitaba hacer una síntesis gráfica que redujera a su más mínima expresión mi concepción monística, antipragmática y decadente de la vida...La encontré». Así escribe en el «Prólogo» a *El drama del palacio deshabitado*. Y añade: «Si el hombre no se vuelve pronto insurgente, corruptor y maléfico contra este casuismo, procederá, ya no del mono, sino de la primera mentira y eso hará de él un ser espectral, flojo, tembloroso, linfático y obsesionado».[138] Y así aparecen algunos personajes de sus obras. El fracaso o frustración de la existencia —tal como el autor lo presenta en el teatro— proviene de la ruptura de la unidad de materia y espíritu, de naturaleza (instinto) y moral. Por ello le interesa desenmascarar los simulacros de la vida (y el arte como simulacro) y poner a la vez de manifiesto la tensión propia entre necesidad y libertad como tarea de constitución de la propia identidad.

Otro rasgo que podemos percibir es la integración en la personalidad humana de la dimensión inconsciente, de los deseos ignorados o reprimi-

---

138. Véase el texto en la edición de *Teatro muerto* a cargo de A. Muñoz-Alonso y J. Rubio, pp. 223-224.

dos o desviados, tal como luego vendrá a representar en *Los sonámbulos* (y en la escenografía de *El laberinto*). No será ajena a esta dimensión su posible lectura de Freud, aunque hay otras vías de presencia del inconsciente y de las enfermedades mentales que provoca la neurosis sexual (*El lunático*). De esta manera, su teatro juvenil supone un paso muy importante hacia la incorporación de una dimensión subjetiva del drama y hacia una expresión del conflicto dramático en clave de tensión individuo / sociedad, pero también —y de forma muy importante— en clave de tensión consciente / inconsciente, ley y deseo.

El teatro viene a ser resultado de dos principios que Gómez de la Serna pone en «El concepto de la nueva literatura».[139] Uno, la idea de que la nueva literatura incorpora la vida, en particular la vida del cuerpo y es por ello una forma de plenitud vital (que prolonga y a la vez sustituye a los placeres) y también una celebración de la vida (su expresión estilística sería el desbordamiento verbal y su desorden, lleno de quiebras y brusquedades). «La primera influencia de la literatura es la vida». Esto se realizará sobre todo en aquellos momentos en que se produce el encuentro entre personajes afines y que están en busca del otro, por ejemplo en *Los sonámbulos* y en *El teatro en soledad*. Y otro, la necesidad de emprender la aventura de lo nuevo, en que se desarrolle una visión plural y abierta de las relaciones entre la vida y la literatura y se haga efectiva esa penetración de una en otra, a partir de la actitud individualista. Y aquí encontramos el estudio de Alfredo Martínez Expósito: *La poética de lo nuevo en el teatro de Gómez de la Serna*. En él se pone de manifiesto la correspondencia entre la poética o teorización literaria del autor y sus pretensiones extraliterarias de novedad e individualidad; la subversión o negación de la norma establecida le lleva a una actitud autoconsciente de heterodoxia y de tergiversación de los modelos previos. Habrá que añadir, tal vez, que la negación de unos modelos (los del teatro convencional y popular) se realiza a partir de la manipulación de otros alternativos (simbolistas). En cualquier caso es esencial la oposición entre lo nuevo y lo *no nuevo* y la marca de la diferencia en sus dramas.

En definitiva, los dramas iniciales de Gómez de la Serna constituyen una de las piedras de toque de su formación literaria. Y ello desde un punto de vista personal y desde un punto de vista genérico. Sus personajes dramáticos están en la distensión entre estados de frustración y de plenitud, entre incógnitas vitales. Y su multiplicidad viene a poner de manifiesto las tensiones entre las identidades sociales, materiales, etc. y un yo profundo, inconsciente, así como la multiplicidad de los discursos individuales traduce y cuestiona otros sociales. El autodiálogo de algunas obras

---

139. Véase en *Prometeo* 6 (1909) 1-32 y en el vol. I de *Obras Completas*, ed. cit., pp. 149-176.

y la relación Ramón / Tristán (en algunos «Prólogos» y en *Morbideces*, por ejemplo) nos hablan de desdoblamientos necesarios en el texto que pueden naturalmente llevar a la forma dramática. Por otra parte, el personaje social inadaptado se convierte en personaje dramático en obras como *Utopía I* o *Los unánimes* y el principio del monismo literario se manifiesta en la integración de personas y de cosas materiales del mundo, que se proyecta, en el texto dramático, en la conjunción del texto principal y de las acotaciones, con la misma elaboración, estilo y grado de importancia.

Por todo ello el teatro de Gómez de la Serna (prescindiendo aún de su viabilidad escénica y de su carácter teatral) se nos presenta en una dimensión profunda que afecta a todo este proceso y que José-Carlos Mainer interpreta de este modo:

> La teatralidad es una suerte de *forma interna* a la que tiende, de forma natural, el arte literario del joven Ramón, como si su peculiar concepción del lenguaje suscitara una dialéctica que requiere el diálogo consigo mismo (*El libro mudo*), la discusión de personajes que buscan una imposible coherencia con la realidad o incluso la teatralización, la materialización dialéctica, de las mismas cosas.[140]

Y Navarro Domínguez señala: «En ese sentido, como prolongación de las formas y temas característicos de esa misma prosa, el teatro de Ramón, en el que la voz del autor se apropia con tanta frecuencia de la de los personajes hasta conseguir anularlos como tales, estaba destinado a entrar en una vía sin salida...». En verdad, se me hace difícil dilucidar si estas palabras se refieren a que la expresión de las ideas encontraría un mejor cauce en la prosa (haciendo innecesario el teatro) o si se indica una contradicción interna de ese teatro, de un drama tan antiteatral e incluso antidramático, en términos convencionales. Con todo, no deja de anotar lo que es ahora más relevante y coincidente (desde la otra perspectiva) con el planteamiento de estas páginas: «la querencia teatral de Ramón en esta época acabará informando numerosos aspectos de su prosa».[141]

ESTUDIO DE LAS OBRAS DRAMÁTICAS (1908-1912)[142]

La primera publicada (*Ateneo. Revista Mensual Ilustrada*, II Época, VIII, 1, julio-diciembre, 1909, pp. 283-298) fue *Desolación*, breve drama

---

140. J. C. Mainer: «Ramón en *Prometeo*», en R. Gómez de la Serna: *Obras Completas, ed. cit.,* Vol I, p. 130.
141. E. Navarro Domínguez, *La formación de las teorías literarias de Ramón Gómez de la Serna. (1905-1912),* Northwestern Univesity- Ann Arbor, 1995, ob. cit., p. 257.
142. A continuación, en el texto indico el lugar y la fecha de publicación de las obras

de enfrentamientos entre los viejos padres adoptivos de Solita (catorce años) y su joven institutriz inglesa, a la que acusan de ejercer malas influencias, eróticas y religiosas. La pieza puede evocar todavía, por algunos rasgos de concepción y de escritura, los dramas de realismo costumbrista: por ejemplo, en la ambientación de la sala, la parquedad y funcionalidad de las acotaciones, el lenguaje de la criada, el progreso leve pero medido de la acción (que es más bien un proceso de esclarecimiento), las tensiones y los motivos de enfrentamiento: hay una intriga y el diálogo está al servicio de esa intriga. Por otra parte, se pueden percibir en ella elementos característicos que perdurarán en la producción dramática ramoniana de este período: la brevedad, el encerramiento espacial, en este caso opresivo y, a la vez, en tensa relación con el afuera de la calle, la hora de penumbra (paso de tarde a noche), la oposición entre lo viejo y caduco y lo joven y nuevo, la crítica implícita a la hipocresía, la desconfianza, la sospecha y el egoísmo de cierta clase social.

La primera obra publicada en la revista *Prometeo* (nº 8 de junio de 1909) fue *La Utopía. Drama en dos actos*, que dedicó al escultor Julio-Antonio (quien dibujó la cubierta de la edición separada de la obra). Tiene un desarrollo en dos partes (actos), que luego Gómez de la Serna redujo a uno solo. En realidad, la situación es también única y sus personajes, a excepción del escultor, son casi exclusivamente funcionales y se pueden distribuir en tres grupos: los clientes que buscan imágenes (presentados con rasgos satíricos), las mujeres de la familia (egoístas e interesadas explotadoras del talento del escultor) y el amigo y la amante, los traidores al ideal utópico que debían representar. La unión de autenticidad personal (moral) y de libertad creativa marca ya el talante de Gómez de la Serna, opuesto a la vulgaridad y a la mera explotación del arte así como a la falsedad implicada en la devoción burguesa, deturpadora de la verdadera religión. Arte y realización personal del artista van juntos, como expresión de lo libre y vital frente a lo falso y antiviral. Pero Gómez de la Serna ve la frustración social como el factor dominante o fuerza decisiva y el escultor Alberto busca en la muerte (trivializada por los demás, incomprendida) una salida al fracaso de la creación. Porque aquí el arte está visto, muy finisecularmente, como la forma de realización personal, con lo que podemos recordar otras obras, mencionadas antes, que, en distinta clave simbólica, emplean la misma imagen: *El escultor de sí mismo*, de Ganivet. Al fin, la figura del artista es una de las más frecuenta-

---

dramáticas. En nota señalo las referencias textuales, pero no las partes del diálogo, que remiten a la edición de *Teatro muerto* y a la de *Obras Completas* (vol. II) de Círculo de Lectores/Galaxia Gutenberg.

das como héroe de la literatura finisecular y decadente, como lo es el tema de las relaciones entre el arte y la vida. En este sentido, el personaje para el dramaturgo, el desafío es presentar ese drama interior, que no tiene una proyección en intriga, sorpresa y gradación de efectos; es más, que no debe tenerla.

Beatriz. Drama. Evocación mística en un acto (*Prometeo*, nº 10, agosto de 1909) lleva también un dibujo de Julio Antonio en la tirada aparte. El «Prólogo» nos sitúa ya en una tradición literaria (que se evoca y se rechaza) que es la de las mujeres perversas, cuyo modelo finisecular es Salomé; a la vez, la réplica positiva viene del lado de la estética prerrafaelita (de las mujeres puras y aéreas) y de la conjunción del arte decadente y la religión: vara de nardo, gracia, recogimiento, delicadeza y belleza espiritual. Beatriz es presentada de este modo en la primera acotación: «es joven y es bella, con una belleza de sagrario, de baptisterio, invisible en las fiestas profanas y en la calle». Si es la antítesis de Salomé, también la supone, como figura literaria y como motivo impulsor de sus reacciones dentro de la obra. Cabe insistir en el carácter intertextual de la inversión del mito, con los mismos componentes: amor, sexualidad, crimen..., y con un final de abnegación, renuncia —Beatriz besa al leproso para quedar contagiada— que de nuevo funde los contrarios (belleza y enfermedad, horror y admiración), que une erotismo y muerte, atracción y repulsión, sublimación y perversión. Hay una fascinación por el exceso en la obra que puede haber sido el motivo impulsor de esta evocación mística, alejada de los principios vitales del autor, pero relacionada, sin embargo, con las dos anteriores por esa presencia obsesiva y trágica, para la vida, de la religión dentro de un clima cerrado; aunque aquí la admiración ante el sacrificio de la vida y la sublimación amorosa de la carne sea el componente esencial, que desemboca en cierta apoteosis del mal (daño físico) convertido en bien.

Dos rasgos específicos cabe destacar en esta composición. El primero se refiere al lenguaje y al diálogo, formado ahora por parlamentos que se van sucediendo a veces en tono de lamento y otras en tono de oración litánica. Pero ya no hay una funcionalidad que ligue de manera directa el proceso de la obra y la interacción dialogal. El estatismo de la situación se identifica con la estructura del discurso verbal. La fórmula de un teatro sin acción externa o de un «teatro antiteatral», sin intriga, realmente simbolista, se perfila como una alternativa al modelo vigente. Por otra parte, los personajes tienen ya una categoría espectral, insuficiente como figuras plenas, se reducen en sus rasgos, se hacen iconos sometidos a ciertos gestos o actitudes, y parecen existir en un espacio / tiempo suyo, no coincidente con el de cualquier realidad exterior, aislados, y, a la vez, fascinados, vueltos hacia un misterio trascendente pero que escénicamente se concreta y se refiere en una presencia física (aquí la cabeza del santo).

La obra que publica a continuación es *Cuento de Calleja* (*Prometeo*, n° 11, 1909), escrita para un «Teatro de los Niños» promovido por Benavente. Pero la definitiva adquisición del modelo dramático de Gómez de la Serna se dará en la obra siguiente, publicada en *Prometeo*, n° 12, 1909: *El drama del palacio deshabitado*, que viene precedido de tres frases que pueden servir como marco para situar el texto en sus dimensiones ideológicas y en sus pretensiones estéticas. Una cita de Mallarmé: «El mundo ha sido creado para tener como resultado un libro capital y único», mediante la cual Ramón nos hablaría del significado y destino de la literatura. Otra cita de Nietzsche, que parece interpretar en sentido de falsificación y ocultamiento de la verdad interior: «Todo lo que es profundo ama la máscara». La acotación inicial propone en el escenario un «amplio salón oscuro que el espectador obtiene como al magnesio de un modo inaudito y extraño». Ese salón está presidido por una cruz procesional con la figura de un Cristo feo y adornado de retratos. Se caracteriza de este modo un ambiente crepuscular, que se irá marcando con la oposición luz-exterior / oscuridad-interior y que señalará la fuerza del deseo (antes reprimido) de los personajes hacia fuera, hacia la luz que es su boda con la vida y a la vez su destrucción. Porque estos personajes son verdaderamente espectros, es decir, habitantes ya muertos del palacio, que llevan una existencia fantasmal, dedicada a lamentarse de sus carencias, frustraciones y debilidades, a que encomendaron su vida por los prejuicios y cobardías, y a tratar en vano de subsanarlas. La presencia de la vida verdadera, a que no pueden llegar, está ofrecida por los jóvenes que se entregan a su pasión y placer físico en ese lugar recóndito. Lo que Gómez de la Serna presenta es que la insatisfacción de una vida no cumplida produce una eterna inquietud y —mediante el personaje del «Prólogo»— anima a la satisfacción para exorcizar a la muerte: «el autor quiere... que matéis la muerte en vosotros arrancándoos su carátula, que prohibáis los *misereres* y deis suelta a vuestro jolgorio por más intempestivo y voraz que sea». El erotismo se presenta ahora en la escena desde el lado de la carencia. En cambio, la muerte real —explicada en un «Epílogo» fuera del drama— no es más que un efecto y una ley de la naturaleza. No tiene misterio (o trascendencia). Vendría a decir, tal vez, con esto, que el verdadero misterio es la vida. Esta obra recoge la situación estática que ya ensayó con Beatriz y crea una obra autónoma que tiene el mismo resultado: la salida de las sombras hacia la luz, el despegue hacia la muerte.

Al referirme al *modelo dramático* de Gómez de la Serna no pretendo fijar un esquema, sino una serie de preferencias respecto de los espacios (cerrados, extraños), de los ambientes (crepusculares), de los personajes (frecuentemente irreales o imprecisos) del lenguaje (parlamentos, monólogos, salmodias) y de la falta de acción o de intriga. Un cierto sistema de proyección estética que parte del simbolismo y participa de un antirrealismo genérico.

El laberinto. Drama aparece en el nº 15 de *Prometeo*, ya en 1910. Se podría pensar que es otro nuevo drama de no tener drama, desde una perspectiva formal y desde otra temática. Se trata del encuentro de una serie de mujeres en la glorieta central del laberinto de un parque, a donde acuden a refugiarse y a desvelar su secreto. Gómez de la Serna consigue dar palabra a ese drama oculto, profundo, aparentemente nulo de la mujer reducida en su humanidad por el hombre a través del halago, la sumisión, la mentira y el egoísmo. El laberinto y su plazoleta central son pues el camino difícil y el espacio de la intimidad que descubre la verdad. La fascinación del autor por la condición femenina y su interés por la situación de la mujer se manifiestan en esta reunión que trata de alumbrar las contradicciones o renuncias a la verdad descubierta por ellas. Y puede ser que Gómez de la Serna haya escrito en esta obra la página más feminista y reivindicativa de su teatro, con la denuncia implícita de las convenciones que regulan la dependencia afectiva y social de las mujeres sometidas.

En *Prometeo*, nº 25 de 1911 se publica *Los sonámbulos. Comedia en un acto.* (*Segunda parte de la «Trilogía máxima», de la que el «Drama del palacio deshabitado», editado ya, es la primera*). De nuevo el ambiente exótico, con un toque de irrealidad: el salón de un palacio de Venecia en la oscuridad de la madrugada. Ahora ya los personajes carecen de nombre propio. Son soñadores que se caracterizan enteramente por una cualidad o condición: «la vieja pintada», «la inconsolable», «la virgen», «el jugador». Desde tal condición hablan y se expresan. Solo «el extraviado» busca a una mujer, alguien real: pregunta a la sombra pero no busca, como los demás, la sombra. Por ello encuentra a «la mujer de la bata roja», el fruto verdadero del árbol de la Ciencia en el mundo, el único personaje despierto. Ya con nombre —Darío y Encarna— se identifican como sujetos y objetos de deseos reales, salen del sueño que era pesadilla. Y termina «el extraviado»: «¿De qué les sirve su paraíso, su sueño y su Dios? (*La da un beso en los labios*). No me dejes soñar, prefiero estar en vela... Estaré menos solo». Ramón entiende en el «Epílogo» que su teatro se orienta en un sentido contrario al teatro posible y aceptado, y que por eso es irrepresentable. Pero lo que a mi juicio hace es establecer de nuevo en el espacio escénico un espacio subjetivo, de conciencia, que es desvelamiento de la intimidad y aproximación al mundo onírico de represión, condensación y proyección de los impulsos latentes. Y con ello, hace del teatro el espacio de la verdad íntima y vital, aunque a partir de la expresión de la falsedad. Si esta obra se relaciona con *El Palacio...*, también lo hace con la anterior, *El laberinto*. Pero ahora la conjunción de personajes llevará a algunos de ellos a la plenitud del encuentro erótico y marcará la división entre seres que logran esa plenitud y otros que quedan prisioneros de su situación frustrada.

La obra siguiente, *Siempreviva, drama en dos actos*, se publica en el número 28 de *Prometeo*, del año 1911. Si en *El laberinto* el espectador podía asistir a un desvelamiento de la intimidad femenina y a una exposición de su punto de vista de las relaciones con los hombres, la anécdota de este drama (también sin drama) invierte el punto de vista: ahora hombres solos (aunque también mujeres) hablarán de una mujer que acaba de morir y expondrán los puntos de vista personales o sociales sobre ella. La obra no solo tiene un planteamiento más convencional que las anteriores; presenta también personajes con perfiles realistas (profesión, edad, carácter y condición...), un conflicto que progresivamente se aclara y se despliega y un escenario de trazos también realistas en el domicilio de Andrés y la difunta Encarna. Pero advertimos la importancia del título, polisémico al referirse a una flor (símbolo de los amantes) y al personaje femenino; Esto, junto al obsesivo recordar a la «ausente» nos conduce hacia otro de los recurrentes motivos ramonéanos: la fascinación por la muerte, siempre en relación con la vida y su plena realización o, como en este caso, con el misterio del ser humano (femenino) en sus múltiples posibilidades.

En el número siguiente de *Prometeo*, 29, también de 1911, aparece una nueva obra dramática con un título ya conocido: *La utopía. Drama en un acto*. No es una nueva versión de la anterior, sino otra radicalmente distinta. La crítica ha planteado la doble dimensión ideológica de este texto: el aspecto de crítica y reivindicación social (que enlaza con el socialismo del joven Ramón) y, frente a él, la alternativa del individualismo vitalista. Parece que puede establecerse que en esta obra (de acuerdo ahora con Granjel) se rechazan todos los modelos de dominio y de alternativa social y, en cambio, no se formula otro mejor y más perfecto, sino que se deja abierto, proyectando ahora ese misterio de la personalidad femenina hacia un símbolo trascendente que estaría, silencioso, desconocido, pero eficazmente presente en medio de los marginados, excluidos y rebeldes, aunque solamente alguno más clarividente pudiera al fin reconocerla. Es la Utopía.

La siguiente obra es *La casa nueva. Drama en tres actos*, publicado en los números 30 y 31 de *Prometeo* en el año de 1911. Sitúa la acción en medio del campo castellano, seco, que hace inútiles todos los esfuerzos de la familia por crear un jardín (¿modernista?) en la suntuosa mansión que acaban de construir. Bajo su apariencia de obra costumbrista y su engañosa referencia a la estética noventayochista, se puede descubrir el afán de destacar y de promoción social del labrador rico que es finalmente derrotado por la resistencia de la naturaleza: y de nuevo cobra importancia la materialidad del decorado y de los objetos, en particular se advierte (como proyección de la oposición dentro / fuera) la tensión entre el interior de la casa (y sus habitantes) y el exterior, impasible y resistente, real y natural, al que se abren «veinte balcones» a través de los cuales los personajes miran en momentos significativos. En pocos días se hace visible el fracaso en la actitud de melancolía y en el cambio del carácter de los habitantes. Lo que puede aceptarse es, como dice Muñoz-Alonso, que «la casa Nueva no es solo el lugar de la acción sino que constituye el motivo principal de la significación del drama. En ella proyecta cada personaje sus ilusiones de una posible nueva vida...».[143] G. Sobejano encuentra en la obra y, en particular, en la figura del jardinero, ecos de Chejov.[144]

En el número 32, también de 1911, *Los unánimes*, de nuevo pieza en un acto, de extraña factura, pero con el modelo ya conocido. La descripción del escenario y la caracterización de los personajes pone de relieve una correspondencia basada en la fisicidad, en el rasgo exterior, no realista y no psicológico: «aquí debes dejar que piensen por ti las cosas». Parece que podemos relacionar esta escenografía y el estatismo de la situación con el teatro simbolista (aunque pasando a través de una referencia naturalista que queda desrealizada). Desde luego no hay anécdota ni intriga. En un callejón, de nuevo en hora crepuscular de la tarde, un grupo de miserables e indigentes espera que se abra la puerta del Refugio. Aunque por la caracterización estos personajes parecen mendigos, su conversación los muestra tal vez como artistas marginales, excéntricos, y, en definitiva, bohemios. Parecen expulsados de la sociedad, excluidos, pero ellos se manifiestan como disidentes.

Tránsito. (Drama en un acto) aparece en el número 33, y seguimos aún en el año de 1911 e incorpora una situación dramática que tiene como núcleo una anécdota. Susana y Eloy son amantes y se encuentran en la

---

143. A. Muñoz-Alonso: *Ramón y el teatro. (La obra dramática de Ramón Gómez de la Serna)*. Cuenca: Universidad de Castilla La Mancha, 1993, pp. 88-89.
144. En su Prólogo: «El primer teatro de Ramón Gómez de la Serna» a la edición del «Teatro de juventud» en *Obras Completas,* vol. II, p. 21.

casa de ella, actriz en la madurez. La novedad del día es que hay una nueva obra y ya no hará el personaje de dama joven, sino de dama de carácter. Cuando al fin ella lo confiesa, él no es capaz de reconocerla y quererla así, porque vive más prendido de la «otra personalidad» de Susana, la de su personaje Marión. Tenemos, pues, en superficie, dos actitudes enfrentadas que se repiten en estos dramas de Gómez de la Serna: la percepción de la mujer con los rasgos del comportamiento femenino y el fracaso de la actitud masculina por egoísmo y afán de posesión. Y es aquí donde adquiere relevancia la profesión de actriz, pues establece la dualidad o, más aún, la multiplicidad de personajes en uno, la tensión entre realidad y ficción, realidad e ideal... a los ojos de Eloy. Cabe añadir que otra vez el momento elegido es el del atardecer (a la vez ambientación crepuscular y metáfora o más bien símbolo del cambio personal, como en *Desolación*) y que los objetos de la habitación (de nuevo con referencias realistas) se desvirtúan de forma expresionista por su presencia y su evidencia. Añadamos dos trazos que relacionan esta obra con otras anteriores: el primero es la tendencia al empleo de referentes artísticos en función metafórica de las relaciones personales. Así ocurre en *Utopía I, Cuento de Calleja*, y también en su última obra, *El lunático*. Por otra parte, este conjunto ha sido descrito de este modo conjunto por Gonzalo Sobejano:

El nexo de transición con dramas personales como *Desolación, La utopía* (1909), *Cuento de Calleja, Siempreviva* y *La casa nueva* (al menos desde la perspectiva de la hija que hubo de renunciar al ensueño de su jardín) me parece indudable en casi todos los rasgos que definen el drama personal: intimismo, limitación, psicología, inconformidad con lo habitual, paso de lo leve a lo grave, emoción, realismo impresionista.[145]

El siguiente drama cierra la serie de los publicados en 1911. Se trata de *La corona de hierro. (Drama en tres actos)* y apareció en el número 34 de *Prometeo*. El ambiente palaciego y el carácter cortesano de los personajes evocan fantasías culturales y estéticas modernistas, en particular la densidad de objetos y la escenografía de los dos lugares de la acción. Y, más íntimamente, el cansancio y la apatía del Rey sugieren el tedio y la crisis de conciencia de una época de fin de siglo ya agotada. La obra será, entonces, el paso de esta conciencia decadente y solipsista a una nueva integración vital; el descubrimiento del ideal en la persona real, de la mujer en la propia Reina. La obra tiene un desarrollo amplio, no habitual en esta época, aunque su intriga es verdaderamente tenue.

En 1912 concluye Ramón la publicación de sus obras en *Prometeo* con dos nuevos textos, ambos muy significativos. En primer lugar aparece

---

145. En R. Gómez de la Serna, «Teatro de juventud» en *Obras Completas*, vol. II, p. 24.

Teatro en soledad. Drama en tres actos (números 36 y 37). La importancia de este nuevo intento dramático ha sido confirmada por toda la crítica, comenzando por el mismo autor, que antepuso una «Depuración Preliminar» como manifiesto de su poética del exceso y rechazo de la literatura consagrada de su tiempo; y que más tarde se refiere aún a ella en *La sagrada cripta de Pombo* como adivinación y anticipo de lo que después haría Pirandello con *Seis personajes en busca de autor.*[146] Aunque las semejanzas no sean definitivas, tampoco son susceptibles de olvido o desconsideración. Por ello esta obra es comentada desde dos perspectivas complementarias y necesarias: desde el proceso creativo de Ramón en la escritura dramática, que parece alcanzar aquí un logro especial, en el que acentúa todos los aspectos difíciles, pero los proyecta también en una síntesis novedosa y arriesgada; y desde la relación con la estética y el arte de su tiempo (dejando aparte el teatro mismo en su desarrollo comercial), ya que es el planteamiento que más vínculos ofrece con algunos movimientos de la vanguardia, por lo que se puede leer (sin la exagerada reivindicación ramoniana) como anticipo del teatro más innovador de la siguiente década.

En la primera parte del acto I unos actores se despiden, después de representar un drama convencional de forma rutinaria, mientras los tramoyistas recogen los útiles de la escena y el decorado. Todos salen. Vacío el escenario, «se siente que tiene que caer una verdad inaplazable de esa bóveda accidentada y empozada de telares... Se siente algo que avanza estándose quieto...». Entonces aparecen sobre las tablas, entre la oscuridad, los personajes del drama de la vida, del drama verdadero, frente a los que fingen con la mentira amanerada. Sin duda, en este planteamiento metadramático existe una pretensión de denuncia del teatro en sus dimensiones de inautenticidad estética, de convención social y de arte industrializado y carente de ambición.

En el Acto II se presenta el velatorio de un difunto y el duelo desconsolado de la viuda, «La de la frente lunar», que es llevada al descubrimiento de su falsedad, de su «drama» y al reconocimiento de su verdad vital por otro personaje, «El descarnado», con quien formará pareja finalmente. Él le acusa: «Eres la mujer de todos los dramas... La pobre mujer de todos ellos, llenos de dolores falsos que te han ocultado al dolor». Todos los personajes proclaman su ansia de vivir como impulso moral que arraiga

---

146. Escribe Gómez de la Serna: «En otras cosas y hasta en ese drama escesiva y marrulleramente compuesto... *Seis personajes en busca de autor,* se encuentra la fácil versión de aquello, que llega once años después». *La sagrada cripta de Pombo,* Madrid, Comunidad de Madrid/Visor Libros, 1999, p. 724.

en las pasiones. El Acto III es la plena confirmación de esa realidad, a través de la consideración del universo femenino (recuerda *El laberinto* y *Tránsito*) y de un nuevo paso en la relación erótica-amorosa. Vencida la falsedad de la entrega a la muerte, queda ahora la superación de la monotonía de la vida cotidiana, de sus rituales de repetición... con la exigencia recíproca de los amantes de ser siempre nuevos el uno para el otro.

Así, después de un primer momento de identificación de teatro y falsedad, comienza la verdadera representación del drama de la vida en el teatro solo y en penumbra, por parte de seres que no revisten características concretas y precisas. Son verdaderamente «personajes» representándose a sí mismos. Y los tres momentos de su drama (*Conclusión* se titula en el texto) son: 1.- Afirmación de la autenticidad vital (frente a la falsificación de la vida en el drama ficticio). 2.- Adecuado reconocimiento de esa autenticidad en la mujer que sigue la convención del duelo: «Pero mi carne se ha revelado por ti, con rebeldía y con revelación al mismo tiempo». Incitación erótica e intensidad ante la muerte: «El placer no necesita ser absuelto, necesita penarse en sí mismo y anonadarse de gloria al final». 3.- Presencia de la amenaza fundamental, del drama sin drama de la vida cotidiana, expresión anecdótica, banal del paso del tiempo y de su desgaste. Frente a esto, el drama, que apenas logra expresarse porque es exceso y renovación y triunfo: más bien un mito o un deseo de plenitud siempre presente: «Yo sé el ardor de tus muslos y el escalofrío repentino de tu vientre... Lo sé, y sé que les debo haber saciado mi sed de infinito». Este es el drama que es igual a la vida, la renovación continua en el amor y el dolor: «Nuestro drama es un drama de que hartarse y al que no rechazar... Vivamos de él... rotos todos los motivos de todos los dramas, llegó el drama absoluto, franco de fuerza y de extensión».

La filosofía y la estética monista de Gómez de la Serna tienen aquí su manifestación por ser un punto de convergencia de la rebelión y la revelación, la síntesis de cuerpo y espíritu, de amor y erotismo, de secreto íntimo y exaltación pasional. Todo es lo mismo. Y así, formalmente integra las dimensiones de teatro personal y de teatro coral (distinción muy afortunada de Gonzalo Sobejano) y, a la vez, constituye un modelo de la relación del arte con la vida, del arte determinado por el impulso vital que se convierte en celebración, del arte auténtico. Pero al ocurrir en ese espacio vacío del escenario, entre personajes puros, se da como un drama secreto, un drama de conciencia, si es esto lo que ese espacio representa metafóricamente.

La novedad de esta obra aparece en contraste con las que en ese momento se escriben y estrenan y es la culminación de la serie que Gómez de la Serna ha ido publicando, con su despojamiento máximo al confiar todo a la palabra en libertad y fluir creativo. De esta manera Martínez Expósito encuentra en ella la expresión de la autoconciencia de Gómez de la Serna en su busca de lo nuevo como categoría estética y de su «poética de la soledad».

Sin duda, a favor de esta teoría juega el temprano conocimiento que Ramón tuvo de la pintura cubista. Ahora bien, algunos de estos mismos elementos y otros nos sugieren la posibilidad de relacionar *Teatro en soledad* con el expresionismo teatral y sus técnicas. Sin que nos quepa argumentar ampliamente esta propuesta, los elementos esenciales son los siguientes: el ambiente de oscuridad, misterio, etc., que es propio de la obra; el vacío escenográfico y su esquematismo; la carencia de nombres propios de personajes en el elenco inicial (sí aparecen en el texto) y la reducción de sus rasgos a uno solo, esencial y externo, físico; la concentración del drama en un solo asunto, a través de diálogos que convergen en el mismo punto esencial aunque no hay desarrollo de una intriga; fragmentación en múltiples diálogos, aunque con centro en la pareja dominante con una articulación pasional, febril, repetitiva y poética; el carácter de teatro subjetivo, de conciencia, con negación de un realismo cotidiano, y la exacerbación de las sensaciones, etc.; la crítica al teatro (y su falsedad) desde dentro mismo del teatro; la correspondiente teoría dramática dentro de la obra y la identidad de drama y vida, continuamente repetida por los personajes que identifican su vida como el drama. Con todo ello, sin negar la realidad se impone un marcado antinaturalismo (que imprescindiblemente debe afectar al modo de interpretación). Y desde el punto de vista ideológico, propugna un valor subversivo al establecer la negación de la moral convencional y de la ideología y propone para el arte la tarea de la revelación de la *verdad* frente a la reproducción de la realidad. Gonzalo Sobejano ha expresado la misma convicción en el Prólogo a la edición de *Obras Completas*.

La última obra de la serie publicada (no sé si escrita) es *El lunático. Drama en un acto* (en *Prometeo*, n° 38 y último de 1912). De nuevo hay una anécdota y cierta tensión en una intriga que se centra en un caso clínico: el de un joven obsesionado por el intenso atractivo que se esconde tras el antifaz, por el que se revela la carnalidad femenina y que una vez conoció en el baile de la Ópera. El antifaz se convierte en un emblema y en una prenda de culto fetichista que evoca y sustituye a la realidad. La ambientación densa de la sala de estar del joven lunático, con dos elementos principales —el busto de Verrochio y el espejo—, el lujo y el vestuario sitúan la obra en la órbita de un simbolismo decadentista (próximo a Huysman) al que también alude la sustitución de las personas por sus representaciones artísticas. Otro elemento de esta clase es la presentación de la joven mística, con los rasgos de la pintura prerrafaelista y la ingenuidad que tan bien fijara Valle-Inclán en algunos cuentos; pero su transformación en la seductora muestra su otra faceta o la doble dimensión de la tipología de la mujer finisecular, que evoca el misterio religioso y el misterio carnal.

Lo que la madre (Anciana de Aire Noble) y la joven mística pretenden es curar de la neurosis obsesiva al joven lunático al ofrecerle la realidad de lo que busca, la mujer del antifaz. Pero la joven no es la mujer carnal y por ello aparece inmediatamente la falsificación, el engaño y el intento de huida. Cuando se viste la jovencita resulta más «inverosímil», lo que puede querer decir (tal vez al mismo tiempo) extraña, misteriosa y falsa. El joven quiere impedir la huida y mata a la joven y dice: «¡Como que te ibas a ir otra vez!».

Camón Aznar habla con respecto a esta obra de «sensibilidad modernista, de estética quintaesenciada y decadente»[147], juicio que corrobora Muñoz-Alonso, quien aprecia también en la obra una reducción de la amplitud del tema ramoniano de las relaciones de hombre y mujer debido al carácter particular del personaje obsesivo. Y añade esta observación: «el morboso emparejamiento entre sensualidad y muerte característico de parte de esa estética modernista está resuelto al final del drama con tal distanciamiento que lo desvirtúa totalmente». ¿Por qué aborda este tema Gómez de la Serna ahora? ¿Por qué lo termina así, final por otra parte inevitable si partimos de la falsificación o sustitución del modelo enigmático por una realidad más cotidiana? ¿Retrocede en su busca de la novedad dramática?

Desde luego, puede presentarse como una recuperación —desde una perspectiva contraria— del universo simbólico de *Beatriz*, por ejemplo. Martínez Expósito percibe claramente la obra como «una regresión y una pérdida notable del sentido de lo nuevo... Pero además —añade— es una muestra de falta de reflejos a la hora de explotar un tema que se venía preludiando en sus producciones anteriores y que solo ahora afronta de manera explícita... Se hacía necesario un tratamiento dramático de la locura, que es la diferencia por antonomasia».[148] Sin embargo, advierte que es una locura tópica y superficial que se queda en mera manía.

Explicar el hecho de que Gómez de la Serna publique esta obra es entrar en el reino de la suposición. Cabe entender que a la altura de 1911-1912 una incertidumbre de su evolución vuelve hacia la fascinación de

---

147. J. Camón Aznar, *Ramón Gómez de la Serna en sus obras...*, p. 277.
148. A. Martínez Expósito, *La poética de lo nuevo en el teatro de Ramón Gómez de la Serna*, pp. 242-243.

esos temas decadentes del arte como modelo de la vida, etc. Esto nos llevaría a descartar la idea de un progreso o una evolución lineal. Lo que por otra parte, me parece adecuado. Otra interpretación puede resultar más arriesgada pero es sugestiva. Se trataría de entender *El lunático* como la liquidación simbólica que hace Gómez de la Serna de su mundo y de su estética finisecular, reuniendo en ese drama los rasgos más característicos: desde la obsesión, la morbosidad, la sexualidad sustitutiva por el fetichismo, la relación de misterio religioso y misterio carnal, pureza ascética y voluptuosidad, erotismo y muerte en forma de crimen, hasta el mundo literario sostenido por referencias plásticas, culturalistas y autosuficientes. La muerte del ser inocente que es, al mismo tiempo, engañoso, desvela el engaño, cura de la locura e implanta de nuevo el sentido de la realidad. El lunático mata aquello que le producía la locura y con ello se libera. Pero tal vez haya algo más: la insatisfacción del erotismo como una enfermedad y la muerte violenta por su causa serán también temas frecuentes en otras obras literarias de Gómez de la Serna y parece remitir a una fuente oculta del mal que aquí se contrapone a la pureza femenina, que es destruida con esa simbólica violación que es su estrangulamiento. A partir de aquí, parece que ya no pueda subsistir una estética modernista decadentista. Pero, en realidad, Gómez de la Serna tampoco seguirá por el camino de la experimentación expresionista que apuntaba en dramas anteriores, como *El teatro en soledad*.

Clasificación y características del teatro inicial de Gómez de la Serna

Al observar el conjunto podemos detectar dos grupos que responden a dos modalidades en desarrollo. El primero ofrece dramas de ambientación más realista, con personajes relativamente definidos mediante la caracterización social y psicológica, situados en una intriga que desarrolla cierta acción. Así encontramos *Desolación*, *La utopía I*, *La casa nueva*, *El lunático*... En el mismo orden incluimos *Cuento de Calleja*, *Siempreviva*, *Tránsito*. Sin embargo, reconocemos también que las características de los personajes son secundarias, que la ambientación tiene siempre un contenido semántico de orden tropológico y que la acción es apenas un leve tejido de convenciones. Por otra parte, hay dramas en que los personajes no tienen una identidad particularizadora, que carecen de acción en sentido convencional y que su ambientación resulta a la vez imprecisa y marcadamente simbólica, sin abandonar algún grado de referencialidad al mundo externo. Son dramas corales y discursivos. Sus ejemplos más pertinentes, *Beatriz, El laberinto, Los sonámbulos, El drama del palacio deshabitado, La utopía II*. Naturalmente no carecen de cierta preferencia por algún personaje, pero este está en función de semejanza y de contraste con el resto. Dentro de este grupo me parece también adecuado situar *El teatro en soledad*.

Esta distinción la propuso Gonzalo Sobejano en su excelente prólogo, ya citado, basándose en el protagonismo personal o colectivo de los dramas. Lo que aquí quiero destacar, por mi parte, es la correspondencia de todos los aspectos que conforman la unidad dramática, en función de estos dos modelos que se alternan. Ninguno de los dos ofrece un carácter realista, aunque en los dos casos los escenarios comparten tendencias tomadas de la tradición española (y del naturalismo teatral) y de las propuestas del simbolismo, pero lo hacen con distinta importancia: uno de ellos es el fundamental y el otro complementario. El primer modelo aborda, sobre todo, procesos de maduración y crecimiento individual, de descubrimiento de sí y de aceptación o rechazo de las circunstancias vitales; mientras el segundo modelo plantea una situación onírica o extraña, donde las leyes físicas parecen estar en suspenso, que hace aflorar los fondos de la conciencia y una serie de insatisfacciones y demandas que solo en la realidad llegarán verdaderamente a satisfacerse. Según esto, y también de acuerdo con Gonzalo Sobejano, *El drama en soledad* puede verse como síntesis de las dos tendencias, culminación de la busca y aparición de una forma teatral madura y propia, inmediatamente agotada en sí misma.

Otros intentos de clasificación parten de las ideas del mismo Gómez de la Serna. Así, Luis S. Granjel habla de dos temas fundamentales, el «problema erótico» y la «crítica social» y relaciona las obras en apartados como «el despertar erótico infantil», «el ser de la mujer», «las relaciones del hombre y la mujer», «las relaciones sociales», «el pansexualismo». Deja aparte como caso especial *La casa nueva*.[149] Muñoz-Alonso identifica cinco grupos que son pertinentes pero no exclusivos, ya que, por su propia condición, las obras pertenecen a más de uno de ellos. Son los siguientes: crítica a la intolerancia y al simplismo ideológico; vertiente decadentista erótica, con exaltación religiosa de la sensualidad; la conquista de la autenticidad personal (tema central para él en el teatro temprano de Gómez de la Serna) frente a la presión de la moral y de los convencionalismos; expresión de su concepción «monística, antipragmática y decadente» de la existencia; frustración, sufrimiento y soledad de la mujer.[150]

---

149. L. S. Granjel, *Retrato de Ramón*, p. 155-161.
150. A. Muñoz-Alonso, *Ramón y el teatro. (La obra dramática de Ramón Gómez de la Serna.)*, pp. 183-186.

Por su parte, en un breve estudio, Soldevila prefiere una clasificación según las tendencias estéticas en que Ramón inserta su teatro, lo que se presenta también con cierto carácter de evolución o proceso. Así señala cuatro tendencias fundamentales: realista, simbolista, expresionista y fantástico y superrealista. (Congreso entre la trad. Y la van).

Con todo, la unidad de tiempo de escritura, la identidad del medio de publicación, el proceso vital que el teatro recoge marcan características comunes que imponen cierta coherencia al conjunto desde una perspectiva dramatúrgica. Así, los personajes se separan de lo habitual, aunque estén en situaciones cotidianas, y su caracterización textual tiende a insistir en factores subjetivos, en apreciaciones inmateriales: prefiere siempre un ambiente de oscuridad o luz tenue y, muy particularmente, sitúa el momento dramático en la hora crepuscular; los espacios son cerrados, aun en su aparente apertura (un callejón, la glorieta central de un parque) y destaca en ellos el límite, el cerco, a veces marcado de forma liminar (*Desolación, Beatriz, El lunático*), o la tensión entre dentro y fuera (semantizados) como en *El drama del palacio deshabitado* o *La casa nueva*, o la elección de un dentro especial (*El teatro en soledad*). Cabe encontrar dos determinantes semánticos fundamentales, por tanto: intimidad u opresión; de igual manera en el crepúsculo encontramos el momento de tránsito hacia la muerte o de decisión, en cualquier caso una proyección simbólica del contenido de la acción del drama.

Esta acción se manifiesta en la condensación de un momento. En general no hay intriga, y, por consiguiente, tampoco tiempo dramático de la intriga (las obras largas yuxtaponen situaciones que no tienen una secuencia causal, sino un centro más o menos ignorado por los personajes). Y ese momento se centra en la decisión que aboca al éxito o al fracaso existencial, a la falsedad o a la autenticidad, al descubrimiento o encubrimiento de la verdad. Gómez de la Serna reconoce en alguno de sus textos que el drama convencional propone la imitación del drama real y se convierte en un drama de efecto, luz y timbalería o sordidez; mientras el suyo aspira a representar el drama de no tener drama, que es, según esta lectura, íntimo y centrado en el misterio. Escribe en «Prólogo» de la segunda *Utopía*: «Nunca ese teatro, que es todo el teatro existente, que golpea la cabeza porque todo lo arroja sobre ella, hasta el cielo: que termina demasiado lo que termina... ese teatro que deprime a capricho el conjunto, con avilantez... y que agrava al drama de la vida en vez de desagraviarle, y si lo cura lo cura con avilantez, con moral, con cristianismo, con esteticismo, todos tratamientos como mercuriales, sin asimilación posible, y que crean una segunda enfermedad, la enfermedad de la medicación».[151] En cambio, el misterio de sus dramas parece centrarse (muy simbolista) en el erotismo y en la muerte, explorando, a partir de sus relaciones (*Beatriz, Siempreviva, El lunático* pero también *El drama del palacio deshabitado, El teatro en soledad, Desolación, Cuento de calleja...*) las claves de la existencia humana y expresando la fascinación por esas dimensiones que parecen trascender la identidad o individualidad. En las obras citadas el erotismo surge en presencia y ante el abismo de la muerte presente. Y además, con frecuencia, hay una fijación en los objetos e imágenes de la muerte, desde el retrato de la niña muerta a la cabeza del Bautista, en las esculturas o los objetos usados por la muerta o los personajes vivos / muertos.

La integración de personajes y espacio, mediante la cualidad física de los seres humanos y de los objetos, que se acumulan y se evidencian en su mudez presente, tiene entonces un doble carácter: el de la relación con la dimensión inerte y objetual de la muerte y el de la relación entre el arte y la vida. La primera se advierte, por ejemplo, en la dedicatoria de la segunda *Utopía,* en que se refiere a «aquella otra *Utopía* llena del horror inerte de unos santos de tienda...». Lo mismo se percibe en el *Palacio deshabitado* o en la insistencia de las cosas domésticas en *Siempreviva.* La correspondencia o analogía con el arte está también (finisecularmente) activa en la constitución del universo dramático de Gómez de la Serna. La expresión de los editores de su teatro es sintética: «Ramón mira lo real con memoria de lo visto en el arte y lo describe en relación a posibles análogos artísticos, haciendo hincapié justamente en esas asociaciones».[152] Y de nuevo la primera *Utopía* y *El lunático* ofrecen ejemplos destacados, así como las pantomimas.

El abandono de las condiciones habituales del teatro comercial (intriga, psicologismo, moralismo social o individual) y las tendencias estéticas del simbolismo le llevan hacia un dominio de la pieza breve, en un acto; las de tres actos parecen algo artificialmente alargadas, ya que su fundamento sigue siendo el momento del encuentro o de la revelación («una hora un poco profunda y humana y he pretendido aislarla y destacarla...»). Dentro de esta preferencia, cuatro rasgos se presentan como los más determinantes: primero, el estatismo, que supone un dominio de las voces, del lenguaje, lleno de sugerencias y de expresiones propias del estilo abrupto y distorsionado del autor. Como la configuración verbal del espacio y del tiempo adquiere también autonomía en las acotaciones, el

---

151. R. Gómez de la Serna: *Teatro muerto,* p. 303.
152. A. Muñoz Alonso, J Rubio en R. Gómez de la Serna: *Teatro muerto,* p. 46.

efecto es el de estar ante una modalidad de teatro poético[153]. Segundo, se presenta como drama antiteatral, según las condiciones que se han ido exponiendo hasta aquí; entendido esto como una determinación circunstancial en su momento y no esencial. Tercero: al ser un teatro de conciencia en que se dramatiza ficcionalmente la propia evolución y los descubrimientos vitales del autor, tiende hacia la representación consciente y la metateatralidad, que alcanza rango constitutivo en *El teatro en soledad*. Cuarto, la relación entre el arte y la vida, ya señalada, funciona también como proyección de imágenes para la conciencia, incapaz de ver la realidad sino en ese espejo del arte, de la pintura, por ejemplo (*La corona de hierro*) o la escultura (*Utopía, I, El lunático*).

Dos grandes fuerzas parecen determinar la secuencia de las obras del autor, como ejes que cruzan todas ellas. En primer lugar, la consideración del misterio de la existencia, que se sitúa monísticamente dentro de ella y no en otra dimensión religiosa o metafísica. Ese misterio, tal como aparece en la segunda *Utopía*, *El teatro en soledad*, *Los sonámbulos*, es la fuerza esencial de atracción y de humanización.[154] En segundo lugar está la disidencia frente a las convenciones sociales, expresada por el autor en los prólogos y en otros textos y que propone a través de personajes disconformes, mal juzgados (*Desolación*, *Cuento de calleja*), marginales, arrebatados, etc., que pueblan las obras.

En definitiva, desde el estudio anticipador de Marta Palenque hasta el que introduce la edición de *Teatro muerto*, se perfila la dependencia general del primer teatro de Gómez de la Serna respecto de las líneas nuevas que llegan desde Europa: el simbolismo materlinckiano, el decadentismo y el esteticismo, Oscar Wilde; y, por otra parte, Ibsen e incluso Chejov. Lo original suyo es, por un lado, la combinación personal de esos factores en función de una aventura vital que se confunde con la literaria; y, por otro, el impulso hacia la novedad, que le hace anticipar motivos, técnicas y conceptos de las vanguardias, en distinta proporción. Agustín Muñoz Alonso y Jesús Rubio insisten en el primer aspecto, sobre todo. Y más adelante incorporan otro aspecto que merecería mayor comentario aquí, la tradición española. Por ello concluyen: «Este es en gran parte el *humus* del que se nutre la literatura ramoniana... en un ir y venir permanente de las artes plásticas a la literatura, de lo decadente parisiense a lo genuinamente

---

153. Véase Marta Palenque, *El teatro de Gómez de la Serna: Estética de una crisis*, Sevilla: Universidad de Sevilla/Ediciones Alfar, 1992, p. 12.
154. Marta Palenque, «En conjunto, toda la obra de Gómez de la Serna está presidida por este anhelo. Se trata, así, de un teatro trascendental y simbólico, entreverado de discursos libertarios, nihilistas y subversivos...», *El teatro de Gómez de la Serna*, p. 12.

español».[155] Si aquí encuentra el fundamento de su identidad, el perfil propio se lo da el modo como Gómez de la Serna adapta y maneja ese conjunto de elementos, siempre de manera propia y, sobre todo, diversa, sin imitaciones directas. Puede a la vez ofrecer un homenaje explícito y marcar una separación o alternativa: así, su *Beatriz*, frente a la necesaria referencia de *Salomé*, de Oscar Wilde; y también puede recrear el universo obsesivo maeterlinckiano en *Desolación* y desarrollar a su modo sugerencias decadentistas y simbolistas en *El drama del palacio deshabitado*, *La corona de hierro, Los sonámbulos, Laberinto*, etc. Incluso puede unir la fascinación de la muerte y el misterio personal con la crítica social en *La utopía I* y *Siempreviva*; el naturalismo transformado por el simbolismo se atisba en *Los unánimes* y *Utopía II*. Finalmente, según el análisis anterior, la suma casi canónica de rasgos decadentistas en *El lunático* parece dirigirse hacia la definitiva separación de ese modelo, a su negación o liquidación, que determina el consiguiente abandono del teatro y su sustitución por otras formas literarias más experimentales.

Sin embargo, el propio carácter de busca personal y estética de Ramón en estos años le lleva a ir modificando y acentuando ciertos rasgos de sus dramas que nos permiten hacer de ellos también una lectura prevanguardista. Así, la tendencia al esquematismo en la caracterización de los personajes y la supresión de nombres propios, sustituidos por rasgos físicos; la importancia de los objetos y su valor estético y expresivo, más que funcional (su «protagonismo»); el carácter a veces alucinado, onírico o irreal de las situaciones, comportamientos y discursos, que implican un alto grado de subjetivización del drama; los contrastes, especialmente el juego —tan comentado— de los claroscuros y de las iluminaciones; las referencias metateatrales (en obras y pantomimas que recrean el mundo del teatro). De todo ello se desprende una actitud que avanza desde el realismo, más o menos convencionalmente aceptado, de algunas obras, y, sobre todo, desde el simbolismo hacia un expresionismo como forma plástica de un concepto básicamente antirrealista del teatro. Y en este sentido, las sugerencias (realizadas por Marta Palenque y por Gonzalo Sobejano) que observan semejanzas con el teatro posterior de Valle-Inclán o de Lorca parece que están bien justificadas. No lo estaría, en cambio, la simple consideración del teatro inicial de Gómez de la Serna como de vanguardia. Aunque ahí caben también las referencias posibles a la estética del cubismo en la descomposición de la intriga o en el pluriperspectivismo. En su estudio, Martínez Expósito insiste de modo reiterado en esta perspectiva,

---

155. A. Muñoz Alonso, J. Rubio, «Estudio...». R. Gómez de la Serna, *Teatro muerto*, pp. 54-55.

por ejemplo al hablar de *El teatro en soledad* o de *Los unánimes*, a quienes identifica «con los artistas novedosos del cubismo» y cuya importancia «reside en su plasticidad como objetos visuales. Lo cual, elevado a principio poético, nos explica la obra como retrato cubista del prototipo del marginado».[156] Y de la obra anterior escribe: «Igual que los cubistas, Ramón juega en este drama con la superposición de distintas facetas, tanto de la realidad como de la ficción, para al final hacer un *collage* con todas ellas».[157] Sin descartar, por supuesto, que el conocimiento de esta tendencia a partir de 1910 haya sido otro factor influyente en el proceso de alteración de las formas dramáticas (también la «greguería» se ha puesto en relación con el cubismo) el resultado, a mi juicio, parece apuntar hacia el expresionismo, como término integrador dentro de la historia del teatro.[158]

Y hay que mencionar también las *Pantomimas* y las *Danzas*. Encontramos en ellas dos rasgos ya enunciados: el carácter abstracto de los personajes y la concentración de la acción en un momento de revelación o de cambio. Se trata de obras breves que parten de una experiencia de Gómez de la Serna en París, cuando asistió a espectáculos de algunas famosas bailarinas (como Colette Willy y La Polaire), y que describe en el prólogo titulado «Revelación». En ellas puede ejercer dos de sus pretensiones artísticas: la mezcla de géneros, que ofrece un resultado híbrido y de conjunción de artes; y la liberación del verbo, ya que las pantomimas y danzas carecen de diálogo pero permiten la creación verbal sin trabas del autor, que integra así descripción, narración, ensayo, reflexión, etc., en el texto. En general el aspecto gestual está resaltado, ya que tiene que marcarse la intensidad de la presencia corporal. Con ello, al mismo tiempo que una literatura refinada, sugestiva, se plantea una vuelta a la inmediatez física, a lo primordial de la vida y del sexo, al primitivismo de la expresión corpórea.

Así, en estos pequeños dramas actuados encontramos una serie de contrastes que continúan y a la vez intensifican los que aparecían en los dramas hablados. El choque entre lo miserable y vulgar de la realidad y la sublimación del arte, de la fantasía y la ensoñación («La bailarina»); la violencia que impregna las situaciones y relaciones de hombre / mujer y que permite situaciones directas y sugeridas de sadismo («Los dos espejos», «El nuevo amor», «Las rosas rojas») con presencia del dolor, de la

---

156. A. Martínez Expósito, pp. 237-238.
157. A. Martínez Expósito, pp. 257-258.
158. G. Sobejano: «En esa otra vertiente antiteatral y metateatral de sus piezas corales, ensaya con libertad estilos y técnicas de signo expresionista, manifestando una intensa voluntad de ruptura». Prólogo citado a *Obras Completa*, Vol. II, pp.39-40.

violencia y la sangre; el acceso a la revelación del ser mediante la aceptación de la sexualidad y el terror que provoca («Las rosas rojas»). Destaca el protagonismo femenino, que incluye la tipología de la mujer finisecular, bien con la joven débil y mística, bien con la mujer fascinante; pero también los modelos de la seductora abandonada y de la dominadora. Hay un contraste entre lo sórdido, vulgar y violento que muestran y el marco estético, de ascetismo o de lujo, en que se sitúan. Con este contraste de realidad / irrealidad, vulgaridad / fantasía es presentado el teatro mismo («La bailarina», «Revelación». «La danza de los apaches»).

La gestualidad de la pantomima y del baile permite a Gómez de la Serna insistir tanto en la sexualidad rescatada del cuerpo femenino, cuyo efecto concentra, sobre todo, en el cabello y los pechos, como en la presencia de objetos de claro contenido y uso erótico simbolista: flores, crucifijo, espejos... Finalmente, tanto la sexualidad como la violencia, en lo que tienen de regreso a formas ancestrales de conducta, están representadas como posibilidad de comportamiento humano, sin conclusiones morales o juicios de valor expresos. Y en las danzas (el «garrotín», de los «apaches», «oriental») vuelve a desarrollar —de forma más breve— la doble dimensión de una degradación social de la civilización y de una vuelta a lo primitivo y ancestral del deseo y de su manifestación. Y por eso rechaza los otros bailes que son solamente espectáculo sin transgresión y sin trascendencia, de «bailarinas» y no «bailaoras», insignificantes, comerciales, «bailes estériles», «bailes sucios» *para los hombres.*

La aventura teatral de *Los medios seres*

El día 7 de diciembre de 1929 subía al escenario del Teatro Alkázar de Madrid la única obra que Gómez de la Serna iba a estrenar en su vida. El ambiente estaba ya dispuesto con actitudes contrarias y había sido preparado con entrevistas y palabras previas (ABC de 6 de diciembre). La tarde del estreno (viernes, contra la costumbre habitual) el autor había preparado con Valentín Andrés Álvarez y Fernando Vela un dispositivo de apoyo en todas la localidades de la sala. Sin embargo, la obra fue recibida con división de opiniones y las críticas posteriores al estreno mostraron en general su decepción. De esta manera, el sábado día 13 terminaron las representaciones (después de que el autor interviniera con una conferencia en los días previos) y Gómez de la Serna salió escarmentado de este intento de escribir «para el teatro» y sacudido en su vida privada, lo que determinó un inmediato viaje a París.

Las circunstancias de este estreno son extrañas desde su mismo inicio. Parece que la instigación vino de parte de Valentín Andrés Álvarez, ligado a la *Revista de Occidente*, con la pretensión de introducir en el teatro las claves renovadoras de la «nueva literatura» que estaba triunfando ya desde mediados de la década de los veinte. La resistencia del medio teatral era mayor, pero no se puede descontextualizar el intento dramático de Gómez de la Serna, en el sentido en que después explicaré. En cualquier caso, Ramón se lanzó a desarrollar una idea que —según él— tenía esbozada y escrita en el «Prólogo» de la obra, y dispuso de los dos primeros actos en quince días. Comenzaron los ensayos mientras se concluía la escritura del tercero.[159]

Ramón aceptó, de inicio, el intento de conjugar un texto sorprendente, que llamara la atención e introdujera las técnicas vanguardistas, con las convenciones a que el público estaba acostumbrado, para hacer viable la representación. Y esto aparece repetidamente en las páginas correspondientes de *Automoribundia* (cap. LXX). Allí explica cómo pretendía hacer asequible la idea al teatro sin la obsesión de «hacerla teatral» y, a la vez, procuraba no tener en cuenta que algunos esperaban de él la revelación o la obra magna. El resultado, para el autor, fue que no era la obra que *otros* esperaban y que le arrojó del teatro. El éxito del estreno en Buenos Aires en 1933 por Lola Mebrives es un hecho interesante dentro de la historia teatral, pero ajeno a este propósito, pues ya llegó tarde.

En relación con su teatro juvenil, *Los medios seres* es obra que aparece muy desconectada, tanto por la distancia temporal como por el drástico cambio de planteamiento al escribir *para* la representación. Hay verdaderamente una solución de continuidad que conviene marcar y que vamos a describir desde la inmanencia de sus propias claves dramáticas. Pero una lectura en perspectiva aprecia también algunos hilos ocultos que afloran desde aquellos primeros textos, a veces con sentido opuesto. Así, de *La corona de hierro* hay que recordar la busca de la mujer a través de las mujeres, del complemento perfecto encontrado en el retrato. (Ahora hay dos retratos fotográficos que serán llamativos sobre la escena. Y la busca será compartida por el varón y la mujer, de acuerdo). Y de *El teatro en soledad*

---

159. La obra se publicó en dos versiones, casi simultáneamente: en la *Revista de Occidente*, números LXXVI (octubre, 1929) y LXXVIII (diciembre, 1929); y en la Colección «El Teatro Moderno», Madrid, Prensa Moderna, 1929 (con datación de 21-XII-1929). Posteriormente se recogió esta versión editorial en *Obras Selectas*, Madrid, 1947, y en *Obras Completas*, XIII, ed. de Ioana Zlotescu, Barcelona, Galaxia Gutenberg/Círculo de Lectores, 2002. Figura completa también en *Teatro inquieto español*, Madrid, Aguilar, 1956, y en *Teatro español de vanguardia*, ed. de Agustín Muñoz-Alonso, Madrid, Castalia, 2003 (Clásicos Castalia, 274).

se puede recordar el final: encuentro de la pareja cuyo enemigo natural es el desgaste ocasionado por el tiempo. Si rompemos la excepcionalidad de esa concepción dramática y revertimos la situación a un marco más convencionalmente costumbrista, ¿no aparece ahora de nuevo la crisis de la pareja, que el tiempo descubre, desde otro punto de vista, y no se ofrece una solución menos doctrinalmente pura y voluntarista, sino más accesible dentro de la heterodoxia social, con el acuerdo final de los cuatro personajes?

Por otra parte, Ramón sigue jugando con aspectos como los sueños y, sobre todo, el aspecto físico: si antes eran los disfraces o los personajes marginales, aquí será la división vertical por el eje de los personajes; y si antes su teatro tendía a la conversación (ciertamente confesional en muchos casos), aquí también el dinamismo interno de la obra queda recubierto por multitud de diálogos ocasionales e ingeniosos.

Pero, ¿en qué consiste esta obra? Se trata de un matrimonio acomodado, económica y socialmente, que, en el primer aniversario de su boda, recibe las felicitaciones correspondientes y descubre la insatisfacción que su relación les produce porque cada uno de ellos no llena la mitad vacía del otro. Son felices pero necesitan un complemento distinto. Y para ello iniciarán un proceso de busca, mediante una fiesta, al término del cual se reunirán efectivamente cuatro personajes en una correspondencia perfecta, señalada en escena por el juego del parchís.

La obra se subtituló inicialmente «comedia de transición» y finalmente «farsa fácil». Ambas posibilidades están justificadas. Porque se trata de una visión (ideológicamente subversiva) de la comedia de costumbres burguesas, cuya intriga se basa en el adulterio. Este modelo formal es de alguna manera mantenido por Gómez de la Serna no solo en la estructura general y el desenlace, sino en algunos de los aspectos secundarios. Con esto, la novedad recaía fundamentalmente en el tratamiento formal, en el lenguaje y en la heterodoxia moral, como desarrollo de su ya antigua actitud vital, pero genéricamente podía ser comprendida dentro de los esquemas del público en cuanto a la psicología de los personajes (matizada mejor en la segunda versión) y a su caracterización social, a la intriga y a su resolución, a las categorías espacio / temporales de la obra, con la escenografía, cuya convencionalidad rompen (sin descomponerla) algunos elementos exagerados (calendario y retrato) o provocativos (el mantel cubista). Por otra parte, se elimina la posibilidad de plantear una comedia psicológica, en que se diera cuenta de los conflictos y evolución de los personajes; más bien el conflicto interior se exterioriza y por esto es más bien farsa, ya que todo está tomado de forma ligera, en una clave de burla que no renuncia a explotar a personajes estereotipados como la tía viuda, el lacayo aprovechado, el amigo cenizo, etc.

Estas características nos remiten al contexto dramático a finales de los años veinte. Y sin que se pueda hablar de una aceptación del teatro de vanguardia, muchos rasgos de innovación habían sido propuestos y recibidos en obras anteriores. Así, entonces estaba triunfando *Tararí* de Valentín Andrés Álvarez y habían sido ya representados *El Señor de Pigmalion*, de Jacinto Grau, y *Las Adelfas*, de los hermanos Machado... e incluso algunos de los dramas de Azorín. No estaba sola esta obra en su intento renovador, aunque plásticamente tuviera más osadía. Hay que situarla también en relación con la nueva comedia, de la que Enrique Jardiel y José López Rubio iban a ser adelantados ya en esos mismos años y que nos permite intuir influencias generales ramonianas, de actitud y de lenguaje.

La modernidad de *Los medios seres* puede ser así no solo contextualizada sino descrita con algunos rasgos significativos. En primer lugar se produce en su escenografía y plástica una convergencia de elementos de los movimientos de vanguardia: sin olvidar el expresionismo de la división en dos mitades y de los objetos anormalmente agrandados, parece que también pudo influir la concepción cubista (las cosas se reproducen como son no como se ven en el engaño de la perspectiva) que fragmenta o «despieza» como dice Ramón; y tal vez (aunque soy bastante reticente a esto) un influjo del surrealismo en la aparición de los espectros, que se pueden justificar desde el expresionismo y desde las teorías freudianas tan en boga, ya que representan los aspectos censurados u ocultos de la psicología del personaje femenino. En cualquier caso se introduce un tratamiento antirrealista en una situación realista (digamos figurativa en términos plásticos). Y esta es una marca de modernidad.

En segundo lugar nos encontramos con referencias a objetos de la modernidad técnico-científica, como el gramófono, el teléfono, los Rayos X, la fotografía y el cine... pero, sobre todo, con un planteamiento dramático que propone esta visión que no es natural, sino inducida por la ciencia. El tercer aspecto de la modernidad afecta al lenguaje. Si técnicamente su presentación de los conflictos interiores es muy convencional, mediante el uso del aparte, el resto del tratamiento es moderno, dentro de las propias categorías ramonianas: un continuo juego de ingenio, de comparaciones y de greguerías. Para Muñoz Alonso el autor trató de lograr un texto «representable» en el cual se produjera un equilibrio en el lenguaje, entre el figurado y el dramático: el lenguaje «fluye con naturalidad, sin largas disquisiciones ni extensos diálogos expositivos y con el frecuente empleo de expresiones propias del lenguaje coloquial... Aparecen, por supuesto, greguerías, pero en ningún momento se acumulan entorpeciendo el natural fluir de los diálogos».[160] Aunque estoy de acuerdo en la funcionalidad de las acotaciones y en la facilidad de los diálogos, estos me parecen estar más al servicio de un sostenimiento anecdótico de la obra y de una sorpresa cómica o ingeniosa que al servicio del progreso de la trama. Estamos todavía en una estructura de «desfile», repetida en los tres actos y en un drama conversacional que multiplica las incidencias y referencias a través de las cuales tiene que abrirse paso el proceso de los personajes.

Con esto se presenta otro rasgo esencial del arte moderno y es el humor. Ya el tema principal que sería la frustración vital por las carencias del objeto amoroso (que no la simple falta de amor) se toma de manera más o menos ligera, no dramática; y el tratamiento sigue en esa línea, buscando a veces una jocosidad y unos trucos de circo o *music-hall* (la aparición del Doctor Negro y los chistes que produce) que va poniendo de manifiesto no la existencia de seres extravagantes, sino que lo extravagante habita la normalidad y está en su retaguardia.

Así, cabe concluir con un rasgo que puede percibirse en el tratamiento de estas comedias y farsas y que afecta, aunque de manera distinta, a Gómez de la Serna, a Andrés Álvarez, a Grau y a Valle-Inclán: la «deshumanización», término que hay que aclarar inmediatamente. Me remito a la definición misma que da Ortega en su famoso diagnóstico y que aquí veo realizado en los aspectos precisos que acabo de exponer, en orden creciente: del tratamiento desenfadado del tema amoroso al humor como perspectiva (o actitud artística frente a la vida) no como recurso cómico. A esto quiero añadir ahora dos rasgos que determinan muy claramente el carácter de esta pieza: el prólogo, con sus explicaciones, y la presentación de los personajes. Se produce en ambos casos una ruptura de algunas convenciones del teatro dramático y realista, según el modelo vigente, al introducir la distancia autorreflexiva de la sala respecto del escenario y la quiebra de la identidad ficcional actor=personaje. Lo primero se produce por el giro del apuntador y sus palabras, que nos sitúan en un proceso metateatral: la perspectiva de la sala no es la misma del escenario y el espectador tiene conocimiento de una verdad que está oculta de forma inmediata a los personajes. Gómez de la Serna aprovecha los códigos de la representación de su tiempo para alterarlos sin destruirlos. Esto lleva a una suposición (no expresada) del mundo-teatro y a una alegoría de la existencia con su propia moral. Pero además la división de los seres en dos

---

160. A. Muñoz Alonso, p. 201.

mitades que ellos, por supuesto, no ven, y la existencia de seres «enterizos» es otra forma de deshumanización al separar actor de personaje (como podría ocurrir también en la farsa de muñecos representada por actores). Ellos no se perciben como son, en su verdad, y el actor soporta físicamente las dos partes de su ser. Por ello todo lo que realizan en escena es percibido en otra clave por el espectador y las condiciones de correspondencia psicológica se transfieren a un sistema de signos visuales: trajes idénticos con mitades opuestas.

Pero hay que volver al texto principal y al lenguaje de las réplicas, según lo anunciado poco antes. Porque, como dice el autor, lo que se ve y lo que se oye deja latente en la sombra aquello —el misterio de la personalidad y la fuerza del deseo, el lado del miedo y de la impotencia— que no se ve (lado oscuro) y que no se oye, pero que determina todo lo demás. El lenguaje de las réplicas sutiles es solo la mitad visible, que oculta (como la luna) su otra cara, que se sabe que existe pero que todavía no es lenguaje. «Los personajes partidos por el eje muestran el doble fondo que tienen las palabras sin que dejen de ser sencillas», dice en un Prólogo suprimido. No deja de ser interesante esta dimensión moderna de la insuficiencia del lenguaje y de su carga semántica, aunque resulte tal vez en exceso sutil, sobre todo para su momento y su circunstancia.

En la superficie de la intriga de la obra aparece bien marcada la intención de Gómez de la Serna de recuperar el tema de las relaciones amorosas como totalidad y, a la vez, la insuficiencia de las instituciones que las regulan y las falsean (con la mentira que es el adulterio). En esto apreciamos una relación con sus breves obras anteriores y con sus novelas.[161] Pero por debajo puede encontrarse la adaptación de un mito, que, en realidad, parece más bien la evolución de otro anterior. Si en las obras breves buscaba la que llamaremos «pareja primordial», es decir, la nueva relación fundadora del amor erótico como presente ideal (*La Utopía II*, *El teatro en soledad*) (que López Criado remite al mito paradisíaco), ahora la experiencia parece llevarle a un modelo que toma en consideración más bien la escisión primordial del ser en dos sexos, que se buscan para reunirse en la

---

161. Véanse, además de otros estudios generales y biográficos ya citados, Eugenio G. de Nora, *La novela española contemporánea*. Vol. II. Madrid, Gredos, 1968 (2ª); Fidel López Criado: *El erotismo en la novela ramoniana*. Madrid: Fundamentos, 1988; José C. Mainer, «Prólogo» a *El incongruente*, Barcelona: Picazo, 1972; Carolyn Richmond, «Una sinfonía portuguesa ramoniana...», en *La quinta de Palmyra*, Madrid: Espasa-Calpe, 1982; «Introducción» a *El secreto del acueducto*, Madrid, Cátedra, 1986; Antonio del Rey Briones, *La novela de Ramón Gómez de la Serna*. Madrid, Editorial Verbum, 1992. Además, los prólogos correspondientes a los volúmenes de «Novelismo» en las *Obras Completas* de Círculo de Lectores/Galaxia Gutenberg.

plenitud que no se halla inmediatamente visible, sino que es una tarea de descubrimiento y de revelación. La correspondencia de las tres parejas (una normal, socialmente aceptada, y dos complementarias) muestra la necesidad de esa reunión de un supuesto andrógino en la *coincidentia oppositorum*. Y es esto lo que se presenta en la acotación de la identidad del vestuario para los personajes femeninos y los masculinos y en el acceso a ese centro de la vida (que recuerda otra imagen de su primer teatro): «El laberinto está completo. La gracia del juego es ya nuestra. ¡Brindemos con nuestros cubiletes!» (¿Será también el laberinto la contrafigura del paraíso originario?). Pero el mito solo puede ser representado en esta modernidad artística de forma irónica y humorística (aunque de ninguna forma paródica). Hay que relativizar a la vez la trascendencia que supone y la obra misma que la propone.

Precisamente aquí advertimos la carencia de fondo de la obra. Su teatro inicial lanzaba a sus personajes hacia un más allá vital-erótico ante la fascinación de la muerte, tan claramente expuesta en *Desolación, Beatriz, El drama del palacio deshabitado, El teatro en soledad, El lunático* y en casi todas las demás, de una u otra manera... Aquí la convención ha podido y la facilidad o intrascendencia tiene que olvidar ese fondo oscuro desde el que emergían las conciencias temblantes de sus primeras criaturas escénicas.

Por todo ello, la crítica del momento, decepcionada ante la falta de radicalidad de la propuesta, fue reticente o negativa y la valoración posterior poco entusiasta. Aquellos que han buscado en Gómez de la Serna la dimensión vanguardista consideran esta obra (y las restantes) una concesión o, como dice Martínez Expósito, «lo nuevo envejecido». Marta Palenque ya había remarcado dos aspectos que nos han parecido también esenciales: que la marginalidad ha desparecido de escena y que el texto «se vertebra en torno al absurdo, el humor y la greguería, todos conectados de raíz».[162] Por su parte, Jesús Rubio duda del «vanguardismo» de esta obra de Ramón y entiende que le faltó «ser más consecuente con algunas de las ideas y planteamientos que había intuido en su primera etapa». En vez de esto, «se refrenó, probablemente porque las expectativas de estrenar le sugirieron elegir un camino posibilista a la espera de mejores tiempos que le permitieran escribir dramas *más difíciles*».[163] Creo que las ideas de juventud ya se habían perdido, y quedó, en efecto, el posibilismo.

Sea como fuere, los acontecimientos biográficos que le hicieron marcharse inmediatamente a París, y las turbulencias de las representaciones,

---

162. M. Palenque, p. 39.
163. Véase J. Rubio, Prólogo en «El teatro de vanguardia de Ramón Gómez de la Serna» en *Obras Completas*, vol. XIII, p. 638.

que tuvo que apoyar los últimos días con una conferencia desde el escenario, le hicieron renunciar a otra nueva aventura de este tipo, cuya dificultad y cuyo riesgo había sugerido ya en las «Disculpas» con que presentó su obra en la *Revista de Occidente*.

DOS ÚLTIMOS INTENTOS DRAMÁTICOS: *CHARLOT* Y *ESCALERAS*

Estos textos dramáticos de Gómez de la Serna deben ser situados, a mi juicio, en relación con dos aspectos nuevos: en primer lugar, la situación vital del autor, que ya no trata de renovar la forma dramática con la pretensión de originalidad, y que tampoco trata de lograr la aquiescencia del público respecto de las novedades «vanguardistas»; en segundo lugar, la tendencia renovadora que en los años treinta va tomando cierto carácter de reflexión acerca del teatro mismo, se fija en algunos temas de cierta envergadura intelectual y tiende a la recuperación del mito y de la alegoría, con el ya sabido auge del Auto Sacramental[164]. Y en este sentido los nuevos textos de Ramón están bien situados contextualmente.

La ópera *Charlot* fue un proyecto propuesto por el músico Salvador Bacarisse en 1932, cuyo libreto y partitura llegaron a completarse, aunque no se produjo el estreno, pese a algunos intentos en Buenos Aires y en Barcelona. Se perdió a partir de la guerra civil y ha sido luego publicada e incluso interpretada en versión de concierto. Formaría así parte de un conjunto de obras en que se combinaban distintas artes: música, poesía, gestualidad y pantomima, baile, de las cuales son muestras destacadas los ballets de Manuel de Falla (*La vida breve* tiene libreto de Martínez Sierra), las pantomimas de Halffter y Bergamín, y textos como *La pájara pinta*, de Alberti. La diferencia es que estas obras buscan el tratamiento moderno de una materia tradicional, mientras Gómez de la Serna y Bacarisse hacen la ópera moderna de una realidad artística y social también moderna: el cine, con su representante, Charlot, al que Ramón no trata solo como figura de la pantalla, sino como actor fuera de ella.

La importancia del cine en esos años y las relaciones de Gómez de la Serna con él están muy detalladamente presentadas por Muñoz-Alonso en su estudio particular, aunque es imprescindible recordar de nuevo el artículo «Charlotismo» incluido por Ramón en su libro *Ismos* (1928).

---

164. Véase, entre otros, Mariano de Paco, «El auto sacramental en los años treinta» en *El teatro español entre la vanguardia y la tradición,* pp. 265-274; Gregorio Torres Nebrera, «Estudio Preliminar» en Rafael Alberti, *El hombre deshabitado. Noche de guerra en el Museo del Prado,* Sevilla, Alfar, 1991.

Dos claves se pueden rastrear en sus páginas: su valor representativo de la sociedad, cuyos mecanismos quedan desvelados en la actitud y los gestos del mimo, que se presenta como máscara de la falsedad y de la realidad, del «hortera que quiere ser elegante y del elegante que lo es realmente»; y el acierto de la dignidad con que afronta la desgracia y la risa ajena, la «gran dignidad en el desacierto». Así, en la ópera de Ramón, el personaje suscita el amor de Margarita, y esto se escenifica con referencias varias a sus películas. Pero el actor vive otra vida, que en nada se asemeja a la de su personaje. Esta parece una de las aportaciones importantes del autor en su obra, la de haber enfrentado la dimensión de ese mito-imagen-máscara con la realidad conocida, externa a la pantalla. Y otra es la del enfrentamiento de la mudez, consustancial a la mímica ridícula y digna, con la necesidad de la palabra, confiada entonces a otro personaje *bis*, que nunca puede confundirse con el original.

El recurso del desdoblamiento evoca obras contemporáneas de autores como Max Aub (con la farsa de *El desconfiado prodigioso*) y nos orienta en la necesaria contextualización de esos recursos teatrales. Esto se completa con un coro de distintas voces ajenas, que presentan otras perspectivas sobre el núcleo dramático de la relación Charlot-Margarita (nombre alusivo a algún personaje de las películas). Pero el final, con la detención por la policía, hace que de nuevo se unan las dos figuras, y se recupere la verdad de la ficción, el «charlot» que termina esposado pero revestido de sus nobles andrajos.

La imposibilidad del estreno oportuno a que estaba también destinada ha dejado esta obra como un ejemplo más de los esfuerzos encaminados a renovar el teatro y a establecer un tratamiento alternativo en los temas y en los procedimientos que no pudo llegar a culminarse; pero que, en la convergencia de los intentos muestra unas líneas reconocibles incluso en autores de distintas promociones a lo largo de determinadas fases temporales, siendo una de ellas la de los años de 1929 a 1936.

Escaleras. Drama en tres actos parece tener, en su origen y en su destino, un carácter distinto a *Charlot* y conforma de nuevo un texto teatral sin inmediata finalidad de estreno, expresión también de las preocupaciones e ideas del autor. Volvemos así, en clave bien distinta (y en algunos de sus rasgos, opuesta), a los inicios de la escritura dramática de Gómez de la Serna, después de estos dos previos proyectos de teatro vanguardista para la representación. Hay diferencias evidentes, sin embargo, con todos los dramas anteriores que delimitan, en una primera perspectiva, la peculiaridad original de *Escaleras*. Su planteamiento simbólico está totalmente alejado de las concepciones «simbolistas» de su primer teatro de

Prometeo, pero es igualmente ajeno a casi todas las cualidades del teatro de vanguardia y a sus elementos de provocación, ideológica y formal. Esto no quiere decir que sea un fenómeno aislado o extravagante en la evolución del drama español contemporáneo. Del mismo modo resulta también, en su planteamiento dramático y en sus condiciones teatrales, fiel a algunos recursos y convenciones del autor, como son, fundamentalmente, el tratamiento de los personajes, numerosos, escasamente individualizados e introducidos, más bien, con una función representativa; el estatismo de las situaciones, que tienden a repetir un módulo en diferentes tonalidades, dando así origen a un drama de carácter coral y conversacional en torno a un núcleo temático; el lenguaje, más despojado ahora de conceptismos y juegos verbales, pero aún marcado por el ingenio y las imágenes.[165]

Es inevitable relacionar esta obra con las circunstancias biográficas del autor, pero al hacerlo la posible (tentadora y a la vez perturbadora) crítica «biográfica» se nos extiende al resto de su producción. Para Granjel, citado y aceptado implícitamente por Muñoz-Alonso, en la obra «Ramón explica la naturaleza y el poder de los sentimientos que le llevaron a unir su vida a la de Luisa Sofovich, un amor capaz de borrar el pasado, resistente a toda prueba, vencedor del tiempo».[166] Parece un hecho importante el casamiento; pero hay, a mi juicio, otro dato quizás más relevante: la enfermedad de Luisa en 1933, después del segundo viaje a América. La noticia de la extrema gravedad de la enferma la recibe Gómez de la Serna en la escalera de la casa. La operación a vida o muerte tiene éxito y Ramón se ve obligado a trabajar, en ese tiempo angustioso, entre el insomnio y la muerte. Cuando se vea la secularización de esa idea de la muerte en la separación que marca la obra al pie de una escalera doble, no podrá dejarse de tener en cuenta este hecho.

En escena —a la entrada de un portal solitario, del que arrancan dos escaleras, a derecha e izquierda— se van presentando una serie de personajes, que responden a un misterioso anuncio. Tienen que elegir entre un lado u otro, una de las puertas de los pisos. Todos ellos van desaparecien-

---

165. La obra se publicó en la revista de José Bergamín, *Cruz y Raya*, nº 26, abril de 1935. (Con separata de 38 págs.). Se reeditó en *Obras selectas*, Madrid, Plenitud, 1947, en *Ensayos sobre lo cursi. Escaleras*, Barcelona, Cruz del Sur, 1963, y en el volumen XIII de *Obras Completas. Novelismo V- Teatro. Novelas cortas y Teatro de vanguardia (1927-1947)*, Barcelona, Galaxia Gutenberg/Círculo de Lectores, 2002. El estreno en Madrid, el 27 de junio de 1963, como homenaje al autor, recientemente fallecido, es una anécdota que señala tal vez la idea de su facilidad (y también de su ortodoxia doctrinal) para el público.
166. L. S. Granjel, *Retrato de Ramón cit.,* p. 167. Y antes, pp. 41-42.

do, hasta que llega la pareja final, los enamorados, Enrique y Luisa (nuevo detalle de relación biográfica en el nombre femenino), quienes, ante la duda, deciden ir cada uno por un lado. Los dos actos siguientes muestran el interior de las casas. Primero, de la Felicidad, donde ha entrado Luisa. Pero ella no quiere estar allí sola. Sin el amor de su vida, la felicidad es dolor y es desgracia... Desea, por ello, y consigue lo que nadie había querido: pasar a la otra casa, la de la Desgracia, que, por ese gesto y por el amor que comporta, queda redimida. Es el milagro del amor. Se dice en el texto: «Cuando se ha encontrado el amor, la felicidad no está más que en el reino oscuro del corazón». Y también: «Siempre lo había pensado: un amor sin incertidumbre es capaz de salvar a todos los náufragos de un naufragio». El Joven de Luto expresa finalmente la consecuencia doctrinal: «Lo maravilloso es el premio de haber canjeado la felicidad por la desgracia. ¡Se han cambiado los polos!... La felicidad es nuestra».[167]

El análisis de la construcción de la obra nos lleva a destacar los siguientes aspectos: ante todo, el carácter abstracto del planteamiento dramático, perceptible ya en la misma escenografía con su trazado simétrico de escaleras y puertas, que implica dualidad y riesgo en la elección; la caracterización externa de los personajes por un rasgo físico, según una cualidad característica y única que les define: entre los personajes, los amantes tienen su amor como único rasgo, al margen de cualquier precisión de elementos vitales, biográficos o sociales. Esta es una concepción también «abstracta» del amor como tema literario, al que se suman, finalmente, los otros dos grandes motivos tratados con la misma abstracción: el destino y la felicidad.

Y todo ello porque la forma interna del drama, como ya la crítica ha reconocido, es la alegoría, presente incluso en la acotación inicial de la obra. Así, desde la concepción figurativa de la alegoría —que supone cierta tradición literaria— está concebido el espacio: escalera, casa de la Felicidad y casa de la Desgracia. El uso de las mayúsculas insiste en el hecho general. Y el tema está tratado también de manera alegórica con las tres grandes figuras que proceden desde el universo literario medieval: el amor, no personificado, pero sí encarnado en las figuras de los amantes; el Destino, que aparece como llamada anónima, aviso que cada uno lee desde su situación, y la Fortuna, como suerte o azar, ajena a las conductas, méritos u otras cualidades.

El último elemento constructivo de la obra, su estructura formal, depende también de la configuración alegórica. Así, el primer acto sigue

---

167. Para las citas seguimos el texto impreso en el vol. XIII de las *Obras Completas,* pp. 740-741.

una orden de desfile, con varios personajes que aparecen sucesivamente, insisten en la misma situación, con términos parecidos, y preparan la llegada de Enrique y Luisa. Luego, el paralelismo de las dos figuraciones de la Felicidad y de la Desgracia, se muestra con escenas también paralelas y de orden inverso; la única acción es la disconformidad de Luisa y su paso de una a la otra casa. Naturalmente, esto hace que la obra tenga no solo paralelismo de construcción, sino una progresiva brevedad, acrecentada en la resolución del acto III (y, por tanto, un desequilibrio constructivo).

El análisis puede completarse con la indicación de otras relaciones. Por ejemplo, los vínculos con su obra dramática anterior, como base, incluso, para las diferencias. Su idea del drama parece mantener una situación única, reiterada, marcada por el estatismo y las declaraciones de los personajes (véase el comienzo del acto II), una insistencia en el «momento decisivo» sin una intriga que prepare y desarrolle esa posible resolución, la presencia de un conjunto coral de personajes, que intervienen con escasa interacción dialogal. Más en concreto, la posible evocación de *El drama del palacio deshabitado* marca también diferencias. Coinciden en el ambiente de suspensión vital (y de trasmundo), en personajes indefinidos (allí antiguos y aquí contemporáneos), en los monólogos de recuerdos, quejas, lamentos, etc., en la situación definitiva, presuntamente inamovible de los seres humanos. Y aquí aparece el cambio esencial: que Ramón construye *Escaleras* como testimonio de la posibilidad del cambio, de la superación de la desgracia y del infortunio. El otro cambio manifiesto es la concepción del amor, no como impulso instintivo y natural de realización y consumación vital en el momento fugaz, sino como relación última de carácter espiritual y salvador. Todo ello determina que la obra se haya como una pieza insuficiente desde el punto de vista dramático y teatral y como una abstracción artísticamente insuficiente, aunque prefiero insistir en el carácter testimonial y subjetivo que he expuesto.

Y por fin, de nuevo esta obra se deja situar, por el momento de su escritura, en cercanía con otras, poco anteriores o posteriores, escasamente conocidas pero que muestran una tendencia entre determinados escritores. Tampoco está, por consiguiente, aislada, aunque Ramón no pensara representarla. Hay de mencionar como obras de carácter alegórico, en que puede hacerse presente el influjo más o menos directo del Auto Sacramental, con estructura moderna y planteamiento de crisis existencial, algunas de Azorín, especialmente *Angelita* y *Lo invisible*, *Tic-Tac* de Claudio de la Torre, *El Director* de Pedro Salinas (por no ir hasta ese ejemplo máximo que es el «Auto sacramental sin sacramento» de Alberti, *El hombre deshabitado*, donde se integran la ruptura dramática y la ideológica).

Capítulo V

Jacinto Grau: en busca de un nuevo teatro. Tragedia, mito y farsa

Aspectos generales

En relación con Jacinto Grau se produce de forma ejemplar el doble fenómeno que caracteriza a estos autores y su labor teatral. Resulta ser un desaparecido, de hecho, aunque no falten las referencias más o menos amplias en las historias del teatro; y su obra fue y es objeto de valoraciones contrapuestas, en general reticentes o negativas, aunque también las hay muy entusiastas. Ya en su vida se podían constatar ambos hechos. Así, Federico Navas, al preguntarle acerca de la crisis del teatro, le espetaba: «¿Y usted desde cuando no estrena?». Y Grau respondía: «En España, desde hace años». A lo que Navas añadía como comentario la semejanza del caso de Grau con el de Falla: «los dos, Falla y usted, triunfan en otros países, y en el nuestro solo son conocidos por una minoría de selectos, minoría de minoría».[168] Estamos en los años del estreno de *El Señor de Pigmalion* en Praga y en París. Pronto lo sería en España, sin que la situación de Grau llegara a cambiar verdaderamente. En realidad, una rápida comparación entre las fechas de escritura y las de representación de las obras nos muestra que o bien no llegó a estrenar o lo hizo irregularmente o fuera de la época y, entonces, con pocas posibilidades de que la obra tuviera una buena acogida.

De su trabajo intelectual, al margen del teatro, apenas queda ya constancia, aunque publicó alguna novela, ensayos y un libro sobre Unamuno.

---

168. Federico Navas, *Las esfinges de Talía o Encuesta sobre la crisis del teatro,* Madrid, Imprenta del Real Monasterio de El Escorial, 1928, p. 55.

Su vida ofrece pocos perfiles destacados. Nació en Barcelona en 1877, de padre catalán y de madre andaluza. La muerte del padre, médico militar, sobrevino en fecha temprana y su madre volvió a casarse con otro militar. Jacinto Grau estudió Derecho en Valencia y, como tantos otros escritores de su momento, acudió a Madrid a comienzos del siglo XX. Se introdujo entonces en los ambientes literarios e intelectuales y se relacionó con las personas que participaban en los movimientos teatrales renovadores, Martínez Sierra y Ricado Baeza, que sería su amigo. Comenzó a escribir y publicar sus primeras obras en 1902: *Horas de vida* y en 1903: *Las bodas de Camacho, La redención de Judas*. Desde ese momento sigue su vida en España, vinculado al teatro, y la constante escritura de textos dramáticos. Casado con la actriz Herminia Peñaranda, acompañó a la Compañía María Guerrero en su gira por Argentina en 1923.

En 1936 fue nombrado Cónsul en Panamá (de donde había salido poco antes el poeta León Felipe) por el gobierno de la República, y ya no regresó a España. Al terminar la guerra civil se instaló en Buenos Aires, donde siguió escribiendo teatro y otras obras, como *Unamuno y la España de su tiempo* (1943), reeditado en 1946 como *Unamuno, su tiempo y España*; y el estudio y antología: *Don Juan en el drama* (1944).[169] Sus dramas fueron entonces publicados por la Editorial Losada. Murió en Buenos Aires en 1958 y su memoria fue honrada por el mundo teatral de la capital argentina.

La situación de Jacinto Grau, como dramaturgo marginado de la escena española de las primeras décadas del siglo, se puede caracterizar con las opiniones polémicas de algunos críticos y la idea de un *caso*, de un enigma o de una leyenda, según la cual Grau sería «uno de los más fuertes valores dramáticos de Europa, desconocido injustamente en su patria» (E. Díez Canedo).[170] La polémica puede seguir con los juicios contrarios de Torrente Ballester (negativo) o de Pérez Minik (positivo), como ejemplos.[171]

Más allá de esta polémica, parece que se puede caracterizar su obra según los tres rasgos generales siguientes:

169. Jacinto Grau, *Don Juan en el drama,* Buenos Aires, Editorial Futuro, 1944; *Unamuno, su tiempo y España,* Buenos Aires, Editorial Alda, 1946.
170. Estas palabras, de matiz muy reticente, se escriben en la crítica a *El Señor de Pigmalion*. Véase Enrique Díez Canedo, *Artículos de crítica teatral. El teatro español de 1914 a 1936,* México, Joaquín Mortiz, 1968, Vol. 2, p. 177. Hay que observar que en la selección y edición de artículos de Díez Canedo, Grau figura dentro de la sección «El Teatro poético» y no en el volumen de «Elementos de renovación», donde sí están Unamuno, Azorín, etc.
171. Gonzalo Torrente Ballester, *Teatro español contemporáneo,* Madrid, Guadarrama, 1957 (2ª ed.); Domingo Pérez Minik, *Debates sobre el teatro español contemporáneo* (reed.), La Laguna, Viceconsejería de Cultura del Gobierno Canario, 1991.

En primer lugar, Jacinto Grau rechaza el teatro realista-naturalista, tanto en la tradición decimonónica como en las nuevas formas del siglo veinte según sus versiones españolas más populares: la comedia y el sainete. Y consiguientemente abomina del modo de producción que este teatro requiere y que coarta la capacidad creativa del escritor y la renovación del género y del espectáculo, dominados por la tiranía del beneficio, deturpados por la vanidad de las figuras de la escena o el arribismo profesional, y falseado por el halago al público, que no puede así formar su gusto. De todo ello habla también con Navas: «Y, en lo que personalmente se refiere a mí como autor, no creo que intervengan antipatías —que son fábulas— ni oposición ni obstáculos de ninguna clase... ni de los empresarios, ni de los compañeros de profesión, ni menos en el público». A lo que el entrevistador apostilla: «Es usted tremendo...; un tremendo ironista». Y Grau remacha: «el ambiente no permite otra cosa... Ni Marquina, ni Valle- Inclán —otra de mis admiraciones— ni el mismo Villaespesa encuentran el ambiente propicio, el que permita que sus obras sean estables en el escenario. / Y es un defecto ya tradicional entre nosotros... Es efecto de la falta de dirección artística que es tan imprescindible como el empresario».[172] Luego exculpa al público, ya que opina que es necesario no solo educarlo, sino crearlo. En el «Prólogo» a la edición de *Los tres locos del mundo* dice, de pasada pero contundentemente: «El empresario al uso... director, actores, escenógrafos, etc., todo ello corrompido habitualmente por malas artes y costumbres, llamadas *comerciales...*».[173] Frente a él, propone un teatro de más honda raíz y más amplio alcance (conceptual, ideológico, poético) y piensa que ese puede ser también un teatro comercial.

Es conveniente advertir ya que Grau se fija en los aspectos de la teatralidad, es decir, de la representación, y lamenta el contraste entre la pobreza de las obras y las crecientes posibilidades de la representación escénica, en cuanto a medios materiales y destaca, como en el ejemplo anterior, el papel de la dirección de escena: «El teatro de mi tiempo, descartando alguna farsa maestra, como *Los intereses creados*, ha sido una amable y graciosa adormidera burguesa». (Prólogo a *La casa del diablo....*). [174]

En segundo lugar, Grau no fue en verdad un excéntrico individualista, ajeno a las corrientes teatrales de su época, a pesar de su relativo poco éxito. Estuvo en sus primeros años dentro de la que llamamos corriente

172. Federico Navas, *Las esfinges de Talía...*, p. 57.
173. Jacinto Grau, *Los tres locos del mundo. La señora guapa*, Buenos Aires, Losada, 1953 (2ª ed.), p. 7.
174. Jacinto Grau, *En Ildaria. La casa del diablo*, Buenos Aires, Losada, 1944, p. 8.

renovadora o, como aquí digo, alternativa al teatro público al uso. A este mismo teatro más comercial me parece que intentó un acercamiento efectivo con algunas de sus obras, especialmente las comedias; pero la integración entre la expresión dramática de sus ideas y la habilidad necesaria para convencer e interesar a los espectadores no llegó a alcanzarse y traducirse en forma de éxito. Pero antes que nada, en su poética teatral apreciamos la influencia temprana del pensamiento y de las estéticas finiseculares, especialmente en las obras breves, cuentos o leyendas, y en las tragedias. Y esto hasta finales de la segunda década del siglo. Después, ya en los años veinte, se produce una característica y conocida vuelta del teatro sobre sí mismo, junto con la abstracción intelectual de la realidad en su representación escénica. Así, la perspectiva histórica nos permite describir, a grandes rasgos, la obra de Jacinto Grau vinculándola a los dos grandes ciclos del arte y de la literatura anteriores a la guerra: el simbolismo y su vertiente modernista española y las vanguardias, en una de sus tendencias.

De este modo —tercer aspecto preliminar— Jacinto Grau buscó una renovación del teatro desde la escritura y, en este sentido, su estética partía de lo que, con Azorín, llamamos una renovación interior del teatro, tanto con géneros nuevos como con nuevos temas y perspectivas de su tratamiento. Esto no se opone a la renovación de la práctica escénica; al contrario, la exige. Pero muestra una preferencia propia del escritor. Porque Grau, como verdadero dramaturgo, aspiró a dar con una fórmula estética propia, nueva respecto de otras fórmulas convencionales, tal vez sin lograrla plenamente. Pero se acercó a ella al integrar los elementos de tradición y vanguardia, trama e ironía, plasticidad e intelectualidad, teatralidad y metateatralidad, sobre todo en *El Señor de Pigmalion*.

Es entonces paradójico —aunque no injustificado— que los textos teatrales de Jacinto Grau hayan quedado confinados en el libro (y aun con escasas y mal conocidas ediciones actuales), cuando su propósito fue rescatar también la teatralidad, mediante la explotación intensa de todos los signos de la representación y del espectáculo: escenografía, color, iluminación, sonidos (música) etc. En esa misma dirección se mueve la creación de un lenguaje específicamente dramático, no directa e inmediatamente coloquial (aunque habrá que matizar según los géneros, evita el naturalismo). El suyo aparece cargado de tensión, basado en una construcción retórica y literaria y, a veces, plásticamente adecuado al extraño mundo dramático creado por él (trágico, legendario, etc.).

En definitiva, el teatro de Jacinto Grau pretende conformar, en sus distintas épocas, un espectáculo que, en su aspiración a alcanzar valores intemporales, se separa de la reproducción de la sociedad burguesa (cuando aparece es dentro de una perspectiva irónica) y de sus convenciones dramáticas para dotar al drama de autonomía, como representación de la vida humana que no es copia naturalista y tampoco artificio cómico. Para ello recurre a una de las fuentes más vivas y de mayor actualidad: la recreación o revisión de los mitos o la proyección superadora de las situaciones naturalistas (como se dan en el drama rural) hacia una trascendencia trágica. Para esto, Jacinto Grau trata también de rescatar la ficción (Pérez Minik) y creo que lo hace bien por elevación y separación espacial y temporal del mundo cotidiano del espectador; bien, más tarde, por el tratamiento de problemas contemporáneos mediante la deshumanización de los personajes y la alegorización de la realidad. Pero, escribe Pérez Minik: «Esta tarea ingenua, devolver al teatro su pura esencia teatral, ofreció en los sesudos críticos una atroz resistencia».[175] Estamos dentro de la estela de lo que la mejor crítica del momento consideraría *Teatro poético*.[176] El cual, sin embargo, y como señala Rodríguez Salcedo, hay que separar del que convencionalmente llamamos Teatro Modernista, ya que rechazaba «la obra histórica» y las «charlatanas retóricas».

Cabe preguntarse, entonces, por los motivos particulares de esa resistencia, que nos lleva a las causas más generales del fracaso de Jacinto Grau. Ahí encontramos la falta de conexión con la sociedad española, en particular con la madrileña devota del teatro y de los espectáculos, y, concomitantemente, el escaso nacionalismo de sus obras. Otro motivo se percibe en su ir contracorriente (también como Unamuno, en este caso) de los requisitos del mundo del teatro: empresarios e intérpretes, sobre todo. Rodríguez Salcedo trata también de acotar estos motivos más profundos. Y realza el aspecto artístico que se opone a la concepción comercial del drama burgués y queda reducido a la lectura, el intelectualismo, la profundización individual (más que social) en sus dramas, para determinar finalmente: «Benavente... triunfa en una sociedad mecanicista con un

---

175. Domingo Pérez Minik: «Jacinto Grau o el retablo de las maravillas», *Debates sobre el teatro español contemporáneo*, p. 159. Este crítico señala tres aspectos esenciales de la renovación teatral de Grau: la vuelta actualizada (en perspectiva moderna) al mito; el activismo teatral que actúa sobre el ánimo del espectador, al modo como lo hace «El retablo de las maravillas» de Cervantes, le agita y le convierte en conciencia alerta; la restauración de la ficción, que «puede tener algún vínculo con eso que se ha llamado la deshumanización del arte contemporáneo» (p. 158). Estas tres «notas» del teatro de Jacinto Grau lo oponen –egún Pérez Minik—al teatro realista naturalista y al teatro lírico de la evasión. Es decir, lo sitúan circunstanciadamente.

176. Aunque no trata de Grau, véase José Rogerio Sánchez, «El teatro poético. Valle-Inclán. Marquina. Estudio crítico», Madrid, Sucesores de Hernando, 1914. (Recogido por Jesús Rubio Jiménez, *La renovación teatral española de 1900*, Madrid, ADE, 1998, pp. 124-145).

teatro mecánico. Grau, en cambio, parece desbordado al querer dar forma a un mundo caótico que se le escapa de las manos, y toda su obra —todo su fracaso ante el público— residirá en la búsqueda de un principio ordenador, de una fórmula que le permita expresarse en un género que por todas partes amenaza ruina».[177] Pero aún quedan por consignar los aspectos de su técnica teatral que menos satisfacían las demandas del público: lentitud, artificio del lenguaje, afectación, conceptismo, discursividad y otras que expondré en su momento.

PRODUCCIÓN DRAMÁTICA

De las veinticinco obras aproximadamente que Jacinto Grau escribió y publicó, solo algunas, como he adelantado, llegaron al escenario; y no siempre en las mejores condiciones, sobre todo por el retraso de años, que las dejaba fuera de su momento natural. Comienza con *Horas de vida* (1902) y con *Las bodas de Camacho* y *La redención de Judas* (1903). Son ejemplos del teatro breve de estirpe simbolista y con tema literario (o mítico). Sigue con *Sortilegio* y *El mismo daño* (ambas de 1905*). Entre llamas* y *El Conde Alarcos*, en 1907, se presentan como dos modalidades de tragedia de la pasión. *El tercer demonio* es de 1908. En 1913 escribe las comedias: *En Ildaria* y *Don Juan de Carillana* y otra breve obra legendaria y «ejemplar». *Conseja galante*. Sigue con *El cuento de Barba Azul*, en 1915, a la que siguen otras dos tragedias de distinta extensión y tratamiento de la pasión, en clave legendaria: *El hijo pródigo* y *El rey Candaules*, de 1917. *El Señor de Pigmalion* es de 1921, a la que sigue otra comedia, *El caballero Varona*, de 1925. El ciclo de la farsa comienza con *Los tres locos del mundo* (1925), aunque en 1927 escribe su perspectiva teatral del personaje donjuanesco: *El burlador que no se burla*. Ya desde comienzo de los años treinta, en España y en Argentina, sigue el ciclo de la farsa: *La Sra. Guapa* (1932), *La casa del diablo* (1933), *Destino* (1945), *Tabarín* (1947), *Las gafas de D. Telesforo o un loco de buen capricho* (1949), *Bibí Carabé* (1954) y *En el infierno se están mudando* (1958).

La cronología de estas obras tiene, en verdad, un interés relativo. Hasta comienzo de los años veinte escribe distintos tipos de obras, breves o largas y de diferente adscripción genérica, aunque todas manifiestan un origen simbolista y una aspiración trascendente. Después de 1925 la publicación se hace aún más irregular y, finalmente, la desaparición de

---

177. Gerardo Rodríguez Salcedo, «Introducción al teatro de Jacinto Grau», *Papeles de Son Armadans*, XLII-CXXIV, 1966, 16.

Grau de España lleva a un desconocimiento de su última producción.

Pero en su primera época los estrenos no fueron muy abundantes, aunque tampoco tan escasos. Anotemos los siguientes (con el número de representaciones, cuando me constan):

El tercer demonio.- Madrid. Teatro Lara, 1908.
Don Juan de Carillana.- Madrid: Teatro Infanta Isabel, 1913.
Entre llamas.- San Sebastián: Teatro Principal, 1915.
En Ildaria.- Madrid: Teatro de la Princesa, 1917.
El hijo pródigo.- Madrid: Teatro Eslava, Compañía Martínez Sierra,1918.
El conde Alarcos.- Madrid: Teatro de la Princesa, 1919. (Compañía Atenea, con dirección de Ricardo Baeza.- 8 representaciones. En la última se incluyó también *La redención de Judas* como beneficio al actor principal).
El Señor de Pigmalion.- Madrid: Teatro Cómico, 1928 (Compañía Meliá-Cibrián.- 30 representaciones, después de París, Atelier, 1923 y Praga, 1925).
El Caballero Varona.- Vigo y Madrid: Teatro Infanta Beatriz, 1928 (Compañía Irene López Heredia. Dirección de Rivas Cherif.— 13 representaciones).

LA SUPERACIÓN DEL DRAMA DECIMONÓNICO Y EL TEATRO POÉTICO SIMBOLISTA

En sus inicios, el teatro de Jacinto Grau parece querer apartarse del teatro melodramático pero también del drama social-realista de finales del siglo XIX, a la vez que distanciarse de las nuevas formas del naturalismo teatral de mayor aceptación. Para ello recurre a los modelos que la época le ofrece: el teatro poético simbolista, escrito en prosa, y la tragedia de raíz e inspiraciones nietzscheana. Así lo estableció Rodríguez Salcedo al comentar su primer libro, *Trasuntos* (1899): «temas como la supremacía absoluta del individuo o la exaltación del sentimiento frente a la inteligencia, le sitúan dentro de la nueva corriente influida por la filosofía pesimista y los poetas *decadentes*».[178] En ambos casos, el mejor apoyo lo encuentra en una fábula tomada de la tradición literaria o del acervo mítico y legendario de valor universal. Todavía dentro de este mismo momento, como adelanté, cabe encontrar una representación de las relaciones humanas, de la lucha por el poder, de los rasgos de la conducta humana en cierto modo estilizada (pues prescinde de las determinaciones de espacio y tiempo) o irónicamente concebida a partir de la destrucción del mito (D. Juan).

Estos tres grupos de obras nos pueden ofrecer el marco para tratar con cierto orden esta primera etapa: las piezas breves que toman su modelo del drama simbolista (y de la versión hispánica modernista): *Horas de*

---

178. Gerardo Rodríguez Salcedo, «Introducción al teatro de Jacinto Grau»..., p. 17.

vida, *La redención de Judas*, *Sortilegio*, *Conseja galante*, *El rey Candaules* y otras. De este tipo de teatro es característica la situación estática, con personajes poco individualizados (a veces sin nombre propio), presentada en un ambiente lejano, exótico e intemporalizado, con un lenguaje rítmico, repetitivo a veces y versicular (*Horas de vida*), mediante el cual apenas se produce interacción real entre las figuras de la escena. A este modelo responden sobre todo las dos primeras obras, con su exotismo primitivo y rural, su marcada oscuridad, apenas traspasada por la luz de la llama, la presencia extraña y casi alucinada de los personajes y, sobre todo, el tratamiento plástico del misterio atmosferizado, de lo desconocido que irrumpe o del mal, la culpa, la gracia y el amor.

En el caso de *Sortilegio* y *Conseja galante* la fábula, el carácter de los personajes y los elementos escénicos remiten al mundo de los cuentos, tratados con distancia y, a la vez, con énfasis nada infantil, dentro de una tradición del modernismo hispánico. Allí hay princesas, juglares, bufones, bailarinas y caballeros misteriosos. Esta vuelta al cuento tiene una intención estética antinaturalista, pero también ejemplar, para mostrar la fuerza del amor como ilusión (utilizando el potencial ilusorio del espectáculo teatral) que lleva supuestamente a la felicidad o que destruye si se fomenta arbitraria y caprichosamente. Todavía *Sortilegio* recurre al mundo del teatro y, más aún, al artificio del teatro dentro del teatro (anuncia por ello y por la conjunción del espectáculo y de la fantasía a *El Señor de Pigmalión*) en un juego de seducción y explotación de los recursos burlescos de la magia y del amor.

Nota común que podemos encontrar en estas obras (aunque con distinto tratamiento) es la contemplación de la belleza, encarnada en el personaje femenino, como una revelación que despierta el deseo y la necesidad de posesión. No es una belleza, sino la Belleza, que se percibe como un misterio también, como un enigma de la vida. Y, por ello, próxima a la muerte o inductora de ella, como manifiesta la breve obra *El rey Candaules* (sobre una fábula de Heródoto, empleada también por Gautier), que podemos situar en la estela del mito de la mujer fatal y del modelo bíblico Salomé, aunque en otro ambiente, no menos exótico y refinado, pero más estilizadamente sensual, tal vez. En el otro extremo, *La redención de Judas* presenta la bondad femenina y el amor como posibilidad de salvación del mal (digamos absoluto). Nos movemos, pues, en un mundo de estereotipos que son bien conocidos en otros géneros literarios (Lily Litvak lo ha comentado y esto relaciona el teatro de Grau con el de Valle-Inclán). El problema que se plantea es si todo ello se conjuga en un sistema dramático adecuado, coherente, propio, más allá de los aciertos parciales.

Otras obras de planteamiento trágico y gran envergadura teatral parten de textos anteriores, que reescribe dramáticamente, como *El conde Alarcos*, o que prolonga, en una especie de teatro bíblico poético, como *El hijo pródigo*. Se trata de nuevo de representar la versión trágica de la fuerza del deseo sexual (atizado ocasionalmente por otras pasiones, como la venganza). Son dos *historias familiares* en que el dramaturgo separa de nuevo a sus figuras de cualquier medio cotidiano, reviste su actuación de trascendencia y eleva su lenguaje con énfasis arcaizante y retórico. Dentro del mismo orden está *Entre llamas*, primero en el tiempo y ficción que parece partir de una situación de carácter naturalista (deseo reprimido, envidia, enfermedad) en un medio rural limitado y que quiere elevarse a ese mismo nivel de trascendencia trágica.

Combinados con otros estímulos y tradiciones, todavía se pueden encontrar aquí rasgos de inspiración simbolista (o modernista, si despojamos a este adjetivo de sus connotaciones de esteticismo superficial y lo identificamos con la busca absoluta del arte y la inclusión de la poesía en el teatro). Son estos rasgos la intensidad, el dominio de la emoción, la constitución de los personajes como movidos por fuerzas superiores, que marcan su destino. Además, el lirismo del lenguaje, la integración de la plástica escénica como factor de caracterización en colores, espacios, luces y vestuario.

Se ha referido esta influencia a Maeterlink y también a Lenormand. Grau se apropia de la obsesión por el destino, la muerte y el misterio de las fuerzas pasionales para construir sus tragedias y situar a sus criaturas en espacios de opresión o encerramiento, vueltos hacia un pasado también simbólico. Y parece que el fundamento de esta perspectiva es, en tales obras, la fuerza destructora de un instinto que la razón no puede dominar. Así, la alternativa que Grau plantea al teatro comercial y popular abarca todos los aspectos de su arte: constitución arquetípica de los personajes, lejanía espacio / temporal, integración de plástica y acción, lenguaje elevado y no coloquial, contemplación de la vida humana desde una perspectiva ejemplar y universal. Y todo ello apoyado en la revisión de algunos mitos y modelos reconocidos.

Lo que separa este teatro —en su intención— del resto del teatro poético de su época es precisamente la mencionada restauración de la tragedia: «el modelo que Grau intenta aplicar a sus tragedias proviene directamente de Nietzsche»[179] afirma Mª Paz Yáñez. Para ello quiere esta autora

179. María Paz Yáñez, «El concepto de tragedia en Jacinto Grau», en *Actas del XIII Congreso de la Asociación Internacional de Hispanistas,* Ed. de Florencio Sevilla y Carlos Alvar, Madrid, Castalia, 2000, Vol. II, p. 790.

explicar la articulación de lo dionisíaco y de lo apolíneo en estas obras. *Entre llamas* parece, como afirma Miguel Navascués, una de las más realistas del autor, «pues el mito y la fantasía quedan excluidas de tal realismo». Sin embargo, y pese a la situación patológica, el dramaturgo afirma que «los hechos que fueron génesis de la obra pertenecen a lo que llamó Goethe *Temas Eternos*».[180] Encontramos en la fábula el amor atormentado de Florencio, joven deforme, por Veneranda, esposa de su hermano Daniel, fuerte y despreocupado. Por otra parte, hay un amor intenso e imposible entre Veneranda y el joven Miguel, adoptado en la infancia por el padre de Veneranda. Finalmente, destruidas las relaciones familiares, Florencio atrae a Veneranda a una cabaña, donde se inmola junto con ella en el éxtasis del fuego. En esta obra el tema se simboliza precisamente desde el título y en las alusiones interiores hasta el incendio final, y viene contrapuesto por el color blanco (e incluso el nombre) de la joven y por la música espontánea, seductora, de Miguel. El misterio del mal y de la pulsión de muerte que encarna Florencio se puede ver reflejado en la lectura inicial de *Las flores del mal* (y la posible relación de este título con su nombre). El arte y la figura del artista maldito están, pues, en el trasfondo de esta tragedia. Si por una parte Grau trata de encontrar en el análisis interno del protagonista (sensible y deforme) el núcleo dramático integrador, por otra añade tantos aspectos que termina perdiendo la coherencia entre el naturalismo de partida y la trascendencia propuesta.

En *El hijo pródigo* de nuevo Grau instaura una compleja red de deseos violentos y contradictorios entre seres vinculados por lazos de sangre y un enfrentamiento entre dos hermanos, acuciados por la rivalidad: Osén, el hijo mayor de la parábola, y Lotán, el menor, que parece remitir al modelo bíblico más profundo de Caín y Abel. En *El Conde Alarcos* es el deseo de la Infanta por el Conde, felizmente casado, la que obliga a su padre, el Rey, a dictaminar la muerte de la Condesa, a manos de su esposo, Alarcos, para que este se una con la hija. Pero la justicia divina se cumplirá en el plazo marcado por la esposa moribunda y todos ellos serán también víctimas de su propio arrebato. Como se ha dicho, la Infanta, por su firmeza, resulta una especie de personaje nietzscheano, que mira más allá del bien y del mal, aunque sea sumergida en el agitado mar de su pasión. De hecho, Jacinto Grau escribe en estos términos de su obra, según la cita de una carta en Cejador: «Teniendo nosotros, después del teatro griego y de Shakespeare, una gran cantera de teatro, pensé unir el elemento helénico en sus dos tendencias fundamentales, la dionisíaca y la apolínea, a nuestro arte espontáneo y clásico.

---

180. Así en la edición de Buenos Aires, Losada, 1958, p. 7.

Es un camino noble que tiene la ventaja, por ser teatro, de poder llegar directamente a la multitud, sacudiendo su alma»[181].

También escribe Grau en estos años algunas comedias, en las que aspira igualmente a la ejemplaridad por tratar, con deliberada poca precisión costumbrista, los «temas eternos» de las relaciones humanas en su vertiente sobre todo social. Para ello recurre a una ambientación espacio-temporal contemporánea, a situaciones más convencionales y a un lenguaje frívolo e incluso vulgar. El aspecto crítico y más bien satírico se percibe bien en la elección de los personajes (también modélicos en sus afanes, en su corrupción o en sus enredos) y en los diálogos. Una de sus más tempranas obras en este género es la titulada *El tercer demonio. Esbozo de comedia en un acto*. El título alude (según referencias del diálogo) al prólogo de la obra de Lessing, *Fausto*. Este demonio resultaría ser la mujer, primero seducida y luego seductora... La trama, necesariamente reducida, es simple y lineal. Gabriela recibe en su gabinete a varios personajes (amigas, parientes, su prometido) la tarde anterior a su boda. Finalmente se presenta un hombre aún joven, su primer amor ideal, que la decepciona.

La obra sin acción, la ambientación burguesa de un realismo contemporáneo, con buen gusto refinado, el recurso continuo a la sátira social y a la comicidad de los caracteres, y el ingenio de la conversación en algunos pasajes nos remite, casi por necesidad, a la versión benaventina de la comedia, ya triunfante. Incluso coinciden en cierto escepticismo elegante y desencantado, casi cínico. En cambio, la misma brevedad, la falta de moralismo y, sobre todo, la elevación final, ensoñadora, de Gabriela, hacia el ideal o la ilusión como sustento y elemento esencial de la vida (que desmiente el escepticismo anterior y constituye, según sus palabras «algo... más fuerte que todos los demonios juntos, algo que yo oculto en mi mundo de seres ridículos e inertes, dignos de piedad») sitúan esta pieza todavía en la estela de un simbolismo ya lejano que se resiste a dejarse matar por «la vida... la realidad...».[182]

Más tarde, con *Don Juan de Carillana*, comedia en dos actos y tres cuadros, Grau reduce a límites modestos y domésticos el mito del personaje hispánico, jugando con una perspectiva irónica y con una trama de cortejo hacia un personaje femenino misterioso y siempre ausente de la escena.

---

181. Julio Cejador, *Historia de la lengua y de la literatura castellana*, Tomo VI, Madrid, Gredos, 1972 (edición facsimilar de la de Madrid, 1919, tomo X), p. 243.
182. Las citas corresponden a Jacinto Grau, *El tercer demonio. Boceto de una comedia en un acto*, Madrid, SAE, 1908, pp. 62 y 64, respectivamente. Las restantes referencias de las obras en el texto corresponden a las ediciones citadas en la Bibliografía.

La resolución de la escasa intriga, que avanza por noticias y comentarios, ocurre con el reconocimiento de la identidad de la dama. Interesa observar cómo en su desenlace, la obra pasa de lo satírico («Don Juan viejo es un absurdo!») a lo ejemplar, que anuncia una de las constantes del autor: «¡Ah mundo, mundo, misteriosa alma del mundo, cómo juegas con el azar y las criaturas!». Es decir, de una ironía correctora de un exceso o vicio social se eleva a una ironía del destino. De nuevo el centro de la obra se sitúa en el carácter del personaje, aunque esto resulte doblemente dificultoso, ya que su perfil psicológico es un tanto contradictorio y su incomunicación con los demás personajes dificulta el proceso normal de la acción escénica. Otro de los aspectos premonitorios es la relación de realidad y ficción que Grau insinúa, al situar la obra, en un prólogo externo, como traducción de un relato conocido por él en el lugar de los hechos, y terminarla con la despedida del personaje que se sabe futuro protagonista de ese relato: «Cuando andando los años, el viajero, curioso, recorra este pueblo, le contarán de mi locura... Pero nadie sabrá, en la disfrazada y futura conseja de mi lugar, cómo fue el verdadero Carillana...». Claro que el espectador, al oír esto, sí lo sabe. Fue uno de los escasos éxitos, reconocidos por el público.

Es oportuno incluir también aquí *En Ildaria*, comedia en dos actos que muestra el contraste entre dos seres de honradez intachable, de superior categoría humana y moral —Eprontas y Dilia— frente al resto de la corte que rodea al primero, formada por individuos que son ejemplos de venalidad, banalidad e hipocresía, incluyendo a la esposa de Eprontas y hermana de Dilia. El brusco final de la comedia parece desconcertante y no favorece una comprensión cabal de la obra. Pero es sin duda el que quiso proponer Grau para dejar sentado de nuevo el valor ejemplar de los comportamientos: la honradez política y la integridad personal en la renuncia al amor. Un nuevo intento de Grau en la comedia vino algo más tarde, ya en 1925, con *El caballero Varona*, de interesante planteamiento pero de deficiente construcción y desarrollo, ya que nunca quedan justificados, en la propia acción dramática, los rasgos que los personajes principales —Varona y Alejandra— se atribuyen y la intriga realmente es puramente externa y ocurre por pura casualidad. Con ello quiere Grau insistir en la tendencia a considerar la vida humana como dominada por el destino que parece casualidad o azar. Pero las dos poderosas escenas de enfrentamiento entre los personajes, al final del primer acto y casi al final del tercero, es todo lo que queda de la obra, cuyo final resulta, de nuevo, abierto, final y no desenlace, ya que nada ha ocurrido por necesidad y nada ha concluido. El resto es un esfuerzo por sustituir con el diálogo una acción inexistente, ya que esta solo podría tener un verdadero progreso en la relación de Varona y Alejandra. En cambio, las relaciones de cada uno con los otros son anecdóticas, si no de puro relleno. «He aquí una de las más desdichadas producciones del Sr. Grau», sentenció Díez Canedo, que ya en otras críticas no había escatimado reproches.[183]

Algo queda patente en todas estas obras: la tendencia de Grau a enfrentar entre sí a seres superiores —en situaciones en que la relación es imposible— y a estos con el resto de la sociedad mediocre, no solo vulgar sino venal. El procedimiento dramático elegido es, sin embargo, insuficiente, al fundarse (de modo paralelo a la tragedia) en el análisis de seres individuales en su identidad psicológica superior y romper la estrecha relación con su medio. Esto anticipa un rasgo que luego dominará en las farsas y que destaca ya en *El Señor de Pigmalión*. Cuando el autor pone en boca de Eprontas esta invectiva: «¡Siempre la misma farsa insoportable! ¡Siempre fantoches en lugar de hombres!» parece avanzar lo que será el núcleo, no solo del conflicto dramático sino de la forma teatral, de su más famosa obra: la identidad del ser humano y el muñeco, enfrentado al ser humano auténtico, superior, enfrentamiento presentado como una farsa (que es la misma tragedia vista irónicamente. Otro tema general de época en este teatro). El tema moral se transforma así en categoría estética y escénica: farsa de muñecos, con lo que volvemos a ese origen renovador del teatro que reside en sus formas elementales.

La cuestión del fracaso real de este autor puede ser abordada, después de este resumen, desde dos perspectivas. Una la ofrece él mismo, al considerar que la altura trágica es inalcanzable para un público de burgueses «completamente ignorantes de su sentido e incapaces de ennoblecerse sintiendo su emoción en la escena».[184] En efecto, la desafección de la crítica contemporánea y de los espectadores ha llevado a César Oliva a resumir: «es preciso reconocer la imposible relación que sostuvo con el público antes y después de la guerra».[185] En realidad, una buena parte del teatro de Jacinto Grau, con las breves obras simbolistas y con las tragedias, ahora, con las farsas, más tarde, actúa en un sentido contrario a la identificación del espectador. Trata, parece, de lograr una distancia estética, que ponga de relieve la superioridad y ejemplaridad de la obra, tanto por el planteamiento de la acción como por la artificiosidad del lenguaje, que llega en algunas obras al arcaísmo masivo y al retorcimiento sintáctico. Y aquí se aprecia ya una de las dificultades con que se encontró el teatro de Jacinto Grau.

183. Enrique Díez Canedo: *Artículos de crítica teatral...*, vol. 2, p. 183.
184. Véase Jacinto Grau, *El conde Alarcos*, Buenos Aires, Losada, 1944, «Prólogo».
185. César Oliva, *Teatro español del siglo XX*, Madrid, Editorial Síntesis, 2003, pp. 102-103.

Se plantea de este modo la segunda perspectiva, que más bien advierte defectos graves en la forma de sus obras y distancia entre sus pretensiones y sus logros. Esto es lo que le achaca Díez Canedo en su crítica a *El Conde Alarcos*, por ejemplo. El lenguaje es uno de los puntos más comentados. Respecto de esto, Navascués sentencia: «Algunos de sus diálogos nos resultan solemnemente artificiosos y pomposos, bien lejos de la naturalidad artística».[186] Por su parte, Luciano García Lorenzo distingue entre lengua dramática en sí, lengua poética y *fabla*, para matizar: «La lengua de Grau no es pobre... lo que ocurre es que no es, en muchas de sus obras, lenguaje dramático, o al menos, no es la lengua más apropiada para el tema desarrollado y los personajes puestos en escena. Y decimos en muchas de sus obras, porque en otras Grau acierta plenamente...».[187] A continuación señala los defectos más comunes: falta de fluidez, nivel excesivamente elevado y desequilibrios y rupturas en el acto o la escena. En su estudio sobre el tema de *El Conde Alarcos* analiza lo que él denomina la *fabla* de Grau en esa obra, como imitación de la lengua del medievo. Este es un aspecto no conseguido; sin embargo, le reconoce un valor como lengua poética (adjetivación, metáforas, figuras de dicción) dentro del modernismo, al cual le aproxima también en empleo de las acotaciones, de composición literaria más que funcional.[188]

Otros problemas que pudieron influir en la reticencia de los actores y el desvío del público tienen más que ver con la misma construcción dramática de las obras: por ejemplo —como escribe Kronik y vemos bien en las comedias— «cierta tendencia discursiva, por la que la discusión reemplaza la acción como fundamento de la resolución dramática».[189] Claro que esto se ha dicho de Jacinto Benavente también (el efecto de escamoteo). Pero en ese caso resulta esencial la gracia del diálogo o la oportunidad, al menos, de las réplicas y la habilidad de la construcción. En Grau, como he dicho, la intriga se dispersa a veces en diálogos accidentales o en conversaciones de relleno en las comedias. Es este, a mi juicio, otro punto débil de las obras extensas de Grau en este período. Por otra parte, hay una gran densidad argumental o de intriga en sus tragedias, con episodios y perso-

---

186. Miguel Navascués, *El teatro de Jacinto Grau. Estudio de sus obras principales*, Madrid, Playor, 1975, p. 23.
187. Luciano García Lorenzo en «Introducción» a Jacinto Grau, *Teatro selecto*, Madrid, Escélicer, 1971, pp. 43-44.
188. Luciano García Lorenzo, *El tema del Conde Alarcos: del Romancero a Jacinto Grau*, Madrid, CSIC, 1972.
189. John W. Kronik, «Vanguardia y tradición en el teatro de Jacinto Grau», *El teatro español entre la tradición y la vanguardia*, Ed. de Dru Dougherty y Mª Francisca Vilches, Madrid, CSIC/Fundación Federico García Lorca/ Tabacalera, 1992, p. 82. El crítico pone en relación a Grau con Bernard Shaw por este rasgo.

najes secundarios que se destacan a veces innecesariamente, dividiendo el interés y perturbando la claridad, mientras otros principales se difuminan en sus rasgos de carácter y de acción. Esto influye en el ritmo de la acción y en la precisión de la fábula.

Posiblemente todo ello dependa no solo de las características personales de Jacinto Grau, lo que parece evidente, sino también de esa voluntad artística que mueve su idea de escribir un teatro profundo, ejemplar y cargado de significación. Algunos críticos contemporáneos, como José Francés o Enrique Estévez-Ortega, elogiaron su teatro, sin embargo. El segundo escribe acerca de «el sincero esteticismo de los dramas de Grau, tan henchidos de honradez literaria y en los que palpita siempre una humana realidad eminentemente teatral en los fondos, en los temas, en los tipos, en el ambiente; todo ello escrito en un estilo personal, casticísimo, sin estridencias, con cierta ponderada sobriedad magnífica».[190] Con todo esto, como Kronik ha señalado y César Oliva ratifica, Grau aparece —en algún momento, por lo menos— como un revulsivo o provocador que anticipa la renovación escénica española que quedará en manos de la generación del 27, especialmente por sus farsas, que corresponden al siguiente momento histórico y a la segunda etapa de Grau. Y a esto mismo se refiere Estévez-Ortega: «su obra tan moderna, tan actual, no obedece a dictados recientes ni ha nacido al socaire de las modas al uso en las farándulas de vanguardia de hoy, tan palpitantes de inquietud y de interés... Hace muchos años que estas corrientes renovadoras en la dramaturgia que ahora todavía asustan aquí, las sentía ya y practicaba Grau con sincerísima convicción».[191]

Para concluir con esta parte de la producción teatral de Grau, parece contrapunto adecuado reproducir los términos extraordinariamente elogiosos con que Julio Cejador describe algunas de sus obras, en particular *Don Juan de Carillana* y las tragedias. Escribe el crítico en su *Historia de la lengua y de la literatura castellana* que esas piezas «ponen a Jacinto Grau entre los dramáticos de primer orden del teatro español y muy por encima de todos nuestros dramáticos contemporáneos...». Lamenta luego que la beocia teatral y moral y los currinches del oficio cerraran el paso al autor a los grandes teatros, «de suerte —añade— que es autor verdaderamente desconocido. Hay, sin embargo, una sinceridad, un realismo de forma y una filosofía de fondo, una alteza de pensamiento, un tan fijo claveteado de caracteres, de estilo y lenguaje, y una madurez de

190. Enrique Estévez-Ortega, «El teatro moderno de Jacinto Grau», *Nuevo escenario*, Barcelona, Editorial Lux, 1928, p. 44.
191. Enrique Estévez-Ortega, «El teatro moderno de Jacinto Grau»..., p. 46.

ingenio y primoroso buen gusto, que sobrepuja a cuanto se ha hecho muchos años ha en España».[192]

EL SEÑOR DE PIGMALIÓN: UN DRAMA ÚNICO (Y NUEVO)

Merece esta obra una atención particular por motivos históricos y por razones intrínsecas de calidad literaria, las cuales tienen que ver con su complejidad y su acierto, dentro del marco temporal en que se escribe y estrena. Porque esta obra ocupa por sí misma toda la década de los años veinte. Escrita en 1921, se publica por vez primera ese mismo año. En 1923 se representa por primera vez en París, en el teatro Atelier. Y dos años más tarde se estrena en Praga, en el teatro de los Hermanos Kapek. Se va creando así una cierta «leyenda» —como dice Díez Canedo— acerca de esta obra y de su autor. *El Señor de Pigmalión* llega finalmente a los escenarios madrileños en 1928, representada por la compañía Melía—Cibrián, y logra un significativo éxito. El teatro español se encuentra en un momento de cierta convulsión, con la llamada «crisis del teatro» (*Las esfinges de Talía*), el estreno de *Los medios seres*, de Gómez de la Serna y otros estrenos de autores contemporáneos del 27. Por otro lado, la publicación de textos dramáticos foráneos y la presencia de compañías extranjeras, a las que ya se ha hecho mención, abren nuevas posibilidades que se dirigen hacia la instauración de la dirección de escena y la renovación de la decoración teatral. Y en este aspecto, la escenografía (limitada por las dimensiones del escenario del teatro Cómico) y los figurines de Bartolozzi para la obra de Grau son muy significativos y contribuyeron al éxito mencionado. En este ambiente hay que encajar este experimento de intensa teatralidad y lleno de intención crítica.

Advertimos, sin embargo, que después de este éxito y del fracaso, unos meses más tarde, de *El caballero Varona*, Grau desaparece prácticamente de los escenarios españoles. Es por ello una obra de señalada importancia también en la historia particular de su autor, que llega en ella al mayor acierto de su carrera, al ofrecer una compleja y divertida representación de la vida humana, de las fuerzas pasionales y de su concepción del mundo-teatro, temas centrales en Grau, que alcanzan aquí su mejor integración, merced al juego genérico de la farsa trágica. Con todo ello, resulta una pieza en la que confluyen muchos de los aspectos que afectan a la renovación del teatro español en el primer tercio de siglo, que se realizan de otro

---

192. Julio Cejador, *Historia de la lengua y de la literatura castellana...*, Tomo VI, pp. 434-436.

modo en Valle-Inclán y se prolongan en Lorca (con sus farsas para personas y farsas para muñecos).

Así coinciden en este momento particular la historia de Jacinto Grau como autor y la del teatro español como el punto de equilibrio y de transición entre dos fases, en que se abre la posibilidad de integración de los espectáculos minoritarios o marginales y alternativos en el teatro público y en los circuitos comerciales. Para Grau supone el paso de un teatro de inspiración simbolista, de la tragedia y de la comedia anteriores, hacia la farsa posterior, entre una presentación eminentemente pasional del destino humano, envuelto en el misterio, y una perspectiva irónica, distanciada intelectualmente de la vida como representación.

El Señor de Pigmalión se compone de un prólogo y tres actos. En el teatro de una ciudad española —Aldurcara— se espera con impaciencia la llegada de Pigmalión, creador de unos muñecos maravillosos, con los cuales ha triunfado en muchos países. El Duque, que lo ha invitado y recibido, lo considera un hombre extraordinario y un verdadero artista, frente a la reticencia y la resistencia de los empresarios, que solo miran por el logro económico de su negocio. Finalmente llega Pigmalión y acuerda mostrar los muñecos a los empresarios y al Duque, antes de la exhibición ante el público. Este Prólogo tiene sin duda la función de llamar la atención e interesar al espectador en ese enigmático y excepcional personaje, antes de su entrada en escena, y crear las condiciones adecuadas para el posterior desarrollo de la fábula. Además pretende hacer una crítica a todo el mundo del teatro real en sus diferentes empleos, aunque con una duración excesiva, como marco de esa nueva propuesta que Grau quiere ofrecer a través de Pigmalión. Es su «comedia nueva» y particular ajuste de cuentas.

En el primer acto Pigmalión ofrece una representación privada a los empresarios y al duque. El teatro es el teatro mismo. Los muñecos obedecen las órdenes de su creador y muestran sus habilidades. El Duque queda seducido por la gracia de la frívola Pomponina y se dispone a raptarla. En el segundo acto asistimos a los enredos de los muñecos, liberados de la dictadura de su amo, dentro de su propio espacio teatral, y a los planes de huida, que al fin pueden ver realizados gracias a la intervención del Duque, quien seduce y roba a Pomponina. El acto tercero cambia el espacio dramático. Ocurre en la caseta de un peón caminero, en cualquier lugar. Allí han quedado detenidos el Duque y la muñeca y allí acudirá Julia, amante despechada del Duque, los demás muñecos y, finalmente, Pigmalión, quien de nuevo asusta y domina a sus criaturas, excepto al astuto y brutal Urdemalas, quien dispara una escopeta contra él. Pero será el más simple de los muñecos, Juan el tonto, quien definitivamente termina con la vida del creador-dictador.

En el final del acto I tal vez podamos encontrar un recuerdo del final del cervantino *El retablo de las maravillas*, ya que después de mostrarlo a las autoridades (aquí Duque y empresarios) los autores se disponen a presentarlo al público, ya que su virtud permanece intacta. Y desde aquí, nos remontamos algo más en la valoración general del cervantinismo de esta obra, tan irónica respecto de los comportamientos humanos y tan autoirónica respecto a los recursos y convenciones teatrales, con su juego de ficción y realidad.

En la fábula dramática advertimos dos niveles de la intriga que articulan sus pasos. El más superficial corresponde al robo de Pomponina, y es el que ofrece los resortes para los cambios de situación, mediante los cuales progresa el segundo nivel, el más profundo, en el que se mueve el deseo de libertad de los muñecos y su aspiración a crear una sociedad autónoma, reclamando el derecho a la existencia plena, pues Pigmalión amenaza con destruirlos y crear otros más perfectos. El papel del Duque es estructuralmente el de un traidor, que queda ridiculizado y resulta útil para dotar de cierto aire novelesco y jocoso a la obra (en la vertiente más puramente cómica). Así que el verdadero conflicto se da en el segundo nivel, entre Pigmalión y sus muñecos.

La caracterización de estos muñecos es también esencial y constituye otro efecto muy logrado en la pieza, con su integración mímica, gestual, verbal y sonora (ruidos, campanillas, música). Cada uno de ellos responde, en su aspecto físico y en su conducta al nombre proverbial, y, por tanto, representa un cierto tipo general, un estereotipo que queda así bien resumido y mostrado en el «muñeco», entre los extremos de Juan el tonto y Urdemalas. Aquí el nombre es el ser. La máscara se identifica con la persona. En ellos encontramos también una forma nueva de integración de las dimensiones universales con lo español, de la renovación vanguardista con la tradición. Se vuelve a un teatro aparentemente ingenuo y simple, con los muñecos; pero, en realidad, remite a la estricta modernidad, con la idea de la «supermarioneta», actor ideal sin identidad propia, más que la de su personaje (Craig era una devoción de Grau). Los muñecos, a su vez, son solo parte de un universo exclusivamente teatral: puros personajes (pirandellismo y detrás aún cervantinismo del retablo de Maese Pedro y de la relación entre los muñecos y los espectadores). Pero en los caracteres y actuación de esos personajes encontramos también referencias a los *Paso*s de Lope de Rueda, a los *Entremeses* de Cervantes, a los refranes y tradiciones folklóricas y proverbiales hispanas.

Y finalmente esos personajes pueden representar ejemplarmente la contradicción de la lucha por la libertad humana y la sujeción a un destino que va inserto en el propio ser, gracias a su condición y estatuto de persona / personaje. Grau se distancia ahora del drama pasional y del análisis psicológico para objetivar irónicamente el destino de sus entes de ficción, pero sigue proponiendo la duda acerca de la libertad humana y una visión escépticamente superior de las formas de conducta individual y de relación social. Es interesante notar cómo los personajes «reales» del prólogo se muestran también determinados por mecanismos de conducta que les asemejan a muñecos, mientras cada uno de estos, como ha escrito C. Kaiser-Lenoir, «se relaciona con los otros a partir de las formas más elementales y antiheroicas de conducta. Son crueles, desleales, oportunistas y codiciosos».[193]

Por otra parte, Grau recibe la tradición de los autómatas, que, desde la Olympia de E.T.A. Hoffmann hasta los robots (R.U.R. *Robots Universales Rorsum*) de Kapek, representan el aspecto siniestro del ambiguo compuesto de máquina y ser humano, con la sustitución de este por aquella. En esa progenie se encuentra también Hadaly, de *La Eva futura*, de Villiers de L'Isle-Adam; y cabe incluso establecer algunas relaciones con el irónico modo de representar situaciones humanas con restos y piezas mecánicas que practicaron —por la misma época— los artistas del movimiento Dadá, aunque Grau se limita a un aspecto más anecdótico, no desprovisto, desde luego, de alcance y trascendencia.

En Pigmalión parecen confluir, a su vez, dos mitos actualizados. El de su nombre, escultor que se enamora de la figura que ha esculpido (Galatea) según el mito clásico; y el de Prometeo, en la tradición romántica de quien arrebata el fuego de la vida y de la creación, que lleva al modelo divulgado de superhombre. Y parece que el segundo aspecto es más esencial que el primero, ya que cada uno parece corresponder mejor con uno de los niveles de la fábula que antes he señalado: la intriga de seducción y robo de la muñeca o el conflicto del creador y de las criaturas. En Pigmalión confluyen, además, otras tradiciones contemporáneas del personaje, ya que es conjuntamente artista, inventor y genio. Esto le convierte en un cierto trasunto (irónico) del arquetipo mítico mediante la insinuación de un plano trascendente: la relación hombre-divinidad queda representada y duplicada en la obra por la de muñecos-hombre.

De este modo, podemos resumir una buena parte de los planos de significación de la obra con las palabras de Kronik: «un examen del arte

---

193. Claudina Kaiser-Lenoir, «*El Señor de Pigmalión* de Jacinto Grau: una subversión doble», *Ínsula*, 432, 1982, p. 15.

dramático en su dimensión material —el negocio teatral en la España contemporánea— y en su condición ontológica —los orígenes del acto creador y las capacidades del ente ficticio... Este autoexamen trascendental del arte... metafóricamente implica una profunda investigación de la existencia individual».[194] Habrá que añadir: y social. Con ello Grau se coloca en el ámbito de reflexión de Pirandello y de su admirado Unamuno. El diálogo entre Pigmalión y Urdemalas, en el acto III, tiene indudables resonancias de *Niebla*. Y esta influencia no se advierte solo en la situación del ser de ficción (muñeco aquí) que se rebela, sino, más profundamente, en la misma destrucción de la tragedia desde una perspectiva intelectual (para reforzar irónicamente su percepción) —que Unamuno (por boca de Víctor Goti) denomina el «bufotrágico»— y en el recurso a los mitos para analizar la situación ontológica del existente humano. Pero Grau admiraba también, en el otro extremo, la farsa benaventina de *Los intereses creados*. Y no podemos dejar de percibir la cercanía entre ellas que muestra esa concepción irónica de la humanidad en sus relaciones, de sus vicios y de sus logros (aquí menos ficticiamente piadosa que en Benavente) y la correspondencia entre Crispín y Urdemalas, ambos formados con materiales literarios y tradicionales.

Otro de los aspectos que he indicado y que debe resaltarse ahora es el de su fuerte teatralidad, ya que se encuentra un juego de ficción / realidad puesto al desnudo, un continuo cambio, ir y venir, salidas y entradas, uso de espacios patentes y latentes, acciones vistas o supuestas, etc., hasta configurar una parte del acto II como una transposición de *Commedia dell'Arte* a comedia de enredo o a un moderno *vaudeville* de relaciones cruzadas, puertas que se cierran y se abren oportunamente, burlas, etc. El espectador puede quedar ingenuamente prendido en la caracterización física de los personajes-muñecos y en su movimiento imitativo. Pero de esa teatralidad directa, en escenografía, vestuario, gestualidad y ficción, el espectador es llevado a reconocer el carácter metateatral de la obra por muchos aspectos. Desde luego, por la dedicación de los personajes al mundo del espectáculo, mundo que ofrece el espacio para la representación (prólogo y dos actos). Los autómatas se presentan con un elaborado juego de disfraces o travestismo: un actor (real) interpreta o se inviste como un muñeco (actor de ficción) que actúa y aspira a ser un ser humano (real en la ficción o ya metaficción). Y naturalmente, lo que importa para dotar a todo este conjunto de sentido es la concepción del mundo como representación y su forma dramática de «teatro dentro del teatro». Acerca de esto es sintomático que el acto I sea una actuación teatral de los

---

194. John W. Kronik, «Vanguardia y tradición en el teatro de Jacinto Grau»..., p. 84.

muñecos-actores, dirigidos por Pigmalion ante un público ficcional (empresarios, Duque), contemplados todos por un público real (ya me he referido al cervantinismo de la situación). En el Acto II todo ocurre *como si* no hubiera público, volviendo al modo habitual de la comedia, bien que sigue el doble nivel de los personajes. Y el acto III rompe esa coherencia del espacio dramático para salir fuera del teatro. Es un espacio distinto (neutro desde este punto de vista) donde se va a decidir la libertad de los muñecos mediante el enfrentamiento. Pero todavía mantiene las referencias teatrales gracias a las ventanas, que pueden actuar como marco escénico para la aparición de los muñecos, manteniendo la coherencia con el resto de la escenografía. (Esta decoración del acto tercero remite por su carácter más realista a la del prólogo, y mantiene en relación con el segundo la tensión de los espacios «latentes» mediante el artificio de las puertas y los encerramientos. Pero el cambio de lugar indica también la salida hacia otro universo —un espacio abierto, el espacio social— después de la muerte del creador. La lucha por la libertad deviene una rebelión metafísica. Y semánticamente se encuentra un espacio cerrado, metaficcional y lúdico (escenario de los actos I y II) al que se opone otro espacio, aún interior pero humano y neutro (simbólicamente opuesto, ya que alude al camino como segundo plano), ficcional, serio (aunque admita situaciones grotescas). ¿No todo era farsa y representación? La duda y el juego de ambigüedades será un rasgo importante del teatro vanguardista y moderno de la década 1925-1935.[195]

De esta manera —y en resumen— ante los ojos del espectador real se van presentando una serie de planos bien articulados: en el prólogo, la sátira hacia las formas y usos convencionales de la profesión teatral y la sátira de un tipo de teatro (comercial y cómico); luego un drama o tragicomedia centrada en la relación (sumisión, resistencia) de los muñecos y Pigmalión (que actúa con una ciega conciencia de su superioridad), en la que se parte de la condición de espectador de barraca de feria para superarla; más tarde, la farsa de las relaciones «humanas» de los muñecos entre sí (con la convención de que los juguetes cobran vida durante la noche) en una especie de teatro de cabaret o de boulevard, con engaños múltiples. Finalmente, la dimensión más trágica, que no deja de ser sometida a una perspectiva farsesca en la representación, de modo que ambas dimensiones extremas se integran oponiéndose sin anularse.

Este rasgo es determinante para la comprensión del significado de la obra (en su contexto histórico teatral). Pues no solo se conjugan signos

---

195. Dru Dougherty, «The semiosis of Stage Decor in Jacinto Grau' *El Señor de Pigmalión*», *Hispania*, LXVII, 1984, pp. 351-357.

diferentes y opuestos en el discurso lingüístico y en los signos de la representación, sino que choca una concepción superior del personaje humano, propia de la tragedia, con otra inferior y estereotipada de la farsa. De ahí que en esta obra se apunte ya hacia el esquematismo de las conductas propio de las obras siguientes de Grau. Y, como digo, el momento en que tragedia y farsa coinciden, para ofrecer esa perspectiva compleja, propia de la modernidad, es, sobre todo, en el final de la obra en su segunda versión de 1928: desenlace y sanción. Pigmalión ha quedado malherido por el disparo de la escopeta de Urdemalas, pero se finge muerto hasta que los muñecos se alejan. Entonces reconoce su locura trágica y prometeica: «los dioses vencen eternamente, aniquilando a quienes quieren robarles su secreto», que ha conducido a la inversión de la situación: «Iba a superar al ser humano y mis primeros autómatas de ensayo me matan». En ese momento sale de su escondite Juan el tonto. Pigmalion le pide ayuda, y este ser, que ni siquiera tiene aún lenguaje articulado, le golpea la cabeza. De este modo brutal y primitivo, el ser más simple es el que mata a su creador. (En la primera versión, Pigmalión decía las palabras citadas, pero moría a causa del disparo, solo). Y entonces amanece y cantan los gallos. En el seno de este simbolismo de nacimiento y renovación, la ironía trágica ha dejado su lugar a la burla grotesca.

Al comienzo del comentario me he referido a las cualidades de modernidad y de oportunidad de *El Señor de Pigmalión* como versión teatral (dentro de la tradición hispánica) de la crisis del teatro y, más allá, de la crisis social e intelectual de la época. Y en este sentido mismo, escribe Kaiser-Lenoir unas palabras que sirven de resumen y de conclusión: «La idea de que el caos y la ausencia de un sentido ético y colectivo como característica del mundo contemporáneo no podía caber dentro del marco de una tragedia no solo están presentes en Valle-Inclán, sino también en los dramaturgos del teatro *Grottesco* italiano, en los dramas expresionistas y posteriormente en las obras de teatro del absurdo y en los postulados de un crítico-autor como Friedrich Dürrenmatt».[196] Por su parte, Rodríguez Salcedo ha interpretado así esta farsa: «Los muñecos se igualan a los personajes de carne y hueso y pasan a ser el símbolo del hombre, convertido en robot por fuerzas irracionales del mundo moderno. Los muñecos, al pretender destruir esas fuerzas, se rebelan y matan a su constructor, que así se constituye en símbolo de la mecanización sin alma de la cultura».[197]

Otro elemento propio de la importancia histórica de esta obra lo encontramos a partir de la reconstrucción de su estreno y, sobre todo, en

---

196. C. Kaiser-Lenoir, «*El Señor de Pigamalión* de Jacinto Grau…», p. 16.
197. G. Rodríguez Salcedo, «Introducción al teatro de Jacinto Grau…», pp. 34-35.

relación con su plástica. Esta supuso el éxito unánimemente reconocido de Bartolozzi, como responsable de la escenografía y de los figurines; también, aunque más limitado, de Cibrián como director de escena. Tenemos así constituida la tríada que marcará la renovación de la escena española: autor, director y escenógrafo, trabajando de acuerdo y con una idea de calidad e integración. En cambio, la interpretación resultó más irregular. Un detalle de modernidad: se hizo desaparecer la concha del apuntador. El escenario vacío, con cortinas neutras y dividido en varios planos remite, por su parte, a Appia, y lo valora especialmente Grau como «preferible a los decorados realistas». En esta dimensión plástica se pone también de manifiesto la relación con el mundo de los ballets rusos, reconocida por Grau, en particular *Pretuchska,* en versión de Diaguilev (quien montó también *El sombrero de tres picos,* de Falla, con escenografía y figurines de Picasso). La caracterización propuesta por Bartolozzi acentúa —en esa misma línea— el carácter infantil, casi de juguete, de los muñecos / actores y perfila la estilización de la tradición folklórica a la que pertenecen. Finalmente, indica también Vela Cervera: «frente al anacronismo de su concepción ilusionista, el escenario se convierte en espacio de fantasía grotesca, en retablo de títeres a gran escala; la escenografía no esconde sus trucos y, a través de los cromos violentos y el esquematismo, tiende a subrayar lo más expresivo y medular del texto dramático en su representación».[198]

LA FARSA INTELECTUAL

A partir de la segunda mitad de los años veinte —y ya hasta finales de los cincuenta, en Argentina— Jacinto Grau escribe un teatro que, brevemente, puede presentarse como el resultado de algunos presupuestos. A partir de su rechazo del drama o de la comedia realista-naturalista y visto el poco éxito de la tragedia, plantea ofrecer una perspectiva intelectual de la existencia y una consideración reflexiva de las pasiones humanas. Sigue en su idea de los seres movidos por fuerzas superiores, que ahora extrae del ámbito interior, psicológico, del personaje, para proyectarlas al exterior y dotarlas de plena realidad escénica. Parte de un cierto escepticismo final en la ideación de sus fábulas para dar en un pesimismo histórico que enlaza con la perspectiva filosófica nietzscheana de su juventud y que pre-

---

198. David Vela Cervera, «El estreno en Madrid de *El Señor de Pigmalión* de Jacinto Grau (18-V-1928): la plástica escénica de Salvador Bartolozzi», *Anales de Literatura Española Contemporánea,* 20, 1995, pp. 455-456.

tende salvar en el arte las ruinas de un mundo y una civilización (destruidos por la guerra), según escribe en su última obra, *En el infierno se están mudando*.

Para representar escénicamente esta perspectiva del mundo recurre a un sistema dramático que distancia la mirada del espectador mediante la deshumanización estética, haciendo aparecer seres fantásticos o abstracciones alegóricas; el ámbito de actualidad espacio / temporal queda así contrastado con la mirada intemporalizadora del dramaturgo. Trata a sus personajes humanos de manera general, no individualizados; suprime en ellos el análisis psicológico y muestra la distancia que media entre su voluntad y su realidad, distancia de la que ellos no pueden ser conscientes. Son obras dramáticas más bien analíticas, pero no de la identidad subjetiva, sino del destino y de la contemplación ajena de ese destino. Por ello no tienen un principio de unidad firme en una trama consecuente, con enlaces causales, sino que la acción dramática se expone fragmentada, de manera más épica, y con notable desconexión de cada momento respecto de los anteriores y posteriores. Así sustituye la división en actos por los cuadros.

De estos principios se deriva la serie de rasgos caracterizadores de este momento de Jacinto Grau: el esquematismo de la acción, la falta de una psicología individual convincente, ajena a este modelo teatral y a las pretensiones de Grau, la simplificación formal y la configuración en forma de *retablo*, es decir, sucesión de episodios o secuencias cerradas. Todo ello nos sugiere la relación de estas obras de Grau con el modelo del Auto Sacramental y su proximidad o coincidencia de hecho con el modelo europeo de teatro expresionista, ejemplar, deformado, grotesco y patético.

Una obra singular de este periodo es *El burlador que no se burla* (1927), nueva revisión irónica y desde estos presupuestos, del mito donjuanesco, que lleva como subtítulo descriptivo: «Escenas tragicómicas de una vida y muerte en cinco cuadros, prólogo y un epílogo». Además escribe en España tres farsas: *Los tres locos del mundo* (1925), *La señora guapa* (1932) y *La casa del Diablo* (1933). Otras cinco farsas las publica en Argentina, después de la guerra civil: *Destino* (1945), *Tabarín* (1947), *Las gafas de Don Telesforo* (1949), *Bibí Carabé* (1954) y *En el infierno se están mudando* (1958).

En su nuevo Don Juan trata Grau de presentar al personaje tal como él lo ve o, quizás mejor, tal como *se puede ver*. Para ello, en los siete cuadros efectivos, lleva al espectador desde el momento anterior a su concepción biológica hasta otro momento posterior a su muerte. Y en la representación de la vida (cuatro cuadros) trata de conjugar la perspectiva directa de su caracterización mediante la acción con otra reflexiva, que ofrece lo que, desde distintas actitudes, posiciones vitales e intelectuales, se dice de él por parte de enamoradas, científicos y gente de la calle. Todo esto pretende alcanzar un cierto carácter ejemplar, mostrado por los títulos que encabezan los cuadros. En todo ello me parece advertir un mensaje cifrado del autor al público, en que se encierra una ironía. En definitiva trata de cómo se puede descifrar (por medios artísticos) el misterio indescifrable del ser humano y de su destino, aunque se le observa desde esa perspectiva que es la «tragicomedia» que indica el subtítulo y que recae en el escepticismo.

La escena del origen de Don Juan (además del recurso al aparente determinismo biológico y la referencia a la inoperancia de la religión) puede servir para proponer la idea de que él actúa según su condición, heredada y constitutiva, más allá de su libre decisión, y que es un ser superior. Este tema se había ido forjando (como dije) y aquí aparece ya totalmente definido. Es un personaje que atrae (y no puede no atraer, por eso no cabe en él arrepentimiento) y que si destruye o abandona a las mujeres que atrae, no lo hace por maldad, sino porque es su naturaleza, que obra más allá del bien y del mal. Pero, además, es un ser creado también desde la leyenda, las imágenes sociales y las interpretaciones. Esta dimensión forma parte igualmente de su atractivo y por tanto de su ser.

Grau busca un contraste (que creo que consigue) y un equilibrio (que no consigue) entre las dos perspectivas. El problema se muestra en que el personaje es poco convincente cuando actúa: le falta, según se ha notado, fuerza, dimensión, originalidad y calidad verbales... Y a veces el mismo acto de seducción deriva hacia la confrontación amorosa o el debate (Adelia y Hortensia, las hermanas enamoradas de Don Juan). Además pretende recuperar muchos de los mitemas que han constituido el «personaje» dramático, llevándolo a distintos ambientes, altos y bajos (del palacio a la cabaña), sustituyendo el convento y al comendador por el científico. Desde luego, lo que parece abordar en el cuadro quinto es la visión moderna de la cena con el Comendador y de la muerte de Don Juan como consecuencia de sus excesos y de sus desafíos. Pasa la obra (y con ella el espectador) a un plano fantástico y simbólico (como psicomaquia o representación de los fantasmas en la mente), en el cual se personifican la Vida, la Muerte y el Destino, después de una aparición corporal del Diablo.

Lo que, a mi juicio, interesa más al autor es dar un nuevo paso en la consideración de la universalidad del personaje y del significado de su mito. Por ello lleva al espectador a la contemplación en el plano humano (su ser, naturaleza y carácter superior, según su origen: «mi destino soy yo»); después, en el plano social, como personaje construido en una creación colectiva, mediante los sistemas verbales: rumores, comentarios, análisis, debates... Y por fin pasamos a un plano trascendente, entendiendo esto no en sentido religioso sino exclusivamente artístico. Don Juan resulta así un arquetipo que, apoyado sobre su base humana y social, es ofrecido al público por la construcción del autor, que le hace enfrentarse con la Tentación (que fracasa) y con él mismo, y luego con la Vida (en el fondo está la vida humana como representación, y el juego persona / personaje), con el Destino y con la Muerte. El núcleo de Don Juan se define como un «místico sensual» para dar cuenta de la riqueza de su contradicción e integración de planos. Es indiferente a todo lo demás y en su deseo lleva su castigo. Pero el secreto de la Vida (que él ha sabido utilizar) le es incognoscible, tal como se anuncia en el umbral de la Muerte, que, más que castigo, aparece como misterio definitivo. (Y en este sentido hay una semejanza entre los personajes de Jacinto Grau y de Unamuno en *El hermano Juan*. Ambos son además contemporáneos). Así, la figura de Don Juan, en ese plano trascendente del arquetipo (que es en el que siempre renace; no el individuo, sino la figura) supera la dimensión individual, pervive en la conciencia (de las mujeres que no lamentan haberle conocido ni se arrepienten) y resulta ser un entramado superior, modélico, de Ilusión (vida, amor y fantasía), Destino (ser y carácter) y Muerte (misterio).

Con todo ello Grau ha hecho un esfuerzo de teatralidad y aun de metateatralidad que, sin embargo, queda en buena medida frustrado por la sequedad de los diálogos (o por su retórica convencional), la dispersión dramática, la discursividad de algunas escenas y los desequilibros constructivos. Es una reflexión metadramática de un personaje teatral que carece de dramaticidad en su conjunto.[199]

Pero desde el punto de vista cronológico la obra titulada *Los tres locos del mundo* marca el inicio de este periodo, pues es el primer texto en que Grau define su fórmula teatral para representar la vida humana como una farsa tragicómica, movida por fuerzas universales e intemporales, a las que dota de corporeidad escénica. Su modalidad de expresionismo teatral se recoge en el subtítulo: «Cuatro retablos de farsa escénica». Son cuatro espacios que tanto tienen de realista como de alegórico y representativo. Porque después de una pormenorizada exposición del decorado en la acotación inicial, la escena primera se inicia con esta otra: «completamente invisibles para la gente que está en el bar, fíltranse por las paredes *La Ilusión, El Destino y La Muerte*».

---

199. Véase Gonzalo Torrente Ballester, *Teatro Contemporáneo Español...*, p.

Reconocemos en estas figuras las tres fuerzas que, como impulso psicológico o determinación de la voluntad, animaban las obras más importantes de la primera etapa, en particular las tragedias; en ellas el deseo amoroso (ilusión) se transformaba en un destino que conducía a la muerte. (En otras obras, como *Conseja galante*, la ilusión, a través de la magia, la sugestión y el teatro, tenía también un papel fundamental para alcanzar la felicidad o terminar en la desgracia). Ahora, al hacer intervenir las figuras, a la vista del espectador, en las vidas de los personajes, quienes no perciben que son manejados, se pone en evidencia el carácter de «retablo», es decir, figuración o representación de la existencia humana; y se marca, por consiguiente, la distancia intelectual con que es contemplada esa vida primaria de deseos e ilusiones. Por eso no puede ser tomada tan en serio, a pesar de la muerte. Porque la vida es ilusión. Esta sinonimia se advierte en la comparación de las figuras alegóricas de *El burlador que no se burla* y de estas otras obras.

Pero resulta que, a su vez, en la acción, estos personajes determinantes se muestran como locos. Y así la vida humana en el mundo carece de una lógica profunda y de una trascendencia que le darían el rasgo de seriedad última. Es la farsa. Y las fuerzas del mundo parecen el reverso de la Providencia tradicional.

En esta obra Grau plantea de nuevo el proceso de enfrentamiento y seducción entre dos caracteres superiores, aunque ahora el femenino es el central (y no el masculino, como en las comedias anteriores). Por ello la «Señora Guapa» no tiene un nombre propio, sino que su condición se eleva a onomástica. Los personajes se identifican con lo que son; su anonimia individual permite una representación de valor universal. También aquí aparece de nuevo el Diablo, que lleva a los personajes al engaño. Se trata en la fábula de un Director de manicomio (veremos cómo esa idea del mundo-manicomio se va introduciendo en todo este teatro alternativo) que abandona a su Novia en la noche de bodas para acercarse, inducido por la Ilusión, a la Señora Guapa, mientras la Novia se abandona a la Muerte.

Anotemos en esta obra todavía el desdoblamiento irónico de los personajes *misteriosos*, ya que Muerte, Destino e Ilusión tienen sus correspondientes dobles teatrales, que son tres viejecitas locas que creen ser sus pares auténticos, con lo que aumenta la distancia y el juego interno especular e irónico, que refuerza el grado de objetivación y extrañamiento de esta fábula: «Quedan frente a frente las tres locas efímeras del manicomio y los tres locos eternos del mundo». El lector puede establecer las correspondencias que el texto propone. Y ante el poder absoluto de estas fuerzas, el Diablo, que no quiere estar a su servicio, abandona el mundo-escenario-manicomio.

Si tomamos en cuenta el número de las réplicas, podremos suponer que esos *locos* son los protagonistas de la obra, y en ella los personajes presentados como seres humanos son meros comparsas o, tal vez mejor, continuando con la estética anterior, muñecos humanos o marionetas de esos amos o directores del «tinglado de la vieja farsa» de la vida. Explícitamente se lee en la obra: «Es innegable que alguien mueve, con fines que no se nos alcanzan, todo este tinglado de nuestro mundo y de esos otros que vemos en forma de estrellas...».

Un tiempo después, Grau prolonga la acción de su personaje femenino en otra obra, *La señora guapa*, protagonista ahora de esa obra propuesta como «Tres actos de comedia seria, para gente frívola». Ya hemos apreciado la presencia constante de esta figura femenina, bajo distintas formas y nombres, en el teatro de Grau. Se trata en esos casos de mujeres superiores que hacen de su voluntad y de su deseo norma para sí y para los demás y por ello están habituadas a seducir y conquistar. Pero ahora Grau coloca de nuevo frente a ella otro ser superior, masculino que solo aparece en realidad como oponente en el acto tercero, la noche víspera de su boda. Es un falso criado Antonio, «un hombre digno de su especie» que se comporta como el amo, la convence y la domina en una sola conversación. Es ahora la señora guapa la que abandona a su novio y se marcha con Antonio.

Una vez más el valor ejemplar que pretende con esta comedia y la caracterización de los personajes principales no quedan bien resueltos dramáticamente: la artificiosidad de los diálogos y los defectos de construcción (además de la arbitrariedad psicológica en lo que denomina «comedia») impiden el pleno asentimiento del lector. Lo que Grau quiere es presentar «una verdadera mujer de todos los tiempos, fuera de las cambiantes opiniones corrientes de los días en que vive». Los auténticos representantes de la especie son, por esta autenticidad, seres únicos y superiores. Grau, en su prólogo, afirma que esta mujer, «la coqueta activa por antonomasia» es también «la madre en potencia, con una soterrada y a veces inconfesable sed de ser dominada, de encontrar el amo ideal»... Y añade: «Esta idea social de la mujer, vista como dependiente del hombre, se funda en su íntima estructura psicológica, en lo que hoy se entiende por el inconsciente, en un insobornable mandato de la naturaleza».

Volvemos a la contemplación de la vida humana como «retablo» en *La casa del Diablo*, que resulta ser el mundo, es decir, el Infierno-mundo. Nueva alegoría en que los personajes, después de dos actos de enredos y equívocos, llegan ante el juicio divino (que ejercen San Pedro, San Pablo y San Juan). Este tribunal revela la verdad de las existencias y condena a los falsos virtuosos, egoístas y logreros al infierno que es volver al mundo. El verdadero conocimiento de la realidad aparece en esa fantasmagoría ultraterrena. Aquí aparece otra de una serie de concomitancias del teatro de Grau con otras obras contemporáneas que más adelante se analizan. Por ejemplo, con *Tic-Tac* de Claudio de la Torre y alguna otra de Sánchez Mejías, con *El Director*, de Salinas y otras que utilizan distintas formas de alegoría y metateatralidad. Jacinto Grau resulta así asimilable a este teatro de vanguardia, en los límites del cambio de década, aunque sus intuiciones dramáticas quedan demasiado esquemáticas y artificiosas.

Las farsas de Argentina las podemos considerar, aunque sea simplificando más aún sus rasgos propios, como el desarrollo de algunas de estas ideas dominantes. No puedo determinar si esa tarea corresponde a un plan deliberado, pero al menos las piezas que allí escribe y publica se pueden integrar dentro de las perspectivas generales ya abiertas. Así, *Destino* presenta, a través de una trama de intriga, política y atentados, la fuerza que destruye y mata a través del amor. El título es revelador de una de las obsesiones del autor, quien no prescinde de presentar un doble plano de los hechos para permitir la doble visión: la que se deriva de la sucesión de acontecimientos y la que proporciona el sueño inicial premonitorio. *Las gafas de Don Telesforo o un loco de buen capricho* es otra farsa que se centra exclusivamente en la Ilusión como la fuerza activa del mundo, de la vida. Y ahora lo hace a través de un personaje ambiguo, un personaje de gran proyección literaria y teatral: el loco que muestra gran cordura, al mismo tiempo que una visión sesgada y particularmente extraña de la realidad. Este personaje se identifica con su misma doctrina, lo que viene a mostrar que es la encarnación teatral de la idea de su autor: «Soy solo un hombre que ha profundizado en esa gran palanca que mueve el mundo: la ilusión». Porque, añade: «El único sentido serio y positivo de nuestra vida, que nos diferencia de las bestias, son las ilusiones... La prueba es que son las únicas que permanecen y resisten al tiempo, cuando se convierten en religión, en arte o en mito». Frente a esto, la realidad no es más que una mentira (una ilusión frente a las ilusiones). Por eso, basta cambiar la forma de ver (las gafas) para cambiar la realidad.

En la fábula, Don Telesforo aparece —muy adecuadamente— como el propietario de una fábrica y tienda de juguetes. Es además un inventor, que, sin embargo, no vende sus inventos y un hombre que crea ilusiones en los demás. Pero no es un iluso. La obra muestra otra perspectiva sobre el tema intelectual de la verdad y de la ficción, de la configuración de la realidad y de su modificación desde la subjetividad; y desde ahí se pasa naturalmente al tema del mundo-teatro en una conversación en la que los interlocutores son Don Telesforo y de nuevo el Diablo (fuerza intelectual más que personificación del mal). Estas dos figuras se disputan el empleo de la ilusión para fomentar la vida de los mortales o para llevarlos a la destrucción (con lo que Grau ofrece el perspectivismo que la ambigüedad del término demanda). Como el punto de vista corriente sobre la realidad es una mentira ilusoria, Don Telesforo propone sustituirla por otra ilusión más bella y placentera. Y aquí encaja a su vez el empleo de otro recurso teatral: el disfraz (que nos recuerda al Perlimplín lorquiano) con el que el Telesforo se transforma en el amante de su propia esposa, para crearle una ilusión. Ya se percibe que la acción dramática se reduce, en verdad, a los sucesivos diálogos (con la intervención de algunas figuras anecdóticas) en que se debaten los problemas que preocupaban al autor y que se resumen en la confrontación del Bien y el Mal, que luchan en el mundo con las mismas armas.

Bibí Carabé, penúltima obra de Grau, vuelve sobre la contradicción de apariencia y realidad o sobre la disparidad de los puntos de vista para conocer la realidad y, finalmente, sobre la incomprensibilidad de la vida. El personaje —un obrero pintor que quiere ser un pacífico colono en el campo— es convencido por un empresario teatral para que explote su gracia natural en un espectáculo, pero fracasa ante el público cuando tiene que representar, es decir actuar ficticiamente su comicidad. Sin embargo, otro director descubre en él una veta muy profunda de actor trágico, con lo que triunfa en los escenarios. Por el contrario, su mujer, hermosa pero de tristísima expresión, resulta una cómica incluso desvergonzada. Todo esto se ofrece, en la obra, con dos carencias: el público no lo ve directamente, sino que se entera por los comentarios de otros personajes; y el fracaso o el éxito no aparecen suficientemente motivados en algunas características personales de las figuras, más allá de la convicción de que, en efecto, hay gente con cualidades naturales que pierde cuando intenta aprovecharlas y codificarlas en un determinado sistema de comunicación artístico. Estamos aún en la «paradoja del comediante» que se eleva a cuestión metafísica. Pero todavía el último cuadro ofrece otra versión, ya que en una barraca de feria los muñecos representan la historia de Bibí, que ha asesinado a su esposa, sin que nadie pueda saber por qué ni dónde se encuentra. Otros personajes populares y alegóricos comentan el espectáculo. La policía descubre a Bibí y este cuenta la verdad del suceso. Otra vez la acción debería soportar el tema del misterio de la vida humana (que es otra forma de hablar del destino humano en esta Farsa del mundo), cuya paradoja se teatraliza a partir de la oposición persona / personaje y del teatro dentro del teatro, que se multiplica por la voz popular, el comento y la comadrería. (Un uso semejante pero mejor logrado se verifica en la tragedia de Rafael Dieste).

La obra resulta inconexa en su acción y forzada en sus recursos e interpretaciones. En ella todo se dice y explica y apenas nada sucede verdaderamente. El enlace entre las ideas y preocupaciones del actor y la fábula y forma dramática en que quieren evidenciarse es demasiado débil. En realidad, aquí la farsa parece haber cedido ya su lugar al melodrama (como en *La Señora Guapa* lo había hecho a la comedia). Puesto que las causas y motivos de la acción no resultan evidentes ni convincentes, la ejemplaridad buscada resulta artificiosa, enfática y puramente especulativa. Y si hay una indudable teatralidad en el Cuarto Tiempo, con la representación de los muñecos, mientras Bibí se esconde entre cortinas, el coro que comenta parece un recurso que recuerda los muñecos de Pigmalión, sin su valor y su acierto.

Si hasta este momento Grau ha desarrollado sus preocupaciones con un grado cada vez mayor de escepticismo y de arbitrariedad dramática, en su obra final va a escenificar el apocalipsis que para él resulta ser el mundo, dejándolo en manos de las grandes fuerzas destructoras, las Parcas, que aparecen como figuras escénicas en el Tercer Retablo. El título *En el infierno se están mudando* a la tierra contiene la idea de la destrucción y nos remite a las primeras obras de este ciclo de la farsa. La obra revisa muchos de los aspectos conflictivos sobre los que se apoya la sociedad capitalistas: las finanzas, la policía, la política, todo el sistema amenazado por un grupo revolucionario que todo lo sabe y lo puede. La trama, como en los casos anteriores, carece de verdadera importancia (parte del secuestro de la hija del más importante financiero por el grupo terrorista y es más bien un remedo de ciencia-ficción) y no es más que un pretexto para urdir algunas situaciones y soportar los diálogos. Esto llega a su colmo en la serie de diálogos del cuadro o Retablo Tercero, entre personajes representativos. Aunque las ideas fundamentales del autor están incorporadas, ahora domina la dimensión social y sobre ella y sobre la posibilidad de un cambio radical cae la mirada crítica y a la vez desencantada: las tres Parcas vienen a relativizar el proyecto de reconstrucción del mundo que, sobre las ruinas del pasado, quiere lograr el Presidente. De ellas son estas afirmaciones: «Tan sabios que sois y no habéis colegido siquiera que el hombre es una evasión de sí mismo»... «Ya sabes que el mundo carece de verdad preexistente... La verdad del mundo es un mundo sin verdad». Pero esto se acentúa cuando el Presidente queda solo y se le acercan los acompañantes, quienes se extrañan de que haya hablado con lo que parecen ser solo figuraciones suyas. Y el Presidente concluye: «En el mundo, hasta ahora, y no hay señales de que vaya a dejar de ser así, todo son, inclusive la verdad y las matemáticas, figuraciones». Y refuerza: «¡Nada más que figuraciones! ¡De cómo sean ellas, depende todo!». Ya en el fin de su vida y ante ese espectáculo universal de la infamia (y con el vivo recuerdo de España) Grau encomienda a la cita del epígrafe lo que podría ser resumen y testamento de su labor dramática: «El fin del arte es sacudir la imaginación con la fuerza de un alma que no admite la derrota, aun en medio de un mundo que se derrumba».

En resumen, el teatro de Jacinto Grau se puede percibir como la aventura intelectual y artística de un escritor de su tiempo, que se encontró dentro de las tendencias dominantes del drama del siglo XX, pero que no logró una fórmula teatral definitiva en ninguno de los momentos de su evolución. Fue sumamente exigente y, a la vez, insuficiente en la integración de los elementos con que componía sus obras. En la evolución de su estética no se puede decir solo que transita de la tragedia a la farsa, porque hay una fase de inicio, con las piezas de carácter poético-simbolista; desemboca en la tragedia, pero intenta también la comedia, consigue una peculiar integración en *El Señor de Pigmalión* y pasa luego ya a una perspectiva de farsa intelectual, que viene a ser la otra cara de la tragedia inicial, según sus propias palabras: «una correlación de la tragedia, como el desahogo de lo oprimido, como la compensación de un dolor y la libertad de danzar sobre nosotros mismos».

Experimenta Grau, en este cambio, el proceso que afecta al teatro moderno y la crisis de identidad del sujeto contemporáneo. En sus tragedias recurre a la fórmula del drama absoluto, cerrado, con una identidad entre espacio, tiempo, acción y carácter, dentro de una trama intensa movida por resortes psicológicos. Su fracaso le lleva hacia una concepción del drama abierto, de múltiples planos imbricados, más apto para la contemplación intelectual que para la emoción, irónico y autoirónico, progresivamente desarticulado y en el cual la trama no es a veces más que un pretexto, un hilo narrativo, con lo que se aproxima al teatro *épico* (en términos de Szondi) y al metateatro como resultado de la doble idea: el mundo es un escenario y la vida es solo una ilusión (vida-sueño). Sus personajes iniciales (en la tragedia y en la comedia) son analizados en su individualidad, sometida a la presión de sus fuerzas internas, o bien considerada como la expresión de un carácter único. Los personajes principales de la farsa son presentados como seres genéricos, representativos del ser humano sometido al juego ilusorio de las fuerzas intemporales y abstractas que dominan el mundo. Carecen de esa psicología individual y son objeto no para una emoción sino para una comprensión irónicamente intelectual.

Considero por eso (en mi único desacuerdo con Gerardo Salcedo) que el fracaso de Jacinto Grau tiene dos causas y dos momentos. Una causa histórica, que es la situación del teatro español en las primeras décadas del siglo XX, con una débil estructura dominada por unas pocas figuras determinantes; pero también una causa intrínseca, debida a un conjunto de deficiencias o carencias del autor, de desequilibrios que lastraban sus obras, desde el punto de vista de la fábula, la construcción y la caracterización; aparte también de sus problemas para encontrar un lenguaje dramático adecuado. Un momento en España, hasta mediados de los años veinte, en que lucha dentro de un sistema y aspira a ser considerado en él, por lo que sus dramas tratan de acomodarse a ciertas exigencias externas y convencionales, manteniendo su integridad de artista; y otro momento, ya fuera de España, en que la imposibilidad práctica del estreno le lleva a escribir un teatro más libre y menos preocupado de las convenciones, que se desarticula y pierde tensión dramática, menos necesaria en una comunicación directa con el lector que en la comunicación social con el público. Le permite esta fórmula introducir su perspectiva crítica, intelectual y «deshumanizar» a los personajes al construir un universo regido por el caos y la ilusión, en que no se puede alcanzar una verdad universal. La verdad entonces es la representación lúcida de esa ilusión.

CAPÍTULO VI

LOS ESCRITORES CONSAGRADOS Y LA RENOVACIÓN TEATRAL AZORÍN, LOS HERMANOS MACHADO Y LOS HERMANOS BAROJA

El presente capítulo trata de autores centrales en la evolución de la literatura española del primer tercio de siglo, los cuales se acercaron en distintos momentos a la creación teatral. Su resultado no fue, en ningún caso, un éxito, al menos duradero, aunque Manuel y Antonio Machado sí recogieron buenas críticas y reconocimiento público. Todos ellos concentran lo más importante de su labor en los años veinte, tal vez por un motivo biográfico o por motivos circunstanciales, vinculados a proyectos culturales de la familia, caso de Pío y Ricardo Baroja. Pero en los Hermanos Machado y en Azorín esa incursión en el género dramático parece responder a un interés específico, no exteriorizado hasta este momento histórico en que se percibe el agotamiento de las fórmulas del teatro realista burgués y se manifiesta un clima de apertura intelectual, con nuevos impulsos de la crítica.[200]

Los Hermanos Machado y Azorín emplean distintos caminos para elaborar unos dramas que podemos incluir dentro de una tendencia poética, a veces marcadamente simbolista, enriquecida por las novedades culturales de los años veinte, en particular las corrientes psicológicas que confluyen en la teoría psicoanalítica.

Es preciso, por tanto, comenzar con una breve relación de los hechos que proponen una revisión y renovación de la situación del teatro en la segunda mitad de la década de 1920.

---

200. Dru Dougherty, *Talía convulsa. Dos ensayos sobre el teatro español de los años veinte*, Murcia, Universidad, 1984.

Coincide Azorín con otros autores estudiados en este capítulo en su temprano interés por el teatro, con participación activa en las campañas ya descritas a favor de Galdós y en contra de Echegaray (Véase capítulo I). Su rechazo del neorromanticismo o del exceso melodramático le conduce entonces hacia dos posiciones diferentes pero renovadoras: la del naturalismo y la del teatro poético simbolista.

Mucho más tarde, en la época que aquí consideramos de la segunda mitad de los años veinte, regresa a la crítica y a la escritura dramática, con algunos estrenos significativos, aunque no de éxito. A él se podría aplicar con razón lo que escribió en relación con Pérez Galdós, que «los que intentan los cambios teatrales suelen ser escritores de otros géneros, novelistas las más veces...» aunque ahora ya no del realismo. Porque en su intento de modernizar el teatro se implicaba la introducción de las nuevas tendencias artísticas, el arte joven o las vanguardias. Y, como fondo común con algunas obras de los hermanos Machado, el piscoanálisis freudiano. Es decir, una perspectiva más profunda y problemática del ser humano en un ambiente escénico menos cerrada y miméticamente realista.

Sin embargo, Azorín solo buscó o solo pudo lograr un teatro minoritario (a diferencia de los Machado) y sin el respaldo de un grupo activo y bien relacionado (como «El mirlo blanco» de los Baroja). En este sentido, fue un guerrillero de la renovación, que buscó sobre todo con sus artículos polémicos, proponiendo nuevos modelos de teatralidad vinculados a las corrientes y autores más significativos de Europa, en una verdadera «campaña» que duró cuatro o cinco años y que se prolongó con obras dramáticas hasta el mismo año de 1936. En realidad, el teatro estuvo siempre presente en la obra de Azorín y en su misma vida, aunque en sus escritos pueden espigarse juicios contradictorios, cuya razón puede deberse, en buena medida, a las condiciones del teatro popular, mayoritario y comercial de la época y al auge de esa cierta categoría de «dramaturgos» servidores del gusto y ajenos a la literatura.

Un momento inicial

Ya durante su estancia como estudiante de derecho en Valencia asiste a todos los teatros de la ciudad y comienza sus colaboraciones como crítico teatral en *El Mercantil Valenciano,* del que fue pronto «desembarcado», como él mismo dice, aunque otros artículos habían aparecido previamente en Alicante. Sigue escribiendo, ya en Madrid a partir de 1896, y una gran parte de esos escritos tiene como tema el teatro, rasgo que señala E. Inman Fox. Aparecen sus artículos en periódicos como *El País*, *El Progreso* y en revistas como *Madrid Cómico*, *Alma Española*, *España*. Más tarde en *ABC*, *La Vanguardia*, *La Prensa*, etc. Hay que destacar la distancia que marca respecto de la obra *Electra*, de Galdós (véase el cap. I) que suscitó una agria réplica de Maeztu. Además tradujo y editó tempranamente *La intrusa*, de Maeterlinck (1896) y escribió una obra en esos mismos años iniciales del siglo, *La fuerza del amor* (1901), que no fue aceptada por los actores. Aunque a partir de 1906 disminuye la frecuencia de los artículos sobre temas teatrales, estos siguen apareciendo con regularidad, bien para tratar de estrenos y obras significativas (El *Don Álvaro*, del Duque de Rivas, por ejemplo), bien para discutir conceptos y géneros: «la carpintería teatral» o «el teatro lírico». Y no deja de referirse a los autores más en boga: Benavente y Los Hermanos Quintero.

Su primera obra dramática —que coincide significativamente en el tiempo con el arranque de sus primeros libros importantes— es ya un ejercicio azoriniano de reviviscencia de lecturas y textos clásicos; una adaptación moderna, que no modernizada, de una serie de lances y de escenas de novelas y episodios costumbristas del siglo XVII. Moderna en cuanto a la sensibilidad, a un cierto idealismo, a una matizada subjetividad que es marca de la lectura y recreación de los clásicos por parte del autor alicantino. De manera que, en su edición, figuran, tras cada acto, las fuentes que han servido para su composición, aunque no todas revisten la misma importancia: Un episodio, «El conde de las legumbres», de *La garduña de Sevilla*, de Castillo Solórzano, es la clave de la historia, mientras se insertan en ella textos del *Buscón* de Quevedo o se toman datos y ambientes de otras obras, desde *La Celestina* a colecciones de apotegmas o relatos de viaje.[201] Sin duda hay también un cervantismo general latente y que aflora en algunos momentos.

Su título, *La fuerza del amor*, es perfectamente expresivo del núcleo de su trama y de su significado. Un joven hidalgo pobre, don Fernando, está enamorado de una dama noble, Aurelia, que debe casarse, por imposición paterna y para evitar la ruina, con un aristócrata al que no ama, don Félix. Fingiéndose loco, don Fernando se instala en casa de Aurelia y con este ardid logra declarar su amor, ser aceptado e, incluso, matar a su rival en un duelo. Pero más que la trama en sí importa, por un lado, la recreación eru-

---

201. Todo ello ha sido documentadamente expuesto y analizado por Miguel Á. Fernández Ladrón de Guevara en su tesis *El teatro de Azorín*, realizada en la Universidad Complutense, y que mereció el Premio Extraordinario. Publicada como Recurso electrónico por la propia Universidad.

dita y poética de la historia y del pasado, en la línea de la reivindicación generacional, recuperando además recursos, aspectos y personajes del drama áureo. Y, en segundo lugar, la función sublimadora con que se manejan estos recursos literarios y librescos, es decir, el triunfo del idealismo (aquí encarnado en la fuerza del amor) frente a la realidad y a la miseria de las necesidades, envuelto en frases emotivas. Así encontramos la literatura como «superación» de la realidad y observamos una representación intemporal del alma humana y de las oposiciones subyacentes al curso de la historia (recordemos que de este momento es también el concepto de «intrahistoria» de Unamuno). La negación del naturalismo que este planteamiento ideológico y estético supone va a determinar que los ambientes dramáticos y los personajes que los ocupan, en el teatro de Azorín, se inscriban —ya a partir de ahora pero sobre todo después— en cierto espacio intermedio entre la realidad (social, material, económica, profesional) y la pura ficción o ilusión de un mundo interior, mágico (en unos casos más acentuado que en otros). Asimismo se define ya la propensión hacia el tratamiento dramático de una serie de oposiciones básicas, fundamentales de la existencia humana: la vida y la muerte; la ensoñación y la realidad; el amor y el tiempo, el valor moral y la elección. Pero aquí aún importa la reconstrucción, se advierte la taracea intertextual y está muy presente la trama con sus incidentes y peripecias.

El teatro en la etapa de madurez

No podemos desvincular la dedicación de Azorín a la creación dramática, y su interés por la representación, de las circunstancias culturales de la segunda mitad de los años veinte. En primer lugar, la crisis que se produce por la madurez de una sociedad burguesa liberal, de mayor nivel intelectual, que no encuentra satisfacción en muchos espectáculos habituales. Además, la renovación literaria auspiciada por la entrada de nuevas ideas y estéticas, a las que Azorín estuvo muy atento, que tienen como rasgo común el rechazo del realismo tradicional, y por ello menos aceptables en el medio teatral. En tercer lugar, la coincidencia de varios autores generacionales en la escena, bien que con poco o limitado éxito en algunos casos: Unamuno, Grau, Gómez de la Serna, los Baroja y los Machado. Finalmente, esa nueva visión teatral coincide sustancialmente con las obras que en ese momento intenta el autor en el campo de la narrativa y que, en términos generales, pueden calificarse de «experimentales», dentro del propio genio de la prosa azoriniana: *Félix Vargas* y *Surrealismo*. Con todo, en el ambiente teatral no hubo unanimidad, y ello dio como resultado una frecuente manifestación hostil; y no debemos olvidar el conflicto casi continuo que mantuvo Azorín con la crítica de su momento, trasladado a una obra, *El Clamor*, supuestamente escrita en colaboración con Muñoz Seca, y que puede dejarse de lado, aunque la polémica que suscitó se centró en Azorín y pudo determinar su ausencia posterior de los circuitos profesionales. Es un hecho que deja su huella en varios de los artículos escritos en esos años.

Tres aspectos conviene destacar de esta dedicación, intensa entre 1925 y 1928 (que se amplía hasta 1930), y más pausada hasta 1936: la intervención en la prensa, de la que puede extraerse una «teoría dramática»; las obras y sus estrenos, con las reacciones que suscitaron; las propuestas de renovación en los aspectos formales y espectaculares, dependientes de su teoría y de sus innovaciones temáticas.

Algunos datos señalan el interés y la permanente atención de Azorín en este período: nueve obras dramáticas, de las que se estrenaron siete hasta 1936; una más que ha permanecido desconocida e inédita hasta época reciente. Hay que añadir *El clamor*, escrita en colaboración con Muñoz Seca y estrenada el 2 de mayo de 1928 en el Teatro de la Comedia, de Madrid. Respecto de los artículos publicados en la prensa, encontramos algunos en los años 1922 a 1924. Pero son significativos los titulados «La crisis teatral» y «De la crisis teatral», publicados en junio de 1925. A partir de ahí y hasta finales de 1930 podemos reconocer más de cien artículos de tema teatral, una cantidad significativa aun contando la abundancia de colaboraciones periodísticas del autor. De ellos, una buena parte se recogieron posteriormente en los volúmenes titulados *La farándula*, *Ante las candilejas* y *Escena y sala*.

Las ideas teóricas de Azorín nunca fueron expuestas de manera sistemática, aunque sí con una frecuencia notable en esos años veinte. Algunos de sus aspectos más característicos pueden resumirse en los siguientes puntos.[202] La necesidad ya sentida pronto de una renovación del teatro se acentúa con la idea de la crisis teatral. Y en tres aspectos complementarios se puede cifrar tal cambio: negación de lo anterior; apertura a lo extranjero y creatividad o atención a lo nuevo. Esto último se puede resumir con la frase irónica del autor: «¿Será posible que, después de tantos años, todavía estemos esperando la peregrina, la maravillosa, la salvadora desorientación?».[203] La negación de lo anterior se percibe desde la

---

202. No se trata de hacer un estudio sistemático. Para ello puede verse el trabajo de Miguel Ángel Fernández Ladrón de Guevara, ya citado, y el libro de Margherita Bernard, *Sulla scena. Azorín e il teatro*, Vareggio-Luca, M. Baroni, 2002.
203. J. Martínez Ruiz, *Azorín, Ante las candilejas*, p. 152.

polémica contra Echegaray, pero ahora se refiere más precisamente al realismo y al teatro industrial o artesanal, de consumo; y ello por una necesaria acomodación a los tiempos y a su evolución y por el agotamiento mismo de la fórmula: Con un paralelismo entre 1890 y 1920, dictamina Azorín: «Hoy nos hallamos en un período análogo al que culminó en 1890. Está agotada esa fórmula teatral...».[204] Y en otro pasaje, buscando la relación con la novela: «El desvío hacia la realidad, en la hora presente, en la literatura, es un hecho innegable. El agotamiento de la fórmula teatral presente no se puede negar tampoco...».[205]

Algunas dificultades observa el escritor ante el auge de una nueva clase social, la pequeña burguesía urbana, de inteligencia poco cultivada y dominada por una nueva sensación de prisa y de movilidad, que se acerca al competidor de ese momento, el cinematógrafo. Pero el teatro, que se somete a las ideas impuestas y exigidas por el público, a la presión de las instituciones, tampoco se resigna; el teatro expresa un desequilibrio entre la persona y la sociedad (y su ejemplo es Pirandello). Hay que añadir, como complemento, que en los artículos, Azorín pasa revista también a todos los factores del hecho teatral mismo: actores, crítica, empresarios y, de manera especial, las relaciones del teatro con la sociedad, de la que es expresión: el teatro como función social es cosa moderna.

Y aquí se pueden insertar algunas de las características que Azorín vislumbra en el nuevo teatro posible o deseable: pluralismo y variedad de fórmulas, inspiradas en la variedad del arte contemporáneo y en las aportaciones de la ciencia; intento de aunar la innovación con las fórmulas ya logradas o convenciones inevitables del teatro («la cuadratura del círculo», con lo que se acentúa la teatralidad como opuesta a la naturalidad mimética); los problemas representados deben hacer aflorar también la multiplicidad de aspectos y facetas del ser humano, sus aspiraciones más ocultas... con lo que el punto de apoyo recae en la interioridad y subjetividad y no en la acción y la anécdota. Por tanto: depuración o desaparición de la anécdota, visualización de los conflictos interiores, preferencia por un teatro de ideas: «hemos llegado, desprendiéndonos de la materialidad cotidiana, a la realidad de la inteligencia. Los grandes problemas del conocimiento constituyen, a la hora presente, la materia más duradera y fina del arte».[206] Son los problemas o cuestiones de la existencia, que puede ver reflejados en una obra como *El viaje infinito*, y que le lleva a

---

204. J. Martínez Ruiz, *Azorín*, «La renovación teatral» en *Escena y sala*, p. 113.
205. J. Martínez Ruiz, *Azorín*, «El superrealismo es un hecho evidente» en *Ante las candilejas,* p. 115
206. *Ibid.*

titular su obra *Angelita* como «Auto Sacramental». Junto a esto, la importancia concedida a la fantasía y al diálogo dramático (que no niega los otros aspectos del teatro, sino que resume sus posibilidades). El teatro así, aproximándonos a lo que será la obra misma de Azorín, aparece como un espacio de fantasía (más que de realidad) en que el diálogo va haciendo aflorar los conflictos interiores y las distintas actitudes ante los misterios de la existencia. Teatro como manifestación de una acción interior, que reúne realidad y símbolo y palabra desveladora.

Es preciso abordar, con un breve inciso, la recepción azoriniana del Surrealismo y el problema de su comprensión. Si atendemos a sus palabras, para él era el nombre de algo inconcreto, vago, pero real: una aspiración a superar las limitaciones del naturalismo, aunque —como en el caso del romanticismo, señala— nadie sepa bien lo que es. Se trata de un movimiento de época, de un hecho, aunque indefinido, de una nueva estética y, en definitiva, de «una aspiración que flota en la atmósfera espiritual».[207] Estas palabras, fechadas el 7 de abril de 1927, suceden a las dichas en una entrevista de ABC pocos días antes y a las publicadas como autocrítica ante el estreno de «Brandy, mucho brandy». Con ello la aportación de Azorín parece situarse más en el terreno de la polémica y de la sacudida de conciencias que de la definición y elaboración teórica. Tiene a la vez algo de provocación y de evasión (en momentos en que, efectivamente, pocos podían saber con alguna precisión de qué se hablaba al tratar de surrealismo y qué aportaba al movimiento general de las vanguardias).

¿Es surrealista Azorín y lo es en algún grado su teatro? Esta es ya otra cuestión crítica y suele depender de los presupuestos con que se enfoca la cuestión. Los elementos comunes que pueden señalarse con el movimiento definido por Breton me parece que forman parte de una fórmula personal que tiene una amplitud mucho mayor y que, para cierta confusión, Azorín denomina «Superrealismo»[208]. Lo más profundo y característico

---

207. En este caso, Azorín cita con oportunidad y conocimiento el *Primer Manifiesto del Surrealismo*, de Breton. Pero no le concede (al menos aparentemente) la categoría de doctrina o de fundamento teórico exclusivo. Pero mencionemos el hecho que señala de pasada: el efecto de la guerra (Primera Guerra Mundial) que fue lanzar al arte y la sensibilidad hacia una superrealidad, que, como la vida, debe ser «rápida, tenue y contradictoria». Las referencias al surrealismo parecen comenzar, según Pedro I. López, en 1925, en un artículo poco conocido, pero se hacen ostensibles en 1927, con motivo del estreno de *Brandy, mucho Brandy*, de su conferencia en Valencia y de la encuesta de Luis Calvo en ABC y el artículo que se cita arriba. Véase también, en relación con *Brandy, mucho Brandy*, la tesis citada de Miguel Á. Fernández Ladrón de Guevara.
208. Si atendemos a la opinión crítica más extendida, Azorín no solo no fue surrealista, sino que fue miope en su comprensión. En relación con la narrativa de esta época, Ricardo Senabre afirma que «*Superrealismo* es, en el peculiar vocabulario de Azorín, algo que

suyo es el idealismo, la depuración literaria y sublimación de la realidad, junto con la experimentación artística y la apertura a nuevos horizontes que vienen de la ciencia y de la cultura. El concepto tiene en Azorín un sentido estricto: «superación de la realidad».[209] En esa fórmula, «super-rrealismo» viene a equivaler a vanguardismo o «nueva literatura», tal como se le presenta a Azorín[210]. Y a la hora de escribir, en su fórmula se integran elementos de origen simbolista (sugestión, fantasía, alusión, interioridad como mundo incierto, lenguaje) con aspectos de la teoría freudiana, más o menos asimilados, aunque en general no abiertamente reconocidos, que pasaron a formar parte de la poética surrealista (el problema de las pulsiones, los deseos y sus manifestaciones, los sueños, la indagación general de la subjetividad). Así, resultan significativas las apelaciones a la subsconsciencia, a la importancia de los sueños, como testimonio de una realidad que forma parte de la realidad total, a los impulsos instintivos o ajenos a la razón discursiva... La multiplicación de la personalidad y el enigma que esto suscita es otro de los elementos que el propio Azorín sitúa como preocupación suya y tema de su época y concierta con estos aspectos. Y junto a todo esto, ese arte que atiende a las «realidades intelectivas», con una fuerte presencia de preocupaciones habituales (tiempo, decisiones humanas, tradición y progreso, felicidad y sufrimiento, muerte) y una depuración lingüística de difícil acomodo en la cotidianidad del diálogo teatral de su época.

Las obras dramáticas y los estrenos

Judit es la primera obra de este período, pero quedó desconocida hasta fecha reciente.[211] Se escribió entre 1925 y 1926, pero fue revisada drásticamente por el autor; sin embargo, nunca fue publicada por él. Se trata de una *tragedia moderna* de tema bíblico, como su mismo título sugiere (que se anticipa a otras, como la de Pedro Salinas). El Poeta y su esposa, Judit, son los líderes de unos mineros, que se ponen en huelga contra la

supera al realismo, que está por encima del *realismo* habitual practicado en el arte narrativo». «Introducción» en Azorín, *Superrealismo*, Madrid: Biblioteca Nueva, 2000.
209. Mariano de Paco y Antonio Díez Mediavilla:, «Introducción» en Azorín: *Obras Escogidas*. III. *Teatro. Cuentos. Memorias. Epistolario,* Madrid: Espasa-Calpe, 1998, p. 36
210. Ignacio López García estudia el asunto con detalle en su tesis, *Azorín y las vanguardias. (Su recepción de lo nuevo: 1923-1936),* Madrid, Universidad Complutense, 1998. Publicado como recurso electrónico. (Véanse pp. 739-741).
211. Ha sido publicada, a partir de los manuscritos, por Mariano de Paco y Antonio Díez Mediavilla: Azorín, *Judit*, Alicante, CAM, 1993 y reeditada, junto con *Ifach*, en José Martínez Ruiz, Azorín, *Teatro desconocido. Judit e Ifach*, Madrid, Biblioteca Nueva/Caja Mediterráneo, 2012.

Empresa, de la cual es Presidente el hermano del Poeta. Pero este va a morir y su hermano quiere visitarle, lo que lleva a una dura represión y matanza entre los huelguistas. Y Judit, más tarde, mata al Presidente, aunque nada es seguro. Por fin, creyéndola loca, la internan en un sanatorio y adopta la personalidad de Ester, otro personaje bíblico para huir de sus recuerdos. Tres aspectos se aprecian aquí: un drama social, aunque no tratado de forma realista; la necesaria unión de materia y espíritu o revolución social y espiritual; la tendencia hacia un teatro casi lírico y de introspección subjetiva, con la preocupación por la multiplicidad de la personalidad y por las zonas difusas entre realidad y ensueño, que anticipa, incluso en el ambiente ideal del sanatorio, un cuadro de *Angelita*.

Fue *Old Spain* la primera obra estrenada de Azorín, primero en San Sebastián (13 de septiembre de 1926) y luego en Madrid, el 3 de noviembre, en el Teatro Reina Victoria. Logró una estimable consideración y acogida. En ella, dentro de un modelo muy tradicional (tres actos, con dos cuadros en el tercero) y una trama sencilla y apenas desarrollada, expone Azorín alguna de sus preocupaciones más añejas: la tensión entre tradición y novedad, espíritu (pensamiento, concentración) y materia (industria, dinero), historia pasada y decadencia presente. Todo esto se encarna en los personajes (el rico americano Don Joaquín y el noble y pobre marqués de Cilleros y su hija, Pepita) y en las palabras con que cada uno se expresa. El amor de Don Joaquín y Pepita representa, entonces, tanto el triunfo del ideal como la posible síntesis de los dos universos de valores y de necesidades: tradición y renovación o progreso: «La Humanidad es eso: renovación, continuación del pasado; pero añadiendo al pasado una fuerza nueva». Además, y como hace en obras anteriores en prosa, a esta visión contemplativa acompaña la preocupación por el tiempo, la corriente de las cosas, la ensoñación interior frente a la realidad externa. En este sentido, el Marqués y su hija hablan en un estilo perfectamente azoriniano. Y con ello tenemos planteado el problema del diálogo dramático de estas obras.

La siguiente obra, *Brandy, mucho Brandy, Sainete sentimental*, estrenada en el Teatro del Centro, de Madrid, el 17 de marzo de 1927, comenzó a desatar la polémica, ya que el autor publicó una «Autocrítica» con el título «Surrealismo», en que explica algo de su sentido que pasa de la «farsa grotesca» del primer acto al «ambiente de patética irrealidad» del tercero. «El problema complejo del ser o del no ser atormentaría a un alma femenina... Y en esa atmósfera de irrealidad, de fantasía, de ensueño, en que no se sabe si los muertos viven o si los vivos están muertos, acabaría la obra». Se acentúa el contraste entre lo cómico y lo serio, patético pero, pese al título, más conceptual y dilemático que sentimental. A partir del deseo de felicidad de una familia agobiada por la escasez, la llegada de una herencia inesperada, pero condicionada, pone en marcha procesos de insatisfacción, de fracaso y de huida (el brandy), excepto en el caso del personaje femenino Laura, que se debate entre el deseo más bien irreal, fantástico, de la aventura vital en Oriente y el amor real de Rafael, el notario. Es aquí donde Azorín rompe el clima anterior, realista y cómico, para proyectar sobre la escena la conciencia escindida e irresoluta de Laura como un diálogo con el tío, que les legó la herencia, en su doble realidad temporal: joven y viejo, ilusionado y escéptico. Ante este contraste («no saber cuál es la realidad, la verdadera realidad»), ella no puede decidirse. La obra fue mal acogida por el público y fracasó, aunque se dieron trece representaciones.

El permanente y esencial problema entre interioridad y exterioridad, sueño y realidad tiene en la siguiente obra una proyección en términos de arte (ficción, ilusión) y vida. Se trata de *Comedia del Arte*, estrenada el 25 de noviembre de 1927, que tuvo solo diez funciones. Su estructura externa es también convencional: tres actos, con dos cuadros el tercero; y su desarrollo puramente conversacional, con escasos incidentes. El teatro es aquí empleado como juego de proyecciones anímicas y de reflexiones dentro del mismo escenario. Se trata de una compañía que ensaya para representar *Edipo en Colono*. Los temas se suceden: identificación actor-personaje; ficción y realidad como modelo; identidad del arte frente a la variedad de circunstancias. Pasa el tiempo y, como en la obra, el actor principal está ciego y es pobre. Le visita la joven que hizo de Antígona, ahora ya actriz consagrada, y le ofrece volver a representar juntos la obra. El actor va a morir. Ficción y realidad se igualan. ¿Puede decir que ha gozado de la vida? Más bien a través de su ficción, que es el arte: «vida y teatro para la gente del teatro es lo mismo» (II). Y es que, si el escenario es para los actores su mundo, «el mundo... es un teatro. Un teatro en que se representa la misma función hace siglos... Pasa el tiempo y la obra es la misma...» (III, cuadro I). Esta idea es reforzada porque las palabras las dice un personaje que es precisamente el poeta, el autor. No se ha eliminado la duda entre arte y realidad, aunque en el arte se encuentra un modelo de representación y una forma de vivir el argumento único de la obra, lo esencial y glorioso de la vida (en el tiempo), que es el amor, como dicen los versos finales de Calderón. Resulta que arte y vida siguen formando el núcleo de un conflicto y de una trama que se muestra por el continuo paso de las palabras propias del actor a las de la obra modelo que se representa.

Las dos obras más representativas del arte dramático de Azorín han venido a ser la trilogía *Lo invisible* y *Angelita*. De la primera se estrenaron dos piezas en Santander, en abril de 1927 y otra Barcelona, en octubre del mismo año; más ampliamente (aunque tampoco completa), en la Sala Rex de Madrid, por el grupo Caracol de Rivas Cherif, el 24 de noviembre de 1928, que inauguraba su andadura con ella. *Angelita* se puso en escena en Monóvar, por un grupo de aficionados, el 10 de mayo de 1930.

En la primera, después de un «Prólogo» en que se plantea el tema de la muerte, esta —o mejor, su sensación, la emoción de su presencia— está en el centro de cada una de las breves piezas en un acto[212]: *La arañita en el espejo* anuncia una muerte lejana y presentida por la sugestiva sensibilidad de la joven Leonor, que espera a su esposo sin saber la noticia que llegó la noche anterior[213]. *El segador* es imagen tradicional de la muerte en el ámbito rural, en que se sitúa la segunda pieza. La crítica vio —en el momento del estreno— las referencias inevitables a Maeterlinck y a la temprana traducción que hizo Azorín de *La intrusa*. Sin duda, el aspecto de la suspensión del tiempo, el ambiente cerrado, la enfermedad o la soledad, la presencia de fenómenos misteriosos dichos o evocados son marcas muy significativas. *Dr. Death, de 3 a 5* nos orienta en otra dirección: una escena con la alegoría «del más allá» y la dificultad para la conciencia humana de reconocer esa situación. Será un tema relativamente repetido en el teatro de vanguardia español y extranjero (recuérdese *Escaleras* de Gómez de la Serna)[214] y su escenografía recurre a un universo aséptico y científico, también propio de la época, marcado por el nombre inglés del título. En resumen, Azorín busca la integración personal de su mundo literario (en los temas), de la representación teatral (en la forma) y de su característica sugestión verbal (en el diálogo) para crear un drama poético y de ideas que responda a una nueva sensibilidad y que invite a la reflexión. Sin embargo, si el público fue cómplice con las condiciones del estreno y con la presentación del grupo «El Caracol», no ocurrió lo mismo con los críticos, más bien reticentes cuando no claramente adversos al texto azoriniano. (Díez Canedo habló al respecto de una sensibili-

---

212. En el prólogo menciona como fuente al poeta Rilke y su obra *Los cuadernos de Malte Laurids Brigge*.
213. Recuerda Miguel Á. Ladrón de Guevara que esta imagen de la araña en el espejo, como símbolo de la muerte, no es nueva: se encuentra ya en *Antonio Azorín* y se repite a la letra en *Doña Inés*.
214. Además Azorín menciona muy elogiosamente la obra de Sutton Vane: *El viaje infinito*, cuya idea es (con más complejidad y personajes) la misma. Como indica Torrente Ballester, pudo ser un motivo de inspiración. Y un impulso para buscar ese «nuevo Auto Sacramental».

dad anticuada, propia de fin de siglo). Contando con el rasgo metateatral del «Prólogo» (en el que intervino Azorín en el papel de Autor), tenemos una buena síntesis de ese esfuerzo trascendentalizador del teatro, que tiene como fondo (en este caso implícito en la representación y formulado en el Prólogo) el concepto de la vida / teatro.

Angelita viene a ser otra síntesis, de nuevo elaboración dramática y fantástica de los temas del tiempo, la conciencia, la libertad y el destino. Un joven mujer encuentra en su camino a un hombre (el Tiempo) que le ofrece un anillo con el que puede vivir en el futuro. Y en los dos primeros actos, ella (en su propia casa) se descubre casada con un dramaturgo (que escribe una obra semejante a la que se estás desarrollando, en buscado efecto de una variante menor de teatro dentro del teatro); y luego, un poco más lejos en el tiempo, la casa es un sanatorio para el tratamiento de las enfermedades mentales. Esto da pie a largas disquisiciones sobre los temas fundamentales de las últimas preguntas humanas, de la ciencia y el conocimiento, la psicología y el misterio de la existencia, a los que se añade una perspectiva moral (la del Hermano Pablo). Azorín recurre, como en Judit, a la clínica y al personaje del doctor (ya que la locura será otro de los elementos con que jugará el teatro de vanguardia. Véase mi artículo). Hay que decir que es un teatro en que la idea es el núcleo generador del drama (deseo de conocer el misterio de la existencia, que es su temporalidad), y que su tratamiento dramático (como proyección de la conciencia) se presenta mediante una fantasía onírica y poética.

El tercer acto vuelve a una situación que recuerda a *Brandy, mucho brandy*. Pero ahora Ángela se ve enfrentada a tres imágenes de sí misma... como posibilidades de futuro y de realización personal, en el despojamiento de un escenario que representa la conciencia. Después del problema del saber (que no concluye) se acude al plano del querer, la voluntad como dadora del sentido. Y la elección mejor, la de una vida auténtica y ascética, nos lleva al tema de la libertad y los valores, y, sobre todo, evoca el *Auto Sacramental* —género al que la obra se adscribe desde el título— ya que el fondo es la realización adecuada de una vida que es representación, el cumplimiento de un papel, solo que ahora la elección es tarea de ella misma (en vez de obra de un creador trascendente. El sentido de la vida es humano).

Indudablemente hay una influencia de otras obras del teatro contemporáneo (se ha mencionado a Pirandello y el tema de la locura como ficción o representación de la realidad); pero es ostensible también el conocimiento de las teoría freudianas sobre los sueños, los símbolos y la conciencia. Y dejando aparte otros aspectos (simbolismo, juego con las categorías teatrales), se pueden señalar tres rasgos esenciales: la multiplicación de determinantes temporales (tiempo real, irreal o de la conciencia, suprarreal, detenido en los encuentros con el Desconocido); la constitución de un personaje azoriniano —femenino como otros— propio de la modernidad: inquieto, impreciso, desvinculado de condiciones materiales concretas y preso de una incertidumbre o angustia que tiene que ver con su propia identidad y con la conciencia del tiempo; la influencia de las teorías psicoanalíticas que parecen actuar en la liberación de la fantasía para el tratamiento teatral de la subjetividad: la autonomía del universo psíquico y de su aparato simbólico, en Freud, recogido por el surrealismo, puede ser la clave para la libertad dramática de Azorín, que concibe la escena como un espacio propio de la conciencia.

Cervantes o la casa encantada fue probablemente escrita por las mismas fechas de 1926-1927, aunque no estrenada. Se publicó en la edición de su *Teatro* en 1931. Muy poco conocida, es tal vez la más compleja en cuanto a la multiplicación de planos temporales, a los efectos de extrañamiento y a la duplicación de los personajes. Asistimos (como en otras obras de vanguardia del momento) a un viaje que es, a la vez, interior, fantástico y de aprendizaje. Se trata en ella de un poeta que, durante la composición de una obra, padece fiebre y delira, y en ese delirio se traslada a una casa encantada. En su sueño bebe un elixir que amplía la capacidad de la imaginación y se encuentra en la casa de Cervantes, en 1605, y puede dialogar con el propio autor del Quijote. Los personajes se repiten en los tres planos de la obra: real, onírico y fantástico. Estamos ya en la representación de los puros contenidos de la conciencia, que ocupan los actos centrales, mientras el «plano real» se presenta al comienzo y al fin de la obra. Pero no hay que olvidar que esto no es solo experimento, aunque lo sea, como dice el Doctor: «Todo se puede hacer, después de todo, en el arte»: si se establece una sucesión de planos «en abismo», se trata también de una obra de carácter metaficcional: la obra vista es, a su vez, el texto que ha trazado el periodista Durán acerca del poeta Víctor, como se desvela en el «Epilogo». Es también una muestra de la preocupación de Azorín por la creación poética, la investigación en el misterio y la transfiguración de la realidad transitoria en la eternidad de la obra, tema que formaría el núcleo de la obra y le daría su razón de ser.

La guerrilla, estrenada en el Teatro Benavente el 11 de enero de 1936, parece separarse ya de esa trayectoria y acusar no solo el paso del tiempo, sino una distinta intención del autor. Su fábula es una historia de amor entre una joven campesina española y un oficial francés, durante la guerra de Independencia. Después de una serie de crímenes y avatares, que se solucionan, parece que la relación llegará a un final feliz, pero la guerra termina con esas ilusiones y Marcel, el francés, es asesinado por los hombres del pueblo. Su estructura en tres actos presenta una trama de peripecias y de cambios de situación externos y anecdóticos, sobre todo en el fragmentado acto tercero. Por otra parte, la llamada implícita a la comprensión y a la semejanza en lo humano común puede considerarse genérica y poco real, desplazada por el ambiente histórico, pero en el momento de violencia social no parece inútil ni gratuita en su concreción de rechazo de la guerra.

La obra conocida hasta ahora como *Farsa docente* es una obra dramática escrita por Azorín en fecha incierta, pero seguramente dentro del periodo de su campaña teatral, es decir, hasta 1928, en una primera versión, titulada *Ifach,* prácticamente desconida hasta el momento de su reciente edición. Esta primera redacción como *Ifach* es objeto de una retransmisión radiofónica en 1933, con motivo de la cual su autor publica un artículo el 4 de abril en el diario *Ahora.* Llega a estrenarse sin éxito en Burgos el 23 de abril de 1942. Desde luego, la fecha no parece la más adecuada para la recepción de estos intentos digamos vanguardistas y casi metafísicos, reflejados en un humorismo particular; y la crítica bastante clara de la violencia como forma esencial del mal humano, tampoco tendría fácil entrada entre quienes acababan de imponerse por ella. La publicación, modificada, por tanto, se hará en *Fantasía,* en 1945, con cambios sustanciales en el acto tercero, y, aunque su estructura sigue siendo la habitual de los tres actos, el significado e incluso la adscripción de la obra a cierto «realismo» de tendencia idealista sufren una distorsión que merece un título nuevo: *Farsa docente.* [215]

Con mayor carga de irrealidad y de experimentalismo, Azorín vuelve sobre sus temas y sobre la salvación de la realidad mezquina por el arte. Ahora se trata de cuatro personajes que, ya muertos y bien situados en los Campos Elíseos, desean volver a la tierra, lo que solo podrán hacer con otras profesiones, aunque llevando a cuestas su pasado, su «pecado original». Esa condición de identidad y diferencia en su ser humano hará que, a la vista de los demás, parezcan locos. El segundo acto transcurre en un Hotel, en el cual cada personaje actúa de manera extravagante, pues su profesión pasada se impone en ocasiones sobre su identidad presente.

Farsa docente suprime, en su tercer acto, a tres de los personajes anteriores, introduce un hijo poeta de Covisa y presenta a este en su faceta de banquero y benefactor del Arte, animado por la presencia de un anciano,

---

215. Todos estos datos han sido aclarados y ofrecidos por los editores de la obra en el volumen citado de *Teatro desconocido...* 2012.

que representa la limpieza de espíritu. Es una continuación que trata de proyectar una esperanza en los jóvenes[216].

Sin embargo, el tercer acto original de *Ifach* no solo corresponde mejor a la estética azoriniana (de carácter simbolista, en mi opinión) sino que cambia completamente la obra, dirigiéndola hacia la irrealidad que descubre, mediante procedimientos de iluminación interior, la verdad humana. De nuevo la dimensión subjetiva y subconsciente es determinante. Es el acto tercero el único que ocurre con la verdadera personalidad de los personajes, quienes se han reunido para buscar, en la sierra de Aitana, a un personaje, que se llamó Ifach (como el peñón de Calpe) después de abandonar su antigua personalidad como capitán Corbí, debido a un intenso sentimiento de culpa, que está purificando en su soledad.

En este camino, según les descubre Ifach, representación del poder demiúrgico de la conciencia, viven en un instante dos existencias, dos situaciones: la de habitantes de un paraíso desacralizado (los Campos Elíseos) y la de huéspedes de un Hotel, situaciones en las que manifiestan su inquietud, descontento e insatisfacción. Los dos actos iniciales de la comedia, en clave de farsa, se reinterpretan así desde este conocimiento. Y aunque esta revelación desata la cólera (el pecado original de la violencia como constante humana) Ifach, espíritu de concordia, de superación, aspecto numinoso que llama a la limpieza, a la bondad y a la belleza, no muere.

Enlaza de esta manera, tanto en la significación propuesta o sugerida, como en los procedimientos dramáticos, con otras obras de Azorín, perfectamente situadas. Quizás las más próximas sean *Angelita*, por el final austero y desmaterializado, y también por la presencia de un agente, misterioso y revelador de los fondos de la conciencia (ahí, figura del Tiempo); y *Cervantes o la casa encantada*, con el viaje iniciático y las revelaciones que comporta, incluso con la reaparición de los personajes con distintas personalidades. También al final hay una lección ética y estética.

Características del teatro de Azorín y su intención renovadora

«El principio motor de su teatro es una sincera voluntad de hacer de sus obras unos espectáculos auténticamente teatrales, en vez de meras continuaciones del realismo teatral puesto de moda por Benavente y sus epígonos».[217] A partir de esta idea, podemos aceptar los tres núcleos

---

216. Véase la relación más pormenorizada de esta secuencia en la edición citada de Antonio Díez Mediavilla y Mariano de Paco, pp. 75-77.
217. Lucile Charlebois, «Una visión sintética del teatro de Azorín», *Segismundo*, 17, 37-38, 1983, 160.

temáticos que la autora de la cita propone: 1.- la irrupción de la novedad que desequilibra la situación de los personajes y les da oportunidad de cambiar su vida; 2.- el poder de lo irracional en la vida y la posibilidad de dejarse llevar por esas fuerzas ocultas; 3.- el «hacer bien» o elegir de acuerdo con la propia personalidad y con los valores esenciales de la humanidad. Podríamos añadir los grandes temas o conceptos de debate: la vida ante la muerte; la ficción y la realidad; el tiempo y la eternidad.

Dentro de este teatro aparecen conjuntos de personajes con rasgos comunes: los artistas, bien sean escritores, poetas o actores que suelen debatir sobre su arte (y la relación con la vida): individuos extravagantes, grotescos, excéntricos que aportan la nota de locura o irrealidad. A veces pueden ser simplemente alegorías (Desconocido= Tiempo); seres femeninos hipersensibles, sensitivos, obsesionados por un problema (que suele ser el de Azorín, bien metafísico o moral), introvertidos y soñadores.

Se dramatizan, mediante estos temas y personajes, los conflictos del ser interior múltiple y las fuerzas ocultas que gobiernan la vida, aunque la decisión suprema se presenta como actividad también de la conciencia. Es un teatro de la subjetividad. Esos conflictos expresan un afán de conocimiento frente al misterio y afloran más de manera lírica que puramente dramática. El lenguaje adquiere su dimensión poética, ratificada por la presencia de poetas en el escenario y proyectada también en la fantasía de la acción. El diálogo suele ser poco dinámico, escasamente natural y ligero, ya que se convierte en expresión íntima o en debate de conceptos, sin que se despegue, sin embargo, del sentido general de la obra.

Los dramas suelen introducir elementos de ruptura de la ilusión ficcional, que hacen al espectador consciente del espectáculo o tratan temas del arte, con lo que se acerca a cierta metateatralidad (en *Comedia del arte, Cervantes o la casa encantada* y *Angelita*). Recurso habitual será la presentación mediante un Prólogo, especialmente importante en la trilogía *Lo invisible*. De fondo está siempre la idea de la vida como teatro y representación, aunque también como viaje, que comporta un proceso de descubrimiento interior y una necesidad de elección. Estos aspectos líricos y puramente dramáticos se completan con cierto humor, ironía o tono grotesco (que puede apoyarse en repeticiones verbales como «Brandy, mucho brandy») o en referencias a la incomprensión de la obra por su extrañeza: «... habría que preparar al público. Habría que decirle: «¡Eh, cuidado!, que lo que van a ver ustedes no es una comedia normal...». «Que le van a decir a usted que la obra no se entiende... que es necesario, imprescindible, indispensable, ineludible, que usted, al final de la obra, dé una explicación» (*La casa encantada*). Lo mismo se puede decir de los dos primeros actos de *Ifach,* así como de pasajes de *Brandy, mucho brandy.*

Otro aspecto que debe destacarse es la atención de Azorín a los elementos espectaculares del teatro. Si mantiene el marco de la comedia o el drama tradicionales, escapa por la recurso de la fantasía. También en la representación y en sus determinantes físicos necesita Azorín ganar un ámbito para exponer la interioridad y para ello recurre al manejo lúdico y simbólico de las categorías teatrales de espacio y tiempo (proyectadas en escenografía, vestuario, iluminación, etc.). Si dice en un artículo que «todo está en el diálogo», no pretende reducir el teatro a la palabra, sino confirmar que todo el *texto espectacular* surge del *literario*[218]. Y en sus obras y artículos encontramos referencias a hechos como la luz y su importancia, decisiva en el teatro moderno, el manejo de los colores. Indica los distintos tipos de decorados: realista (el que rechaza), sintético y de fantasía (podríamos llamar simbólico) y su aplicación según las obras. Y se fijó en que pasa la comunicación teatral el punto esencial es el trabajo del actor, en su voz, gesto, actitud... De manera que se podría hacer un orden de importancia: el texto del diálogo (literario); el trabajo del actor en escena (que resulta de un largo trabajo previo de estudio y de imaginación): las decoraciones y elementos materiales de la escena, («cosa importante —dice— pero la menos importante»), aunque concede en ocasiones especial relevancia a la luz. En definitiva, en el manejo libre de las categorías de la representación a través de proyecciones subjetivas, delirios y pura fantasía no llegó a crear una nueva estética teatral definida o una tendencia clara, aunque marcó un avance y dejó su sello. No resultó innovador, pese a su esfuerzo e interés, para el futuro de la escena española, pero, desde cierta postura moderada, se sumó a los esfuerzos renovadores del teatro en España y contribuyó a su modernización: «Tiene que existir una disconformidad, una heterodoxia. Las herejías en arte son fecundas»[219], según escribió.

---

218. Aunque esto mismo puede matizarse, según su artículo «Las cuartillas», recogido en *Escena y sala*. Comenta ahí el consabido cambio del texto teatral según las exigencias que se perciben en los ensayos. Y comenta: «La obra es una cosa en las cuartillas y otra en la materialización de la escena».

219. Azorín, «Una obra y un estreno», 23 de marzo de 1927. Recogido en *La farándula, cit.*

Algunos rasgos generales

Entre los escritores que se acercaron ocasionalmente al teatro, Manuel y Antonio Machado recibieron la mejor acogida del público y las críticas más favorables al conjunto de su obra dramática. Esta se concentra entre los años 1926 y 1932, con unos antecedentes y una obra descolgada. En total, siete obras. Dos aspectos llaman previamente la atención en ese conjunto: primero, la asimilación personal —no exenta de resonancias y de convenciones— de las fórmulas dramáticas consabidas y aún vigentes: drama histórico en verso, comedia de costumbres, alta comedia y comedia de figurón, drama novelesco y drama folklórico. Segundo, el empleo casi absoluto del verso, aun en obras que, por su ambiente moderno, su tema y su tono coloquial, parecían menos aptas para este forma. (Una obra alterna verso y prosa y solo una está escrita completamente en prosa).

Algunas consideraciones suelen actuar como filtros valorativos a la hora de juzgar estos dramas, y, si son incuestionables, ocultan otras circunstancias. El primero de ellos es la referencia a la labor poética individual de cada uno de los hermanos, previa, en su mejor parte, a la teatral. Y se marca la alta calidad de la lírica y sus diferencias para valorar la posible proyección en la obra dramática y la correspondencia en la importancia. Una segunda cuestión, que ha suscitado muchas páginas de afinada crítica ha sido la de la *colaboración*, en busca de qué pertenece a cada uno de ellos, más allá de las evidentes reminiscencias y autocitas que se advierten aquí y allá. Y todavía una tercera perspectiva surge del intento de comparar la práctica (es decir, las obras escritas) con la teoría expuesta, sobre todo en un par de textos bastante generales.

Sin olvidar estas condiciones que recuperaremos en su lugar, los siguientes rasgos parecen adecuados para una descripción inicial de esta obra dramática.

Se trata de una labor literaria autónoma, que admite y requiere una consideración independiente de su lírica y se agota en ser un mero complemento o proyección de ella. Cabe suponer y reconocer que ninguno olvida su mundo literario ya constituido, pero la colaboración, en lo que tiene de aceptación de propuestas ajenas y busca de un espacio común, implica precisamente cierta neutralización de lo más característico individual en beneficio de la obra diferente en un género con sus propias exigencias. Y hay que suponer, como los datos indican, que el motivo fundamental para escribir obras dramáticas (ayudados por las circunstancias) fue precisamente su común y compartida afición por el teatro (sin descartar otras).

Esa labor s e inicia y se mantiene siempre dentro de las condiciones del teatro profesional y comercial, mayoritario, que tiene en cuenta los deseos, gustos y posibilidades del público, las exigencias de los empresarios y las necesidades de las compañías de reparto, con sus actrices y actores de cabecera. Los Hermanos Machado quisieron introducir un tono de elevación, de distinción y elegancia en ese teatro, renovándolo así sin negarlo. Y esto incluso se puede deducir de su supuesto «manifiesto teatral», como se verá.

Dentro de estos presupuestos (colaboración, autonomía del género, planteamiento mayoritario), el teatro machadiano presenta rasgos específicos que se pueden aplicar a todas sus obras (solo la última puede ser a veces una excepción):

1.- Una estructura dramática tradicional, de forma cerrada, conclusiva, dividida en tres o cuatro actos. Su construcción aparece bien dispuesta y articulada (según la idea de la «pieza bien hecha»), clara en la distribución y orden de las escenas, con creciente grado de interés. El inconveniente técnico más frecuente es el de los cambios psicológicos, vitales o espaciales (a veces muy importantes) en los entreactos y la serie de repetidas explicaciones internas y relatos de antecedentes para conocimiento del público que este hecho arrastra consigo.

2.- Recreación de los modelos del teatro consagrados e intento de actualizar o revitalizar o ampliar el valor de alguno de ellos (espectáculo folklórico). Desde luego es central la referencia a la comedia del Siglo de Oro, pero se advierten también las secuelas del drama romántico y del modernista.

3.- Importancia de la fábula como elemento constructivo esencial de la acción dramática y de la teatralidad. A veces reviste un marcado carácter de peripecia, con incidentes que cambian por sorpresa y repentinamente el curso de la acción (por ejemplo, al final del acto I de *Juan de Mañara*). Otras veces tiende a diluirse (*Las Adelfas*) o resulta un soporte algo extrínseco para sostener una idea principal (*La Lola se va a los puertos*). En esa trama hay elementos de mayor alcance significativo de lo habitual. Anotemos la tendencia hacia el mito, el arquetipo y el símbolo y la relevancia de los nombres propios, bien por evocar modelos literarios precedentes (Beatriz, Elvira, Leonor, etc., y también Juan) o por realizar o mostrar aquello que significan: Salvador, Gallardo, Reyes...

4.- Diálogo fluido, preciso, con gracia y calidad, dentro de las convenciones del verso (en general octosílabo y romanceado). El prosaísmo a veces achacado a su dicción en ciertas obras puede ser entendido como

217

una consecuencia de la naturalidad y de la dramaticidad de la palabra, al servicio de la situación o de la expresión sentimental del personaje, y que evita el puro exceso lírico. El uso del verso se justifica en particular en obras de referencia histórica (*Julianillo Valcárcel*), de motivo poético (la copla en *La Lola se va a los puertos*).

5.- Siguen, pues, los Hermanos Machado su particular camino en la integración de drama y poesía (que es una forma de la integración más general de literatura y teatro), es decir, la prolongación y transformación del teatro poético que no es solo cuestión de forma métrica y tampoco de tiradas sonoras y exaltadas, sino de la acomodación de esa sutil y rítmica forma de lenguaje a la calidad de los asuntos expuestos, a la condición de un universo dramático que, por sí mismo, posee ese carácter. Y aunque no descuidan el elemento espectacular, consideran que el teatro es, sobre todo, un hecho literario y que su valor fundamental reside en la palabra, el medio más eficaz para sugerir los elementos exteriores y revelar la situación interior de los personajes.

6.- Y todo esto confluye, precisamente, en el rasgo más propio, que viene a matizar la importancia de la fábula argumental. Se trata de la tendencia a la introspección. En ese sentido, la anécdota es el motivo para que los personajes traten de entrar en sí mismos y se reconozcan. Es este aspecto el que quiere la combinación de análisis y de poesía (como parte esencial del proceso dramático) y el que justifica determinadas consideraciones de claves interpretativas que se ofrecen verbalmente en escena (como la pintura, el retrato, el espejo, etc.).

En resumen, introducen las preocupaciones personales, inquietudes intelectuales y crítica social mediante la convención de una fábula, cuya intriga prende al espectador y conduce su interés porque le permite reconocer lo ya conocido o mediante la revisión de un mito o un arquetipo. Así se articula en su teatro la tensión entre tradición y modernidad y entre fábula (peripecia) e introspección (personalismo, problematicidad). Con el primer par, el molde clásico se penetra de inquietud y de desasosiego; con el segundo, lo exterior (a veces rico en color y espectáculo) se pone al servicio de una profundidad que busca raíces de la conciencia en motivos como el enfrentamiento del hijo con el padre, la dualidad interior, la conciencia moral del bien y del mal, la verdad y la mentira. Finalmente está, la palabra en conjunción dramática y poética, es decir, como instrumento de análisis y de salvación por medio del diálogo y además como puro valor de musicalidad, ritmo y distinción[220]. Y de esta manera se sitúan

---

220. Unas palabras de Manuel son significativas: «Teatro poético, eso es. Si el teatro no es poético, no es nada. Pero teatro poético, no lírica aplicada al teatro. Nada menos líri-

bien en el cruce de tendencias y de tensiones de la segunda mitad de los años veinte.

Las circunstancias en que se produce el nacimiento de algunas obras confirma esta perspectiva. Pero antes hay que señalar una prehistoria marcada por el interés continuo de Manuel y de Antonio por el teatro y su práctica. En su juventud, Antonio actuó como actor meritorio en la compañía de María Guerrero y fue muy amigo del actor Antonio Vico y de Jacinto Benavente. En 1904 Manuel Machado y Luis Montoto firman la comedia en un acto *Amor al vuelo* (representada en Sevilla)[221]. Juntos los dos hermanos acudían al teatro siempre que les era posible y desde 1919 formaban parte de la tertulia del saloncillo del Teatro Español, de Madrid. Y Manuel, al menos desde 1916, ejerció, como otros escritores, la crítica teatral en los periódicos *El Liberal* (1916-1919) y *La Libertad* (escisión del anterior, 1920-1926)[222].

Ya en los años veinte la relación con el matrimonio de María Guerrero y Díaz de Mendoza comienza a dar resultados. Es primero la traducción de *El Aguilucho*, de Rostand, realizada por Manuel Machado y Luis Oteyza, estrenada en 1920. En 1925 se estrena la versión que ambos hermanos (con la colaboración de Villaespesa) tenían ya dispuesta de *Hernani*. Y a esta acompañan otras del teatro clásico español: *El condenado por desconfiado*, con Ricardo Calvo, en 1924, *La niña de Plata*, con Lola Membrives, en 1926, y *El perro del hortelano*, en 1931. También estuvieron interesados en *El príncipe constante*, de Calderón. Y así, el primer estreno original de los Hermanos Machado ocurre a instancias de María Guerrero, que, en un descanso de *Hernani*, les animó a escribir dramas propios. Así nació *Desdichas de la fortuna o Julianillo Valcárcel*, que, sin embargo, había sido concebido e incluso iniciado unos siete años antes, durante la estancia de Antonio en Baeza. Ya para entonces habían iniciado la colaboración con ambiciones de «levantar una catedral dramática». Después de *Las Adelfas*, Lola Membrives, que fue su intérprete, les reclamó una obra «de verdadero carácter andaluz», y de ahí resultó el

---

co que el teatro. Nada menos teatral que la lírica». (Pertenecen al discurso de recepción en la Real Academia Española). También confirma esto el planteamiento del estudio autónomo del drama. Véase Manuel H. Guerra, *El teatro de Manuel y Antonio Machado,* Madrid, Editorial Mediterráneo, 1966, p. 43.

221. Pueden encontrarse los datos pertinentes de la edición y el resumen argumental en Manuel H. Guerra, *El teatro de Manuel y Antonio Machado*, pp. 76-77.

222. Hay que tener en cuenta además las palabras de José Machado, quien atribuye el éxito de su teatro a que los autores «desde la infancia conocen y están familiarizados con el teatro por dentro y por fuera, y que, además, se han pasado la vida leyendo y estudiando a los autores clásicos y modernos». *Últimas soledades del poeta Antonio Machado. (Recuerdos de su hermano José),* Soria, 1971, p. 21.

mayor éxito popular, prolongado en zarzuela y en el cine (*La Lola se va a los puertos*), tanto en España como en América. Se repone entonces *Julianillo* y los autores son agasajados. Las otras obras fueron interpretadas también por las actrices más importante, populares y reconocidas: Josefina Díaz Artigas (*Juan de Mañara*), Irene López Heredia (*La prima Fernanda*), Margarita Xirgu (*La Duquesa de Benamejí*). Cabe pensar, al observar la importancia de algunos papeles femeninos, que la escritura tuvo en cuenta a las actrices. Hay que añadir a este proceso dos condiciones relevantes: por un lado, la mencionada sintonía artística y buena relación afectiva entre los hermanos, con una recíproca admiración por sus respectivas obras líricas. Esto hizo posible e incluso deseable la colaboración. Por otro lado, la proximidad física, pues Antonio estaba destinado en Segovia y podía desplazarse todas las semanas a Madrid para reunirse con Manuel. Así lo describen los biógrafos y lo confirma el propio Manuel.

Las razones del final de la colaboración son aún conjeturales. Tal vez encontraron ya otro ambiente en el teatro de los años treinta, menos propicios por las tensiones políticas y sociales; tal vez se sintieron ya fuera de tiempo y que el público no iba a seguir favoreciéndolos. El caso es que quedó desconocido *El hombre que murió en la guerra* y otras proyectadas no se completaron, aunque Miguel Pérez Ferrero da tres títulos como casi acabados: *La Diosa Razón, El loco amor* y *Las brujas de Don Francisco*.[223] Las seis producciones de los Machados, entrenadas antes de 1936, se pueden considerar en dos grupos de tres, aunque esto no sea lo habitual[224], según el orden de estreno. La inflexión la colocamos entre *Las Adelfas* y *La Lola se va a los puertos*. Cronológicamente hay, sin embargo, una continuidad de cuatro obras en los mismos años: 1926-1929. Luego, tal vez con algún retraso respecto de la escritura, siguen en 1931 y 1932.

Las obras estrenadas

Desdichas de la fortuna o Julianillo Valcárcel (Teatro de la Princesa, 9 de febrero de 1926) nos ofrece, en su título doble, una referencia a la fábula (centrada en esa paradójica unión, que remite al modelo clásico

223. Miguel Pérez Fererro, *Vida de Antonio Machado y Manuel,* Madrid, Espasa-Calpe, 1973 (3ª), pp. 165-166.
224. También propone dos grupos Miguel Ángel Bahamonde, *La vocación teatral de Antonio Machado*, Madrid, Gredos, 1976, pp. 40-43, pero según lo que él considera «teatro mayor» (*La Lola se va a los puertos, Desdichas de la fortuna* y *las Adelfas*) y «teatro menor» (*La prima Fernanda, Juan de Mañara* y *La Duquesa de Benamejí*).

de la fortuna de doble rostro) o al protagonista y su problemática, resumida en la onomástica: Julián o Don Enrique. Es el hijo bastardo del Conde-Duque de Olivares, reconocido por él para constituirlo su heredero después de años de aventuras y vida desairada. Pero esa vida anterior le incapacita para aceptar las convenciones de la corte (incluido el matrimonio), sin que tampoco se pueda sustraer a ellas.

En el ámbito del drama histórico en verso, la obra carece de todo rasgo ornamental y decorativo superfluo (sus mismas acotaciones son brevísimas) y se ciñe a la peripecia de la doble vida del personaje, a su conflicto interior y al conflicto con su ambiente. Y podemos considerarlo en tres dimensiones articuladas entre sí: una histórica, situada en los años 1640-1641, que sirve como telón de fondo de la crisis del imperio español; en este sentido, la obra es también evocativa y reminiscente del teatro del Siglo de Oro español. Pero la perspectiva está dada a partir de una serie de incidentes, peripecias y situaciones que, con origen en el romanticismo, son propias del drama modernista; este ofrece una modalidad de lectura de la historia. Por una parte, la esterilidad del poder y el fracaso de las razones de estado; por otra, y sobre todo, el valor absoluto atribuido al amor para conformar la identidad personal y dar justificación o validez a la vida. Ahí se inserta la tercera dimensión, la personal. Pero aquí no estamos ante el héroe rebelde que se autoafirma, sino ante el ser complejo, que, como hijo debe obediencia y como amante exige autonomía. La solución viene desde instancias ajenas al personaje, mediante la renuncia altruista de Leonor. Pero esto lleva (románticamente también) a la muerte.

El tratamiento evita tanto el exceso de violencia como lo puramente sublime y enaltecedor. Se centra en esta tercera dimensión de las dudas personales y en esa historia de una fortuna paradójicamente desdichada (porque lo es la conciencia de sí de Julián). Tampoco hay un antagonista a su altura, que pudiera concretar el conflicto dramático exterior. Más bien, como dice la Condesa, «todos fuimos por salvarlo / todos, Gil Blas, a perderlo»; unos con más claridad y otros con métodos torcidos. Pero tampoco hay un traidor. El final acentúa la subjetividad de la perspectiva del espectador (que comparte la del personaje) al visualizar algunas alucinaciones o fantasías: Leonor vestida de hombre (cuando ya no está) o a él mismo desdoblado y muerto frente a sí.

Juan de Mañara (Teatro Reina Victoria, 17 de marzo de 1927, por Josefina Díaz y Santiago Artigas) remite desde el título al doble arquetipo legendario del protagonista: el seductor don Juan (desprovisto de buena parte de su impiedad y de su violencia) y el penitente y devoto

Mañara[225]. Es también una dualidad que se escenifica adecuadamente: en el acto I aparece el don Juan (Sevilla) en su faceta de seductor (cazador) para retornar en el acto tercero (Sevilla de nuevo) como penitente arrepentido, ascético y caritativo, mediante la transformación que ocurre en el acto II, en París, a través del enfrentamiento sucesivo con Elvira y con Beatriz. Entronca decididamente esta obra con las revisiones del donjuanismo de la época, presentes en la ciencia, la narrativa o el ensayo y el teatro y que suele situar al personaje ante la imposibilidad de sostener su *máscara*, bien por decadencia, vejez, enfermedad, bien por el análisis y la ambigüedad de su psicología. Por ello, y también como otros autores, los Machado sitúan la obra en su propio tiempo, notando que este Juan es descendiente de aquel Miguel ni el barroco, ni el romántico. Bernard Sesé afirma que «a pesar de sus reminiscencias clásicas y románticas, *Juan de Mañara* es más bien un drama modernista».[226] Lo que se plantea es *la cuestión* de Don Juan. Y ello se hace, sobre todo, a través de la actitud y del análisis del personaje, que varias veces da cuenta de sí. Este Don Juan abandona el «momento presente» y se hace responsable de su pasado y, con él, del mal y de la culpa.

De nuevo (como en *Desdichas de la fortuna*) la situación dramática sitúa al personaje entre dos mujeres antagónicas. En ambos casos una de ellas (conceptuada como mala socialmente) actúa con un altruismo que libera al sujeto masculino pero no lo salva. Pues si se casa con Beatriz, el amor regular, Elvira sigue dominando su alma pues ella es su propia obra.

Así podemos de nuevo resaltar tres aspectos en el planteamiento del drama por parte de los autores: la modernidad, la introspección y, por debajo de ello, la dualidad persona-personaje. También esto último ocurría en *Julianillo Valcárcel*; pero ahí el personaje era social y ahora es más bien un arquetipo al que se conformaba la actuación personal.

La modernidad se asoma como novedad. Externamente reside en la ambientación, vestuario y costumbres. Más de fondo, en el cuestionamiento crítico de la figura de Don Juan, sobre todo en relación con el tiempo y el destino. Finalmente por su relación con Elvira y el carácter de su *conversión*. Juan quiere salvar a Elvira, a quien ha destruido. Y esta es su

---

225. No es ocasión de entrar en el carácter del personaje histórico, Miguel de Mañara, presentado por biógrafos de Sevilla, y en su transmisión a través de los relatos y dramas del romanticismo francés.

226. Berrnard Sesé, *Antonio Machado (1875-1939). El hombre. El poeta. El pensador.* Vol. II, Madrid, Gredos, 1980, p. 425. Añade como rasgos propios de este carácter: «El lirismo, las tonalidades de amor sensual y de misticismo, el halo de misterio y de simbolismo que rodean a los seres y a las cosas». Esto no obstante, considera la obra artificial y anticuada (p. 427).

conversión: tratar de devolver la humanidad a la mujer. Él lo resume con la concisión que pide el drama: «a mí me ha bastado verte / mala para hacerme bueno»... «En un instante mudó / todo mi ser». Por eso el pintor puede describir el cambio de Mañara de manera distinta (y menos convencional) que otros personajes que se atienen a la habitual amenaza de la muerte: «acuciado / por inquietudes más modernas, / fue la conquista de un alma / quien lo apartó de su tierra...Digna / de Don Juan al fin la empresa / de regenerar un alma». Y por eso se considera una «rara aventura nueva» (III, II).

Pero la marca más poderosa de la modernidad es el propio ejercicio de introspección del personaje, presente en varios autorretratos y reflexiones, en el preguntarse por sus sentimientos y quedarse ante ellos perplejo u horrorizado: «Beatriz, ni yo pude ver / tan claro y tan hondo en mí» (II, IX). Y a través del «otro»: «Yo me he visto el alma / a la luz de otra conciencia / y vi que era turbia» (III, IV). Buscando el sentido de la existencia, a partir de *taedium vitae*[227], parece dar en la unión de contarios, en la humanidad y el amor, el bien y el mal: «Elvira, Beatriz... sois una sola».

Y la reflexividad del drama culmina en la oposición de persona y personaje, que necesariamente encarna una perspectiva moderna del arquetipo, merced a la contraposición interior al drama de los dos modelos y merced también a las referencias que se establecen en el ánimo del espectador, mediante sugestiones como los nombres, la localización, las alusiones al Guadalquivir, el barco, Beatriz con hábito, previo a su marcha al convento. También el arrepentido del acto II y el penitente del III trasciende el presente y la concepción erótica del amor. Y el propio personaje se identifica y se distancia del modelo social que le atribuye Beatriz: «No pregona eso de ti / la fama». Dice Juan al pintor amigo, que le lleva noticias de Sevilla: «No fui / el Don Juan de mi leyenda, / ni ha sido justa la fama / para mí, sino benévola» (II, III). Como el espectador conoce los incidentes que se suponen, puede juzgar de esa diferencia y poner en cuestión el mito y a su personaje.

La tercera obra es *Las Adelfas* (Teatro del Centro, 22 de octubre de 1928, con Lola Membrives). Se acoge a la fórmula de la comedia (o alta comedia) de costumbres con trama de adulterio y muerte pasional, pero se centra decididamente en el autoanálisis del personaje, en su complejo de culpa, conducido por un médico (psicoanalista). Así el centro del

---

227. Explica casi en el comienzo de la obra su situación en un característico ejercicio de autoexamen: «... pensé en mi vida. / Hacia el mar / mis horas ociosas llevo /... / maestro / en el arte de pasar / la vida y matar el tiempo /... / Pero acelerar quisiera mi destino» (I, III).

drama es el proceso de análisis interior para el conocimiento de la verdad (y salvación mediante ella y el verdadero amor) más que la peripecia exterior, pues se desarrolla como investigación de las causas de hechos ya conclusos. De esa manera se plantea también de nuevo la cuestión de la temporalidad y la permanencia del pasado en el presente[228]. La ambientación histórica y las referencias tradicionales de las obras anteriores se sustituyen por una ambientación actual y de carácter simbólico que abarca desde la escenografía (el huerto de adelfas) hasta los nombres propios: Salvador, que contiene su función dramática.

Se ha considerado la obra más interesante y renovadora (incluso vanguardista) de este breve conjunto de los Hermanos Machado y, a la vez, aquella donde menos se justifica (y más forzado parece en ocasiones) el verso. Es la culminación de los aspectos de modernidad y de introspección que aportan estas obras y un ejercicio arriesgado frente a un público sin duda poco informado aún de las teorías del Dr. Freud (cuya primera obra traducida al castellano apareció en 1923), aunque con minorías muy interesadas. Añade además referencias irónicas a Pirandello, a sus dramas de la personalidad y al juego de los personajes autoconscientes de estar representando, ya habitualmente tratado como *pirandellismo*[229]. No es extraño que resultara la obra más difícil y oscura, de menor atractivo y éxito en su momento, y que sea una de las que prefiere la crítica reciente[230]. Es también la primera obra en que el protagonismo absoluto reside en el personaje femenino, mientras que los masculinos son dos al menos. Aunque de nuevo se propone que la mujer completa sería la síntesis de

---

228. «Si leemos con sosiego *Las Adelfas*, observaremos que todo el conflicto planteado tiene un trasfondo temporal que marca a los personajes y sus acciones». Dámaso Chicharro Chamorro, «Inroducción» a Manuel y Antonio Machado: *Las Adelfas. La Lola se va a los puertos*, Madrid, Espasa-Calpe, 1992, p. 34. Si en *Juan de Mañara* encontrábamos indicios de la obra y el pensamiento de Antonio Machado, en esta se hace más evidente, así como la insinuada proyección de un proceso de superación del amor de Leonor, con apertura a una nueva relación, que será patente en la obra próxima. Pero no es posible en estas páginas relacionar las referencias a la obra de los autores, fuera del teatro. Para eso puede verse la bibliografía particular (Bernard Sesé, Ángel Bahamonde, etc.).

229. Literalmente dice Araceli, refiriéndose a un boceto dramático que le presenta Salvador: «No quiero seguir. / Me apesta el pirandellismo» (II, IV). Hay que añadir que, en esta obra, el médico, Carlos, cumple la función de confidente, tipo de personaje rechazado en teoría por los Machado, pero imprescindible en un caso de análisis como el presente. Es preciso evocar también aquí el teatro de Ibsen, en sus dramas de conciencia y en su época simbolista.

230. Se ha visto también en ella obviamente la mejor aplicación de las teorías machadianas —xpuestas en el texto de Antonio Machado y en el «Manifiesto» que publicó Pérez Ferrero—sobre el diálogo teatral de dos niveles: el de las razones y el más profundo y escondido.

Araceli (la esposa) y Rosalía (la amante), de modo no muy lejano a la visión última de Mañara al identificar a Elvira y Beatriz.

En cualquier caso, la aportación original de los Hermanos Machado debe ser situada en el contexto de los movimientos intelectuales de la época y en relación con otros textos teatrales que, en esos años, hacían un esfuerzo por presentar una interiorización y subjetivización del drama, valorada como un diálogo en doble plano: de las formas teatrales con los avances de la modernidad y de los intereses intelectuales minoritarios con la costumbre del público[231]. Aquí puede considerarse cerrado este primer ciclo de obras, pues la continuación nos mostrará rasgos diferenciados, aunque dentro de la tónica marcada por sus características generales.

La insistencia de Lola Membrives y, tal vez, la dificultad de recepción de la obra anterior llevaron a los autores a escribir *La Lola se va a los puertos* (Teatro Fontalba, 8 de noviembre de 1929), que alcanzó un éxito absoluto. Sitúa a una cantaora, acompañada de su guitarrista, Heredia, en los ambientes y lugares propios de una Andalucía de señoritos y aristócratas, como representación (inicialmente) de las virtudes más ennoblecidas del pueblo. La trama argumental es escasa, poco progresiva y ocasión para que Lola muestre no solo sus facultades como artista (ahí tuvo importancia la personalidad de la actriz), sino su calidad humana, idealizada y exageradamente superior a todos y en todo momento. Esa trama incluye a un viudo rico que intenta lograr los favores de Lola, a su hijo, idealistamente enamorado, a la novia del joven y a otros personajes secundarios y ocasionales. Y junto a Lola, Heredia, también enamorado pero que acepta una pura relación artística con ella. Los actos recorren los espacios de Andalucía (tierras altas de olivar, una venta o *colmao* en Sevilla y un hotel del puerto en Sanlúcar). El mismo recorrido simbólico del río, imagen de la copla, de la fuente al mar, y de Lola[232]. Y así, al marchar ella a América, se cumple lo que la solearilla anuncia en su verso final: «La Lola, / la Lola se va a los Puertos, / la Isla se queda sola». Porque lo esencial es que, en la obra, hay una triple identificación: Lola con el cante («el cante hecho mujer») y este con el espíritu del pueblo. El proceso implícito de suce-

---

231. Para este asunto, José Paulino Ayuso, «El teatro de la subjetividad y el psicoanálisis freudiano», *Teatro, sociedad y política en la España del siglo XX. F.G.L. Boletín de la Fundación Federico García Lorca*, 19-20, 1996, 69-85. Se mencionan otras obras y testimonios de Manuel Machado (reticente en sus críticas) y de Antonio, ya interesado por la exposición de las teorías de Freud que realizaba Ortega y Gasset en 1912.
232. Lola: «Pues así nace un cantar, / como el río... /... / Ése es también mi camino» (I, V).

sivas implicaciones e identidades procede del reconocimiento del valor universal de la copla (poesía del pueblo) a la teoría del cante, a la teoría de la creación popular[233] y, finalmente, a la concreción personal de todo ello en Lola. Así se verifica otra dimensión del teatro poético de los Machado (menos subjetiva e intimista), al apoyarse en esta función de la copla popular y añadirle la versión tradicionalista y regeneracionista (autoría anónima, genialidad de la creación popular)[234].

La Andalucía que se presenta no está exenta de los riesgos del folklorismo convencional, pero parte de una perspectiva bien diferente que incluye, por una parte, la referencia a la realidad social, vista críticamente, y, por otra, la exaltación de la forma de hacer y sentir de las clases populares (y marginadas), depositarias de los valores esenciales, incluido el de la verdadera poesía (a la que se habían acercado tanto Manuel, con *Cante Hondo*, como Antonio en «Proverbios y Cantares»). Todos estos factores, tanto los del cante y toque flamencos como los derivados de una trama de acoso y de celos, e incluso los ideológicos, eran fácilmente captados y reconocidos por los espectadores.

La opción dramática y poética de los autores ha consistido en la idealización extrema del personaje central y todo se supedita a él. Esto, que es único en el teatro machadiano (según Dámaso Chicharro), aunque es cierto que los personajes femeninos protagonistas están mejor trazados en general y son más interesantes, tiene incluso un motivo biográfico documentado en la relación de Antonio con Pilar Valderrama (Guiomar). Escribe el poeta, explicando la génesis dramática del texto: «planteamos una comedia con las máscaras esenciales del flamenco: una cantaora, un guitarrista, un viejo sensual y un joven enamorado. Y hubiéramos hecho una comedia realista, huyendo siempre del andalucismo de pandereta». Pero añade: «el propósito de sublimar a Lola es cosa mía. Se me ocurrió a mí pensando en mi diosa».[235] Este apelativo habitual, dedicado a su amada, parece que se traspasa efectivamente al modelo subyacente al personaje de Lola: siempre superior, inabordable, ajena al erotismo y a las pasiones (fuera del cante y de su identidad de cantaora), trasciende la convención del arquetipo que es hasta presen-

---

233. En labios de José Luis, el señorito joven: «El pueblo es fino, sensible, / y a su modo, aristocrático. /... / más artista que obrero / se ufana del resultado, / no del sudor que le cuesta, / de la obra, no del trabajo. / (I, X).
234. Insisten Dámaso Chicharro y Cruz Giráldez en la función estructural y poética de la copla, y Romero Ferrer en el aspecto más regeneracionista y anticonvencional.
235. Véase la carta 9 de Machado (de 19-20 de agosto de 1929) a Guiomar, en que incluye expresiones aún más intensas, y la «Introducción» citada de Dámaso Chicharro a su edición.

tarse, en momentos, como la versión localista de la diosa clásica del conocimiento y del arte, que es siempre virgen[236].

Las dos obras siguientes confirman un giro hacia lo exterior y anecdótico en el teatro de los Machado, reforzando también el aspecto espectacular e incluso el costumbrista. Esto implica una función dominante de la intriga, la constitución de personajes con fuerte caracterización anecdótica y la expresa remisión a modelos y máscaras del teatro: la alta comedia, de nuevo, y la comedia clásica «de figurón», en un caso, y al drama novelesco de bandoleros, en otro.

La prima Fernanda (Teatro Reina Victoria, 24 de abril de 1931) presenta a otro personaje femenino joven, de cualidades superiores, que desconcierta y pone en cuestión a los hombres, que se le rinden. La comedia, dividida en tres actos, con cambio de escenario en el tercero, parte de la expectativa ante la llegada de Fernanda y se cierra con su marcha y la recuperación del estado normal de las cosas, incluyendo las relaciones familiares y las políticas. Por tanto, la presentación de las relaciones, cuyo centro es la joven viuda, tiene una finalidad crítica y satírica, pues se ofrecen, de modo esquemático y esencial, los caracteres (*máscaras*) y comportamientos de las clases socialmente privilegiadas: el financiero especulador y egoísta, el político venal, vanidoso y veleidoso, el general simple, reaccionario y arrebatado. Una gama que refleja la oligarquía del régimen de Primo de Rivera. Al menos así pudo verse en su estreno, ocurrido pocos días después de la proclamación de la República, aunque estaba escrita antes, de forma un tanto rápida[237]. Una pareja de jóvenes, modernos, deportistas y sinceros, pone la nota de contraste y pueden ofrecer la esperanza de una sociedad futura. Todo resulta consabido y de tono menor, aunque se encuentran otras alusiones a la actualidad literaria y artística (arte nuevo y «deshumanización»).

La Duquesa de Benamejí (Teatro Español, 26 de marzo de 1932) está escrita en prosa y verso, dividida en tres actos (con dos cuadros en el tercero) y cambio de lugar en cada uno de ellos. Muestra una acción y unos personajes que parecen venir del drama romántico, con precedentes en los siglos XVIII y XVII (Comedias de Bandoleros y escenas de montañas

236. «El corazón de la Lola / solo a la copla se entrega». Apuntaba algo semejante Rafael Marquina en su crítica del estreno: «asistimos, en definitiva, a la creación de un mito... Mito, nada menos que todo un mito» *La Gaceta Literaria*, 70, 15 de noviembre de 1929. recogido en Alberto Romero Ferrer: *Los estrenos teatrales de Manuel y Antonio Machado en la crítica de su tiempo*, p. 151.
237. En carta a Guiomar, Antonio Machado lamenta el retraso (de unos cuatro meses) en el estreno, porque se podría pensar en que las palabras del político, «personaje de figurón», estaban tomadas de un relevante aristócrata, cuando el hecho es el contrario.

y asaltos) y muestra una Andalucía de nobles arriesgados, de militares franceses, prendidos por el exotismo de las costumbres y los tipos, el militar inflexible, la gitana celosa y, sobre todo, el bandido generoso, idealista y enamorado. En la trama todo gira en torno a una anécdota amorosa, muy lejos de cualquier perspectiva social o política (el momento histórico es el comienzo de la «ominosa década») que tuviera en cuenta los orígenes y desarrollo del bandolerismo.

Tal vez percibieron los autores el anacronismo de su obra, pues, con motivo del estreno, escribieron acerca de devolver al teatro «su perdida inocencia. Porque no solo se renueva con novedades».[238] Lo que domina es una concepción del teatro como espectáculo y como fábula de incidentes emotivos, sorprendentes (la Duquesa que acude, sola y enamorada, a la cueva del bandido, el crimen pasional de la gitanilla Rocío o la renuncia a vivir de Lorenzo, a pesar de tener un salvoconducto). En la obra se ha visto la posible referencia a *Don Álvaro o la fuerza del sino*, del Duque de Rivas, aunque el final recuerda más a *El Trovador*, de García Gutiérrez. Pero sobre esos modelos se superponen otra serie de incitaciones: la literatura popular, los relatos foráneos de la Andalucía exótica, la fiesta, los cantes y bailes del folklore, la evocación del mundo del sainete y el majismo, con la alianza de aristocracia y pueblo. A esta acción, que pretende sorprender y conmover, le corresponden caracteres precisos y definidos, idénticos a sí mismos y a un modelo ideal, en el caso de los dos protagonistas, pero se recurre también al tipo en el caso del militar, severo y enamorado, rival del bandido, y el de la gitanilla, joven, celosa y despechada.

Una obra diferente y sus incógnitas

El hombre que murió en la guerra queda habitualmente fuera de esa relación de obras por muchas razones. Ante todo, desconocemos la fecha exacta de escritura, ya que Manuel, en su «Advertencia», indica el año de 1928, mientras que Joaquín Machado dice que se terminó en 1935.[239] Recientes investigaciones, que han llevado al descubrimiento de un manuscrito confiado a la censura, aportan una solución, integrando ambas noticias. Habría una primera redacción parcial e incompleta, que corresponde a la primera fecha, 1928, y abarca solamente los dos primeros actos, con elementos aportados por Manuel Machado respecto de la

---

238. Semejantes términos figuran también en su declaración o «Manifiesto» teatral que más adelante se cita.
239. En carta reproducida por Manuel H. Guerra en «Apéndice C» de su estudio citado.

Guerra Mundial. Más tarde, hacia 1935, retomaría Antonio el proyecto, ya en solitario, y daría término a la obra con dos nuevos actos, por lo que, en esos momentos, se atribuía ser el autor[240]. Esto puede explicar la relación, tan claramente vista y estudiada, con su obra en prosa, *Juan de Mairena*.

No pudo estrenarse la obra entonces, por supuesto, ya que quedó durante años abandonada, sino en 1941 (18 de abril, Teatro Español), lo que suscita también interrogantes acerca de la oportunidad e intención de ese estreno en las ominosas circunstancias de la posguerra; sobre todo al considerar la lectura sesgada que Manuel anticipa en su «Advertencia» (y que comenta Miguel Ángel Bahamonde y Marina Villalba). Además, según el manuscrito, Manuel habría añadido una parte del diálogo entre el padre y su hijo incógnito, en el acto primero, para completar el texto. Frente al uso general del verso en las otras obras, este drama está enteramente en prosa y lleno de debates y discusiones teóricas que lo sitúan dentro de una posible categoría de «teatro de ideas». La obra no fue muy bien recibida y, seguramente, no podía serlo. A la dificultad intrínseca del texto, a su escasa teatralidad, según los usos tradicionales, que eran los de los espectadores del momento, se sumaba la inmediata alusión a una guerra que si no era la que se había terminado poco antes, tampoco dejaba de ofrecer un campo de resonancias emotivas. ¿Por qué entonces el empeño de representarla? ¿Por Manuel o tal vez por Antonio, para recuperar, junto al primero, la figura y el legado del disidente, muerto en el exilio, para el proyecto cultural del Régimen franquista?

Finalmente, la tercera duda, la que hace referencia a la autoría, queda de algún modo aclarada y se confirma la idea ya dicha de que en todas las obras colaboraban los dos hermanos, trazando el plan y escribiendo escenas, de acuerdo con él, que luego integraban. En la tradición crítica anterior (desde Manuel H. Guerra, Bahamonde a Mariano de Paco) se apuntaba más a la autoría de Antonio que a la de Manuel, según he dicho, a partir de la minuciosa comparación de Bahamonde entre fragmentos de la obra y textos de Juan de Mairena y de otras obras; incluso el empleo del nombre Miguel y del apellido Zúñiga (que era un posible tercer apócrifo de Antonio). Pero en el terreno de la hipótesis, los datos que Alarcón Sierra ha investigado, las aportaciones de la tesis doctoral y los artículos de Rosa Sanmartín Pérez, y la síntesis que ofrece en su edición Chicharro

---

240. Rosa Sanmartín Pérez ha descubierto este manuscrito de la obra entregado a la censura para el permiso de representación en 1941. Da cuenta de él y establece sus propuestas en su tesis doctoral y en el artículo: «El último manuscrito dramático de Antonio Machado», *Stichomythia*, 6, 2008, 134-143.

Chamorro, sirven para resaltar también la participación de Manuel, a partir de textos periodísticos y otros documentos.[241]

La obra, dividida en cuatro breves actos y con muy escaso número de personajes, resulta esquemática y recurrente, y sigue un camino de espiral en descenso hacia las últimas escenas (III y V) del acto IV, en que se condensa el universo de ideas que la sucinta acción sostiene. Se trata de un caso de «cambio de personalidad» que apunta más lejos, a un cambio de ser y de modo de humanidad. Juan, que se supone que murió hacia el final de la Primera Guerra Mundial, vuelve a la casa de su padre, el marqués de Castellar (del que es hijo natural, no legítimo), bajo la identidad de un cualquiera Miguel de la Cruz, su compañero y aún más, hermano de armas en Francia. Ahí se encuentra con el padre, la esposa de este, su prima y posible prometida y el ama que le crió. La obra se articula en sucesivos diálogos a dúo, con algunos monólogos, en que progresivamente se va desvelando la verdadera identidad del personaje y descubriendo las razones de su cambio. Resulta así la más próxima (tanto por ideas como por procedimientos dramáticos) al teatro de Unamuno (especialmente a las obras de 1926)[242] pero se muestra también reminiscente de otras de los mismos autores (*Julianillo Valcárcel* y *Las Adelfas*)[243].

---

241. Rafael Alarcón Sierra, «*El hombre que murió en la guerra, El hombre que yo maté*, de Rostand y Lubitsch y los intertextos de Manuel Machado», *Revista de Literatura*, LXVIII, 136, 2006, pp. 569-593; Rosa Sanmartín Pérez, «El último manuscrito dramático de Antonio Machado», cit; Dámaso Chicharro Chamorro, ed., Manuel y Antonio Machado, *El hombre que murió en la guerra*. Edmond Rostand, *El Aguilucho*, Madrid, Espasa-Calpe, 2008.

242. Véase, por ejemplo, Mariano de Paco, «*El hombre que murió en la guerra* y Antonio Machado», en *Antonio Machado, hoy*. Vol. II. Sevilla, Alfar, 1990, p. 159-165. Comenta también las correspondencias con el pensamiento dramático de Antonio Machado en *Juan de Mairena*. Ahora, José Paulino, «El ser y su contrario en dos obras dramáticas de Unamuno y Machado», en *VIII Jornadas unamunianas*, 24-26 de septiembre de 2009. (En prensa).

243. La doble vida del personaje —que corresponde a una doble identidad, personal y social— y la introspección y proceso explicativo nos relacionan esta obra con las anteriores. También el conflicto paterno-filial (no creo que la cuestión de las generaciones) y su proyección sobre dos mundos distintos. Por último, la presencia de la mujer, que, a veces sin conocer al personaje, le espera. Se ha notado también cómo el diálogo del marqués y su esposa —que pone en antecedentes al espectador— es semejante al del Conde-Duque y la Condesa en *Julianillo Valcárcel*. Les diferencia, en cambio, que el conflicto de personalidad es determinante en las primeras y lleva al sujeto, a través del amor frustrado, a la muerte; mientras aquí Juan «ha muerto» (voluntariamente) en su identidad anterior para renacer como un hombre «nuevo», según el modelo de una nueva sociedad de valores igualitarios. Así, el conflicto con el tiempo y la presencia del pasado se liquida en función del futuro. Otra diferencia importante: la acción dramática (como peripecia) y cierta espectacularidad han sido radicalmente eliminadas de esta obra, seca y a veces dura en su diálogo y casi carente de anécdota. Por el contrario, se advierte el recurso al soliloquio y al aparte (defendidos por Antonio en «El gran climatérico» de *Juan de Mairena*) y aumenta la relación retrospectiva de hechos.

Aunque parezca muy abstracto, podemos situar el centro de la obra en una idea de universalidad frente a particularidad. Según parece, Juan vuelve a la casa como Miguel para matar la imagen de Juan en Guadalupe. Y también en él mismo[244]. Ha muerto un Zúñiga (y una imagen soñada de él) para nacer un hombre real que es el hijo de nadie. En ese sentido se corresponde el hijo sin padre con la vaga paternidad de padre de todos cuando no hay un hijo propio. En la guerra muere un mundo y puede nacer otro al que le corresponde este ser humano esencial, sin historia y sin linaje: «Tal vez cuando no haya más que hombres no habrá guerras» (IV, III). Encontramos el humanismo esencial de *Juan de Mairena* y la busca de la verdad humana: «En ese mundo nuevo, lo más importante es la verdad, la verdad humana, por cruda que sea, lo que suele llamarse sinceridad» (IV, I).

También aquí es ostensible la presencia de un mito clásico, como referencia que el texto mismo propone: Juan sería la réplica de Ulises, que vuelve de la guerra a su lugar de origen, donde le aguarda la mujer[245]. Varias veces se confunde (total o parcialmente) el nombre de Guadalupe con Penélope (y se comenta en IV, II). La presencia del ama y el hecho de que el reconocimiento venga primero de ella acentúan esta semejanza básica de algunos mitemas, sobre la que resalta la diferencia del significado: no viene a quedarse y recuperar lo suyo, sino a abandonarlo definitivamente.

El teatro de los Machado, la crítica y la teoría dramática

En estos años tan significativos en el desarrollo del teatro español, cuando comienzan a estrenar con éxito los autores de la generación del 27 y se producen los intentos del vanguardismo, la obra dramática de los Hermanos Machado se muestra como un intento consciente de integrar elementos de la modernidad dentro de los moldes convencionales, aunque esto se percibe mejor en la serie de las tres primeras obras y luego se debilita hasta su práctica desaparición, con la sustitución por los aspectos más folklóricos, anecdóticos y sentimentales. Por ello algunos jóvenes escritores percibieron el anacronismo. Así, Antonio Espina en su reseña del estreno de *La Duquesa de Benamejí*: «La equivocación primera con-

---

244. Pero habrá que tener en cuenta la réplica de Guadalupe: «en mí no lo has matado y en ti, por fortuna, tampoco». Este planteamiento se inserta en el tema del «otro» soñado o imaginado y el «otro» real.
245. Coincide en el modelo con *Sombras de sueño* de Unamuno, aunque en este no es tan fácil apreciar el motivo mítico. José Paulino, «El ser y su contrario...», cit.

siste en querer animar, revitalizar un tipo de poema dramático que ya no tiene resonancia alguna en nuestros nervios. Es inútil repetir efectos de viejo teatro. El romanticismo histórico es ya pieza de museo».[246]

En definitiva, después de la guerra civil (y del inmediato estreno de *El hombre que murió en la guerra*), y dejando de lado las versiones cinematográficas de *La Lola se va a los puertos*, el teatro machadiano ha sido relegado por la crítica académica, dudosa en las atribuciones a cada uno de los hermanos, reticente respecto de su calidad, volcada sobre la importante obra lírica de Antonio y dispuesta a revalorizar la de Manuel. Más bien lo ha considerado un episodio marginal de la obra de cada uno, una concesión a la época. Ha habido trabajos muy elogiosos y otros conspicuos en el detalle. La conmoración del centenario de los nacimientos no dejó una huella significativa en este aspecto, aunque congresos recientes hayan incluido secciones dedicadas a esta obra dramática.

Frente a la opinión positiva —que se resuelve en reivindicación— de Manuel H. Guerra en su estudio pionero, la crítica posterior insiste en el carácter convencional de estos dramas, en la falta de ambición renovadora y en el hiato entre la teoría y la práctica[247]. Es un hecho que, como afirma Bernard Sesé, este teatro no ha alcanzado ni la celebridad ni el puesto a que los autores (tal vez) aspiraban. Por otra parte, la atención y valoración actuales tampoco coincide con la de su época. Ha sido Dámaso Chicharro quien ha editado y revisado las obras recientemente y comentado la bibliografía crítica. Según su criterio, queda aún pendiente situar adecuadamente el teatro machadiano y alcanzar una justa valoración. Respecto a la adecuación sincrónica, ya hemos referido la pretensión de introducir aspectos modernos, como los relacionados con los enigmas de la personalidad e, incluso, de llevar a escena un costumbrismo de crítica socio-política. Respecto de la perspectiva diacrónica, Chicharro comenta que el auténtico emplazamiento y reconocimiento «histórico» es «el haber servido de lógico enlace entre el llamado *teatro poético* de la primera mitad de nuestro siglo y el nuevo *orden dramático* que se instaura con el

---

246. Véase Alberto Romero Ferrer: *Los estrenos teatrales de Manuel y Antonio Machado... cit.*, p. 110. César Oliva, «Recepción y caducidad en el teatro de los Hermanos Machado», en *Antonio Machado en Castilla y León. Congreso Internacional*, Valladolid, Junta de Castilla y León, 2008, pp. 421-431.
247. Así, por ejemplo, Miguel Á. Bahamonde, *ob. cit.*, p. 288; Luciano García Lorenzo: «El teatro de los Machado o la imposibilidad de ser» *Cuadernos Hispanoamericanos*, 304-307 (1975-1976) 1110. Francisco Ruiz Ramón en su *Historia del teatro español. Siglo XX*, considera además que los autores «no sobrepasaron un discreto término medio». Y añade: «ni valioso como drama ni grande como poesía». Más tajante es César Oliva en *Teatro español del siglo XX*, que emplea términos como «conductas pueriles de los personajes», «conflictos extremos» y «caduco clima romántico».

teatro de Federico García Lorca y otros autores»[248]. Más precisamente se trata de iniciar la superación de una mera imitación epidérmica o pastiche del teatro clásico español.

Una cuestión queda aún abierta y es esta de la teoría dramática de los autores. Contamos con un «Manifiesto», respuesta a una encuesta periodística, recogido por Pérez Ferrero en la biografía de los poetas, que, a su vez, reproduce casi en su totalidad un texto algo anterior de Antonio, con algunos párrafos añadidos, según parece, para la ocasión. Luego hay otros textos de *Juan de Mairena,* que son los más novedosos, aunque no comportan un compromiso del autor más allá de su propuesta literaria. En todo caso, el interés recae ahora en el contenido y no en la autoría[249].

Si se habla de «porvenir» (Antonio) y de «renovación» (Encuesta), el acento mayor se pone en el concepto de tradición (que importa continuidad): «El teatro es un género de tradición, de *frutos tardíos*»[250] y por eso se rechaza la novedad como objetivo o como pretensión única del dramaturgo. Pero la continuidad no es una mera repetición. Desean precisamente la vuelta a lo que ha sido la base y la esencia del teatro (sobre todo del clásico español), en su momento descompuesta, es decir, a la integración de acción y diálogo. A la vez, esta vuelta a lo esencial de la tradición debe venir animada por la inclusión de lo que la ciencia moderna ha aportado al conocimiento del hombre. Así se mencionan las dos dimensiones del diálogo (sucesión de razones y expresión indirecta de fondos instintivos) y las correspondientes de la acción (lógica, previsible e inopinada), con lo que se acentúa la complejidad y dificultad de la fórmula. No llegan a precisar lo que se entiende por acción, que parece incluir aspectos como la fábula y los cambios exteriores que dan cuenta de los procesos internos, los más importantes, pero también el juego escénico, puesto que abogan por un teatro que sea espectáculo. (Desde luego alejado del mero cinematismo): «El teatro volverá a ser acción y diálogo, pero acción y diálogo que respondan, en suma, a un más hondo conocimiento del hombre». Por ello, la respuesta de los Machado se adhiere al concepto de renova-

---

248. Dámaso Chicharro, «El teatro de los Machado: revisión crítica de la bibliografía tras el aluvión del cincuentenario», *RLit.,* 108 (1992) 663.
249. El «Manifiesto» es recogido por Manuel H. Guerra, en el Apéndice C de su estudio, así como «El gran climatérico», de *Juan de Mairena.* Para la comparación de los textos, Ángel Bahamonde, *La vocación teatral de Antonio Machado, cit.,* pp. 231-238.
250. Acepto como única lectura coherente la de «frutos», del texto de Antonio, en vez de «trucos» que aparece en la edición de Pérez Ferrero. No solo resulta extraño el término; es que aquí parece aludir a la teoría de Menéndez Pidal, que ve las mejores obras de la literatura española como «frutos tardíos» de los movimientos generales. (El texto en Antonio Machado, *Prosas Completas,* Vol. II de *Obras Completas,* edición crítica de Oreste Macrí, Madrid, Espasa-Calpe/Fundación Antonio Machado, 1988).

ción que es, a la vez, vuelta a los orígenes y principios esenciales y profundidad nueva, inquietud moderna. Dentro de esta concepción acuden también a reafirmar la convencionalidad de la escena teatral, rechazando las normas del naturalismo, entre ellas la figura del confidente o el modelo de teatro conversacional. El «Manifiesto» incluye referencias al público, los actores y la crítica, derivadas de esa visión, bastante moderadas y discretas respecto al papel que cada uno puede jugar en la renovación, tema que debía ser la cuestión principal planteada como pregunta (la palabra se repite más cuando el texto no depende del artículo anterior de Antonio. Pero hay que reconocer que estaba en el ambiente).

Puede pensarse que la teoría es precisa pero a la vez bastante general como para encontrar en ella apoyos suficientes que expliquen elementos de la práctica. Y también puede pensarse que una y otra derivan de la misma actitud de los autores ante la escena, pero que, en las obras, no estuvieron tan atentos a lanzar o llevar a cabo un proyecto teatral concreto y sistemático, como a responder a sus impulsos, preferencias, gustos e intereses dentro de la institución teatral española de este tiempo.

LOS HERMANOS BAROJA Y EL TEATRO DE «EL MIRLO BLANCO»

Las obras de Pío Baroja

La obra dramática de Pío Baroja se compone de un corto número de piezas, escritas en distintos momentos de su vida, aunque encontramos la concentración mayor de ellas en los años veinte, es decir, cuando la carrera de novelista está ya muy avanzada. Dentro de la producción del autor, esta faceta ha tenido escasa fortuna y no muy buena consideración. Y acerca de ella se han planteado problemas como la adecuación y la virtualidad teatral de esas composiciones, la actitud de Baroja ante el teatro de su tiempo y, más en general, ante las convenciones del género, el valor que se puede conceder a estos ensayos o intentos dramáticos heterodoxos.

Cronológicamente, el primer texto es *¡Adiós a la bohemia!* (1911), adaptación del relato «Caídos», que publica en la colección de cuentos *Vidas sombrías* (1900). La obrita fue representada en el teatro Cervantes, de Madrid, el 23 de marzo de 1923 y, con esta ocasión, Baroja escribió una interesante página de antecrítica que tituló luego: «Con motivo de un estreno». En 1922 publica *La leyenda de Jaun de Alzate*, en cinco extensas partes, obra de un supuesto «poeta aldeano, poeta humilde de un humilde país». En ella se presentan escenas vascas «con un ligero aparato escénico, cómico, lírico fantástico» (del «Prólogo»).

A continuación se encuentran una serie de piezas cortas, versiones representables, distorsionadas y satíricas de géneros del teatro breve (sainete, farsa, etc.) y popular que se agolpan en poco tiempo: *Chinchín comediante o Las ninfas del Bidasoa* (1926); *Arlequín, mancebo de botica o los pretendientes de Colombina* (1926); *El horroroso crimen de Peñaranda del Campo. Farsa villanesca* (1926); *Las noches del café de Alzate* (1927). Más tarde, fuera de las convenciones normales del género, publica *Allegro final. (Fantasía de un día lluvioso de Nochebuena)* (1929), *El «Nocturno» del hermano Beltrán* (1929) y *Todo acaba bien... a veces* (1937), que son también consideradas como relatos o novelas cortas.

Se advierte, ante este conjunto, que, a excepción de las obras breves de 1926-1927, no se puede establecer fácilmente una unidad formal y de género indiscutible. Pero cabe discutir el carácter de cada una de ellas y analizarlas, pues creo que no son simples novelas con diálogos, sino intentos dramáticos extragenéricos, es decir, de libre composición y disposición. De hecho, los criterios posteriores de ordenación y edición de las obras se muestran diferencias. Baroja incluyó en el tomo VI de sus *Obras Completas*, bajo el rótulo «Teatro», *La leyenda de Jaun de Alzate, El «Nocturno» del hermano Beltrán, Todo acaba bien... a veces* y *El horroroso crimen...* Otras piezas indiscutiblemente teatrales se incluyen en el tomo VIII o en el V, dentro de «Nuevo tablado de Arlequín»[251]. Por otra parte, la nueva edición, dirigida por José-Carlos Mainer, recoge en el tomo XII las piezas breves (con *las noches del café de Alzate*, excluido de la anterior recopilación) y, de las extensas, *Todo acaba bien... a veces*. Parece seguirse así un criterio coherente y estricto. Otros textos aparecen en el mismo volumen (*Allegro final* y *El «Nocturno» del hermano Beltrán*) como novelas.[252]

Además de estos títulos la crítica ha señalado la existencia de novelas dialogadas, sobre todo en sus primeros años: *La casa de Aizgorri. (Novela en siete jornadas)* (1900), *El mayorazgo de Labraz* (1903) y *Paradox Rey* (1906). Hay que recordar que de *El mayorazgo de Labraz* se hizo una versión dramática, del propio autor con Eduardo M. Portillo, estrenada en el Teatro Cervantes, de Madrid, el 24 de abril de 1924, con buena acogida.[253] Puede ser que la primera de estas novelas se iniciara como proyecto

251. Pío Baroja, *Obras Completas,* Madrid, Biblioteca Nueva, 1946-1951.
252. Pío Baroja, *Obras Completas. XII. Narraciones, Teatro, Poesía*. Edición dirigida por José-Carlos Mainer. Revisión de los textos por Juan Carlos Ara Torralba. Prólogo de Cecilio Alonso, Barcelona, Círculo de Lectores, 1999.
253. Se ha llegado a considerar que teatralmente tienen más interés algunas novelas de

dramático, según cuenta el mismo Baroja en sus memorias, cambiado al no recibir acogida por parte del empresario Ceferino Palencia. En cualquier caso, durante tiempo Baroja se distanció de esta forma de relato.

A la vez, y parece que presionado por los amigos, se dedicó a la crítica teatral en el periódico *El Globo* durante apenas tres meses, de finales de octubre a comienzos de diciembre de 1902. Así que, a la vista de estos datos, dos son las cuestiones que se pueden plantear: la actitud y disposición personal de Baroja ante el teatro y la consideración crítica acerca de los textos dramáticos (más allá de una mera clasificación genérica). La primera cabe resumirla en unas líneas. La segunda formará el contenido esencial de este apartado.

De las críticas a obras de Dicenta, Echegaray, Benavente, los hermanos Quintero y, sobre todo, de su texto «Con motivo de un estreno» (1923) podemos deducir dos rasgos exacerbados en los dramaturgos citados: la artificiosidad de las obras (enredos, situaciones, etc.) y la falta de vitalidad (el acartonamiento) de los personajes. Esta dificultad de escribir para el teatro viene, en resumen, de la falta de novedad que ofrece. Todo está hecho y gastado. Por otra parte, la coerción mayor para Baroja viene de parte del público; se entiende, de tener que escribir una obra pensando en ese público inmediato y en su sanción. Esto le produce «la inhibición y la perplejidad» que le hacen abandonar sus proyectos. En definitiva, lo que Baroja rechaza es el tono medio (y de efectos medidos) del realismo naturalista (popular o burgués), la forzada unidad y concentración del drama, el tono retórico actual. En efecto, su escritura tenderá más bien hacia la exaltación, la mezcla compleja de elementos, la ruptura de los límites espacio-temporales y hacia la elevación enfática o la degradación del lenguaje y su retórica. Solo la última obra se pliega a las convenciones más habituales. Pero lo que rechaza lo hace en nombre de dos principios fundamentales: su libertad creadora y la necesidad y la posibilidad de introducir novedades: «El crear algo nuevo en el teatro me parece imposible. Todo lo que se ha dado como nuevo en estos cincuenta años [...] Ibsen y Maeterlinck, han quedado como al lado del teatro, sin conseguir entrar dentro ni tener una vida lozana. // El teatro hace mucho tiempo ha dejado de inventar para repetirse».[254]

La exposición de esta parte de la obra de Baroja y su consideración crítica pueden acogerse —como ocurre en el caso de los otros escritores que integran este capítulo— a lo que escribe Cecilio Alonso: «Los cuentos y

---

Baroja que sus dramas. Así se manifiesta, por ejemplo, el director José Luis Alonso en *Primer Acto,* 143 (abril de 1972).
254. Pío Baroja: «Con motivo de un estreno», *Obras Completas. Tomo V,* pp. 560-561.

novelas cortas, los ensayos dramáticos y poéticos, son brotes germinales, manifestaciones paralelas o alternativas, que anuncian, confirman y, yo diría, que hasta agotan un esfuerzo literario ejemplar... Dispersión y variedad emocional dan fe del largo recorrido del escritor solitario».[255]

Las obras extensas

Su característica más evidente es la fluidez agenérica, entre el relato dialogado y el texto dramático. Y defendemos su inclusión porque solo una visión estricta o más bien restrictiva de la teatralidad (como representabilidad inmediata del texto) puede excluir tajantemente estas obras de ser tenidas por dramas, puesto que mantienen las características esenciales de esa forma, aunque la extensión, movimientos en el espacio y otras licencias no se ajusten a las limitaciones tradicionales del género. La indefinición genérica no es signo de una carencia, sino de un modo personal de discurrir por la tradición literaria. Así, puede que algunas obras de Baroja resulten más modernas y más adecuadas a los años en que se escribieron que las de otros dramaturgos de éxito. En particular, el original trazado legendario de Jaun de Alzate, medievalizante, histórico y fantástico, dedicado e evocar la comarca del Bidasoa en un supuesto «estado natural y primitivo».

Jaun (el señor) de Alzate es el héroe que representa (y defiende) un estado de cultura en relación inmediata con la naturaleza y con los dioses que representan sus fuerzas, sometida, sin embargo, a la presión de un cristianismo foráneo, impositivo y uniformador. Así, después de las escenas iniciales de idilio vasco, la aventura vital del personaje (y de su acompañante, el sacerdote pagano Arbelaiz) se moverá en un doble dimensión: en el debate entre las instigaciones de los sacerdotes católicos extranjeros y las solicitudes de dos diablos pintorescos que tratan de impedir su conversión; y entre las recetas del falso conocimiento de retóricos y pedagogos y su busca personal de la verdad en los libros y las tradiciones. Y todo ello en un ambiente de primera importancia en que los elementos, animales, personajes tradicionales y fantásticos adquieren presencia y voz en fragmentos líricos. Al final, Jaun muestra una fuerte adhesión a la vida y un gran escepticismo respecto al conocimiento científico que le lleva al relativismo (y a la tolerancia que los nuevos tiranos desconocen).

La obra tiene una división en cinco extensas partes y una organización anticonvencional, pues hay en cada una de ellas desplazamientos, acotacio-

---

255. Cecilio Alonso, «Prólogo» en *Obras Completas, cit., XII* p. 11.

nes no funcionales, largos parlamentos, escenas de varios caracteres. Cada una de esas partes lleva su titulo: «Vida tranquila», «Entre las Olerías y la Navidad», «Los moradores del Bidasoa», «Locuras y realidades», «Alegría y tristeza». Cada parte comienza con un parlamento del autor y termina con un «Intermedio» en que interviene un coro y el dios Urtzi-Thor, que se despide con las mismas palabras en todos los casos.

En las acciones, en los personajes y en el lenguaje (sea de las didascalias o de los parlamentos y réplicas) hay una mezcla que le otorga a este texto su complejidad y su carácter misceláneo: épico, lírico y dramático. Por eso Jesús Mª Lasagabaster ha podido hablar, al estudiar esta obra, de «carnaval de la escritura», que recoge la idea de una continua construcción y deconstrucción de la escritura y de los modelos heredados, que confiere a *La leyenda* su carácter ambiguo genérica, formal y semánticamente. Pues junto a la épica y la lírica hay que poner, como marca previa, la ironía. Por eso se vincula a las novelas iniciales de «la tierra vasca», a la vez que es una cosa distinta.[256]

Jaun es un personaje aventurero y complejo buscador de la verdad, finalmente desengañado. En este sentido es un héroe barojiano. Pero si buscamos fuera del ámbito de su propia obra, aparecen dos posibles relaciones significativas que se refieren tanto al personaje como a la forma dramática de su aventura. Porque Jaun parece lejanamente de la estirpe de Brand y de Peer Gynt, aún en la estela del simbolismo romántico. Sobre todo entronca también con las comedias y dramas del ciclo galaico de Valle Inclán: forma dramática abierta, multiplicidad de espacios y de tiempos para conformar un ámbito propio, elevación mítica del personaje —liberado de una excesiva servidumbre psicologista— inclusión de elementos fantásticos, conjunción de historia y mito, costumbrismo y trascendencia humana, el empleo de las acotaciones con carácter más lírico y descriptivo que funcional, mostración del proceso de destrucción de una cultura antigua, basada en un régimen señorial, por el avance de la racionalidad científica, burocrática o por el cambio religioso. Sin duda son mundos distintos y, en cuanto a su virtualidad dramática, Valle muestra mayor sentido de la medida y de la integración de las tensiones dramáticas en una estructura bien articulada. Pero las semejanzas no desaparecen por las diferencias, sino colocan a cada uno en su ámbito y en su momento.

---

256. Jesús Mª Lasagabaster enuncia brevemente los motivos que justifican «no ya la singularidad de este texto frente a los otros de la serie, sino una real incompatibilidad para poder ser adscrito a un único y mismo universo semántico» («El carnaval de la escritura...». *Insula,* 617, 1998, p. 27).

Pero hay algo más complejo también semejante, y es el intento de representar dramáticamente la vida en su complejidad, a través de la multiplicación de escena, de la contraposición de situaciones y de tonos y de la extensión de la cronología. Se trata de presentarla como un espectáculo que incluye visión, emoción, reflexión y lírica (evocación, canto, alegría y lamento) y —en este caso— algo más que caracteriza a la narrativa: la perspectiva de un autor implícito.

Pero las palabras iniciales de este autor indican precisamente el carácter dramático del texto, a la vez que su desinterés por las cuestiones técnicas habituales:

> Perdonadme si antes de comenzar la representación de mi obra aparezco en el tablado...
>
> Yo soy el autor de *La leyenda de Jaun de Alzate,* soy un poeta aldeano, poeta humilde, de un humilde país, el país del Bidasoa...
>
> Como hombre de campo no poseo conocimiento del arte teatral, no sé mover los muñecos en el tablado...
>
> Antes, pues, de que nuestra comarca haya perdido todo su carácter y todo su encanto, voy a presentar ante vuestros ojos unas escenas vascas de época remota...[257]

Aparece así una ironía metaliteraria que ofrece el texto como representación, con una figura ficticia de autor humilde, que interviene de nuevo al comienzo de cada parte. Así reflexiona Baroja, ante el lector-espectador, acerca del proceso de escritura de la leyenda y ofrece claves de su variedad y de su carácter, es decir, de la ambigüedad de su discurso literario (formal y semántica). Ambigüedad y complejidad son los dos valores inseparables del texto.

En *El «Nocturno» del hermano Beltrán,* este es un joven huérfano, aventurero en varios mares y finalmente religioso en un convento andaluz. Por su elocuencia y por su amor a la música, encuentra a su madre. Estamos ante una curiosa mezcla de melodrama romántico, que recuerda a algunas obras de nuestro teatro decimonónico, en particular, a mi juicio, a *Don Álvaro o la fuerza del sino,* del que toma algunos elementos significativos y otros motivos que maneja de manera suelta e informal. En conjunto es una obra de menor consistencia y escaso interés, pero, respecto de ella conviene notar la reescritura que hace Baroja de motivos literarios y los rasgos de imitación y parodia con que puede revestirlos.

El costumbrismo pintoresco, la libertad formal, de nuevo a caballo entre la soltura del texto narrativo y la precisión de las escenas dramáticas, el empleo sistemático de la parodia y de la sátira, el recurso a tópicos localistas, etc., forman un conjunto de aspectos. Por otro lado, la sublimidad

---

257. Pío Baroja, *Obras Completas,* Tomo VI, pp. 1101-1103.

de la música parece recordar momentos becquerianos, sobre todo cuando el personaje muere sobre el órgano, después de interpretar su propio y original «Nocturno». La artificiosidad de la historia y los desvíos no motivados están al servicio de una idea poco precisa, pero que insiste en el pesimismo y en el destino. Pero son detalles precisos los que llaman la atención sobre su relación con el drama del Duque de Rivas: el origen desconocido del personaje (aquí más cerca de otros, como Rugiero o el Trovador), la vida aventurera a causa de un destino adverso, en la cual no comete crímenes por codicia o por maldad; la retirada a un convento en busca de paz y felicidad, con una vida ejemplar; el carácter dudoso del personaje a los ojos de los demás, que le consideran ángel o demonio, exactamente «el demonio predicador» (tema legendario, recogido ya en un drama de Belmonte y que reaparece en la Jornada V de *Don Álvaro*); el desafío a muerte con un rival, aun siendo fraile. Cambia, sin embargo, en dos aspectos esenciales: la falta de relación amorosa, pues no hay amada, sino que este lugar lo ocupa la madre; y la continuación de la vida, sin amenaza de desesperación y suicidio.

Anotemos que la abundancia de escenas cómicas y los contrastes (de la Semana Santa Sevillana al París vanguardista) producen ciertas desarmonías con el tono de la historia dramática —en sí misma floja y desarticulada— hasta hacernos dudar de la interpretación adecuada del conjunto. Cecilio Alonso no menciona esta ambigüedad, que puede hacernos entender el texto como una gran ironía literaria, aunque insiste en algunos otros rasgos muy pertinentes: el melodrama, entre edípico y bizantino, una confusa peripecia, con nudo en un equívoco de escasa consistencia, el estupor que produce la conciencia de la acción (tema barojiano) y el misticismo sin fe, sentido pesimista de la vida e identificación del mal con la acción.[258]

Por la misma época, Baroja escribe otro texto más breve, aunque de parecida indefinición genérica. *Allegro final. (Fantasía de un día lluvioso de Nochebuena)* es otra «novela teatral», centrada en las últimas horas de un personaje enfermo, médico de profesión, cuya odisea nocturna le lleva por lugares urbanos característicos de Madrid, hasta morir en el hospital donde trabaja. Es un recorrido paralelo, se ha dicho, a la peripecia vital de Max Estrella en *Luces de Bohemia*, aunque también con diferencias esenciales: la obra de Baroja carece de la complejidad de retablo socio histórico que ofrece la de Valle-Inclán, ni posee su riqueza y expresividad y

---

258. Lucile C. Charlebois, por su parte, considera que «la obra en sí carece de espontaneidad y tensión dramática», en «El teatro de Pío Baroja: una curiosidad», *Nueva Revista de Filología Hispánica*, 35, 1987, p. 190.

variedad lingüística; y tampoco su personaje adquiere la trascendencia universal que le haga sobresalir de su marco degradado y vulgar. Más bien es la representación de esa gris y triste mediocridad del esfuerzo inútil. En esas horas últimas el personaje se va desmoronando y busca —tal vez inconscientemente— la muerte en el único lugar en que se siente acogido: el hospital.

La disposición dramática alterna unos encuentros en lugares cerrados (la casa, el café, la taberna, el hospital) con escenas y soliloquios peripatéticos del personaje, en que este repasa su vida. La escena final, de la muerte en el hospital, remite a otras del mismo autor en que las que muestra la indiferencia humana ante el dolor ajeno.

«Delirio nihilista» ha llamado a esta obra Cecilio Alonso, resaltando el carácter de fantasía que el mismo título enuncia. Baroja resalta el realismo costumbrista pero introduce en él un desdoblamiento del sujeto (el Yo Oscuro) y recurre también a los sueños y visiones, como en la escena III, grotesca entrevista con su antigua novia. También en el sueño aparece la tragedia profunda e incomprendida del suicidio del hijo. Y finalmente la muerte se escenifica —muy visual o teatralmente— como una fantasía o visión (con proyección cinematográfica).

Finalmente, en 1937 y en especiales circunstancias, pues Baroja está refugiado en París, escribe *Todo acaba bien... a veces*. Dentro de este conjunto mantiene algunos rasgos peculiares, como no emplear el nombre de acto, sino de parte, anteponer una explicación que sustituye —solo para el lector— a la escena de antecedentes necesarios para entender la acción. En cambio, las acotaciones son mucho más sobrias y directamente funcionales, la estructura externa es la más convencional (tres actos) y el desarrollo de la intriga aparece trabado por las relaciones de unos pocos personajes, mediante una sucesión de diálogos en escenas recurrentes y en un solo lugar (básicamente). Cada parte se ofrece con la correspondiente unidad de espacio, tiempo, personajes y acción propia de un acto teatral.

La obra es así la más ajustada al modelo dramático convencional y próxima al realismo, también en el tono de los diálogos cotidianos; y su título, sorprendentemente, nos indica el carácter de comedia que ostenta (el «final feliz»), bien que relativizado por ese *a veces* que puede ser indicio del escepticismo barojiano y de su visión dudosa del desarrollo de la guerra civil. Pues la obra tiene una relación directa con los acontecimientos bélicos españoles.

Carmen y Paco son dos refugiados españoles en Biarritz. Antiguos novios, ella se casó con otro amigo, que murió en el frente. Ahora se encuentran nuevamente y, después de algunas incertidumbres, provocadas por el interés del padre de Carmen (que quiere entrar en un ambiente cosmopolita) y por su propio carácter, consecuencia de su distinto origen social, terminan por reconocer el amor reciproco y la posibilidad de una vida sencilla en común, al margen de las guerras y de las ideologías (en una se las escenas de amor más insustanciales que se pueden escribir). Hay que tener en cuenta que Paco huyó de Madrid porque le buscaban por fascista (el texto no afirma que lo fuera, sino que lo eran miembros de su familia). Por contra, Jaime, el marido de Carmen, fue miliciano («rojo entusiasta») y Carmen era, por tanto, al viuda de un rojo, según las categorías simplificadoras de los combatientes. Parece que Baroja se sitúa en una posición ajena a los férreos partidismos de la contienda, pero duda de una solución razonable y deseable más allá del ámbito individual.

Las obras breves

Su composición se ajusta a dos exigencias que la libertad creativa anterior no tenía en cuenta. La primera es su representabilidad en un espacio escénico y ante un público concreto, lo que determina incluso su brevedad, número limitado de personajes, etc. La segunda es la mayor adecuación a géneros canónicos, aunque cada uno de ellos sea mezclado con otros e incluso distorsionado. Ambas exigencias provienen de las circunstancias en que Baroja escribe: las representaciones domésticas del grupo *El mirlo blanco*.

Sin embargo, la primera de estas obras tiene un origen diferente. Procede de un cuento escrito hacia 1897, adaptado para la escena y publicado nuevamente en 1911. Se representó en sesión única en 1923 y, de nuevo, ya en *El mirlo blanco*, en 1926.[259] Su carácter propio lo marcan dos rasgos: el estatismo, ya que se trata de un diálogo de despedida de dos antiguos amantes (Luis y la Trini) en un café (espacio característico); y el tono más lírico, evocador, melancólico, frente a la sátira y al desenfado cómico que dominan en las demás piezas.

El cuento original se titula *Caídos* y con ello se plantea tanto una cuestión de fracaso vital como de deterioro moral. El lenguaje es cortado y tiende hacia el desgarro con rasgos cheli. El texto es fundamentalmente dialogado pero señala un movimiento largo (paseo, tranvía,

---

259. El cuento se publicó en *Vidas sombrías* (1900). La versión dramática en *El cuento semanal* (28-VII-1911) y se recoge en *Nuevo tablado de Arlequín* (1917). Hay una versión posterior como libreto de zarzuela y música de Pablo Sorozábal. La representación de 1923 recibió numerosas reseñas críticas, de parte de Manuel Machado, Manuel Fernández Almagro, Cipriano Rivas Cherif, Enrique de Mesa, Rafael Marquina, entre otros.

coche) por la ciudad. La adaptación dramática, con el título *¡Adiós a la bohemia!* subraya el aspecto más íntimo del encuentro entre el pintor fracasado y la modelo. La situación se completa con la presencia de otros personajes secundarios, apenas anecdóticos (entre ellos «El Señor que lee *El Heraldo*» y los artistas jóvenes de la tertulia).[260] La primera parte sigue prácticamente el texto del cuento, pero desde el momento en que comienza a sonar la música, el diálogo se centra en la evocación de los días pasados, días de ilusión y amor. Ahí encuentra la pieza dramática su tono propio, su mayor complejidad emocional y su sentido frente al esquematismo más duro del cuento. Toda una vida breve, intensa, la única importante para ellos, pasa en unos momentos («¿Te acuerdas?». «¿Recuerdas?»). Luego hay ya consideraciones generales: «Nadie ha triunfado, y otros muchachos, llenos de ilusiones, nos han sustituido, y, como nosotros, hablan de amor y de arte y de la anarquía. Las cosas están igual; nosotros únicamente hemos variado». Esta brevedad de las ilusiones parece extenderse a la fugacidad de la vida y de ahí a la falta de interés, a una despedida más definitiva, como apunta el «largo paseo» del pintor. «*¡Adiós a la bohemia!* es una balada nostálgica del tiempo ido», una proyección de la pesimista perspectiva de Baroja e incluso expresión de la inevitable marginación del artista en la sociedad burguesa[261]. Pero tal vez, por debajo de su comprensión, apunte cierta actitud de despego y de crítica hacia la bohemia como posición estética estéril, falsa o impostada, opinión varias veces repetida por Baroja en sus artículos y memorias[262]. El fracaso estaba ya en ellos, sin que esto anule la verdad humana de los personajes y de su situación, producida por la identificación de su vida con el arte.

El éxito de la reposición de este diálogo en la primera de las funciones de *El mirlo blanco* animó a Baroja a componer el resto de sus piezas cortas que, como hemos señalado, se concentran en los años 1926 y 1927 y tienen ya una intención directamente teatral, dentro —sin embargo— de lo que fue el ambiente restringido de esa aventura, tan minoritaria y breve como significativa, de los empeños de escritores y de artistas ajenos al mundo del teatro convencional.

---

260. Cuando se representó en 1926, Baroja hizo el papel de este señor que lee y atiende con interés, es decir, el de testigo más o menos clarividente de esas vidas fracasadas.
261. Jesús Rubio en Pío Baroja, *¡Adiós a la bohemia! Arlequín, mancebo de botica. El horroroso crimen de Peñaranda del Campo*, Madrid, Biblioteca Nueva, 1998, p. 29.
262. Esta actitud de Baroja tal vez se perciba mejor en el tono más duro y vulgar del cuento, suavizado luego con la distancia del tiempo. Véase, sin embargo, *Desde la última vuelta del camino*, en *Obras Completas, tomo VII*, pp. 680-684; «Juventud, egolatría», Tomo V, p. 204; «Bohemia literaria», *Nuevo Tablado de Arlequín*, pp. 91-95.

La idea se propone en la tertulia formada alrededor de Ricardo Baroja y su mujer, Carmen Monné, en el domicilio de la calle Mendizábal de Madrid. Asistían Natividad González, Carmen Abreu, Carmen Baroja, María Arisquieta y, entre otros, Pío Baroja, Valle-Inclán, Manuel Azaña, Francisco Vighi, Pittaluga, Rivas Cherif, que sería el director escénico y animador de ese proyecto. En el otoño de 1925 (según relata Carmen Baroja) propone Ricardo Baroja la idea, acogida con entusiasmo. El grupo disponía de actores profesionales, aficionados, pintores y decoradores, músicos... Todo lo necesario para ese intento, que tenía como lugar, en la casa de los Baroja, una habitación doble, a dos alturas. En la parte alta se situaban los espectadores (que no pasaban de cincuenta y pagaban un precio alto) y en la parte baja se colocaba el espacio escénico con su decorado.

La elección de los autores y los títulos muestra el intento de hacer otro teatro. En palabras de Díez-Canedo: «frente al teatro grande, y sin disputarle su vuelo industrial, ni aun sus propios atractivos, un teatro pequeño, libre, vivo, que fuera germen de públicos más exigentes en materia de arte que los grandes públicos de ahora».[263] Y Rivas Cherif resalta el carácter alternativo del grupo, pues supone «la iniciación de un género de arte teatral ajeno a las prácticas actualmente en vigor por el uso corriente, cuya realización exija, por lo tanto, cierta libertad artística incompatible con el llamado profesionalismo».[264] Así, su repercusión fue mayor de lo que pudiera parecer, pues los mejores críticos de los más importantes diarios estaban también implicados.

Hubo cuatro series de representaciones. Cada una de ellas se daba tres veces, el sábado por la tarde y el domingo por la tarde y por la noche. Los programas fueron los siguientes:

7 de febrero de 1926.— Valle-Inclán: «Prólogo» y «Epílogo» de *Los cuernos de Don Friolera.*— Ricardo Baroja: *Marinos vascos.*— Pío Baroja: *¡Adiós a la bohemia!*

20 y 21 de marzo.— O'Henri: *Miserias comunes.*— «Beatriz Galindo» (Isabel Oyarzábal: *Diálogo con el dolor.*— Rivas Cherif: *Trance.*— Pío Baroja: *Arlequín, mancebo de botica o Los pretendientes de Colombina.*

8 y 9 de mayo.— Ricardo Baroja: *Marinos vascos.*— Valle-Inclán: *Ligazón.*— Pío Baroja: *Arlequín, mancebo de botica o Los pretendientes de Colombina.*

21-22 de junio.— Claudio de la Torre: *El viajero.*— Edgar Neville: *Adán y Eva.*— Carmen Monné: *El gato de la Mère Michel.*

263. Enrique Díez-Canedo, «El mirlo blanco», en *Artículos de crítica teatral. V. Elementos de renovación,* México, Joaquín Mortiz, 1968, p. 150.
264. Cipriano Rivas Cherif, «El teatro, ¿es arte o industria?» en *El Heraldo de Madrid,* 24 de julio de 926, p. 5.

Todavía hubo una nueva sesión:

29 de marzo de 1927.— Eduardo Villaseñor: *El café chino.*— Ricardo Baroja: *El maleficio; El torneo* (adapatación del «Prólogo» de *Idilios y fantasías* de Pío Baroja.

Hay que destacar aquí el entusiasmo de algunos. Valle-Inclán escribió en este momento *Ligazón* y Baroja su *Arlequín, mancebo de botica...* Ambas obras tuvieron otra oportunidad de subir a la escena bajo el nuevo rótulo de «El cántaro roto», que propuso y dirigió Valle-Inclán para el nuevo teatro del Círculo de Bellas Artes (1927). Pero antes hubo otras piezas breves y cómicas que quedaron en intento o ensayo frustrado. No terminó *Los libreros y viejo* y nunca se representó *Chinchín comediante o Las ninfas del Bidasoa.* Es este un rápido apunte cómico-sentimental sin apenas trama. Consiste más bien en una serie de escenas con parodia de tipos (los viajantes, cargos públicos y personajes locales) y de hablas (castellano, catalán, vasco). Hay que resaltar la escena mímica de la representación de la pequeña compañía ambulante de Chinchín que supone una reduplicación de la teatralidad.

La insuficiencia de desarrollo y de caracterización que se advierte en la obrita anterior queda superada, dentro del mismo tipo de teatro breve, cómico, festivo y arbitrario, en *Arlequín, mancebo de botica o Los pretendientes de Colombina.* Cabe destacar tres aspectos. En primer lugar, la organización dramática, simple y eficaz, en que se contraponen (como indica el título dual) dos series de escenas: las declaraciones amorosas de Arlequín a Colombina (quien se muestra esquiva y desentendida), interrumpidas por el desfile de pretendientes, tipos grotescos que dan pie a frustraciones, repeticiones y engaños. En segundo lugar, la teatralidad que remite a unos códigos asimilados y tradicionales de la *Commedia dell'Arte*, en que se incluye la burla y la parodia, pero también la gestualidad y mímica estilizada y exagerada a la vez. Finalmente, un ambiente propio del mundo rural español, con sus tipos, heredados de nuestra propia tradición literaria.

Exageración, ruptura de situaciones y de expectativas, repetición de motivos cómicos (el cuidado del canario por parte de Colombina), burla y parodia lingüística, con usos desenfadados del latín, son marcas de ese humor desenfadado, gratuito de la pieza, con todas las características de la farsa, excepto el rasgo de brutalidad manifiesta o de crueldad degradante. Los personajes derivan de los estereotipos de la misma *Commedia* con referencias a los entremeses y al mundo popular español (acento andaluz del grotesco militar, etc.). El reconocimiento final del origen aristocrático de Arlequín es una convención paródica que deriva de la literatura melodramática del romanticismo con el sesgo popular del final feliz. Con ello se refuerza la pura teatralidad (o autorreferencialidad) de la obrita.

Importancia especial reviste el lenguaje, destacado como ingrediente de la comicidad con los disparatados discursos de los personajes —identificados con su función (Veterinario, Doctor, Maestro...)— las réplicas llenas de equívocos y retruécanos, las canciones (inicial y final) llenas de picardía y de doble sentido y las referencias escatológicas. Lo popular y lo tradicional se combinan y estilizan en este juego cuyo mérito reside en la adecuación a una efectiva teatralidad como juego y disfrute, propio de un ambiente dispuesto a ello.

Fuera ya de la breve temporada de *El mirlo blanco* quedaron otras dos piezas. Alguna difusión moderna ha tenido *El horroroso crimen de Peñaranda del Campo (Farsa villanesca)*, con nuevas ediciones y representaciones[265]. Puede ser así el texto dramático mejor conocido de Baroja y casi el único que ha interesado a la crítica por el empleo de la hipérbole grotesca que lo asemeja, aparentemente, al Valle-Inclán más esperpéntico. Completa la lista otro sainete rural, *Las noches del café de Alzate*, en el cual adquieren especial protagonismo las canciones maliciosas y alusivas.

Con *El horroroso crimen* podríamos encontrarnos ante una historia truculenta en el ámbito rural español. Un individuo, apodado *El Canelo* a va ser ejecutado por el asesinato de su amante. Y el relato ya ha pasado a los carteles de feria y a los romances populares.[266] Pero cuando se descubre que la supuesta víctima está viva, la actitud del supuesto criminal, que se confesó culpable y aceptó la condena, parece incomprensible. Así que lo interesante de la obra es más bien la perspectiva con que se representa y el modo de representación. Esa perspectiva (distanciada por el humor y la farsa) determina el tono, que pasa —como se dice en el prólogo— de lo lúgubre a lo grotesco. Y esto como un proceso de higiene social, posiblemente para limpiar —mediante su tratamiento inverso— lo excesivamente morboso y truculento o para atraer la atención del público que solo quiere espectáculos festivos.

---

265. Aparte de incluirse en los volúmenes de las *Obras Completas* (cierra la sección de teatro del tomo VI) y los correspondientes de la colección Caro Raggio, ha sido publicado en el número 143, abril de 1972, de la revista *Primer Acto*, dedicado al teatro de Baroja, y de nuevo en Madrid, ediciones Vox, 1980. Ha sido representada por el Pequeño Teatro de Barcelona en 1973 y por el Teatro Libre, de Madrid, en 1978. Finalmente, con *¡Adiós a la bohemia!* y *Arlequín, mancebo de botica* forma el volumen séptimo, editado por Jesús Rubio, en la colección «Arriba el telón», de Biblioteca Nueva, Madrid, 1998.

266. En la obra se recita el romance con la historia del crimen y la condena: Con pequeñas variantes ocasionales, este mismo texto se incluye en la colección *Canciones del suburbio*.

Por tanto, el núcleo de la obra ofrece las actitudes de los representantes sociales ante el crimen, contrastadas con las del tío Pamplinas (que no cree nada), del pusilánime y bondadoso verdugo (antes zapatero) y del propio reo, que solo quiere aprovecharse de las contemplaciones con que lo tratan. Pero la estructura es triple y confirma una distancia mediante la metateatralidad que incorpora. Primero, por el prólogo del supuesto autor de la obra, Pepito Rubores, vate local de esa «nueva Atenas» que es Peñaranda. Aflora la broma y no demasiado refinada, en toda esa presentación. El primer cuadro ocurre en la plaza y presenta el recitado del romance de ciego, con su venta, interrumpido por los comentarios, distanciadores, contradictorios, de los oyentes. El cuerpo central trata las últimas horas en la capilla, con los representantes de las instituciones del estado: iglesia, judicatura, ejército, aristocracia, etc., quienes finalmente se retratan verbalmente en un parlamento que culmina la sátira con que el autor los dibuja[267]. Finalmente, estos mismos personajes —en el Epílogo— comentan la representación (en la que ellos eran personajes) descalificándola estética, social y moralmente. Acaba así el proceso de construcción metateatral, que comienza con la presencia el Autor hablando al público, sigue con el espectáculo del romance en la feria y se cierra con el Epílogo acerca de la obra.

Baroja recurre aquí a lo que podemos llamar humor negro, llevando un tablado (el del patíbulo) a otro (el del teatro). Y toma los materiales de los propios romances de ciego, carteles de feria y pliegos de cordel (de los que tenía una colección y que había oído recitar)[268]. Es muy posible que le influyera también la atracción que ejercía el Grand Gignol de París sobre el público, con sus espectáculos desaforados de terror, crímenes y sangre. Pero debió ser Valle-Inclán el que aportó la idea de transformar esa materia en texto literario con su versión triple de *Los cuernos de Don Friolera*, cuyo prólogo y epílogo (con elementos próximos, aunque más complejos, a los de Baroja) fueron, como hemos dicho, objeto de la primera sesión de *El mirlo blanco*. Sin duda Valle ya había utilizado esa materia popular en algunas obras y de nuevo recrearía el crimen rural en otras, como —por

---

267. El director de escena José Luis Alonso de Santos explica que esta obrita «parte de una idea genial (el falso reo a punto de ser ejecutado por algo que no ha cometido, pero de lo que se declara culpable), y de dos estupendos personajes (el reo y el verdugo), muy dentro de la tradición española del antihéroe». Pío Baroja: *¡Adiós a la bohemia. Arlequín, mancebo de botica. El horroroso crimen de Peñaranda del Campo*, Madrid, Biblioteca Nueva, 1998, p. 158. Habrá que añadir al escéptico y razonador tío Pamplinas para completar el elenco de personajes interesantes. Los «hermanos de la Paz y la Caridad» son claras y deliberadas caricaturas, como el Autor, etc.
268. Julio Caro Baroja menciona a este respecto el cartel de feria que su tío vio en Sigüenza: *Ensayo sobre la literatura del cordel*, Madrid, Revista de Occidente, 1969.

citar la que parece más próxima— *La cabeza del Bautista*. Cabe añadir solamente que con el juego de perspectivas interiores a la farsa, esta adquiere más sentido que la mera sátira social, pues, como recuerda Cecilio Alonso, el escritor había delimitado muy cuidadosamente la distinción entre sátira y humor: y aquí le es aplicable su propia descripción en «La caverna del humorismo»: «El satírico, desde el banco de los buenos, señala a los malos y a los locos; para el humorista, el mundo tiene por todas partes algo de jardín, de hospital y de manicomio».[269]

Estas obras breves de los años veinte se muestran condicionadas por dos circunstancias que constituyen su contexto situacional. La más amplia es el movimiento general de renovación teatral que se experimenta en grupos intelectuales y de críticos y que está llegando a la profesión, con nuevos autores y con la labor de algunos antiguos, precisamente los comprendidos en este capítulo, por ejemplo. Pero la segunda circunstancia parece más decisiva: las obras se escriben para *El mirlo blanco* y en el ambiente de su tertulia familiar y artística. Es natural, entonces, que prescindan del carácter ingenuamente ilusionista del teatro para insistir en la autoconsciencia, la recreación irónica de los modelos populares, las referencias literarias, la libertad de la sátira social, la jocundidad desinteresada y, finalmente, en la consideración del teatro como forma autosuficiente.

En resumen, la labor teatral de Baroja es ocasional y complementaria a su obra narrativa. Pero no carece de interés. Se nos ofrece en dos grupos bien diferenciados: uno, compuesto por las obras extensas, que subordina la ortodoxia dramática a su libertad creadora, sin descartar las posibilidades dramáticas y de representación, hasta terminar en esa convencional, aparente comedia rosa que es *Todo acaba bien... a veces*. El otro grupo está formado por las piezas breves, en las que acentúa el carácter estrictamente teatral (parodia, sátira, juego, tipología convencional, lenguaje directo, representación autoconsciente, etc.), aunque aquí sea excepcional, por su origen y su fecha temprana, el diálogo *¡Adiós a la bohemia!* En el primer grupo, la libertad le lleva a tratar las acotaciones como textos también literarios, y no deja de incluir escenas de diversos tipos y tonos, desde las líricas a las cómicas, desde las realistas a las fantásticas. En las obras breves, los materiales de que parte revelan que su ánimo está en acercar el teatro a sus formas más elementales, a los orígenes de los modelos literarios ya elaborados, posiblemente en busca de lo que es vital y espontáneo o, al menos, como burla de lo que solo es repetición y afectación. Por tanto, Baroja se sitúa en los dos extremos de una práctica teatral renovadora

269. Cecilio Alonso, «Prólogo» en Pío Baroja, *Obras Completas,* Vol. XII, p. 43.

(aunque no estoy muy convencido de su interés por la renovación del tea-tro): la libertad que abre la forma dramática hacia las posibilidades de la novela; la vuelta a ciertos usos de reteatralización, es decir, de empleo deliberado y consciente (para el espectador) de los recursos teatrales[270].

Este mismo carácter extremo podría considerarse respecto de los nive-les en que plantea su obra, frente al realismo (burgués o popular) del tea-tro coetáneo que rechaza. Pero no es exactamente así o no lo es en todos los casos que hemos incluido[271]. Por una parte, adopta un tono más eleva-do, el del mito o la leyenda de tiempos originarios, en *Jaun de Alzate*; o el tono del drama romántico (con héroe misterioso, aventurero y, sobre todo, artista) en *El «Nocturno» del hermano Beltrán*. Pero en ambas obras hay también elementos realistas, cotidianos y de sátira y, además, una deconstrucción de los modelos que dota de ambigüedad genérica y semántica a esas obras, ya que la leyenda es la de una larga crisis hasta la desaparición del héroe con su universo natural, y el romanticismo se degrada en melodrama. Otros textos hay que se proyectan claramente en el plano de ese realismo gris, de lucha por la vida que conduce al fracaso, sin idealismos de artista o de redención moral, en un ambiente cotidiano, característico y urbano (el café, la calle, el hospital) que tiende hacia lo sórdido y mira con escepticismo la aventura vital humana. Así, están en este grupo el *Allegro final*, *Adiós a la bohemia* e, incluso, con su carácter distinto, *Todo acaba bien... a veces*. Menos esta última, las demás tiene más relación con el mundo barojiano de las novelas que con el teatro de la época, pues se trata claramente de un realismo anticonvencional que huye de la falsa naturalidad. Finalmente, la vertiente más expresamente antirre-

---

270. Esto puede confirmarse con los criterios de propone Baroja en el prólogo a *Entretenimientos*. Lucile Charlebois en «El teatro de Pío Baroja, una curiosidad», seña-la cuatro características que se perciben en esas obras, a pesar de su radical variedad: el motivo de la música en todas ellas; el pintoresquismo (por lo demás muy diferente) de varias piezas; el «blanco» de la crítica del autor (que, en efecto, en todas introduce escenas y tipos objetos de sátira); la circularidad estructural de las obras escritas en los años veinte. (pp. 171-195).
271. La razón la daría el propio Baroja en su texto «Con motivo de un estreno» que es de 1923. Dice ahí, separándose del realismo naturalista propio del teatro de su tiempo: «Yo, cuando he intentado escribir para la escena, lo he hecho en un tono gris o en un tono conceptuoso y altisonante. Los dos extremos de la expresión los siento mejor o peor; el término medio, no. // La retórica, un poco casera, vulgar y, al mismo tiempo, falsamente natural, la que la gente de teatro considera el lenguaje típico de las pasiones... yo no la puedo soportar» (*Obras Completas,* Tomo V, p. 560). Por los autores citados se refiere a los dramas y comedias burguesas. Ciertamente los textos que consideramos obras de forma dramática y de tono «realista» acentúan el tono gris; y finalmente, las nuevas y breves de los años 1926 y 1927 refuerzan la distorsión cómica, caricaturesca, llevando el lenguaje a los límites de lo truculento y de lo escatológico.

alista del teatro de Baroja se muestra abiertamente en las obras que realizan una estilización satírica, cómica y grotesca del mundo humano, de sus valores convencionales y de sus formas de conducta.[272] Esta perspectiva las coloca al margen de los rasgos habituales del teatro popular breve (sainete, «género chico», juguete cómico, etc.). Son los textos más teatrales de *Arlequín, Chinchín* y *El crimen...* Y al decir antirrealismo invoco la relación con el teatro de su época, sin descartar en absoluto una referencia a la realidad social; lo que ocurre es que aparece tanto por la vía de la deformación de las fábulas como por la de la caricatura de los personajes.

Ricardo Baroja (1871-1953)

Hemos de considerar al hermano mayor de Pío dentro de *El mirlo blanco*: surgió la iniciativa después de la lectura de una obra suya, se realizó en su domicilio y su esposa, Carmen Monné, fue la coordinadora y animadora del intento. Ricardo Baroja fue un artista polifacético, con muchas cualidades no completamente desarrolladas, muy famoso en su momento histórico de preguerra. Fue pintor, grabador, en particular, inventor, profesor de la Escuela de Arte Gráfico. Por otra parte, su actividad como escritor fue también constante y variada: ensayista y crítico de arte, novelista y autor dramático. Entre sus ensayos merece la pena recordar la serie de artículos publicados en el *Diario de Madrid* y recogidos con el título *Gente del 98*. Su primera novela es de 1917 y aparece bajo la firma de Juan Alberto Nessi, su heterónimo: *Aventuras del submarino alemán U...* Y en 1935 recibe el Premio Nacional de Literatura por *La Nao capitana*. Después de la guerra civil, retirado en la casa familiar de Vera de Bidasoa, sigue publicando novelas y se dedica más intensamente a la pintura.[273] Su labor teatral es también temprana, ya que en 1915 se localiza el estreno de *El Cometa* por la compañía de Guerrero-Mendoza y la redacción de *El camino*; pero otros intentos ya no fructifican: *Marino Faliero* es un drama desconocido de 1922. Y las obras representadas en *El mirlo blanco* no fueron publicadas o se han perdido. Recordemos que son:

---

272. Es un teatro que, a propósito, toma los personajes amanerados y, de alguna manera, falsos, y evita así la dificultad de copiar de la realidad. Para una interpretación acerca de la verdad del teatro de Baroja, véase Vittorio Caratozzolo, «Sul *Teatro* di Pío Baroja: Proposte di lettura», en *Il Confronto Letterario*, 17, 34, 2000, pp. 265-302.
273. Otras obras narrativas que pueden mencionarse para ampliar esta sucinta información son las siguientes: *De tobillera a cocotte* (1919); *Fernanda* (1920); *Fiebre de amor* (1921); *La tribu del halcón. Cuento prehistórico de la actualidad* (1941); *El coleccionista de relámpagos* (1941); *El Dorado* (1942); *Clavijo* (1945). De sus ensayos, la serie de artículos de 1936 recogidos en *Arte, cine y ametralladora*.

Marinos vascos (diálogo en dos actos y tres cuadros); *El maleficio* y *El torneo*. Consta también otra adaptación de un artículo del Duque de Rivas —«El ventero»— con el título de *La venta*.

Dos obras extensas, que no llegaron a representarse, se publicaron en sendas revistas importantes de los años veinte: *Olimpia de Toledo* (*La Pluma*, 33-35, febrero-abril de 1923) y *El Pedigree* «*Comedia inverosímil en tres actos*». (*Revista de Occidente*, XII-XIV, 1924). Esta obra fue reeditada en la Editorial familiar Caro Raggio en 1926, en versión más amplia y con prólogo de Valle-Inclán. Se reimprime sin cambios, aunque con una nota de Pío Caro Baroja, por la misma editorial en 1988.

Olimpia de Toledo puede interesarnos hoy por el ambiente y los tipos más que por su valor dramático o su interés renovador. Ricardo Baroja sitúa en el centro de la obra a una artista, bailarina, temperamental, hermosa y egoísta, cuyo modelo podía encontrar entre las cupletistas y artistas de cafés cantantes de la época. Hay que recordar a La Bella Otero, a Tórtola Valencia, la referencia más probable, y a las Hermanas Hurtado, una de las cuales se casó con el mahajará de Kapurtala, en uno de los acontecimientos más famosos en su época. En torno a Olimpia hay una corte de enamorados ricos y pintorescos (poeta modernista, torero, terrateniente) y alguno sincero (el pintor Julio); sin aparecer personalmente, es decisivo el cortejo del Duque. Entre ellos aparecen otros personajes secundarios y en papeles de característicos: la joven doncella, el empresario o la gitana que quiere favorecer a su hija. La acción transcurre en el saloncito y camerino de Olimpia en el teatro y en los dos primeros actos conocemos las características de su arte, de su carácter y de su interés. A Julio le dice: «¡Torpe! ¿No lo has comprendido? Lo que más quiero soy yo, yo misma». En el Acto III tenemos una escena que remeda a *La dama de las Camelias* (como se declara ahí mismo) y el desenlace dramático, provocado por los celos de Julio, que no acepta que Olimpia rechace su amor (pobre e imposible).

Tenemos, por tanto, una acción dramática bastante simple, con personajes caracterizados de manera eficaz, bien diferenciados, aunque con pocos matices; especialmente convencional es la figura del pintor bohemio y apasionado. Las situaciones se repiten en escena, pero con suficientes variaciones para mantener el interés de la intriga. El universo del espectáculo frívolo teatral está también referido a otras obras de la época: forma uno de los ingredientes de la novela galante o rosa y pasa a una literatura más ambiciosa en *Troteras y danzaderas*, de Ramón Pérez de Ayala, por ejemplo[274]. Ricardo Baroja no idealiza a ningún personaje ni acentúa

---

274. Puede recordarse la obra que fue famosa de Alberto Insúa, *El negro que tenía el alma blanca* (1922), con un aspecto de melodrama racial, que aquí no se da. Para Pérez

los tonos melodramáticos y se distancia de la figura (ya trasnochada) del artista bohemio-romántico. Otro rasgo que puede destacarse es el juego de recursos lingüísticos con los idiolectos y formas propias del habla vulgar en el torero y en la gitana, de manera particular, en contraste con el habla de los demás personajes.

Carácter muy distinto tiene *El Pedigree*, comedia futurista y sátira a algunos principios y conceptos de la ciencia biológica aplicada a la eugenesia. Como ocurre en ocasiones, es una crítica a la sociedad contemporánea, con sus dosis de animalidad, y a los intentos de manipulación genética en función de una supuesta sociedad ideal, de la que se hubiera extirpado todo resto de aquella animalidad. Ocasionalmente el autor aprovecha para lanzar dardos hacia otros aspectos, por ejemplos artísticos (el cubismo) o culturales.

En la obra se mantienen las supuestas «unidades» de tiempo (doce horas), de lugar (aunque no sea único) y de acción, aunque la amplitud del texto obligaría a reducirlo, ya que su lentitud y el carácter deliberadamente artificioso de muchos discursos —paródicamente científicos— sugieren más una pretensión de lectura que de representación. En la versión ampliada hay, además de un prólogo (a cargo del supuesto autor, Juan Gualberto Nessi) y un epílogo (que introduce un himno), otras piezas que rompen la limitación del texto dramático, sobre todo una «Autocrítica», situada entre el Acto II y el III.

La obra se sitúa en un momento del futuro y en un paraíso clasicista[275], regido por el principio de la mejora científica de la raza humana —que ha alcanzado un alto grado de perfección y una notable longevidad— y por la eliminación de las características más groseras del deseo humano, entre otras la sexualidad indiferenciada y la ambición material. Los contactos sexuales se realizan en los momentos señalados y con las parejas —«procreadoras» y «adyuvantes» son los términos empleados—seleccionadas de manera adecuada según su «pedigree». En ese espacio-jardín, gineceo de hermosas jóvenes que se preparan para cumplir con su deber de mater-

---

de Ayala, véase Andrés Amorós: *Vida y literatura en* Troteras y Danzaderas, Madrid, Castalia, 1973.

275. En un trabajo reciente, Alberto Sánchez Álvarez-Insúa escribe: «Se trata de un helenismo tópico, de atrezzo y vestuario: túnicas vaporosas, columnatas, intercolumnios con estatuas, jardines, flores, fuentes, estanques, etc., en todo semejante a la imagen tópica de la antigüedad griega». «Una comedia futurista, insólita y poco conocida: *El Pedigree* de Ricardo Baroja» en *¿De qué se venga Don Mendo? Teatro e intelectualidad en el primer tercio del siglo XX...*, El Puerto de Santa María, Fundación Pedro Muñoz Seca, 2004, p. 533. Añadamos que el «helenismo» parece derivar, por tanto, del Modernismo y que, en nota bastante irónica el autor indica que los personajes debían ir desnudos.

nidad, hay también una «mona de la especie gorila» y se introduce un joven de unos 30 años, vulgar, interesado en un matrimonio de conveniencia con Eva, para lograr hacerse con la fortuna que heredará la joven. Se trata de una fábula humorística (por ello no muy exigente en punto de coherencia) en que el contraste entre los valores y mundos diferentes deja en evidencia —como decía— tanto los vicios de la sociedad presente como las falsas expectativas de una «utopía» científico-filosófica, fundada en los nombres de Nietzsche, Darwin, Metchnikoff y Vacher de Lapouge[276].

El final muestra, bajo la apariencia del éxito del experimento y del final feliz (milenios después), un cierto pesimismo, ya que la raza finalmente triunfante es la de los medóricos, fusión de cuatro ancestros: los dos seres perfectos (varón y mujer), producto de la selección, y los dos más primitivos: el humano Medoro y la mona Sahara, resultante del empleo de la atracción sexual y de la ambición material. Culmina en él la parodia de todo el esfuerzo eugenésico artificial. Sin embargo, hay que descartar de la obra una explícita intención de carácter social o ideológico. La intervención inicial del supuesto autor, Juan Gualberto Nessi, así lo explica.

Estos temas de carácter científico, e incluso filosófico, el tratamiento del asunto como fantasía futurista, las formas clasicistas y las múltiples referencias literarias en la onomástica, el choque de la perfecta asepsia reproductiva con el romanticismo y el egoísmo primitivo, la parodia de los lenguajes, el humor intelectual son rasgos que permiten situar esta obra dentro de la corriente de la renovación teatral de los años veinte, de ruptura con el realismo tradicional y las formas más habituales de la comicidad, aunque deliberadamente fuera de todo interés directamente escénico, pues no parece que nunca hubiera una voluntad de representación, al menos en España.[277] A esta impresión viene a sumarse la «Autocrítica» de la edición en volumen. Bajo este rótulo, Ricardo Baroja critica al teatro comercial. Así, afirma que «mi obra no tiene sentido común; nada está en ella legitimado. No es verosímil, como las come-

---

276. El autor critica la manera extrapolada de un falso cientifismo, del cual serían ejemplos los dos últimos nombres señalados y se anticipa a otras formas de selección racial que pretenderían tener su justificación en las teorías de los dos primeros. Aporta una información muy pertinente Alberto Sánchez Álvarez-Insúa acerca de este punto, así como acerca de las relaciones con otras obras de anticipación futurista (por ejemplo, *The Times Machine*, de H. G. Wells), en el artículo citado.
277. Pío Caro hace referencia, siguiendo al propio Ricardo Baroja, al deseo de L. Pirandello de poner en escena *El Pedigree* con otras obras españolas (entre ellas tal vez *El señor de Pigmalion*, de Grau). Sin duda una versión ágil y desenfadada sería perfectamente viable. Otra de las referencias inevitables es la obra posterior de Aldous Huxley, *Un mundo feliz*. Pero este asunto queda ahora fuera de nuestra perspectiva.

dias de los Quintero, de Sassone, de Martínez Sierra, de Muñoz Seca; ni los dramas de Araquistain... de Benavente... de Ardavín o de Linares Rivas».[278] Por otra parte, se queja de las limitaciones morales que no permiten la libertad de la comedia antigua; y añade: «Yo quisiera que el Teatro fuera inmoral, sexual, trágico, bufo, inverosímil y arbitrario». Por eso no considera interesantes las habituales historias de adulterio y convencional final feliz. Pero su rechazo se amplía al teatro realista y de tesis, en general: por eso rechaza también a Ibsen, que fue, sin embargo, uno de los influjos más importantes en el cambio de siglo.

---

278. Ricardo Baroja: *El Pedigree*, Madrid, Caro-Raggio, 1988, pp. 120-121.

Capítulo VII

Ramón del Valle-Inclán en busca de un teatro total

Una vida ligada al teatro

La obra literaria de Valle-Inclán nos ofrece la imagen de un escritor dedicado intensa y exclusivamente a la literatura y que busca, a través de ella, la integración de las artes, con afán totalizador. Recorre todos los géneros, en particular los de ficción, y en cada uno de ellos su itinerario marca estilos, modos y conformaciones propios, pero no desvinculados de las corrientes generales, a lo largo de más de cuarenta años. En particular observamos la estrecha correspondencia de la narrativa y el teatro en los distintos ciclos de literatura modernista decadentista, mítico-simbólica y esperpéntica en que *grosso modo* podemos describir su trayectoria. Esta característica se aprecia de modo más específico en la creación de un universo dramático dotado de peculiar fuerza y poder de sugestión, un universo de gran complejidad y riqueza de elementos visuales, plásticos, humanos, trascendentes, en que unas constantes relacionan de principio a fin su producción a la vez que incorpora cambios importantes de perspectiva dramática y de lenguaje. Hay que reconocer la doble vinculación de la obra dramática de Valle-Inclán: a los acontecimientos históricos y sociales (y ahí la Primera Guerra Mundial fue decisiva); y a los movimientos estéticos y literarios. Como ejemplo de ello advertimos —siguiendo sus palabras— una trayectoria desde el héroe individualista decadente o el héroe de mítica hidalguía al manifiesto artístico de las multitudes, y desde la sociedad rural, arcaica y mágica, a la ciudad moderna y agitada.[279]

---

279. Dice Valle-Inclán en una entrevista con Martínez Sierra en ABC (7 de diciembre

Es idea común que Valle-Inclán estuvo durante buena parte de su vida excluido del teatro y que no logró éxitos en la escena, precisamente por el carácter innovador y nada condescendiente de su obra dramática hacia las condiciones de la representación y las necesidades de los actores. Esto es un hecho que, sin embargo, debe ser matizado. Es importante reconocer que su teatro fue marginal respecto de los modelos impuestos por la connivencia de los sectores del teatro comercial y que, sin embargo, y que su importancia, en determinados aspectos que tienen que ver con la crítica social y la forma teatral abierta, ha sido reivindicada posteriormente, tanto por dramaturgos como por críticos. Sin embargo, no podemos olvidar que fue una persona vinculada por distintos medios al teatro y que su biografía está marcada por esta relación con el teatro.

Después de los intentos infantiles de teatro doméstico, encontramos a Valle-Inclán iniciándose como actor en la Compañía de Emilio Thuiller y Carmen Cobeña. En 1898 interpreta al personaje de Teófilo Everit (poeta modernista) en la comedia de Benavente, *La comida de las fieras*. Por el mismo tiempo participa del proyecto del Teatro Artístico (con Benavente) para el que dirige *La fierecilla domada*, de Shakespeare. Este grupo ofrece en su beneficio una representación de su obra primera, *Cenizas* (Teatro Lara, de Madrid, 1899), tras el episodio de su pérdida del brazo izquierdo. Sigue después apoyando el proyecto de Teatro de Arte de Alejandro Miquis, mientras asiste a varias tertulias, sobre todo la del Nuevo café de Levante, que preside. Luego participa también en las reuniones del Saloncito del Teatro Español con autores importantes entonces: Echegaray, Ballart, Sellés, etc.

En el Teatro de la Princesa (actualmente María Guerrero) estrena en enero de 1906 su drama *El marqués de Bradomín* (adaptación de la *Sonata de otoño*). Durante ese año aparecen fragmentos dramáticos que forman parte del ciclo de las *Comedias Bárbaras*, y Valle actúa como director artístico de la Compañía de Ricardo Calvo en la representación de la obra de Galdós, *Alma y Vida*. El año siguiente se casa con la actriz Josefina Blanco, que había intervenido en esa obra, y estrena la primera versión de *Águila de Blasón*, primera de sus *Comedias Bárbaras*, en Barcelona. La obra se publica inmediatamente. Edita también *El marqués*

---

de 1928): «En esta hora de socialismo y comunismo, no me parece que pueda ser el individuo humano héroe principal de la novela, sino los grupos sociales... La Historia y la Novela se inclinan con la misma curiosidad sobre el fenómeno de las multitudes...». Y comenta el entrevistador: « La multitud es el protagonista. Se acabaron los héroes, se acabaron los conflictos individualistas». Ramón Mª del Valle-Inclán, *Entrevistas,* Madrid, Alianza Editorial, 2000, p.261. Palabras semejantes ya en la entrevista con José Montero Alonso en *La Libertad,* 16 de abril de 1926: en la misma edición, p. 194.

de Bradomín. Coloquios románticos y poco después, en 1908, *Romance de lobos*. Por entonces también convierte *Cenizas* en *El yermo de las almas*. La compañía de Matilde Moreno-García Ortega estrena en marzo de 1910 dos obras de Valle: *La cabeza del dragón* y, en otra sesión, *Cuento de abril*.

En 1910 acompaña a su mujer en una gira teatral por Argentina con esa misma Compañía de Francisco García Ortega y allí se unen los dos a la Compañía de María Guerrero y Fernando Díaz de Mendoza. Realiza entonces Valle labores de asesor literario de la Compañía y viaja por España hasta 1912. Estrena *Voces de gesta. Tragedia pastoril en tres jornadas* (en Barcelona, 1911 y en Madrid, 1912); y poco después, *La marquesa Rosalinda* en Madrid. Pero rompe con Díaz de Mendoza porque este no quiere llevar *Voces de gesta* en gira a otras ciudades.

Se traslada a vivir a Galicia, con su familia, en el otoño de ese año. A partir de un romance de ciego escribe *El embrujado*. Lo envía a Galdós, director del Teatro Español, pero es rechazado. Nace y muere su hijo Joaquín María, el primer varón. Valle, aunque realiza frecuentes viajes a Madrid, se desvincula del mundo teatral y solamente se dedica a la publicación de sus obras. Sin embargo, en 1915 Margarita Xirgu estrena en el teatro principal de Barcelona *El yermo de las almas*. Pero en la evolución del autor esta obra ya no representa su visión estética y no desea que se reponga en Madrid. Una vez más, el paso de las obras de Valle por el escenario parece algo desplazado y más bien fugaz.

Después de su visita como reportero al frente occidental de la Guerra y de los frustrados intentos de explotación agraria en Galicia, prosigue su obra dramática, que se ve incrementada en 1920 por nuevos textos, que quedan en las páginas de las revistas y luego de los libros: *Divinas palabras* (en *El Sol*), *Farsa y Licencia de la Reina castiza* (en *La Pluma*), *Luces de Bohemia* (en la revista *España*). Por entonces Valle ha regresado a Madrid. En 1921 publica *Los cuernos de Don Friolera* (en *La Pluma*). Acepta colaborar con Rivas Cherif en el «Teatro de la Escuela Nueva», uno de los intentos de renovación que se van a suceder a lo largo de esa década y en los que, de nuevo, encontramos a Valle-Inclán, desengañado ya del teatro comercial y opuesto a las preferencias y usos habituales del público. Así comenta que no sabe qué es lo teatral y niega haber escrito *para* el teatro (entiéndase ese teatro y esos cómicos). Publica algunos textos bajo el título de «Novela teatral», «Novela macabra», etc. Más aún, que ha olvidado el estreno de algunas de sus obras y, en definitiva, que la situación del teatro español se debe, sobre todo, al público: «Un público inculto puede educarse. Un público que se cree educado y que está viciado y corrompido con comedias estúpidas, no tiene remedio».[280]

Pero Valle-Inclán es reconocido y admirado como escritor. Se publican sus obras, que se traducen a varios idiomas, abundan las entrevistas y la revista *La Pluma* le dedica el número 32, de enero de 1923. Pero ya se le ha declarado la enfermedad (un tumor en la vejiga) de la que será operado varias veces. Se repone en Galicia y en 1924, de nuevo en Madrid, se estrena *La cabeza del Bautista* y se repone *Cuento de abril* en el Teatro del Centro, por la compañía de Mimía Aguglia y Enrique López de Alarcón. En 1925 Mimí Aguglia representa en Barcelona *La cabeza del Bautista*. Asiste Valle-Inclán y recibe un homenaje de los escritores. En 1926 sube a la escena *Ligazón*. Y de esta manera, los dos años de 1926 y 1927 son de vuelta a la actividad teatral directa, en relación con uno de los teatros experimentales más destacados «El mirlo blanco» de los Baroja, en una de cuyas sesiones se representan el «Prólogo» y el «Epílogo» de *Los cuernos de Don Friolera*, con el autor como actor. La continuación que pretende Valle con «El Cántaro roto», en el Círculo de Bellas Artes de Madrid fracasa en buena medida, pero antes (1926) se ha presentado *Ligazón* junto a *La comedia nueva o El café*, de Moratín. En 1927 se publica y se prohíbe *La hija del Capitán*. Valle manifiesta su aversión a la situación del teatro y declara: «He hecho teatro tomando por maestro a Shakespeare. Pero no he escrito nunca ni escribiré para los cómicos españoles. Los cómicos en España no saben todavía hablar..». (ABC, 23 de junio de 1927)[281]. Publica en volumen el *Retablo de la avaricia, la Lujuria y la Muerte*.

Los últimos intentos de representación de las obras de Valle-Inclán se producen a partir de 1931: *Farsa y licencia de la reina castiza* por la Compañía de Irene López Heredia, con decorado de Bartolozzi y dirección del autor (3 de junio). La misma Compañía repone en noviembre *El embrujado*, también con dirección del propio autor. El 16 de noviembre de 1933 Rivas Cherif, con Margarita Xirgu, estrena una versión de *Divinas palabras*, que dura pocos días y ocasiona finalmente el rechazo de Valle.

Y todavía se localiza un estreno romano de *Los cuernos de Don Friolera*, a comienzos de noviembre de 1926 (preparada mientras su autor residía en la capital italiana).[282]

---

280. R. Mª del Valle-Inclán, *Entrevistas, cit.,* p. 211. Ideas que repite con insistencia. Véase el texto de ABC, 23 de junio de 1927, recogido en p. 224.
281. Las declaraciones figuran en Juan Antonio Hormigón, *Valle-Inclán. Cronología. Escritos dispersos. Epistolario,* Madrid, Fundación Banco Exterior, 1987, p. 63.
282. Estos datos se han contrastado y corregido según las precisas y exhaustivas noticias

Como resumen, podemos decir que la escritura dramática de Valle es permanente y central en su obra y su presencia en la actividad teatral se advierte también de forma insistente pero discontinua, bien vinculado a compañías comerciales, entre las que destaca la de María Guerrero y Fernando Díaz de Mendoza, o formando parte de los intentos renovadores que se concentran a comienzos de siglo y a mediados de los años veinte. Entre 1912 y 1925 esta actividad no existe prácticamente y son escasos los estrenos. La presencia de sus obras originales en los escenarios es, en efecto, ocasional y de breve duración (en particular entre 1910 y 1912), se circunscribe a obras de tendencia «modernista» o paródica, a veces fuera ya del momento histórico adecuado, o a piezas breves de la última época, sin que aparezcan entre ellas los grandes textos. Y las representaciones no fueron, en general, acompañadas por el éxito.

UNA PERSPECTIVA DRAMÁTICA GENERAL

La creación dramática

La obra dramática de Valle-Inclán se compone de unas 25 obras, considerando todos los textos, y se puede ordenar en tres momentos, aunque haya entre ellos algunos desajustes temporales: la estética del simbolismo decadentista; su cambio y transformación que se proyecta en la época del mito y de la farsa, de 1907 a 1913; y la radicalización en la estética del esperpento. Otra manera de trazar las marcas cronológicas en esta tarea se limita a fijar dos grandes épocas: la que va de 1901 hasta 1912, en que todos los textos son de alguna forma tributarios de la estética simbolista-modernista, con inflexiones hacia la sátira y la parodia; y la que va desde 1920 a 1930, en que domina la estética del esperpento[283]. Sin embargo, esta simple división temporal, justificada por la biografía del escritor y por su evolución ideológica, se complica al relacionarla con las formas y géneros dramáticos, sobre todo en su primer período, en que encontramos

---

de José Mª Paz Gago, *La revolución espectacular. El teatro de Valle-Inclán en la escena mundial*, Madrid, Castalia, 2011.
283. Me parece necesario ofrecer el contraste de un libro clásico, el de Sumner M. Greenfield, a propósito de la división y su dificultad al referirse al arte dramático «sumamente complejo y sintetizante» de Valle-Inclán. Propone un primer periodo de seis obras, hasta 1908; otro segundo, de cinco obras, entre 1910 y 1913; y los años de plena madurez, con doce obras, desde 1920 a 1927. Y añade, sin embargo: «se puede llegar a una conclusión aún más sintética, que no hay sino dos etapas, a saber, la preguerra y la posguerra». *Valle-Inclán: Anatomía de un teatro problemático*, Madrid, Taurus, 1990 (2ª ed.), p.17.

denominaciones como «tragedia», «comedia», «farsa». Hay que decir, además, que se producen frecuentes transferencias entre los textos narrativos y los textos dramáticos por la modificación del género (narrativo a dramático: de *Sonata de Otoño* a *El marqués de Bradomín*), por la presentación de textos teatrales en colecciones de cuentos o novelas y, sobre todo, por la inclusión de personajes como Don Juan Manuel de Montenegro, el Marqués de Bradomín, Cara de Plata, etc., en obras de ambos géneros o por equivalencias como *Farsa y licencia de la Reina Castiza* y *La corte de los milagros*.

En orden cronológico, la labor de creación dramática de Valle-Inclán se resume así:

1899.— *Cenizas*.
1903.— «Tragedia de ensueño», incluida en *Jardín umbrío*.
1905.— «Comedia de ensueño», incluida en *Jardín novelesco*.
1906.— *El marqués de Bradomín*. «Coloquios románticos».
1907.— *Águila de Blasón*. «Comedia Bárbara».
Romance de lobos. «Comedia Bárbara».
1908.— *El yermo de las almas. Episodios de la vida íntima*. (Refundición de *Cenizas*).
1910.— *Farsa infantil de la cabeza del dragón*.
Cuento de abril. «Escenas rimadas en manera extravagante».
1911.— *Voces de gesta*. «Tragedia pastoril».
1912.— *La marquesa Rosalinda*. «Farsa sentimental y grotesca».
El embrujado. «Tragedia de tierras de Salnés». /En volumen, 1913).
1920.— *Farsa italiana de la enamorada del Rey*.
Farsa y licencia de la reina castiza.
Divinas palabras. (Por entregas ya en 1919).
Luces de Bohemia. «Esperpento». (Revista *España*. Versión de 12 escenas, 31 de julio a 23 de octubre).
1921.— *Esperpento de los cuernos de Don Friolera*. (Revista *La Pluma*, nos. 11-15, abril-agosto).
1922.— *Cara de plata*. «Comedia bárbara». (Revista *La Pluma*, julio a diciembre).
1924.— *La rosa de papel* y *La cabeza del Bautista*. «Novelas macabras»; luego, «Melodramas para marionetas».
Luces de Bohemia. (Volumen. Versión de 15 escenas).
1926.— *Ligazón*. «Auto para siluetas».
El terno del difunto, «novela». (Luego, en volumen, con el título: *Esperpento de las galas del difunto*).
Edición del volumen *Tablado de marionetas para educación de príncipes* (que recoge: *Farsa de la enamorada del Rey, La cabeza del dragón* y *Farsa y licencia de la reina castiza*).
1927.— *Esperpento de la hija del capitán*.
Edición del volumen *Retablo de la lujuria, la avaricia y la muerte*. (*Ligazón, La rosa de papel, El embrujado, La cabeza del Bautista* y *Sacrilegio*).

1930.— Edición del volumen *Martes de carnaval*. (*Las galas del difunto, Los cuernos de Don Friolera* y *La hija del capitán*).

Motivos de la variedad y de la unidad

Además de constatar la abundancia de textos dramáticos, sus diferentes apelativos genéricos y la correspondencia de estos dramas con los ciclos narrativos de Valle, hay que ampliar el punto de vista para señalar como esencial factor de unidad el carácter central de la perspectiva y del estilo dramático en todo el conjunto de su obra, especialmente en la última etapa. Todo puede partir, como diremos, de la visión del mundo como espectáculo y de la correspondiente manera como él concibe la creación literaria: «Otra de las dificultades con que yo tropiezo es mi afición a dramatizarlo todo... Yo necesito trabajar con mis personajes de cara, como si estuvieran ellos en un escenario; necesito oírles y verlos para reproducir su diálogo y sus gestos».[284] Por esto, Francisco Yndurain pudo escribir justamente: «No nos ha de sorprender la teatralización constante de sus páginas novelescas. Diría que casi toda su visión del mundo y personajes que nos da en el *Ruedo* proceden de contemplarlos *sub specie theatri*. Y entiendo que se trata no precisamente de una limitación, sino de una voluntad conformadora de la realidad, de una actividad creadora, no reproductora pasiva».[285] Por tanto, los textos dramáticos aparecen como la forma más propia de una visión artística generalmente teatral.

También hay que tener presente la adecuada correspondencia de la obra total de Valle-Inclán con las corrientes europeas de mayor proyección en los primeros años del siglo, el simbolismo y el expresionismo, lo que inserta su teatro en un marco más amplio (el movimiento llamado *Modernism* en Europa) y permite contemplarlo como un continuo ejercicio de creación original, de carácter experimental siempre y finalmente coincidente con las propuestas vanguardistas, con una serie de buscados equilibrios y contrastes de carácter más bien recurrente, a partir de 1906-1908.

---

284. Entrevista con Luis Calvo, ABC, 3 de julio de 1930. Está hablando precisamente de sus novelas de «El Ruedo Ibérico». Poco antes había dicho: «Me gusta mucho el diálogo y lo demuestro en mis novelas». En el Prólogo a *La corte de los milagros* había escrito que su fábula era una «sátira encubierta bajo ficciones casi de teatro. Digo de teatro porque todo está expresado por medio de diálogo, y el sentir mío me guardo de expresarlo directamente». *Opera Omnia*, vol. XXI, Madrid, 1927. Se trata, pues, de una manera artística de ver la realidad y de la técnica adecuada para presentarla.
285. Francisco Yndurain, *Valle-Inclán. Tres Estudios*, Santander, La Isla de los Ratones, 1969, pp. 46-47. Tal vez la primera referencia a este modo de ver el mundo esté en Ramón Pérez de Ayala, «Valle-Inclán, dramaturgo», *La Pluma*, 23, 1923, 19-27.

Pero estas resultan razones de índole muy general. Atendiendo al desarrollo temporal de la obra, advertimos la variedad, como se especifica en las páginas siguientes, que participa de distintas estéticas y recurre a fuentes múltiples, aunque lo determinante parece ser la diferente perspectiva del autor sobre la obra en cada caso. Al mismo tiempo, se repiten rasgos formales que dan continuidad y unidad al proceso. En resumen pueden señalarse los siguientes: el antirrealismo y anticonvencionalismo, que pueden aparecer como transgresión o como degradación. Y, por ello, frente al teatro dominante de su tiempo, los personajes no están tratados desde la óptica psicológica, sino mítica o tipológica. La busca de un teatro total, que, a su vez, sea la recreación del universo, con todas sus fuerzas cósmicas y humanas, y una imagen correspondiente de la vida, le lleva a acentuar la dinamicidad, a reforzar el movimiento, a romper las formas dramáticas cerradas y a multiplicar los espacios abiertos. Lo que cambia en los momentos sucesivos es la aplicación de ese punto de vista del autor y algunos caracteres circunstanciales del mundo representado, pero se mantienen los rasgos con que maneja las categorías dramáticas de espacio, tiempo y acción.

En realidad, podemos entender que todo el teatro de Valle es un teatro poético, escrito en verso o en prosa (incluso en una prosa rítmica y musical). El teatro poético integra lo heroico y lo elegíaco, y, por ello, puede ser mítico, paródico, degradante; todos son registros diversos de un mismo esfuerzo creador, que selecciona y estiliza (hacia lo alto o lo bajo) los elementos de su universo artístico, procediendo a una mitificación elevadora o destructora, tal como hace con el lenguaje, estilizado y expresivo, de registros contrastados. En este sentido, el tratamiento del texto teatral —literario y espectacular— se mantiene casi desde el principio en un mismo grado de elaboración integral deliberada, uniendo las réplicas de los personajes y las acotaciones, en busca, no solo del teatro total que se representa, sino del texto total con que se presenta.

PRIMERAS OBRAS DRAMÁTICAS EN LA ESTÉTICA DEL SIMBOLISMO

Consideramos en este primer periodo las obras *Cenizas. Drama en tres actos* (1899), refundida luego con el título *El yermo de las almas. Episodios de la vida íntima* (1908) y *El marqués de Bradomín. Coloquios románticos* (1906), dramas relacionados con el teatro convencional, aunque de fuerte impregnación postromántica y simbolista; y las dos piezas breves, editadas como cuentos: *Comedia de ensueño* y *Tragedia de ensueño*.

Las dos primeras tienen una extensión y una división en actos que se ajusta al teatro usual, y ambas se identifican como adaptaciones de relatos ya publicados. *Cenizas* proviene del cuento «Octavia Santino», de *Femeninas*, y muestra aún una modalidad dramática más realista, drama burgués de adulterio con debate moral e ideológico, centrado en la figura del jesuita Padre Rojas, y problemas de conciencia. (Se ha considerado, incluso, una «obra de tesis»)[286]. Pero en *El yermo de las almas* el tono es ya de marcado simbolismo decadentista y en el diálogo se insertan pasajes más evocativos y sugestivos, a la vez que se prolongan las acotaciones. *El marqués de Bradomín* resulta la versión teatral de *Sonata de Otoño*, con elementos ambientales y personajes de *Flor de santidad*.[287]

En estas obras el personaje femenino sigue el tipo de la heroína postro-mántica, que sufre, ante la muerte, la angustia de la culpa por sus amores ilícitos. Se unen en ella los rasgos de nobleza (de cuna y de carácter), la belleza ya consumida y exacerbada por la enfermedad, la fe y la condición de pecadora. Dramáticamente aparece atormentada por la presencia de su amante y de un confesor, de su madre o de sus hijas. El idilio sostenido por los amantes muestra la debilidad de ellos ante las fuerzas hostiles. El personaje masculino recrea la figura del caballero, aristócrata o artista. Y el ambiente escénico se muestra cerrado y extraño a la realidad cotidiana, muy denso de valores y referencias estéticas y religiosas. El lenguaje, demorado y de intensa emotividad. Otros detalles nos remiten a ese fondo de literatura siempre presente en Valle: por ejemplo, la mujer joven casada con un hombre anciano (el viejo y la niña). A partir de 1906 abundan las referencias al impresionismo plástico y a obras pictóricas (renacentistas, prerrafaelitas, etc.) como elementos de la caracterización escénica.

Estos rasgos nos indican que Valle se separa ya en el fondo de ese teatro usual, para preferir, dentro de un ambiente aún de tradición romántica, la novedad del teatro simbolista, de cuño decadentista, al que se vinculaba por las pretensiones frustradas del Teatro Artístico. Por ello hablamos de una tendencia antinaturalista de Valle en este momento, que se logra mediante la estilización sentimental, la emotividad estética, el rechazo del naturalismo psicológico en los personajes y el juego de un drama marcado por la subjetividad, el intimismo y el misterio, siempre en relación con la

---

286. Jean-Marie Lavaud, «*Cenizas* en el marco del teatro europeo», en *Valle-Inclán y el fin de siglo,* ed. de Luis Iglesias Feijoo, Santiago de Compostela, Universidad, 1997, p. 426.
287. John Lyon califica esta obra como un «híbrido» en que Valle mezcla el fondo coral folklórico, el refinamiento aristocrático decadentista y el carácter de una particu-lar psicología femenina: *The Teatre of Valle-Inclán*, London/New York, etc, Cambridge University Press, 1983, pp. 36-37.

amenaza de la muerte y con la sugestión del espacio físico del escenario, que constituye una atmósfera ideal y un marco lleno de implicaciones.

Entre esas obras extensas quedan dos breves relatos dramáticos, en los que Valle adapta al ambiente galaico y a su concepto del misterio, el embrujo, la pasión y el destino, la estética teatral de Maeterlinck. De ambiente rural, comienzan a crear en el escenario un mundo que expone en *Flor de santidad,* en *Jardín umbrío* y que llevará a sus obras de 1906-1912. El tono subjetivo y lírico, las réplicas sin progreso en la acción, como monólogos yuxtapuestos, con tono enfático e incluso litánico, el decorado sugestivo y evocador (muerte del día, muerte del niño; cueva débilmente iluminada) en su estilización del ambiente galaico y la presencia impalpable de fuerzas incontrolables (fatalidad de la muerte y el amor como *eros*) marcan una coherente estética que confiere identidad propia (y diferenciada de los demás) a estos dramas, cuya brevedad es otra marca de su pertenencia estética al simbolismo. En uno, «Tragedia de ensueño», la muerte ronda al niñito, al que su abuela quiere inútilmente defender (y recuerda a *La Intrusa* de Maeterlinck). Los demás personajes tienen una función coral. En otro, «Comedia de ensueño», un capitán de bandoleros queda absorto ante el misterio fascinante de una mano de mujer, que ha cortado para apoderarse de los anillos que llevaba, hasta que se pierde en persecución de un perro blanco que arrebata inesperadamente ese trofeo. Ya los nombres de los bandoleros sugieren el tono y motivo exclusivamente literario del texto: Galaor, Ferragut, Fierabrás, más bien de libro de caballerías. Otros son Solimán y Barbarroja. Además, son precisamente doce que acompañan al Capitán. Las figuras tienen, por ello, un carácter conceptual o más bien emblemático, no individual. Son figuras de una especie de retablo dedicado al misterio fascinante que relaciona la crueldad, la muerte y la atracción sexual. Hay, por tanto, todo un mundo de referencias detrás: literarias o artísticas (miembros amputados o degollación), mítico-religiosas (Cristo y los apóstoles, el bestiario, etc.).

Advertimos ya en estas primeras obras el carácter literario de las acotaciones, que se extienden y forman parte natural del texto dramático, con función emotiva y sugestiva, por encima de la meramente funcional: «El Capitán queda pensativo. Una nube de tristeza empaña su rostro, y en los ojos negros y violentos que contemplan el fuego tiembla el áureo reflejo de las llamas y de los sueños». Tiene sentido este empeño de la acotación en un teatro «para leer», dentro de una colección de relatos; pero va más allá de la mera adecuación al medio de comunicación, ya que se concibe desde la unidad fundamental de todo el texto dramático como texto literario. Se plantea una integración de formas y de géneros que trasciende las divisiones tradicionales. Esto, que es propio de la época, es también, desde ahora, una adquisición irrenunciable de Valle-Inclán. En esos textos, además, el autor sitúa todo el sistema de correspondencias literarias y artísticas que desea establecer como marco referencial de sus obras (en particular en el caso de *El yermo de las almas*, por ejemplo, donde el sistema aparece ya muy elaborado).

Nos encontramos en un «teatro de ensueño», denominación frecuente del teatro simbolista, y con ello en un arranque del más genuino teatro poético de la primera mitad del siglo. De esta manera se logra la integración de los principios estéticos de Valle-Inclán en la unidad superior de la obra: si la acción manifiesta la interconexión de todos los elementos de la realidad en las fuerzas misteriosas del ambiente, y el cosmos se espiritualiza, el texto dramático ostenta una unidad de tono y discurso entre las réplicas y las acotaciones que obedece al mismo designio de totalidad y de correspondencia[288].

EL TEATRO DEL MUNDO Y EL JUEGO DE LAS PERSPECTIVAS

El ciclo de *Las Comedias Bárbaras*

Voy a incluir, junto a las dos obras de 1907, *Águila de Blasón* y *Romance de lobos, Cara de Plata* (1922), de la que señalaré algunas diferencias. Pero debe primar en la exposición el sentido dramático unitario y la visión panorámica centrada en la aventura vital del personaje, Don Juan Manuel de Montenegro. Y este aspecto es el primero que hay que considerar, en marcado contraste con el momento anterior: de la obra breve y más bien cerrada, interior y estática, se pasa a un universo abierto, múltiple y teatralmente dinámico, en que figuran estas *Comedias Bárbaras,* pero también las tragedias, también las farsas y aún la tragicomedia *Divinas Palabras.* Toda esta producción que consideramos la visión valleinclanesca del «gran teatro del mundo».

---

288. En la denominación genérica de las obras advertimos ya también con rasgos propios de Valle, que recoge propuestas del simbolismo: «Episodios de la vida íntima», «Coloquios románticos» y, sobre todo, la difícilmente perceptible diferencia entre «tragedia» y «comedia» en dos obras tan relacionadas, a no ser porque una trata la presencia de la muerte como amenaza inevitable sobre el inocente y la otra es una historia de amor, llena de horror y crueldad, marcando ya una dirección que seguirá en las obras extensas siguientes, que reciben la misma denominación, unas «comedias bárbaras» y otras, como *El embrujado,* «tragedia».

Si hay una unidad de ambiente, perspectiva y aun de sentido dramático entre todas ellas, las tres *Comedias* forman un solo ciclo particular, unitario, establecido por la presencia de Don Juan Manuel, el vinculero, y la familia: su esposa, Doña María, la ahijada Sabelita, y los hijos. Y, de fondo, pero con presencia constante que se individualiza en figuras destacadas, el mundo rural y todavía arcaico de una Galicia muy literaturizada, donde encontramos a Fuso Negro, el Abad, el Ciego de San Lázaro, Don Galán y un amplio conjunto coral. La crítica ha insistido por igual en la integridad de las tres obras y en la diferencia de perspectiva estética entre las dos primeras (vinculadas a un simbolismo medievalizante) y la tercera (más próxima a la estética del esperpento).

Como en otros casos, este personaje central y algunos de los hechos de las comedias aparecen primero circunstancialmente en ciertos relatos: en «Rosarito», de *Femeninas* (1895) y en la *Sonata de Otoño* (1902), en el relato «Don Juan Manuel» (*El Imparcial*, 23-IX-1901) antes de las versiones teatrales. Y, de forma casi contemporánea, en las novelas del ciclo carlista: *Los cruzados de la causa* y *El resplandor de la hoguera* (1908-1909).[289] Otros aspectos que se refieren al mundo galaico, a sus tradiciones, folklore y personajes populares aparecen también en textos narrativos (ya desde *Flor de santidad* y la *Sonata de otoño*) y teatrales (*El marqués de Bradomín*). Hay que señalar que el personaje, en esta migración de obras y géneros, no mantiene siempre los mismos rasgos y que, desde luego, su más perfecta definición está en estas «Comedias», hechas como su proyección y a su medida.

Porque la historia dramática presenta la destrucción de una familia hidalga, víctima a la vez de unas circunstancias históricas (que se suponen más que se presentan) y de los excesos de un poder que se descompone, sobre todo por el asalto de los hijos, tras la muerte de la madre. El personaje central de Don Juan Manuel aparece entonces marcado por la soberbia, la lujuria, la violencia y, al mismo tiempo, por la actitud paternal y finalmente por un radicalismo cristiano que busca la redención. Ese personaje representa a la vez un modelo social, ya perdido en tiempo de Valle, y un arquetipo personal, en el que se conjugan los aspectos más generales (pasiones o impulsos) de la humanidad, en grado sobresaliente.

De esta manera, el conflicto se ofrece articulado en tres dimensiones fundamentales. En *Águila de Blasón* domina el lado moral de Don Juan Manuel, que rapta a su joven ahijada Sabelita, para convertirla en su

---

289. Para estos aspectos y el comentario sobre las obras: Pilar Cabañas, *Teoría y práctica de los géneros dramáticos en Valle-Inclán (1899-1920)*, La Coruña, Ediciós do Castro, 1995.

barragana; en *Romance de lobos*, la culpa personal sigue existiendo, pero ahora el conflicto se plantea (por necesidades económicas y ambiciones) entre el padre y los hijos, para terminar con una alianza entre los pobres y el mayorazgo, que los hijos deshacen. Pero hay un tercer conflicto, que se muestra como anterior a estos, según la cronología de las obras, en *Cara de Plata,* y tiene su expresión en la lucha entre los derechos del hidalgo y su voluntad contra las exigencias y necesidades de los demás: los pastores y los clérigos. Al colocar esta obra en su lugar inicial, el conjunto creo que recibe esa perspectiva integradora de sociedad, familia e individuo, con el regreso hacia el pueblo, la colectividad desamparada, desde la soberbia del aislamiento semifeudal.

Por todo ello, en el conjunto hay una perspectiva histórica implícita, una representación social (definida por rasgos económicos, pero también culturales y tradicionales) y una acción de carácter épico personal, pues el personaje se define en su mismo hacer. Una opinión de Valle-Inclán nos puede interesar a este respecto: «He asistido al cambio de una sociedad de castas (los hidalgos que conocí de rapaz), y lo que vi no lo verá nadie. Soy el historiador de un mundo que acabó conmigo. Y en este mundo que yo presento de clérigos, mendigos, escribanos, putas y alcahuetes, lo mejor —con todos sus vicios— eran los hidalgos».[290] No es, sin embargo, la perspectiva histórica la que domina, sino otra mítica y dramática, a partir todavía de la estética simbolista. En esa dimensión específicamente literaria, se integran estos tres aspectos, histórico, heroico-personal y social, perfectamente implicados para construir un universo en que Galicia y lo galaico, fuente y referente real de su creación personal, confiere unidad superior de ambiente a la multiplicidad de hechos y lugares. Y esta creación se apoya en los conflictos histórico-sociales, en el paisaje humanizado y en el lenguaje evocador.

Sin embargo, Valle-Inclán, entre 1906 y 1907 se muestra «lleno de dudas», consciente de que persigue una nueva manera. De esas dudas son también restos la propuesta de llamar a sus obras «novelas», por su carácter épico. Una vez aceptada por la crítica su esencial dramaticidad y plausible teatralidad, se evidencia a la vez la idea transgenérica y el carácter de límite (y de integración) con que se plantean y escriben, lo que se muestra en el título mismo. Ya se habló de esta transformación de los géneros en la práctica transgresora de Valle.

Porque tanto el sustantivo «Comedia» como el calificativo «Bárbara» han de ser entendidos en la peculiaridad de la escritura dra-

---

290. Carta a Rivas Cherif, publicada como «la comedia bárbara de Valle-Inclán», *España,* 409, 26 de febrero, 1924.

mática de Valle-Inclán. La «comedia» no lo es según el uso restrictivo de la palabra, sino como obra dramática que encierra en sí misma un mundo complejo, representación total de la vida, que mezcla aspectos terribles, dolorosos, cómicos, incluso bufonescos y sagrados. Se opone por su variedad a la tragedia y alude a una cualidad supragenérica, cuyo modelo es la comedia aurisecular española, tanto en los incidentes como en la disposición temporal y escénica.

Y es «bárbara» como algo violento, exagerado, fuera de norma (clásica), que representa algún tipo de mundo primitivo, con personajes crueles y déspotas o sumisos y cautivos, con leyendas, tradiciones, ritos que todavía mantienen la memoria del pasado medieval. Y es también bárbara respecto de la comedia, limitada, comedida y linealmente planteada y concluida, según el modelo vigente (con su variante regionalista) para la burguesía urbana del momento. En conjunto se opone también al drama rural, planteado igualmente según una visión burguesa del campo, al historizar la acción, sintetizar los motivos morales en rasgos de carácter y multiplicar los centros de interés. Jean-Marie Lavaud insiste en el aspecto trágico que configura el tratamiento de los personajes y de la acción, pero considera también que, en efecto, no se trata de tragedia, aunque se puedan identificar conflictos trágicos, según lo que el propio autor manifestó: «Cada día creo con mayor fuerza que el hombre no se gobierna por sus ideas ni por su cultura. Imagino un fatalismo del medio, de la herencia... siendo la conducta totalmente desprendida de los pensamientos...».[291]

En definitiva, destacamos en ese conjunto los siguientes aspectos que vamos a comentar: organización dramática, que se vuelca en un concepto del teatro; tratamiento del tiempo; caracteres de los personajes; complejidad e integración de aspectos antitéticos; el texto dramático y el lenguaje.

—*Organización dramática*: La escena viene a ser la unidad básica del sistema, la pieza esencial, en que coinciden espacio-tiempo-acción, con vitalidad propia, relativa autonomía y carácter íntegro (principio y fin de una acción particular). Los actos representan una unidad superior, aunque el número de escenas no parezca regulado, excepto en *Cara de Plata*. Esta división en escenas determina un modelo de tratamiento en que la acción y del tiempo obedecen a la conformación múltiple y fragmentaria del espacio dramático, según la conocida opinión de Valle-Inclán: «Este absurdo de querer encerrar la acción dramática en tres lugares —gabinete, patio andaluz, salón de fiestas—ha hecho de nuestro teatro, antes frágil y

---

291. Véase Pilar Cabañas, *Teoría y práctica de los géneros dramáticos en Valle-Inclán (1899-1920), cit.* Coincide en parte Jean-Marie Lavaud, «Valle-Inclán y la Comedia», en *Valle-Inclán. Escenarios,* Santiago, Universidad de Santiago de Compostela, 2000, p. 252.

expresivo, un teatro cansino y desvaído. Nuestro teatro fue siempre un teatro de escenarios, de muchos escenarios...». (1930). Y más concisa y claramente define lo que ya había hecho veinte años antes: «Se parte de un error fundamental, y es este: el creer que la situación crea el escenario... al contrario, es el escenario el que crea la situación». [292]

A partir de esta individuación de escena/escenario, los personajes se multiplican, según el lugar donde existen o se encuentran, creando grupos corales como formas humanas de configurar la espacialidad. Y las figuras principales multiplican los frentes de su actividad, sometidos a frecuentes desplazamientos. La acción pierde así su carácter de centralidad y su unicidad de perspectiva. Más que una visión de perspectiva exterior sobre un plano, resulta un volumen, en que cada parte no se somete a un orden de subordinación y causalidad estricta, sino que se integra en el conjunto a partir de su propia dinámica particular, dando así un tono variado por el contraste. No es que desaparezca el conflicto central articulador de la acción en cada una de las comedias, sino que no hay el equivalente de una visión directa y frontal, sino multiplicada por radios que marcan los intereses de los actantes.

En la *dimensión temporal* de las Comedias de 1907 domina la fragmentación y, sobre todo, la discontinuidad. De esa manera hay largas escenas, incluso con cambios de lugar, y hay distintas escenas que parecen simultáneas. Se insiste en los contrastes entre el día y la noche (elemento estructural en *Cara de Plata*) y en el carácter subjetivo de la duración, hasta concebir un tiempo interior, psicológico o fantástico en algunas escenas (visión de Doña María). La duración parece depender más de las sensaciones de los personajes que de la marcha de las horas. Y el dramaturgo alarga o acorta también la duración, suspende o prolonga la acción de manera altamente subjetiva. Dilatación, fragmentación y discontinuidad son rasgos de la organización del tiempo en las *Comedias*. Por todo ello ha concluido Pilar Cabañas, en su análisis, que las dimensiones espacial y temporal apuntan en la dirección del perspectivismo y la representación subjetiva como principios dramatúrgicos superadores de los modelos realistas del siglo diecinueve. Y también esto contribuye a la variedad, es decir, al volumen del mundo dramático.

Los personajes o figuras del retablo. A efectos de explicación se pueden dividir en tres grupos: las figuras principales, que incluyen protagonistas y antagonistas: Don Juan Manuel, Doña María, Sabelita, «Cara de Plata»

---

292. Entrevista en ABC, 23 de junio de 1927. Y añade por ejemplo cómo imagina él la escritura de la escena de los sepultureros en *Hamlet*, a partir, precisamente, de la creación de un espacio: el cementerio.

y el Abad (en su obra), junto con los demás hijos; las figuras complementarias, que pueden ser también fuerzas activas o intermediarias: Don Galán, Fuso Negro, sobre todo, aunque también los que representan las nuevas fuerzas sociales del estado burgués; otras figuras actúan en grupo, colectivamente, y forman el fondo, el coro, las víctimas o los súbditos. Representan diversas imágenes del pueblo (entre el coro de mendigos de *Romance de lobos* y los pastores de *Cara de Plata*), en el orden de una visión tradicional, arcaizante.

Los personajes principales están concebidos desde el modelo del arquetipo que representan, y, en particular, Don Juan Manuel de Montenegro. Encarna el vicio, la desmesura, la autoridad, la soberbia... Pero también sus hijos, con la ambición, la crueldad, la violencia, la lujuria... Forman un conjunto de conductas humanas movidas por los resortes de la pasión y el instinto. Por ello su individualidad resulta más de su posición y de su exceso que de los rasgos diferenciadores, aunque también los hay. Pero Don Juan Manuel experimenta cambios y movimientos de ánimo (más que transformaciones) que le llevan desde el desafío diabólico a la muerte sacrificial, mostrándose así el eje de toda la trilogía. Y por ello en él, sobre todo, aunque no exclusivamente, se verifica la conjunción de las tres dimensiones fundamentales: la dimensión histórico-social (ejemplar de un mundo feudal, cuyos restos desaparecen, víctima de los cambios históricos y de su propia guerra interna); la dimensión espiritual, que afecta a ese mundo de pasiones, creencias, sentido del mundo; la dimensión teatral, ya que Valle-Inclán es coherente en la presentación de los personajes con esa idea plástica del retablo (tan presente en algunas acotaciones) o dramática del «theatrum mundi», y por ello Greenfield ha escrito: «La teatralidad que distingue la aparición de don Juan Manuel de Montenegro en *El Marqués de Bradomín* se intensifica en *Águila de Blasón*, y luego penetra por todas partes de la trilogía... Don Juan Manuel es actor, aunque las más de las veces sin saberlo...».[293] El mundo es un teatro en que se muestran y luchan las fuerzas elementales de la vida, que resume el último de sus títulos: «avaricia, lujuria y muerte». Y esas fuerzas se apoyan en fuertes creencias tradicionales y aun en poderes sobrenaturales que son efectivos a través de las creencias y que articulan el universo dramático de relaciones y valores.

Por ello podemos observar en estas piezas, por una parte, la síntesis de dinamismo (vital), de plasticidad (cromatismo, gestos, actitudes escultóricas, escenas mágicas, visiones) y simbolización (luz/sombra, salvación/condena). Y, en definitiva, como analiza Antón Risco, un

---

293. Sumner M. Greenfield, *Valle-Inclán: Anatomía de un teatro problemático, cit.*, p. 67.

mundo de división maniquea, de antítesis entre instinto y dogma, vida (erotismo, afirmación) y muerte (corrupción, separación), religión y magia, devoción y sacrilegio. Maniqueísmo que se resuelve en la superior unidad de ambiente y humanidad, en esa integración preconizada de tragedia y comedia que, a su vez, establece una diferencia entre la elevación mítica de las dos comedias iniciales y la degradación de ese mundo en la última. [294]

Y es que *Cara de Plata* se distingue de las anteriores por la estructura y por el tono. Se organiza en tres actos, pero con un sistema de simetría numérico en cada acto; hay en su discurrir una intensificación temporal, que estrecha la acción en unas horas; se marca el paso del tiempo por efecto de las luces; una mayor concentración de la estructura dramática y del protagonismo. Por otra parte, se acentúan los rasgos esperpénticos tanto en la actuación del hidalgo, como de sus hijos. Fuso Negro ofrece otra visión degradante de la sociedad y una lujuria grotesca. Y el principal antagonista, el Abad, se deforma en sus gestos y en la inversión de su oficio, al encomendarse al diablo. Lo religioso, lo mágico, lo épico y lo lírico, se deforman dentro de ese ambiente y universo de la «Comedia Bárbara». También el lenguaje.

El texto dramático en estas obras sigue aumentando la extensión de las acotaciones y se acentúa su carácter narrativo, que permite articular varias acciones en distintos lugares dentro de la misma escena. La extensión, complejidad y elaboración literaria, acorde con las réplicas, apunta a la creación de un texto dramático total (en correspondencia con el espectáculo total que quiere ser) y a la superación de las categorías genéricas y a los límites convencionales, tal como el movimiento modernista había propugnado.

Del lenguaje dramático de las *Comedias* se puede destacar la creación del ambiente señorial, rústico y popular a la vez, con frases precisas, sentencias, pero también expresiones violentas, exclamaciones, maldiciones, etc. Un lenguaje de gran tensión emocional y de indudable belleza, sugestivo por el uso de las construcciones del gallego en castellano, el recurso a los cultismos y al léxico rural, hasta dar con una lengua evocadora, que remite a modelos literarios —como ha mostrado Risco— en la estilización de los plantos, plegarias, cantares y dichos y adivinanzas, en el uso de las figuras retóricas, metáforas y sinécdoques, y que potencia el carácter rítmico y melódico de la prosa, con marcado carácter arcaizante.

---

294. Dentro de esta mirada hemos de comprender las figuras de Don Galán y Fuso Negro, como antítesis burlesca del Mayorazgo el primero, como aspecto negativo, turbador, demoníaco de la locura del mundo el segundo. En cualquier caso, remiten a Shakespeare y, en concreto a la doble figura de Lear y el Bufón.

En cuanto al significado que podemos atribuir a estas obras parece que debemos alejarnos de atribuirles un concreto contenido moral o político-ideológico, por más que ahí aparezcan un universo de valores morales y unas referencias ideológicas, que forman parte del mundo de los personajes. Valle se aleja también en esto de una cierta parte del teatro contemporáneo español, moralizador o regeneracionista. Sin embargo, dramáticamente estas *Comedias* nos permiten establecer unas series de relaciones y de contrastes. Galicia aparece como referente literariamente convertido en un universo mítico y estético, lejos de cualquier visión de regionalismo costumbrista[295]. En ella el lenguaje es un creador fundamental del ambiente dramático, distante también de la mímesis del habla regional. En relación con el teatro español, representa además, el rechazo del modelo de Echegaray, el distanciamiento de la comedia benaventina y una alternativa a la comedia cómica y al drama rural. Finalmente, se sitúa bien en la órbita del teatro europeo contemporáneo más renovador, a partir del simbolismo, teatro de imágenes y palabras que determinan un mundo original, con una estructura de «obra abierta», en contraste con la estructura cerrada tradicional. Una renovación que parte y pasa por la escena, por la proyección de la acción dramática, que remite a Shakespeare y al teatro alemán, inglés e italiano de entreguerras. En este sentido, se ha propuesto la correspondencia de las *Comedias bárbaras* con el drama expresionista, lo que no es aceptado por todos[296].

Por mi parte, considero que en estas obras Valle parte del simbolismo, desde la recreación personal de su mundo primitivo, arcaico y fuertemente literaturizado, pero lo prolonga y supera, encaminándose hacia una estética moderna, que irá desarrollando con sucesivas inflexiones, en que se produce la integración de los contrarios y se refuerza la ambigüedad, se destaca la autonomía artística de la obra, por encima de su valor de *mímesis*, y se presenta un grado mayor de ambigüedad en la conjunción de los

---

295. Respecto de los valores, conviene recordar estas declaraciones de Valle-Inclán: «Cada día creo con mayor fuerza que el hombre no se gobierna por sus ideas ni por su cultura. Imagino un fatalismo del medio, de la herencia y de las taras fisiológicas...». En este sentido, el mundo natural es una fuerza dramática de gran importancia y resolución.
296. Entre los que aproximan el teatro de Valle al expresionismo están Pérez Minik, Alfonso Sastre, Salvador Matilla, Ángel Loureiro o Luis T. González del Valle. Sin embargo, esta referencia suele recaer más bien en los Esperpentos, incluso por la correspondencia temporal, aunque merecen tenerse en cuenta, para las *Comedias Bárbaras*, la argumentación de Harald Wentzlaff-Eggebert, «Las *Comedias bárbaras* y el expresionismo dramático alemán», en *Suma Valleinclaniana*, Barcelona, Anthropos, 1992, pp. 251-267; y las justificaciones de Serge Salaün en «Valle-Inclán, dramaturgo simbolista y expresionista», en *Valle-Inclán en el siglo XXI*, La Coruña, ediciós do Castro, 2004, pp. 125-141, quien afirma: «Valle-Inclán efectúa una asimilación y reutilización muy personal (...) del Simbolismo y del Expresionismo» (p. 125).

opuestos, como individual y colectivo, o de las marcas dramáticas de héroe y antihéroe. Aunque todavía tales categorías aparezcan como distinciones con vigencia.

Teatro poético: cuento y tragedia

Distinto planteamiento —más idealizado y coral, dentro de los cánones del teatro poético cercanos al interés del público— tienen otras obras también de la época intermedia: *Cuento de abril* y *Voces de Gesta*. Dos versiones ideales, en clave de evocación lírica y de tragedia primitiva, del pasado, fuertemente arraigadas en una visión de lugares comunes literarios[297]. Ambas fueron representadas en 1910 y 1912, respectivamente, y la segunda al parecer con notable éxito en Barcelona, por ejemplo.

Alabadas como modelos de teatro poético en su momento, la crítica posterior ha prestado menos atención a estas obras, que parecen representar un tributo del autor a las convenciones del drama modernista y del público. En el caso del *Cuento de abril* se eleva en busca de una estética de lo refinado, lejano y sutil, presentando a una dama, La Princesa de Imberal, próxima a las del mismo Rubén Darío, amada por un trovador, aunque ella espera a un Infante castellano, al que está prometida. Modernismo estético y modernismo literario, como juego de estilo y formas poéticas, se juntan para crear esta imagen convencional de personajes simplificados. Aquí funciona el sistema binario de oposiciones (cuyo axis es la Princesa) entre la refinada corte Provenzal (lugar de la acción) y la dura y evocada Castilla de la guerra, cuyas costumbres representa el Príncipe. No puede haber entendimiento ni acuerdo. Pero queda la idea de una visión dual, tal vez complementaria, de la vida.

En la tragedia *Voces de gesta* Valle-Inclán recurre a una visión idílica, aunque brutalmente perseguida y destruida, del pasado. Y, por tanto, se puede ligar esta obra a la tendencia modernista de recreación ideal de un tiempo original, primitivo, ya presente en otras obras del autor y de su admirado Rubén. Su estilo literario, en verso, es el que corresponde al tiempo y a la acción. Pero aquí no hay historia, sino es la de la lucha de culturas y conquistas, fuera de fecha, representada por un rey del pueblo de pastores, el Rey Carlino, sustento de la tradición vinculada a la tierra, y

---

297. La continua referencia a esta categoría del teatro poético en los críticos de la época, que abarca tanto tema (fantasía, mito, leyenda) como visión subjetiva y técnica con recursos propios del lenguaje (verso), frente al drama realista, es recogida y estudiada en Pilar Veiga Grandal, «Valle-Inclán y el teatro poético: Breve estado de la cuestión», *Anales de Literatura Española Contemporánea*, 31, 3, 2006, pp. 67-98.

un invasor despiadado, el Rey Pagano. Estamos en el terreno del mito y del espectáculo que remite a un modelo o «libreto wagneriano», según el propio autor. Un crítico de la época consideraba Voces de gesta «próximas a la perfección» y destaca la verdad de las figuras, dentro de su simbolismo y de su origen puramente imaginativo; y José Rogerio Sánchez esribía que en esta obra Valle-Inclán había «forjado un poema inmenso, donde las almas acuerdan sus emociones a la expresión con la ingenuidad de un vivir colectivo...», algo que era «mitad himno, elegía la otra mitad»[298].

Aunque de manera indirecta, y a través de alusiones a los «fueros», etc., Valle-Inclán se refiere a la concepción tradicionalista del carlismo, sin que haya en la obra proclamas de orden político, sin duda su propuesta, fuera de la dimensión dinámica e histórica de las *Comedias*, apunta al ideal de una sociedad arcaica que le atrae estéticamente y cuya destrucción considera un hecho trágico, digno de ser cantado. De ahí la sensación de inmovilidad y estatismo de la obra. Los acontecimientos ocurren entre los actos, y su centro no es tanto el Rey Carlino, que en buena parte desaparece, como su nieta, Ginebra, que es cegada por los soldados enemigos y violada por su capitán. De resultas de este abuso, tendrá un hijo, que, a los diez años es asesinado por su propio padre. Ginebra se venga degollando al asesino. Luego, busca al rey, llevando la calavera, hasta que lo encuentra, tras otra batalla perdida, mucho tiempo después, a punto de morir, junto al «árbol foral», símbolo de la esperanza en la restauración del pueblo y de sus tradiciones. La muerte de Carlino puede representar el traslado de una monarquía declinante (como su nombre sugiere) al pueblo, en quien reside la idea motriz de la tradición, que estaría representada por Ginebra.

En un caso y en otro, Valle recurre a un estilo de marcado énfasis, que insiste más en los motivos literarios, juego del amor o lamento y elegía, que en la dinámica escénica. El tiempo pasa, pero no juega más que como referente. Parece que Valle agotó, en estas fórmulas, dos tipos de cuento, al fin y al cabo, en su intento de crear un mundo dramático puro, basado en la concepción poética del Modernismo. Y, casi al mismo tiempo, comenzó a practicar otro tipo de juego teatral, más libre, basado en el movimiento, la ironía y la parodia, con las farsas.

Pero todavía intenta una recreación de su mundo mágico en la obra *El embrujado*, de nuevo situada en una Galicia reconocible, pero transforma-

---

298. José Rogerio Sánchez, «El teatro poético: Valle-Inclán. Marquina, Estudio crítico» en La *renovación teatral española de 1900*, ed. de Jesús Rubio Jiménez. Madrid, ADE, 1998, p. 135.

da en elemento del drama gracias a la relación del paisaje con la vida humana, a través de unas pasiones que parecen sintonizar con el color, el aire, el agua, y por efecto de la presencia misteriosa y efectivas de las fuerzas cósmicas a través de ellas. Se publicó ya a finales de 1912, por entregas. La versión definitiva aparece en libro en 1913, subtitulada entonces *Tragedia de tierras de Salnés*, y de nuevo dentro del volumen *Retablo de la avaricia, la lujuria y la muerte*. Con esta obra cierra su primer ciclo de composiciones dramáticas, y solo ocho años más tarde volverá a las publicaciones.

La denominación de tragedia tiende a presentar una obra con características genéricas definidas y marcada por la regularidad en cuanto a su planteamiento dramático, división de actos y de espacios, centralidad de una acción única, que presenta el conflicto entre unos personajes bien situados en su medio físico y en su lugar de la estructura dramática. Esta impresión se refuerza por el hecho de que las jornadas lleven título: «Geórgicas», «Ánima en pena» y «Cautiverio», que tanto confirman el carácter de unidad de su contenido como aluden a lo rural, misterioso y fatal de la acción. Escrita en prosa, busca también la expresión poética con largas y sugestivas acotaciones y con un marcado uso de frases hechas, oraciones, refranes, sentencias, conjuros, etc. Hay que recordar que, en la versión de folletín, se denominaba «Comedia Bárbara» y que el término tragedia aparece en la edición de 1913. En esta, todos los cambios indican una voluntad de coherencia y concentración de acción y de tono acorde con la denominación genérica[299].

Otra cuestión sería localizar el sentido de tragedia si lo aplicamos a género dramático. El enfrentamiento y conflicto de intereses lleva, en efecto, a la muerte de un inocente, un niño, y a la pérdida o fracaso de los personajes en pugna. Pero los rasgos de universalidad y de fatalidad no parecen tan evidentes en esta acción. Cada uno de los tres principales actores del drama está marcado por rasgos dominantes: Don Pedro Bolaño, por la soberbia y, sobre todo, la avaricia, aunque con dignidad en su dolor solo; Rosa Galans, la Galana, por su brujería y el poder sexual al servicio de una ambición torpe que infunde miedo; Anxelo, por su culpa y su temor a la condenación, que le domina y cautiva. La trama se refiere al intento de hacer pasar a un hijo de Rosa y Anxelo como nieto de Don Pedro, cuyo hijo (y padre supuesto de la criatura) habría sido poco antes asesinado por el mismo Anxelo. Su origen, más o menos remoto, está en un romance de ciego que, en octubre de 1912, oyó Valle-Inclán cerca de Villagarcía, y que también se

---

299. Jean-Marie Lavaud, «El embrujado: de la comedia bárbara a la tragedia de tierras de Salnés», en *Quimera, Cántico. Busca y rebusca de Valle-Inclán...*, Madrid, Ministerio de Cultura, 1989, t. I, 143-151.

publicó en la prensa, sobre un crimen local. Una huella queda en el romance que el Ciego de Gondar recita en la obra misma.

Encontramos aquí un regreso al mundo arcaico, y, sobre todo, mágicamente sobrenatural de *Tragedia de ensueño*, y al ambiente de los relatos de *Jardín umbrío*. También a los espacios interiores de *Las Comedias...*, y a su geografía, habitada y recorrida por mendigos, feriantes, campesinos e hidalgos con sus sirvientes, todos ellos figuras de un retablo humano, tal como el texto los presenta. La mayoría, el pueblo, conjunto humano ambientador y coro que comenta los hechos, no es parte activa del núcleo del drama. Ya no se percibe la ingenuidad de las primeras obras ni la complejidad contrastada de las otras, aunque Valle recurre a las poses de carácter estatuario, a las referencias religiosas, a continuos murmullos y voces llenas de misterio, por medio de las acotaciones: «sintiendo en el oscuro enlace de todas las cosas lo irreparable y lo adverso del Destino». Este universo dramático se presenta ahora para ser creído inmediatamente por el espectador y no para ser contemplado como un espectáculo del mundo. La estructura dramática es muy estática y apenas presenta un momento de tensión interior y de enfrentamiento y cambio en cada acto, hacia su final; el desarrollo se apoya en un lenguaje melódico, rítmico, también coral, y alusivo a hechos adivinados pero dudosos. Es la manera sustitutiva de mantener o crear la tensión. Dentro de una consideración indudablemente positiva, Díez Canedo, en 1931, escribía: «Drama sombrío, desarrollado entre forcejeos de codicia e impulsos de amor [...] tiene mucho de estampa popular, de drama estático, aun en los momentos de mayor violencia. Y debe su atractivo más seguro a la palabra, que cobra, en el recitado, un vigor y energía que el libro esconde en potencia y solo el teatro llega a declarar».[300] Por otra parte, la expresión del poder diabólico en forma de animal (aquí el perro que parece ser una forma de presencia que acompaña a la bruja Galans) nos anticipa también motivos de sus obras posteriores: *Divinas palabras* y *Cara de plata*. Es este el aspecto más sugestivo e inquietante, porque, en verdad, ni los personajes, ni los conflictos (basados en pasiones vulgares e incluso mezquinas, a pesar de la presencia del crimen) alcanzan a elevarse a una dimensión trágica.

El teatro poético: Farsas

Cuatro obras se reúnen en este apartado, por razón de su referencia genérica, que figura a continuación de los títulos particulares, y por la reu-

---

300. Enrique Díez Canedo, «El embrujado», en *Artículos de crítica teatral. El teatro español de 1914 a 1936. V. Elementos de renovación*, México, Joaquín Mortiz, 1968, p. 29.

nión de tres de ellas en un solo volumen, editado en 1926 y titulado *Tablado de marionetas para educación de príncipes.* Advertimos aquí un rasgo de orden estético, el tablado (como luego será el retablo) y las marionetas, en el sentido de personajes sumamente artificiales y simplificados. Y otro rasgo de carácter irónico, pues difícilmente se pueden entender desde un propósito didáctico y menos aún en relación con príncipe alguno, en esas fechas. Con lo que la sátira implícita refuerza la evidencia de la autonomía del arte dramático de Valle.

La escritura de estas farsas se extiende también a lo largo de este tramo central de su producción teatral, entre 1910 y 1920, con esta distribución posible: *La cabeza del dragón (Farsa),* 1910; *La marquesa Rosalinda,* 1912. Estas dos obras se editan y estrenan en fechas próximas a su redacción. *Farsa de la enamorada del rey, dividida en tres jornadas,* y *Farsa y licencia de la reina castiza* pertenecen a 1920; la primera se publica en volumen y la segunda en la revista *La Pluma.* Tres de ellas se reúnen en el volumen citado de 1926, con cambios en la titulación: *Farsa italiana de la enamorada del rey, Farsa infantil de la cabeza del dragón, Farsa y licencia de la reina castiza.* De alguna manera, por la organización dramática (actos/escenas) y por el mundo dramático representado, este volumen recoge una estructura tripartita, con una breve pieza entre dos largas, según la afición a la simetría en las compilaciones de Valle-Inclán.

La farsa infantil... recurre a la fábula del príncipe Verdemar que, con ayuda de un duende, antes liberado por él, se enfrenta y mata al dragón que reclamaba la vida de la Princesa. Y para conseguir su reconocimiento debe demostrar la verdad de su acción, frente a un tramposo espadachín y bandolero. *La marquesa Rosalinda* es la más llamativamente concebida como un espectáculo plástico-musical, en que el lenguaje artístico penetra intensamente las acotaciones, que ya se escriben en verso también, dando unidad superior al texto: «Se ha detenido al pie de la cancela / un carro de farsantes italianos. / Colombina, Pierrot, Polichinela / entran bailando asidos de las manos». Y Arlequín, disfrazado como un caballero desconocido, hace el amor a la marquesa para medrar, abandonando a Colombina, aunque amenazado por las iras del marqués, «celoso intermitente».

La Farsa de la enamorada del rey presenta la dualidad venta (pueblo)-palacio (corte) en los espacios y personajes, con una visión ingenua y simpática de la joven Mari-Justina, enamorada de una imagen falsa, idealizada, de un rey viejo, cuya corte se presenta ya con rasgos marcadamente caricaturescos. La acción pasa por la intervención de maese Lotario, poeta, que lleva una carta de Justina para el Rey. La evocación escénica de la venta cervantina y castellana se opone a la corte borbónica, de aspecto italianizante[301], permite crear también dos perspectivas, la humana y comprensiva de Cervantes y la satírica de Valle sobre una monarquía servida por muñecos o fantoches, que representan una España oscurantista y retrógrada, de la que se libra la figura humana y comprensiva del Rey, el único que tiene cierta conciencia de sí. Frente a la miseria de la realidad, la obra termina proclamando un «Reino de fantasía» donde pueda cobijarse la «locura ideal» de María-Justina. Y de nuevo el contraste en equilibrio entre lo sentimental y lo grotesco es marca estructural de esta obra.

La Farsa y licencia de la reina castiza desarrolla un argumento basado lejanamente en hechos reales, un engaño y una extorsión, con una figura caricaturesca de la reina Isabel, en sintonía con el resto de la producción literaria de Valle-Inclán posterior a la Guerra Mundial y próxima a la serie novelística de *El ruedo ibérico*. El contrate estético y tonal de las otras farsas deviene aquí deformación, y la integración pasa a ser inversión estética, apoyada además en un nuevo uso del lenguaje, ya que la adecuación entre estamento social y registro lingüístico, se rompe a favor de un desgarro expresivo por el uso sistemático del lenguaje callejero, vulgarismos, germanismos, caló, flamenquismos, etc. El supuestamente elevado carácter amoroso de las otras farsas (aunque resultara falso) es aquí un revuelo de intrigas con inmediato interés económico, y mundo aristocrático y plebeyo se confunden e igualan en sus conductas y en su lenguaje. Ya desde el comienzo el autor, en famosos versos, señala su perspectiva estética, la que corresponde a la modernidad de su arte:

> Corte isabelina,
> befa septembrina.
> Farsa de muñecos...
> Mi musa moderna
> enarca la pierna,
> se cimbra, se ondula,
> se comba, se achula
> con el ringorrango
> rítmico del tango
> y recoge la falda detrás.

La estética bufa responde al envilecimiento de la realidad que se pretende poner de manifiesto, incluso con la vulgaridad del engaño y sus moti-

---

301. Además de estas referencias intertextuales, se han señalado las que atañen al caballero Casanova, a Don Juan y a los cuentos de Rubén Darío: «El palacio del sol» y «El velo de la reina Mab».

vos. Podemos hablar de deformación expresionista, aunque la farsa tienda a una comicidad que no es la distanciada burla del esperpento.

La farsa valleinclanesca comparte con el resto de su teatro un marcado dinamismo, con una evolución que se advierte entre la primera (supuestamente infantil) y la última, marcadamente grotesca y violenta. A la vez, supone la creación de una forma propia, que recoge y transforma una modalidad genérica común. Y, en tercer lugar, se perciben en ellas una serie de estratos de referencias literarias e intenciones críticas que las presentan como mecanismos escénicos muy complejos. En ellos se produce de nuevo una peculiar integración del carácter plástico y visual (escenografía, iluminación, vestuario, maquillaje), de la acción y el rítmo (movimiento, entradas, salidas, etc.) y del lenguaje dramático (réplicas, acotaciones). Una integración que lleva la marca de la ligereza, del juego, del desenfado intencionado.

El punto de partida y de referencia puede ser el teatro poético del momento, con su versión modernista de la historia. En este sentido, la farsa se presenta como una parodia crecientemente intensa y explícita de la literatura modernista, de sus formas y de su métrica, en la que se inserta una hostilidad crítica y satírica hacia el mundo de la monarquía y de la política españolas, de manera velada pero clara en la *Farsa de la enamorada del rey* y de forma caricaturesca y directamente alusiva en *Farsa y licencia de la reina castiza*. Al emplear en estas obras el mundo idealizado del siglo XVIII, de ascendencia francesa (con la inclusión, sin embargo, del contrapunto escénico y vital de la venta castellana y cervantina), un juego de metros, rimas e imágenes modernistas-parnasianas, y continuas referencias a otras obras y personajes (históricos y literarios a la vez, como Casanova) Valle realiza una suerte de «pastiche» literario intencionado. Por otra parte, la sentimentalidad aristocrática, melancolía simbolista, propia de este estilo, es presentada primero irónicamente y de forma degradada y burlesca al final, aunque desde muy pronto se marcan estas dos dimensiones, como dice el título complementario de *La marquesa Rosalinda*: «Farsa sentimental y grotesca», con lo que Valle aparece como el primero que intenta conjugar perspectivas y tonalidades casi imposibles de armonizar para los actores de la época.

En estas obras, por tanto, domina el artificio, ya que el referente primero parece ser el mismo mundo del arte, del rococó al modernismo, de la pintura a la poesía, y por ello domina la sensación de «simulacro», aunque parabólicamente apunte más allá, a la realidad española misma.

Así, Valle-Inclán realiza una transformación genérica. Esta farsa ya no es simplemente una breve pieza cómica, de estilo poco refinado y comicidad directa, como habitualmente la consideramos a partir del entremés y otras formas teatrales anteriores. Por el contrario, sin abdicar de la burla, se hace refinada y sutil a través de las referencias poéticas, de la autonomía de los mundos creados y del cuidado léxico y estilístico del lenguaje. Recurre a cierta arbitrariedad en relación con la verosimilitud, que le acerca al juego gratuito, en busca más bien de la satisfacción y el placer estético, pero sin olvidar el fondo a veces amargo, desencantado, que resulta de la decepción de tales apariencias. Dicho con las palabras del farsante Arlequín y en el estilo metaliterario de Valle:

> ¡Pasaron las locas quimeras
> de Farandul!
> ¡Canto de alondras mañaneras
> en el azul!
> ...
> Ahuyentaron los desengaños
> mi alado sueño,
> y los rebaños son rebaños, y mi Pegaso, Clavileño...
>
> (*La marquesa Rosalinda*, Jornada III)

Y a continuación añade: «Dejo colgada la careta... porque acaba mi papel», marcando otro rasgo de estas farsas: su intensa teatralidad que se desborda en metateatralidad. Esta deriva del uso sistemático de algunos recursos como tipos y personajes ya convencionalmente estereotipados (Pierrot. Colombina, Arlequín, y también Príncipe, Maritornes, Ciego, Bravo, Abate, Ventero, Ventera, Altisidora, etc.); modelos genéricos (cuento infantil, *Commedia dell'Arte*, Sainete, teatro aurisecular, etc.); teatro dentro del teatro; menciones y referencias textuales, como la que acabo de citar o como el comentario del rey en la *Farsa italiana...* «En la tonada / oliste los azufres de la Francia / y movimos la gran carnavalada»; denominaciones internas de las acotaciones: «... y con un gesto de reproche... abre los brazos de fantoche».[302] Y es frecuente que algunos personajes se presenten como «impostores» o falsarios, lo que supone también un doble nivel plenamente consciente en su actuación, que el espectador conoce. Por ejemplo, Arlequín en *La marquesa Rosalinda*.

---

302. Escribe Pilar Cabañas: «la importancia de lo metateatral, unida a la de lo intertextual convierten al componente metaliterario [...] en uno de los más definitorios y eficaces de su arte farsesco, en tanto en cuanto, al funcionar en muchas ocasiones de manera humorística y paródica, contribuye poderosamente a reforzar su potencialidad cómica» (*Teoría y práctica de los géneros dramáticos en Valle-Inclán, cit.*, p. 256-257). Y también, lógicamente, a reforzar su autorreferencialidad estética.

Con los estrenos de 1912 y el rechazo de *El embrujado* por parte del Teatro Español termina una etapa de la creación dramática de Valle, la que se apoya fundamentalmente en el simbolismo. Solamente en 1920 encontraremos la edición de nuevas obras, dos de ellas ya comentadas entre las Farsas. Pero su estética ha dado un giro esencial. No todo es esperpento, pero este modo de lo esperpéntico va a marcar el resto de su obra.

El embrujado es, como dice Díez-Canedo, «un drama sombrío», carece de cualquier atisbo irónico y no deja lugar al humor y la burla. Otra cosa es que reconozcamos en él un aire trágico verdadero, a pesar de los esfuerzos del autor, sobre todo por la mezquindad y cotidianidad de los intereses y motivos de la pugna. Pero este será justamente el punto de arranque de *Divinas palabras*. El ambiente galaico, la presencia de coro, las referencias a la brujería y a lo diabólico, los impulsos de la lujuria y la avaricia son, de nuevo, elementos muy presentes en la obra; pero ahora ha desaparecido un nivel social (el de los hidalgos), los deseos carecen de cualquier matiz o sello de nobleza y el protagonismo se reparte entre los personajes individuales y el personaje colectivo, tanto del pueblo como de las ferias. Incluso hay lucha familiar por la custodia de un niño, pero lejos queda la figura grotesca de Laureano del infante de *El embrujado*, aunque uno y otro sean inocentes y terminen sacrificados.

Divinas Palabras. Tragicomedia de aldea se titula una de las obras más complejas y también más ambiguas del teatro valleinclanesco. En ella no solo se identifica un universo galaico de nuevo poderosamente cósmico en su influencia sobre las vidas humanas, sino que se conjugan las perspectivas propias del autor, de estilización y deformación, con lo grotesco, lo paródico y lo cómico, y se mezclan las mitologías clásica y celta para conformar un complejo sistema de referencias. Aparece primeramente, como folletón de *El Sol*, entre mediados de junio y de julio de 1919. Y como libro, formando parte de su *Opera Omnia*, vol. XVII, en 1920, con nueva edición en 1933 (Colección La Farsa). La denominación genérica es de 1920. La obra aparece como una pieza extremadamente original a la vez que muestra de la renovación del arte dramático de Valle-Inclán, después de 1918, a partir de tantos materiales ya empleados anteriormente.

Estructura y acción: La estructura externa de la obra muestra una disposición característica, de retablo, con tres actos, compuestos por cinco, diez y cinco escenas, respectivamente. En este caso, la estructura secuencial, en escenas, se ajusta también a la distribución en actos, ya que cada uno de ellos representa una unidad de acción en el tiempo. Y, aunque no haya una línea de continuidad estricta, en la sucesión de escenas, se articulan dos líneas que tienen como eje las relaciones de Lucero o Séptimo Miau y de Mari-Gaila. En el primer acto ocurre la aparición del compadre Lucero y también la muerte de Juana del Reino, seguida de la disputa por el carretón de Laureano; en el segundo, la explotación del niño idiota por las ferias y el encuentro sexual entre Séptimo Miau y Mari-Gaila; en el tercero, el duelo por el idiota y el descubrimiento de la adúltera, con el castigo y el perdón final.

Esta secuencia se articula también con el espacio, en varios lugares que conforman dos universos de acción, de modos de vida y de valores: el de los sedentarios habitantes de la aldea y el de los trashumantes (y más o menos truhanes) de los caminos. De este modo, se advierte un esquema básico (y mítico en el fondo) de salida-regreso, que tendrá también su irónico sentido moral, como veremos[303]. A su vez, el tiempo no es solo la línea simple de la sucesión, sino que se carga de sentido y valor según las horas: «Noche de luceros. Mari-Gaila rueda el dornajo por un camino blanco y lleno de rumor de maizales... suena tremolante la risa del Trasgo Cabrío» (Acotación, II, 8). Y, en cambio: «El campo, en la tarde llena de sopor, tiene un silencio palpitante y sonoro». (III, 4). Finalmente: «... la iglesia de románicas piedras dorada por el sol, entre el rezo tardecino de los maizales». (III, 5). Y esto permite que haya incluso escenas que parecen simultáneas, en la noche: adulterio, acoso de Simoniña por su padre, vuelo nocturno de Mari-Gaila, si esta no es una repetición fantástica de la primera.

Se verifica así la creación de un cronotopos dramático de especial coherencia e intensidad. Es el cronotopos de la aldea, con una sucesión de cuadros rurales que parten de la realidad cotidiana, estilizándola y abriendo su sentido por las referencias míticas. No hay ninguna nota determinante sentimental o de evocación idílica. Carece también de cualquier atisbo de nostalgia por el pasado. Un solo nivel social de los personajes, en las dos formas de vida, sedentaria y trashumante, y una estética que separa la representación de referentes históricos y cronológicos demasiado precisos. Sobre el enfoque dramático ha escrito S. Greenfield: «Su actitud personal es crítica, pero no satírica, su visión más directa y clínica que deformante o esperpéntica» (p. 152).

Referencias literarias: detrás de esta obra se han apreciado presencias fundamentales como la de *La Celestina*, patente desde el título genérico y los motivos interesados de los sujetos (y que se advierte también en la

---

303. No es solo un regreso al mundo estable de la aldea, sino al seno de la familia, a la iglesia, a la salvación, etc.

complejidad formal, que da la totalidad en fragmentos discontinuos, niveles de lenguaje, parodia de personajes y papel de la vieja tercera). Luego, diversos modelos del teatro clásico, referido al tema del honor y la honra, del que Valle-Inclán hace burla, con alusiones a Calderón o Rojas Zorrilla (Greenfield). Pero también está el reincidente mito donjuanesco. Otras referencias pueden ir por el camino de los personajes (sacristán de los *Entremeses* y Maese Pedro, con su retablo, del *Quijote*). Gustavo Umpierre sugiere además un posible influjo de Maeterlink (*María Magdalena*) en el final de la obra. Y, como he dicho, buena parte de su obra anterior gravita sobre este universo, que regresa, cargado de ironía, al mundo de pastores, peregrinos y bandidos del comienzo.

Personajes: El aspecto fundamental que conviene apreciar es que sus psicologías particulares, bien diferenciadas, están compuestas sobre factores elementales (sin que eso signifique falta de riqueza en los personajes, sino que el aspecto psicologista nunca fue del interés de Valle-Inclán) que se refieren de nuevo a pasiones como avaricia, lujuria, crueldad, burla, cobardía, etc., que están de acuerdo más con una dimensión moral (totalmente ajena al moralismo, claro) y con el carácter de retablo de la vida humana que es la obra, bajo las fuerzas presentes del Mal (diabólico) y de la Muerte, a que se opone la intensidad erótica, vital (dionisíaca) de Mari-Gaila. Por eso los personajes concilian esta dimensión personal con su carácter de arquetipos, que corresponde a su proyección sobre un universo mítico. También la ley del contraste rige entre personajes como Pedro Gailo y su mujer (con opuesta integración estética: de persona a fantoche o de persona a arquetipo), como Pedro Gailo y Séptimo Miau, etc. Y una dimensión simbólica (en clave ocultista incluso) de los personajes se percibe en sus nombres: Séptimo Miau como referencia al gato y sus vidas (pero el gato se conecta con lo diabólico); también llamado Lucero al comienzo (¿referencia a Lucifer?), él conoce todo... según su propia confesión y muestra una gran soberbia. El sacristán Pedro del Reino está al servicio de la Iglesia, su nombre hace referencia al apóstol, piedra angular de esa Iglesia que es imagen del Reino de los Cielos, y cuyas llaves posee. El apodo de «Gailo» se ha podido ver como alusión al gallo de la Pasión de Jesús, y, por tanto, a la cobardía y la traición (ver Umpierre. Simoniña es la hija, con nombre próximo a un pecado eclesiástico: la simonía).[304] En cualquier caso, interesa destacar las dimensiones que conforman a estos personajes principales: humanidad individual, pertenencia social, encar-

---

304. Descarto considerar ahora la interpretación alegórica de carácter estrictamente político que propone Manuel Bermejo Marcos, quien identifica a cada personaje de la obra con un político de la Restauración.

nación de fuerzas y pasiones vitales, composición de creencias y de moral, elevación a un arquetipo en la medida en que existen esencialmente en un mundo concebido como una lucha de fuerzas trascendentes, de la que el teatro es una representación total.

Complejidad. Podemos referirnos a los elementos de complejidad de este mundo y a los elementos de su representación. Respecto a lo primero, se trata de percibir el poder de las creencias, la importancia de la magia y la presencia de diversos sistemas de mitos. A Mari-Gaila la presenta Séptimo Miau en la conjunción de Venus y Ceres, eros y tierra... y en el final es llevada, en una procesión de cruel burla, como Venus triunfante sobre un carro de heno. La escena octava del acto II se inicia con los temores de la mujer, sigue con la aparición del Trasgo, y culmina con un vuelo nocturno de claras implicaciones sexuales. Y no está claro que sea una fantasía o producto del temor alucinado. Pero en ese ser caprino se junta la imagen del sátiro pagano y del diablo lujurioso de los aquelarres y las leyendas del norte de España. En cuanto a la representación, debe dar cuenta de todos estos elementos, pero también de la mezcla de admiración y de cualidad trágico-burlesca que contiene, junto a los elementos que pertenecen a la dignificación artística y plástica de la España negra (como señala Francisco Nieva) y a los aspectos puramente formales, que se ponen de relieve en estas palabras que se le atribuyen: «[Es obra] de infinitos matices. Y como usted decía, de ritmos variados, pero dentro de una indestructible unidad melódica. Las voces tienen aquí un valor extraordinario. Por eso habrá que ensayarla como se ensaya una orquesta».[305] No es solo el lenguaje de las réplicas, del que ya conocemos sus características fundamentales, sino, de nuevo, el de las acotaciones, elevado al nivel más alto de calidad estética y de sugerencia.

Ambigüedad. Todos los elementos referidos vienen a conferir este alto grado de ambigüedad como factor positivo o expresión semántica de la complejidad. Pero el verdadero alcance de esta ambigüedad se percibe en el final de la obra, tanto desde el punto de vista estético como desde el punto de vista moral. Creo, de todos modos, que hay que señalar el marco en que ocurre, y es el que se establece por el sistema mítico (cristiano, al que se opone el rito procesional pagano) de transgresión y redención, acompañado de las nociones de caída, culpa y castigo, subvertido este último por la intervención del sacristán y la proclamación del perdón evangélico. Pero a la primera lectura del texto de San Juan responde un grito de rechifla y acusación. Solo cuando se oye la música de las palabras

---

305. *El Sol*, 25 de marzo de 1933, en R. M. del Valle-Inclán, *Entrevistas, cit.*, p. 398.

y no se entiende la letra circula un aire de misterio sobrecogedor efectivo. Es más bien mágico que religioso, o, al menos, cristiano.

Este tremendo, dinámico y expresivo final del juicio y perdón de la adúltera ha recibido muchas interpretaciones.[306] La conjunción de órdenes estéticos, paganos y cristianos, clásicos y celtas, queda en evidencia en las acotaciones, así como se combinan la admiración y la crueldad, o la fealdad y la miseria frente a la belleza. Tal vez incluso conviven el respeto y fervor religioso auténticos con la vitalidad pagana, y, en el fondo, la muerte y la vida: «Mari-Gaila, armoniosa y desnuda, pisando descalza sobre las piedras sepulcrales, percibe el ritmo de la vida bajo un velo de lágrimas». Belleza entre lo monstruoso del hidrocéfalo y lo feo del sacristán. Y tal vez en estos términos se sugiera una clave, dicha como *el ritmo de la vida*, que es el todo bajo el signo de la lucha de contrarios (incluidos el tiempo y la eternidad), y que se representa en esta «Tragicomedia» como serie de dualidades resueltas en una unidad superior, indescifrable (pero expresable estética, plástica y dinámicamente), que es la cifra de la misma vida humana.

EL ESPERPENTO Y EL REVÉS DEL MUNDO

Perspectiva y estética del esperpento

La coincidencia de publicación de cuatro obras dramáticas de Valle-Inclán en 1920 es un indicio de que «el esperpento» no es una simple ruptura con la obra anterior y tampoco la culminación de una evolución lineal en que todo lo escrito se supeditaría a esta nueva modalidad, como el cumplimiento de un orden necesario. Desde luego se trata de una inflexión que recoge constantes reconocidas desde una nueva posición más radical, frente a la sociedad, desde el punto de vista ético, y más extrema desde el punto de vista artístico, con el hallazgo de la fórmula adecuada e integradora de todas las categorías dramáticas. Greenfield ofrece una larga lista[307] de tales elementos, que se reformulan en el esper-

---

306. Gonzalo Sobejano ofrece una enumeración sucinta de algunas de estas interpretaciones relevantes en su edición de R. Mª del Valle-Inclán, *Divinas Palabras*, Madrid, Espasa-Calpe, 1996, pp. 28-30. Insiste en la ambigüedad, con otro enfoque o «a otra luz», Patrocinio Ríos Sánchez, «Valle-Inclán: mistificación de textos bíblicos en *Divinas palabras*», en *Revista de Literatura*, LXIII, 125, 2001, 157-183. Su idea fundamental es que Valle propone la victoria de las fuerzas de las tinieblas o del desorden, identificadas con las fuerzas vitales, subvirtiendo así el orden moral mediante un uso mistificador de los textos bíblicos en toda la obra.
307. S. Greenfiled, *Valle-Inclán: Anatomía de un teatro problemático, cit.*, p. 220.

pento, y Risco resume el fondo de esa constancia en dos aspectos: el sentimiento trágico-cómico y la conciencia irónica de la realidad, a la que se puede añadir la actitud irónica frente a la literatura misma. En un apartado anterior ya se ha tratado este aspecto en particular (motivos de la variedad y de la unidad).

Algunas de estas constantes mencionadas por Greenfield pueden ser la concepción dominantemente visual y espectacular, la composición caleidoscópica que agrega fragmentos diversos, la importancia de la gestualidad, el tratamiento cómico de la figura humana y el paródico de los géneros literarios, la integración de diversas fuentes de obras y géneros, que se transforman, con su mezcla de niveles y de registros, la importancia literaria de las acotaciones... Pero el cambio de perspectiva es fundamental para dar a este sistema literario una nueva significación y nueva función, más allá de la crítica y de la sátira, a partir de la configuración de una nueva fórmula dramática adecuada, no lograda en las obras anteriores, y que será el objeto de la siguiente exposición. Como partes o elementos de ese cambio de perspectiva del autor se observa la actitud de denuncia de la España real y oficial (y de sus imágenes culturales y artísticas), la atención, por tanto, a la época contemporánea y a su historia, la elección de escenarios urbanos (en dos casos, Madrid), la condición amoral de los comportamientos. Y artísticamente observamos la consecuente apertura del sistema dramático hacia la obra abierta y secuencial (no aristotélica), discontinua en el tiempo y en el espacio, y heterogénea respecto de las referencias sociales. Finalmente, y aunque tampoco la lista sea completa, ni mucho menos, aparece intensificada la metateatralidad de las obras mediante varios procedimientos: por la presencia interior de una teoría acerca de la obra que se representa (*Luces* y *Los cuernos*), junto con las referencias a los modelos teatrales o literarios ajenos (modernismo, Don Juan Tenorio, dramas de Calderón y melodramas de Echegaray); y por la autorrepresentación de los personajes, ya que estos o tienen conciencia de su situación dramática en el teatro del mundo o la suponen por una notable sobreactuación, que remite, además, al modelo del muñeco o la marioneta, obligada a este esfuerzo o exceso de voz y gesto para suplir la rigidez de su figura (que en el personaje esperpéntico es rigidez física y moral).

Hablamos de esperpento en relación con una serie de líneas comunes en las cuatro obras que Valle-Inclán denominó así, a las que se añaden las piezas del *Retablo de la avaricia, la lujuria y la muerte* (ampliable incluso a la narrativa) en cuanto resultado de la aplicación de los procedimientos esperpentizadores; y teniendo en cuenta las diversas explicaciones que el propio Valle-Inclán realizó, bien por medio de sus personajes en *Luces de Bohemia* y *Los cuernos de Don Friolera*, bien en las entrevistas de esos años. Aunque es indispensable apreciar la individualidad de cada obra y el proceso que se abre en 1920 pero evoluciona hasta casi 1930.

Varios problemas de orden general se han planteado respecto del esperpento. Alonso Zamora Vicente estableció el principio de que Valle-Inclán hace literatura y teatro innovadores partiendo de materiales diversos pre-existentes y señaló en su estudio la realidad social y literaria de la bohemia, la parodia, el sainete, la farsa, el folletín. A esto se ha ido añadiendo lo carnavalesco, la revista política y la caricatura literaria[308]. De todo ello, transformado, surge el nuevo modelo teatral que es el esperpento.

¿Quiere esto decir que Valle-Inclán, como él mismo enuncia, da a luz un nuevo género dramático? Así lo consideran algunos críticos: «El esperpento se muestra como un género dramático independiente y la forma adecuada para configurar y revelar literariamente la realidad específica de España a comienzos del siglo XX»[309]. Sin embargo, se puede estar de acuerdo con la segunda parte de esta afirmación sin compartir la primera, ya que nos encontramos con la definición de ese «nuevo género», que no puede reducirse a una serie de rasgos. Y así, considero el esperpento como una estética que ofrece una perspectiva artística sobre el mundo, en la que Valle concreta y sintetiza otros modelos aducidos por él (literarios o pictóricos) y en la que integra sincréticamente otras formas dramáticas y otras perspectivas artísticas. En este sentido, afirma Manuel Aznar: «... el esperpento no es un género, sino una categoría estética, personal e intransferible, que se inventó Valle-Inclán, un maestro con muchos herederos pero sin posibles discípulos...».[310]

Esta idea de la categoría estética, con su perspectiva artística, se deduce también de otras manifestaciones del autor. El punto de partida es la teoría de la visión que comenzamos a encontrar en la escena XII de *Luces de Bohemia*, con el espejo cóncavo, deformador, identificado con el fondo del vaso. (Notas sobre interpretaciones), y en el «Prólogo» de *Los cuernos de Don Friolera*, con las referencias a la pintura y a Orbaneja. Pero en la entrevista con Martínez Sierra, cumplido ya su proceso creador, es donde más claramente explica las distintas posibilidades de la mirada

---

308. Así lo ha presentado y mostrado Jesús Rubio en *Valle-Inclán, caricaturista moderno. Nueva lectura de* Luces de Bohemia, Madrid, Editorial Fundamentos, 2006.
309. W. Floeck, «De la parodia literaria a la formación de un nuevo género. Observaciones sobre los esperpentos de Valle-Inclán». en *Suma Valleinclaniana*, John P. Gabriele, ed., Barcelona, Anthropos, 1992, p. 306.
310. Manuel Aznar, «Luces de Bohemia: teoría y práctica del esperpento», en *Valle-Inclán (1898-1998). Escenarios, cit.*, p. 342.

artística y define la suya: desde el aire (lo que nos remite a la «visión astral» de *Un día de guerra*)[311]. Esta mirada suspendida (demiúrgica, como dice Risco) es la que establece la perspectiva del esperpento para el creador.

Pero en ella se concilian distintos aspectos. Parece partir de una actitud crítica respecto de la sociedad española y de su historia, para buscar los modelos literarios y los héroes que tradicionalmente dan cuenta de esa realidad y que la elevan artísticamente. Y sobre estos héroes y modelos proyecta la devaluación axiológica, la deformación sistemática y el rebajamiento estético, de manera, que, a su través, la imagen misma de la sociedad alcanza a mostrar su verdad y así llega al espectador[312]. «Los héroes clásicos reflejados en los espejos cóncavos dan el Esperpento» y «Mi estética actual es transformar con matemática de espejo cóncavo las normas clásicas», según dice Max Estrella en *Luces de Bohemia*, escena XII. Así aparece la verdad de España, como «deformación grotesca de la civilización europea». Estas frases tan repetidas indican que no hay imitación, mímesis realista ni deformación directa, sino aplicación de un principio estético coherente —la coherente deformación artística, que equivale al expresionismo— con la superación de los afectos de identificación que quiere producir el arte convencional (el dolor y la risa).

Para lograr esto Valle recurre a diversas formas de lo grotesco literario, pero estilizándolo, a su vez, y a los géneros populares, menores o ínfimos, para caracterizar literariamente el ambiente, y construir ese *pastiche* sublimado que es el esperpento. De ese modo, el núcleo de lo esperpéntico, según se aplique en cada caso, está constituido por la integración de lo trágico y lo cómico desgarrado, tal como lo dejó repetidamente dicho el autor, al afirmar que «busca el lado cómico de lo trágico de la vida misma». (Los personajes ridículos y cómicos se encuentran en una situación trágica que les supera y a la cual no pueden responder adecuadamente. Y esto no es un hecho individual, sino social: «Siempre hay una hora dramática en España; un drama superior a las facultades de los intérpretes»[313]. Y, en definitiva,

---

311. Es bien conocido y citado el texto (*ABC*, 7 de diciembre de 1928) de la entrevista (que recoge, por ejemplo, J. Lyon en su libro, *The Theatre of Valle-Inclán*, p. 209), en la que Valle plantea las posibles perspectivas o miradas estéticas del autor: de rodillas, de pie o desde el aire. Respecto de esto, reflexiona Antonio Buero Vallejo en «De rodillas, en pie, en el aire», recogido ahora en *Tres maestros ante el público. (Valle-Inclán, Velázquez, Lorca)*, en Antonio Buero Vallejo, *Obra Completa*, II, *Poesía. Narrativa. Ensayos y artículos*, Madrid, Espasa-Calpe, 1994, pp. 197-211.

312. Y de esta imagen forma parte también el mismo aparato ideológico que la ha constituido, a partir de la Restauración burguesa y conservadora del siglo XIX, con su impronta militar, importancia clerical y corrupción política y administrativa.

313. J. Lyon, *The Theatre of Valle-Inclán, cit.*, p. 210.

como resume Manuel Aznar, «Presentar lo trágico a través de lo grotesco: he ahí la manera esperpéntica».[314] Esto es lo que va más allá de la farsa[315].

Por tanto, hay una ruptura que Valle marca, y una tensión estética interior, que añade otra dimensión conflictiva a la mirada, en este caso horizontal, la del espectador, y a la comprensión de lo que mira. Porque la situación dramática que se plantea y se muestra, dice Valle-Inclán, para los personajes «sería una escena dolorosa, acaso brutal... Para el espectador, una sencilla farsa grotesca»[316]. Y esto lo logra por el procedimiento de la inadecuación: exponer un hecho verdaderamente dramático con un modo y lenguaje inadecuados (una riña verdadera con parlamentos al estilo de Echegaray). Tal forma de construcción es novedosa y original: «Esto es algo que no existe en la literatura española».

Aquí hay que introducir otro elemento. Este teatro, así constituido, se plantea inicialmente como adecuado para figuras o personajes no humanos, sino muñecos. Aunque en algún momento dijera otra cosa, parece que vale esta manifestación del autor mismo: «Hay que hacer un teatro de muñecos. Yo escribo ahora pensando en la posibilidad de una representación en que la emoción se dé por la visión plástica».[317] De manera que se completa así el conjunto del planteamiento estético y teatral: mirada suspendida, choque entre lo trágico y lo grotesco, unidos, conflicto consiguiente entre la comprensión de la situación de los personajes y del espectador, deshumanización y estilización de la figura dramática. No hay negación de la tragedia en el esperpento de Valle, sino confluencia conflictiva de niveles literarios y de categorías estéticas, unidos como dos polos que descargan una corriente de alta tensión (y que pueden desequilibrarse). Y quien contempla el espectáculo queda fuera, como observador, al menos en el planteamiento intencional del autor: no se transmite la emoción sino la visión plástica, que resulta, por tanto, dominante y hace prevalecer el artificio literario sobre la identificación. Y este sería el remedo humano de la perspectiva de «la otra ribera» a que aspira Don Estrafalario en *Los cuernos de Don Friolera*.

314. Manuel Aznar Soler, *Guía de lectura de Martes de carnaval*, Barcelona, Anthropos, 1992, p. 31.
315. «La farsa no es el esperpento, sino un instrumento estético al servicio de expresar la conciencia trágica del autor», M. Aznar Soler; «Luces de Bohemia: teoría y práctica del esperpento» en *Valle-Inclán (1898-1998). Escenarios, cit.,*p. 344.
316. Texto de la entrevista con Esperanza Velázquez Bringas, recogida por J. Lyon, *The Theatre of Valle-Inclán*, cit., p. 210.
317. Palabras del autor a Rivas Cherif, *La Pluma*, enero 1923, recogidas por J. Lyon, *The Theatre of Valle-Inclán, cit.*, p. 105.

Con este planteamiento y ejecución culmina, y a la vez se transforma, la constante valleinclaniana de presentar el mundo como teatro o espectáculo, Ahora, la categoría ontológica y moral de los personajes de la escena (muñecos, fantoches) y de las personas de la sala son disímiles pero equivalentes respecto de sus propios mundos (de ficción o real); así el esperpento es el arte adecuado para «toda la vida miserable de España» (*Luces de Bohemia*, escena XII). Y esto ocurre porque de nuevo, bajo la descubierta estética, se produce la integración artística superior, la conjunción de todos los elementos o categorías del drama con una complejidad suma, tanto en el aspecto visual y plástico, como en la estructura dramática, la caracterización y el lenguaje. Se alcanza así una dimensión de reteatralización que va más allá del mero dinamismo de la escena y de la acción, para apelar a la exigencia de contemplar teatralmente lo que es teatro, es decir, representación e interpretación no copia e imitación. En el esperpento, la correspondencia de sus categorías es una total coherencia.

Finalmente, Valle-Inclán tuvo conciencia de que en esta renovación residía la verdadera vanguardia del arte literario español de la época. Rechaza el ultraísmo («los ultraístas son unos farsantes») posiblemente en virtud de esta percepción de ruptura aún dentro de la tradición y de novedad en la continuidad de su obra.

Las obras

Expuestas las características de esta estética y referidas al comienzo las ediciones de las obras, solo se puede trazar ahora un breve apunte de cada una de ellas. Y en el comienzo está *Luces de Bohemia*, primer texto que se denomina «Esperpento» y tal vez la obra de Valle-Inclán más conocida y estudiada. Encontramos la transformación de un héroe clásico o más bien de un tipo, el poeta ciego, Max Estrella, que puede referirse a Homero, Belisario, y, tal vez sobre todo, a Edipo en Colono. Y esta figura se inserta en un universo dramático (el Madrid «absurdo, brillante y hambriento») configurado con los rasgos de la realidad de España, la política, la social, la literaria. Todo, tal vez, visto desde la literatura. De ahí que, como es bien sabido, también los personajes sean trasunto de personas que, con su propio nombre, Dorio de Gádex, Rubén Darío, o con otro, tal como ocurre con el mismo Max (Alejandro Sawa), Zaratustra, Peregrino Gay, El Ministro, etc., han podido ser identificados. Historia, literatura, personajes reales, otros ficticios, homenajes intertextuales, todo se conjuga para formar una totalidad estética de orden dramático, que es lo primero que hay que considerar.

Pero con el carácter de una nueva teatralidad y dramaticidad, alcanzadas por la extraordinaria disposición de las escenas, en una «forma abierta», por la creación del ambiente nocturno, unificador de toda la diversidad de espacios dramáticos, las interacciones y reapariciones de personajes, los latiguillos verbales, etc. Es de destacar que la obra no termina con la muerte del personaje (disposición tradicional), sino que se prolonga tres escenas más, velatorio, entierro, expolio y suicidio de su mujer e hija, añadiendo, por ello, al punto de vista dramático de Max (y desde él), una perspectiva sobre él, más perversa, pues Latino viene a ser el victorioso heredero material y artístico del poeta, después de su continua traición.

La realidad además se configura dramáticamente sobre arquetipos y modelos culturales, como la aventura o viaje nocturno del héroe, el laberinto o el descenso a los infiernos, que entran en contraste profundo con la superficie grotesca del tratamiento de la historia. Pero hay aún otra línea de choque entre las actitudes, la de la dignidad (imposible) y la degradación (inevitable). Creo que la lectura de Buero Vallejo, mostrando los momentos en que Valle transgrede los límites de su estética es reveladora precisamente de la complejidad de la obra, de la multiplicidad de facetas y de que tal vez este primer esperpento no sea modelo más fiel, aunque sea la mejor obra. Ese choque se precisa en el contraste entre las escenas sexta (en el calabozo, con el preso anarquista catalán) y la octava, con el Ministro de Gobernación (que sería quien diera la orden de ejecución del preso). Es ahí donde se acentúa el hundimiento de Max y la obra adquiere su crudeza crítica.

Pero qué aspectos critica y de qué modo. Es más bien una puesta en cuestión de todo el orden social, y tal vez lo que más importa es hacerse cargo del radicalismo de Valle-Inclán, en una dirección política republicana. Pero, además, lo que me parece determinante es que, ante la realidad española, el autor reacciona en términos de literatura y teatro, es decir, su reacción es creadoramente estética, según la afirmación de Max: «Deformemos la expresión en el mismo espejo que nos deforma las caras y toda la vida miserable de España» («escena XII»). Y de este modo, alcanza una dimensión que Cardona y Zahareas llaman «existencial», pues se refiere a la condición arbitraria y absurda, enajenada, de la vida humana en esas circunstancias.

Otras tres obras llevan el título de *Esperpento* ante el título, recogidas en el volumen *Martes de carnaval*, de 1930. *Los cuernos de Don Friolera* se publicó en 1921 por entregas, en el volumen XVII de la *Opera Omnia* en 1925 y finalmente en este libro de 1930. *El terno del difunto* se publica como «novela» en la colección de La Novela Mundial, en 1926 y, con modificaciones y nuevo título de *Las galas del difunto,* se incluye en *Martes de carnaval.* La tercera obra es *La hija del capitán,* publicada inicialmente en el Suplemento Literario de *La Nación,* de Buenos Aires, en 1927; dentro del mismo año se publica otra versión en España, que es censurada y prohibida, aunque se difundió. De nuevo modificada, con elementos nuevos de actualidad, y localizada en Madrid, pasa al volumen de 1930.

Martes de carnaval tiene un título sugestivo y muy adecuado: desfile carnavalesco de militares («martes», como apelativo metonímico por el dios romano de la guerra), ya que cada obra está protagonizada por un militar: soldado, teniente, general, y la perspectiva es grotesca y degradante. Su organización responde a los gustos del autor, y constituye una especie de retablo o tríptico en que dos obras breves (de siete escenas cada una) flanquean a una obra extensa, esta, a su vez, dividida en tres partes: prólogo y epílogo que enmarcan la acción dividida en doce escenas. Por otra parte, esta organización recorre los momentos de la historia de España (1898, 1917-1921, 1923) con creciente violencia, ascendiendo en la escala e importancia de los personajes: *Las galas del difunto, Los cuernos de Don Fiolera* y *La hija del capitán.*

Las obras contenidas en este volumen deben situarse en la perspectiva de un tiempo histórico que va desde la Guerra Mundial hasta la Dictadura de Primo de Rivera, con el creciente desprestigio de las instituciones y la oposición de destacados intelectuales. Por ello, tienen una notable dimensión política, no inmediata pero sí cada vez más explícita en las sucesivas versiones de los textos. Son los esperpentos más crudos, desde el punto de vista expresivo, plástico, y ponen en cuestión los aparatos ideológicos legitimadores del patriotismo, el honor militar, social y doméstico, el valor de las instituciones y el orden social; por contra, resaltan el valor del dinero y la corrupción que comporta, la miseria moral, la ambición y la avaricia, la hipocresía y los códigos falseados de comportamiento corporativo.

En *Las galas el difunto* aprovecha Valle-Inclán una deformación del modelo donjuanesco, heredado sobre todo del romanticismo de Zorrilla, a quien se cita, alude y parodia en el texto, para realizar una crítica de la sociedad y la política españolas en torno al Desastre de Cuba, particularmente en los textos añadidos en la segunda versión. La impiedad y desacato del personaje es lo más llamativo, mientras su amoralidad le conduce a una ventajosa sustitución de su uniforme (de derrotado) por un buen traje y dinero del boticario muerto. Con esto se pone de manifiesto la corrupción de la guerra, por el aprovechamiento como negocio y medro personal, y la destrucción de los valores del patriotismo y su abandono por una posición burguesa. La estructura refuerza los elementos folletinescos (a que se alude en el final), con la desaparición y aparición de la carta de la Daifa, y refuerza el valor del trueque de vestidos, con la violación de la tumba, situada en la escena central.

Los cuernos de Don Friolera parte del motivo tradicional de la dramaturgia española: los celos y la venganza del honor, pero su complejidad es extraordinaria, tanto por el juego de perspectivas (aparecen las tres posibles entre el «Prólogo», el «Epílogo» y la representación esperpéntica) como por los debates estéticos que contiene. El «Prólogo» se muestra como un ejercicio de teoría dentro del marco esperpéntico, un juego de perspectivas interior a la obra y referido al espectador y un marco de metateatralidad, que permite después el juego de ver la obra como un Gran Teatro del Mundo —en el cual el Teniente Astete, «Don Friolera», se sabe actor— convertido, sin embargo, en teatro de giñol (y de Gran Gignol, incluso, según el modelo francés de comienzo de siglo). Esto se resalta y logra de manera especial, de modo que esta obra se ha venido considerando como la realización más perfecta y ajustada de la teoría esperpéntica de Max Estrella-Valle-Inclán. En ninguna otra se realiza esa idea expuesta por el autor del choque de una situación trágica vivida por unos fantoches que resultan inadecuados. La teatralidad resulta especialmente intensa en la obra, dividida en doce escenas, a su vez distribuidas de tres en tres en cuatro momentos temporales: tarde y noche, tarde y noche. Esa teatralidad está en todas las actuaciones, posturas y movimientos de los gesticulantes personajes, reforzando la clave del Gran Teatro del Mundo y de las formas estéticas de dar cuenta de la vida humana, que se proponen en el «Prólogo » y el «Epílogo».

La parodia del honor conyugal se retrotrae a modelos del mismo Shakespeare (Otelo), pero se refiere a Calderón, Echegaray y la escuela melodramática de fines del siglo XIX, como expresión de unos conceptos sociales no solo caducos, sino inadecuados y carentes de sustancia y verdad. Para ello, el sentimiento del amor (y el del honor) se traducen en un sentimentalismo que lleva al ridículo y a una degradación que choca con las consecuencias trágicas de los actos de venganza. El sentimentalismo del personaje es motivo para la distancia emocional del espectador; lo que es doloroso para uno resulta grotesco para el otro. Además, los ataques verbales a quienes hacen ostentación del código del honor, los militares, son claros, así como las insinuaciones de corrupción administrativa generalizada en el sistema (escena sexta).

La hija del capitán parte de un episodio truculento de 1913 (conocido como el crimen del capitán Sánchez) para realizar una versión de la historia contemporánea, que incluye el golpe de estado de Primo de Rivera y alcanza al Rey mismo. Un asunto sórdido, de juego y prostitución termina en un levantamiento militar, con toda la correspondiente retórica altisonante. La relación con los acontecimientos de 1923 era inevitable y eso condujo a la prohibición de la obra y retirada de la edición, aunque fue suficientemente conocida. Aquí es importante el espacio de Madrid, en el que se desarrolla la acción folletinesca, que se inspira en la literatura periodística de sucesos y en los dramas de crímenes. De nuevo recurre a objetos, como la carta y las fichas de juego, que se esconden o trasladan, dando curso a la relación entre las distintas escenas. En esta obra, más quizás que en las otras, la fragmentación dramática de los hechos es réplica de una idea de la visión fragmentaria, caótica de la realidad, que puede, sin embargo, contemplarse como espectáculo de la vida (política y social) y comentarse así: «¡Don Joselito de mi vida... si usted no la diña, la hubiera diñado la Madre Patria! ¡De risa me escacho!». Es decir, lo que se muestra en el esperpento es el revés del mundo, no el mundo al revés solamente (que es carnavalesco y circunstancial) sino el mundo visto desde el otro lado, que es visto desde su revés.

El volumen de textos dramáticos titulado *Retablo de la avaricia, la lujuria y la muerte*, recoge cinco obras: la tragedia anterior *El embrujado*, dos «autos para siluetas» y dos «melodramas para marionetas», las cuatro en un solo acto, que flanquean simétricamente, dos a dos, a la pieza larga central. Menos *Sacrilegio*, con certeza, y posiblemente *La cabeza del Bautista*, las demás tienen como ambiente la Galicia rural, misteriosa, pero en ellas la violencia y el crimen son consecuencia de las dos grandes pasiones: avaricia y lujuria. La estilización y exageración (en la línea del esperpento), así como la teatralidad resumida se deducen de las mismas caracterizaciones genéricas: siluetas, marionetas y auto o melodrama.

Hay un regreso a los orígenes literarios del autor también en personajes, situaciones y rasgos literarios. Así, el tema de la seducción femenina fatal, que lleva a la muerte, con el mito de Salomé, la mujer víctima agonizante, con toques de necrofilia, la situación de los bandidos, entre la brutalidad y la emoción, nos recuerdan cuentos de *Flor de santidad*, la «Comedia de ensueño». De nuevo aparece la magia, las alusiones a la brujería, la relación con el diablo... pero ahora hay otros aspectos determinantes: la tendencia a la muñequización, la insistencia en lo degradado, que lleva tomar con precaución esas referencias ocultistas en *Ligazón*, aunque parecen necesarias para el universo trágico de *El embrujado*, el papel central que en todos estos actos tiene el dinero. El amortajamiento de Floriana recuerda escenas de *Romance de lobos*. Despojados todos estos elementos literarios de su aura sentimental y de los colores aristocráticos primeros, que le daban prestigio estético y cultural, los personajes aparecen frecuentemente como impostores: así se resalta en las actitudes y palabras de los tres personajes de *La cabeza del Bautista*, o se insinúa en las dudas respecto a las vinculaciones mágicas de *Ligazón*. Simeón Julepe, en *La rosa de papel*, es un borracho con ínfulas de revolucionario que busca desesperadamente el dinero... hasta abrasarse con él. Sigue sin que pueda haber implicación emocional con ese mundo de la escena. Y si estos textos apuntan a la revisión del pasado, *Sacrilegio* sigue la línea del presente, hacia el mundo rural andaluz de *La Corte de los Milagros*[318].

La presencia de *El embrujado* da una mayor fuerza a la dimensión mágica del universo teatral, formado por prácticas religiosas, los sacramentos, la confesión, etc., por otros rituales y referencias verbales, y finalmente por la presencia ominosa y sugestiva de fuerzas (maléficas) presentes en la atmósfera nocturna y lunar, en los elementos (de agua y de fuego), en el espacio interior (la fragua, la cueva), en símbolos tan repetidos como las armas (blancas o de fuego), la rueda, y en los animales: los canes blancos que aúllan, el gato que ve Floriana como presencia diabólica. Pero todo puede resultar a la vez poderosamente ambientador y falso (como es la pugna de las dos comadres de *Ligazón* por aparecer cada una más bruja y satanizada que la otra). Pero, sin duda, ese universo literario ostenta una gran unidad, es un verdadero retablo en que los diversos fragmentos componen una imagen compleja y total, reunida por la nueva mirada demiúrgica del dramaturgo.

Técnicas de esperpentización. El lenguaje[319]

Las formas más habituales de degradación y reducción estética y moral corresponden a la caracterización de los personajes, de sus hechos y de sus gestos. Suele utilizarse un sistema de signos de abstracción y esquematización, y una reiteración de los términos «muñeco», «fantoche», «pele-le», «adefesio»..., en las acotaciones. Se cosifican los seres humanos como bultos, garabatos, sombras, y se animalizan en formas de can, de

---

318. Recurre Valle, en este caso, a adaptar a su intención un texto anterior, cambiando el desenlace y algunas circunstancias. Se trata de una historia recogida en Julián de Zugasti, *El bandolerismo: Estudio social y memorias históricas*, Madrid, 1876-1880, como puso de manifiesto Harold H. Boudreau.
319. Véase, para este resumen las explicaciones de Manuel Aznar Soler en su libro citado: *Guía de lectura de Martes de carnaval, cit.*, y en otros muchos estudios.

ave, ratón, etc. Se dice de una mujer: «En el claro de luna, el garabato de su sombra tiene reminiscencia de vulpeja». Los nombres a veces son sustituidos por denominaciones de aspecto y categoría, como la bruja, la coruja, la tarasca, la Daifa, etc., o bien por cargos u oficios. Finalmente, es muy habitual la reducción de un personaje a pocos rasgos, mediante la sinécdoque y la enumeración, como en el caso de visión pictórica de *Los cuernos de Don Friolera*: «en el marco azul del ventanillo, la gorra de cuartel, una oreja y la pipa del Teniente Don Pascual Astete..» (Escena I). Lo mismo vale para los espacios: la «cueva» de Zaratustra o esta de la playa en el «Epílogo» de *Los cuernos*: «Furias del sol, cabrilleos del mar, velas de ámbar, parejas de barcas pesqueras». Esquematismo y simplicidad de la selección de los detalles.

La impresión pictórica es constante, pero suele proyectarse sobre un juego de luces y de sombras, por la iluminación nocturna o artificial, especialmente del quinqué. Se sitúa así esta técnica del claroscuro en una estela del expresionismo, reforzada por la exageración y aparente arbitrariedad de los movimientos y de los gestos, con frecuencia descompuesto, violentos, grotescos: «Don Lauro rubrica con un gesto tan terrible, que se le salta el ojo de cristal. De un zarpazo lo recoge rodante y trompicante en el mármol del velador y se lo incrusta en la órbita». (*Los cuernos*..., escena octava). Es elemento importante este aspecto gestual, donde se vuelve a encontrar la exageración, el movimiento escénico, el hablar a gritos, las voces y exclamaciones (que son los gestos violentos del lenguaje). Como ejemplos se pueden recordar la escena de la muerte del boticario, la presentación de Juanito Ventolera con las ropas nuevas (del difunto) ante sus camaradas o la entrada en casa de la viuda, «entre los quicios, algarero y farsante, hace una reverencia», de *Las galas del difunto* Contribuyen al mismo efecto, pictórico y pintoresco, los indumentos, como el del Teniente Astete en la escena sexta de *Los cuernos de Don Friolera*. También son exagerados los lazos, los vestidos y colores, las flores de Doña Loreta. Si los personajes se cosifican, las cosas se exageran o centran la atención o adquieren valores y dimensiones especiales, desde el billete de lotería hasta la carta o el bastón y bombín de *Las galas*, las armas, etc. Vale la acotación: «Es un instante donde todas las cosas se proyectan colmadas de mudez. Se explican plenamente con una angustiosa evidencia visual» (Escena segunda). Un aspecto particularmente destacable es la catadura física y moral de los maleantes y rufianes (de cualquier condición, así en las acotaciones de las escenas primera y segunda de *La hija del capitán*).

Es el lenguaje (uno en cuanto a registro y artificios retóricos entre las acotaciones y las réplicas) el que marca la última razón de la unidad, expresividad y coherencia artística del esperpento: es nuevamente una invención de Valle, mezcla de elementos populares, e incluso ínfimos, en el léxico, con cultismos o arcaísmos, dotándolo con frecuencia de una peculiar significación, y todo ello expuesto con una sintaxis cortada, de periodos yuxtapuestos, frases nominales; o bien de párrafos largos, retórica y paródicamente dispuestos. Este fenómeno del lenguaje dramático valleinclanesco ha sido analizado por Alonso Zamora Vicente, Antonio Risco, Manuel Aznar, Wilfried Floeck, etc.

Podemos considerar la importancia y el peso de los americanismos, gitanismos, madrileñismos (en su caso, galleguismos), jergas de delincuencia y quinquis, del toreo, chistes y construcciones ya troqueladas en el sainete y los géneros ínfimos, alarde sentimental y enfático del folletín y el melodrama, voces populares y transformaciones por sufijos inadecuados o usos equivocados (*inverosímil* por *indiferente*). Así ha denominado Risco a esta realización verbal del esperpento «Un habla total», cuyas características analiza[320]. Pero todo ello adquiere un sentido en función de la situación, de la caracterización de los personajes, de la unidad estética y de la significación social. Para ello, es necesario citar dos fragmentos de Zamora Vicente como la exposición más sintética de su valor y función social:

> Lengua compleja, múltiple, de variadas facetas, pero en la que domina un desgarro artísticamente mantenido... Integración total, de nuevo reflejo de una sociedad en cuyo hablar caben siempre en su sazón oportuna, y siempre en trance de destrucción, el habla pulida del discreto cultivado, y la desmañada y vulgar de las personas desheredadas de dinero y de espíritu. Prodigio verdaderamente extraordinario, esa conjunción apasionante. ... Es la presencia de esa lengua de arrabal madrileño, con su regusto de sainete y popularismo, lo que más nos llama la atención. Lenguaje al borde de las jergas, del habla críptica de taberna y delincuencia... Y, sin embargo... esa lengua refleja un estadio sociocultural típico de esos años. Toda la sociedad española estaba invadida por ella; se reconocía en ella y paladeaba su exagerada y achulada presencia.[321]

En conclusión, es patente el alcance artístico de esperpento, que, recogiendo los elementos anteriores del autor, los transforma para llegar a la invención de una estética. Y en la creación de ese universo dramático, unificado sobre todo por la mirada del creador y su proyección sobre la acción y el lenguaje teatrales, se recogen aspectos de crítica socio-política, que llegan a dar —en el conjunto— una imagen histórica, frente a otro

---

320. Antonio Risco, *La estética de Valle-Inclán en los esperpentos y en* El ruedo ibérico, Madrid, Gredos, 1975.
321. Alonso Zamora Vicente, ed., en R. Mª del Valle-Inclán, *Luces de Bohemia*, Madrid, Espasa-Calpe, 1985, pp. LIV-LVI.

teatro histórico convencional; se desarrollan elementos de teatro poético; se incluye una censura moral, que supera la mediocridad de las formas de la moral burguesa, a partir de su parodia y destrucción, para recalar en los elementos determinantes del mal, la crueldad, el poder, la avaricia o la muerte, sin compensaciones ni subterfugios; y, por consiguiente, se termina configurando una imagen del ser humano como personaje, en que se combinan contrastadamente la trascendencia de sus actos con el absurdo, miseria y ridículo de su condición.

CRONOLOGÍA

AÑOS	HECHOS HISTÓRICOS	SOCIEDAD Y CULTURA	LITERATURA Y TEATRO
1892	Gobierno Sagasta.		Primer estreno teatral de Galdós: *Realidad*.
1894	Proceso Dreyfus. Comienza la guerra en Cuba y Filipinas.	Invención del cine. Se descubren los Rayos X.	Benavente: *El nido ajeno*. J. Dicenta: *Juan José*. Galdós: *La de San Quintín*.
1896			Galdós: *Doña Perfecta*. Benavente: *Gente conocida*. Estreno en catalán de *Espectros*, de Ibsen, y en castellano *Un enemigo del pueblo*. Azorín traduce *La Intrusa*, de Maeterlinck.
1898	Derrota española. Fin de la guerra y pérdida de los territorios de Ultramar.		Arniches: *El santo de la Isidra*. Adrià Gual inicia el Teatre Intim.
1900		Freud: *La interpretación de los sueños*. Muerte de Nietzsche.	Estreno de *La alegría de la huerta*. Stanislavsky dirige *Tío Vania*, de Chéjov.
1901		Muere Verdi.	Galdós: *Electra*. La revista *Electra* incluye la traducción de *Interior* de Maeterlinck.
1902	Mayoría de edad de Alfonso XIII.	Novelas de Valle Inclán, Azorín, Baroja y Unamuno. Debussy: *Pelléas y Melisande*.	
1904	Comienza la guerra Ruso-Japonesa.		Estreno de *Bohemios*. Stanislavsky dirige *El jardín de los cerezos*, de Chéjov. Galdós: *El abuelo*. Echegaray, premio Nobel de Literatura.
1905	Congreso de PSOE-UGT en Madrid.	Einstein: Teoría de la relatividad restringida.	Benavente: *Teatro fantástico* (2ª ed.). Estrena *Rosas de otoño*. G. Martínez Sierra. *Teatro de ensueño*. Primer Teatro de Arte de Moscú. Estreno en Viena de *La viuda alegre*. Imperio Argentina debuta en Madrid.
1907		España: se crea la Junta de Ampliación de Estudios. Cajal recibe el Premio Nobel de Medicina. Encíclica *Pascendi Gregis* contra el Modernismo católico. Picasso: *Las señoritas de Avignon*.	Benavente: *Los intereses creados*. Valle Inclán escribe *Águila de Blasón*
1908			Ganivet: *El escultor de su alma* en el Teatro de Arte de A. Miquis. Marquina: *Las hijas del Cid*.

1909	Guerra de África y Semana Trágica de Barcelona. Ejecución de Ferrer y Guardia.	*Manifiesto Futurista* de Marinetti. Gómez de la Serna: Revista *Prometeo*.	Unamuno estrena *La Esfinge* en Las Palmas. Maeterlinck: *El pájaro azul*.
1910	Constitución de la CNT.	Stravinsky: *El pájaro de fuego*.	Marquina: *En Flandes de ha puesto el sol*. Estreno de *La corte del Faraón* .
1911		Pío Baroja: *El árbol de la ciencia*.	G. Craig: *Sobre el arte del teatro*. Villaespesa: *El alcázar de las perlas*. Valle Inclán: *Voces de gesta*. Martínez Sierra: *Canción de cuna*.
1912	Asesinato de Canalejas. Comienzo de la Guerra de los Balcanes.	Ortega y Gasset: Liga para la Educación Política. Antonio Machado: *Campos de Castilla*. Azorín: *Castilla*.	Evreinov: *Teatro del alma*. Claudel: *La anunciación a María*. Valle Inclán: *La marquesa Rosalinda*.
1913		Stravinsky: *La consagración de la Primavera*. Proust: *En busca del tiempo perdido*.	Copeau inaugura el teatro Vieux Colombier. Benavente: *La malquerida*.
1914	Comienza la I Guerra Mundial. Neutralidad española.	Ortega y Gasset: *Meditaciones del Quijote*. Proust: *En busca del tiempo perdido*.	B. Shaw: *Pygmalion*. Valle Inclán: *El embrujado*.
1915		Einstein: Teoría de la relatividad general.	Falla: *El amor brujo*. Manifiesto del Teatro Futurista.
1916		Muere Rubén Darío. Kafka: *La Metamorfosis*.	Benavente: *La ciudad alegre y confiada*. Arniches: *La señorita de Trevélez*.
1917	Huelgas y crisis social en España. Revolución en Rusia.	*Manifiesto Dadaísta* de Tzara.	Compañía *Teatro de Arte* de Martínez Sierra. Reinhardt, director del teatro alemán, de Berlín.
1918	Fin de la Guerra Mundial.	Vanguardias en España: el Ultraísmo. Apollinaire; *Caligramas*.	Maikovski: *Misterio Bufo*. Muñoz Seca: *La venganza de Don Mendo*. Sesión única de *Fedra*, de Unamuno.
1920		Estreno de *La corte del Faraón*.	Piscator funda el Teatro Proletario. Rivas Cherif funda el Teatro Escuela Nueva. Valle Inclán: *Divinas Palabras* y *Luces de Bohemia* (1ª versión). Arniches: *Los caciques*. Lorca: *El maleficio de la mariposa*. Valle Inclán: *Los cuernos de D. Friolera*.
1921	Asesinato de Dato. Desastre de Annual en la guerra de Marruecos.		Pirandello: *Seis personajes en busca de autor*.

1922	Mussolini llega al poder en Italia.	J. Joyce: *Ulises*.	Pirandello: *Enrique IV* Crommelinck: *El cornudo magnífico*. Benavente, premio Nobel de Literatura.
1923	Golpe de estado del general Primo de Rivera. Stalin llega al poder en la URSS.	Unamuno, deportado a Fuerteventura.	Grau: *El Señor de Pigmalion* en París. *Doña Francisquita*
1924		T. Mann: *La montaña mágica*.	
1925	Desembarco de Alhucemas. Termina la guerra de Marruecos.	Alberti: *Marinero en tierra*. Ortega y Gasset: *La deshumanización del arte*.	Pirandello funda el Teatro de Arte, de Roma. *El Señor de Pigmalion* en Praga. Estreno de *Todo un hombre*, adaptación de la novela de Unamuno. Valle Inclán estrena *La cabeza del Bautista*.
1926			Azorín: *Old Spain*. HH. Machado: *Desdichas de la fortuna...* Estreno en Barcelona de *Raquel encadenada*, de Unamuno.
1927		Primer vuelo trasatlántico sin escalas. Acto en homenaje a Góngora de los jóvenes escritores.	Comienza el grupo El Mirlo Blanco en casa de R. Baroja. Lorca: *Mariana Pineda*. Jardiel Poncela: *Una noche de primavera sin sueño*.
1928		Jorge Guillén: *Cántico*. Lorca: *Romancero Gitano*.	Claudio de la Torre: *Tic-tac*. Bertold Brecht: *La ópera de tres centavos*. Grupo El Caracol de Rivas Cherif. Rivas Cherif dirige *Orfeo*, de Cocteau. Azorín: *Lo invisible*. Benavente: *Pepa Doncel*.
1929	*Crash* de la Bolsa. Comienza la depresión económica. Creación del Estado Vaticano con los Pactos de Letrán.	Lorca viaja a Nueva York. Alberti: *Sobre los ángeles*.	*El Señor de Pigmalion* en Madrid. HH. Machado: *Las Adelfas*. Ramón Gómez de la Serna: *Los medios seres*. HH. Machado: *La Lola se va a los puertos*.
1930	Primo de Rivera abandona la Presidencia del gobierno. Sublevación en Jaca de Fermín Galán y García Hernández.		Lorca escribe *El Público*. Unamuno estrena *Sombras de sueño*.
1931	Elecciones municipales y proclamación de la República (14 de abril).	El gobierno crea Las Misiones Pedagógicas.	Azorín: *Angelita*. Rafael Alberti: *El hombre deshabitado*. Lorca escribe *Así que pasen cinco años*.

1932		A. Artaud: *Teatro de la cueldad.* G. Diego: *Poesía española (Antología).*	Creación del grupo La Barraca. Unamuno estrena *El otro.* Benavente: *Santa Rusia.*
1933	Sucesos de Casas Viejas. José A. Primo de Rivera funda la Falange. Hitler llega al poder en Alemania.	P. Salinas: *La voz a ti debida.*	Miguel Mihura escribe *Tres sombreros de copa.* Teatro Escuela de Rivas Cherif. Lorca:*Bodas de sangre.* José Mª Pemán: *El divino impaciente.*
1934	Huelga y revolución en Asturias.		Estreno de *Divinas Palabras*, de Valle Inclán. Lorca: *Yerma.* Alendro Casona: *La sirena varada.*
1935		V. Aleixandre: *La destrucción o el amor.* L. Rosales: *Abril.*	Jardiel Poncela:*Angelina o el honor de un brigadier.*
1936	Elecciones generales y triunfo del Frente Popular (febrero). Sublevación militar e intento de golpe de Estado. Comienza la guerra civil.	Mueren Valle Inclán (enero) y Unamuno (diciembre). M. Hernández: *El rayo que no cesa.*	Lorca: *Dña. Rosita la soltera.* Lorca escribe *La casa de Bernarda Alba.* Jardiel Poncela:*Cuatro corazones con freno y marcha atrás.* A. Casona: *Nuestra Natacha.*

BIBLIOGRAFÍA SELECTA[322]

I. ESTUDIOS DE HISTORIA DEL TEATRO ESPAÑOL

AMORÓS, Andrés, *Luces de candilejas*, Madrid, Espasa-Calpe, 1991. (Selecc. Austral).

BERENGUER, Ángel, *El teatro en el siglo XX (Hasta 1936)*, Madrid, Taurus, 1988 (Historia Crítica de la Literatura Hispánica).

—— *Teoría y crítica del teatro. Estudios sobre teoría y crítica teatral*, Alcalá de Henares, Universidad de Alcalá de Henares, 1991.

FUENTE, Ricardo de la, *Introducción al teatro español del siglo XX*, Valladolid, Aceña, 1987.

GABRIELE, John P., ed., *De lo particular a lo universal. El teatro español del siglo XX y su contexto*, Frankfurt, Vervuert Verlag, 1994.

GÓMEZ GARCÍA. Manuel, *El teatro de autor en España (1901-2000)*, Madrid, Asociación de Autores de Teatro, 1996.

GUERRERO ZAMORA, Juan: *Historia del teatro contemporáneo*, Barcelona, Juan Flors, 1961-1967.

HUERTA CALVO, Javier, dir., *Historia del teatro español*, Madrid, Gredos, 2003.

---

322. Se trata aquí de una sucinta relación bibliográfica. Los autores y sus obras se citan por Obras Completas o Selectas, excepto en el caso de ediciones críticas, anotadas y de referencia. Las «Introducciones» y estudios críticos que figuran en estas ediciones no se incluyen en la bibliografía posterior Para mayor información se remite a las notas de los capítulos. solo se incluye bibliografía impresa, no recursos electrónicos.

MONLEÓN, José: *El teatro del 98 frente a la sociedad española*, Madrid, Cátedra, 1975.

OLIVA, César, *El teatro desde 1936*, Madrid, Alhambra, 1989.

—— *Teatro español del siglo XX*, Madrid, Editorial Síntesis, 2003.

OLIVA, César y TORRES MONREAL, Francisco, *Historia básica del arte escénico*. Madrid, Cátedra, 1990.

RUIZ RAMÓN, Francisco, *Historia del teatro español. Siglo XX*. Madrid, Cátedra, 1981.

STYAN, J.L., *Modern drama in theory and practice 1: Realism and Naturalism.- 2: Symbolism, Surrealism and the Absurd; 3: Expresionism and Epic Theatre*. Cambridge, Cambridge University Press, 1991 [1ª ed., 1981].

VALBUENA PRAT, Ángel, *Historia del teatro español*, Barcelona, Noguer, 1956.

VILCHES, Mª Francisca y DOUGHERTY, Dru, *La escena madrileña entre 1918 y 1926. Análisis y documentos*. Madrid, Fundamentos, 1990.

—— *La escena madrileña entre 1926 y 1931. Un lustro de transición*, Madrid, Fundamentos, 1997.

—— *Teatro, sociedad y política en la España del siglo XX. Boletín de la Fundación FGL*, 19-20, 1996.

II. MOVIMIENTOS, GRUPOS EXPERIMENTALES Y TENDENCIAS

ALBERT, M., «La réception du symbolisme belge en Espagne», *Oeuvrees et Critiques*, XVII, 2, 1992.

ANDERSON, Andrew, «Ricardo Baeza y el teatro». *Anales de Literatura Española Contemporánea*, 19-3 (1994), pp. 229-240.

—— «Una iniciativa teatral: Ricardo Baeza y su Compañía Dramática Atenea». En J. P. Gabriele, ed., *De lo particular a lo universal. El teatro español del siglo XX y su contexto*, Frankfurt am Main, Vervuert Verlag, 1994, pp. 29-40.

ARNOLI, Lidia, «Sobre las traducciones españolas del teatro simbolista en lengua francesa», *Teatro y traducción*, F. Lafarga y R. Dengler, eds., Barcelona, Universitat Pompeu Fabra, 1995.

ASZYK, Ursula, *Entre la crisis y la vanguardia. Estudios sobre el teatro español del siglo XX*, Varsovia, Universidad de Varsovia, 1995.

BATLLE, Carles; BRAVO, Isidre; COCA, Jordi, *Adrià Gual: mitja vida de modernisme,* Barcelona, Diputació de Barcelona, 1992.

DOUGHERTY, Dru, *Talía convulsa. Dos ensayos sobre el teatro español de los años veinte,* Murcia, Universidad, 1984.

—— «Una iniciativa de reforma teatral: el grupo *Teatro de Arte* (1908-1911)», *Homenaje a Alonso Zamora Vicente,* Vol. IV, Madrid, Castalia, 1994, pp. 177-191.

La escena moderna. Manifiestos y textos sobre teatro de la época de las vanguardias, Madrid, Akal, 1999.

FUENTE, Ricardo de la, «El imposible vanguardismo en el teatro español». *Las vanguardias, renovación de los lenguajes poéticos,* Madrid-Gijón, Júcar, 1992.

GALÁN, Eduardo; GARCÍA LORENZO, Luciano; Medina, Miguel; RUBIO, Jesús; OLIVA, César: ZAMORA VICENTE, Alonso, *Teatro y pensamiento en la regeneración del 98,* Madrid, Fundación pro-Resad, 1998.

GALLÉN, Enric, «La reanudación del Teatro Intim de Adrià Gual en los años 20». *El teatro entre la tradición y la vanguardia,* cit., pp. 165-174.

GENTILI, Luciana, *Teatro e avanguardia nella Spagna del primo novecento. Cipriano de Rivas Cherif,* Roma, Bulzoni Editore, 1993.

GONZÁLEZ SANDE, Estela, «La Commedia dell'Arte: fuente literaria del teatro español del siglo XX», *Archivum,* 67, 2007, pp. 69-90.

HIGUERA, Felipe, «La dirección de escena en Madrid (1900-1975)», *Cuatro siglos de teatro en Madrid. Catálogo, cit.*

MARIE, Gisèle, *Le Théâtre symboliste, ses origines, ses sources, pionniers et réalisateurs,* Paris, Nizet, 1973.

MARTÍNEZ SIERRA, Gregorio, *Un teatro de arte en España. 1917-1925,* Madrid, La Esfinge, 1926.

MARTÍN, Mariano, *El teatro francés en Madrid (1918-1936),* [Boulder, Colorado]: Society of Spanish and Spanish-American Studies, 1999.

PACO, Mariano de, «El teatro de vanguardia» en Pérez Bazo, J: *La vanguardia en España. Arte y literatura,* Paris, Cric y Ophrys, 1998.

PERAL VEGA, Emilio, *De un teatro sin palabras: la pantomima en España de 1890 a 1939,* Barcelona, Anthropos, 2008.

—— *Formas del teatro breve español en el siglo XX (1892-1939),* Madrid, Fundación Universitaria Española, 2001.

PÉREZ DE LA DEHESA, Rafael, «Maeterlinck en España». *Cuadernos Hispanoamericanos*, 255, 1971.

REY FARALDOS, Gloria, «Pío Baroja y el Mirlo Blanco», *Revista de Literatura*, XLVII, 93, 1985, pp. 117-127.

—— «Notas sobre el teatro ruso en España». *Segismundo*. 43-44, 1986, pp. 265-288.

REYERO HERMOSILLA, Carlos, *Gregorio Martínez Sierra y su Teatro de Arte*. Madrid: Fundación Juan March, 1981.

RUBIO JIMÉNEZ, Jesús, *Ideología y teatro en España. 1890—1900*. Zaragoza, Pórtico, 1982.

—— «El teatro de Arte (1908-1911)», *Siglo XX / 20th Century*, V, 1987-1988, pp. 25-33

—— *La renovación teatral española en 1900,* Madrid, ADE, 1999.

—— *El teatro poético en España*, Murcia, Universidad de Murcia, 1993.

SALAÜN, Serge, RICCI, Eveline, SALGUES, Marie, eds., *La escena española en la encrucijada. (1880-1910)*, Madrid, Fundamentos, 2005.

SIMON-PIERRET, Jean Pierre, *Maeterlinck y España,* Madrid, Universidad Complutense, 1982. (Tesis Doctorales).

TORRES NEBRERA, Gregorio, «El motivo de *La Intrusa* en el teatro simbolista español. (Valle, Pérez de Ayala y Azorín)» en *A zaga de tu huella. Homenaje al Profesor Cristóbal Cuevas*, vol. II, ed. de Salvador Montesa, Málaga, Universidad/Ayuntamiento/Diputación, 2005, pp. 409-434.

VILCHES, Mª Francisca y DOUGHERTY, Dru, eds., *El teatro en España. Entre la tradición y la vanguardia*. Madrid, CSIC/Fundación FGL/ Tabapress, 1992.

WENTZLAFF-EGGEBERT, Harald, *Bibliografía y Antología crítica de las vanguardias,* Madrid, Vervuert-Iberoamericana, 1999.

III. LA CRÍTICA CONTEMPORÁNEA

ARAQUISTAIN, Luis, *La batalla teatral*, Madrid, Mundo Latino, 1930.

AZORÍN: *La farándula*, Zaragoza, Librería General, 1943.

—— *Escena y sala*. Zaragoza, Librería General, 1947.

—— *Ante las candilejas*, Zaragoza, Librería General, 1947.

BUENO, Manuel, *Teatro español contemporáneo*, Madrid, Renacimiento, 1909.

DIAZ DE ESCOBAR, Narciso, *Historia del teatro español. Comediantes, escritores, curiosidades*, 2 vols., Barcelona, Mutaner y Simón, [1924].

DÍEZ CANEDO, Enrique, *Artículos de crítica teatral,* México, Joaquín Mortiz, 1968 (4 vols.).

ESTÉVEZ ORTEGA, Enrique, *Nuevo escenario,* Barcelona, Lux, 1928.

FRANCOS RODRÍGUEZ, José, *El teatro en España (1908-1909).* Madrid, Bernardo Rodriguez, 1909 y 1910.

MACHADO, Manuel, *La guerra literaria 1898-1914,* Madrid, s.e., 1914.

—— *Un año de teatro. Ensayos de crítica dramática,* Madrid, Biblioteca Nueva, 1918.

MARTÍNEZ ESPADA, Manuel, *Teatro contemporáneo. Apuntes para un libro de crítica.* Madrid, Imp. Ducazcal, 1900.

MARTÍNEZ OLMEDILLA, Augusto, *Los teatros de Madrid*, Madrid, Imp. José Ruiz Alonso, 1948.

MESA, Enrique de, *Apostillas a la escena,* Madrid, Renacimiento, 1929.

NAVAS, Federico, *La esfinge de Talía o Encuesta sobre la crisis del teatro,* Madrid, Real Monasterio de San Lorenzo de El Escorial, 1928.

PÉREZ DE AYALA, Ramón, *Las Máscaras.* 2 vols., Madrid, Renacimiento, 1924.

RIVAS CHERIF, Cipriano, *Cómo hacer teatro*, Valencia, Pre-Textos, 1991.

SENDER, Ramón J., *Teatro de masas,* Valencia, Orto, 1931.

URIARTE, Luis, *El retablo de Talía,* Madrid, Imp. Española, 1918.

YXART, José, *El arte escénico en España.* (Barcelona: La Vanguardia, 1894-1896) Ed. facsimilar, Barcelona, Altafulla, 1987.

IV. AUTORES Y OBRAS

PÉREZ GALDÓS, Benito (con referencia particular a *Electra*).

EDICIONES

Cuentos y Teatro. Obras Completas. Madrid: Aguilar, 1971. En particular: «Prólogo» a *Los condenados* (pp. 311-320) y «Prólogo» a *Alma y vida* (pp. 521-533).

La de San Quintín. Electra, ed. de Luis F. Díaz Larios, Madrid, Cátedra, 2002.

Los estrenos teatrales de Galdós en la crítica de su tiempo. Madrid: Dirección General del Patrimonio Cultural, 1988.

CATENA, Elena: «Circunstancias temporales de la *Electra* de Galdós». *Estudios Escénicos*, 18 (1974) 79-112.

DÍEZ CANEDO, Enrique: Reseñas de reposiciones: *Doña Perfecta, Electra, Realidad* en Douglas M. Rogers, ed., Benito Pérez Galdós, Madrid, Taurus, 1973, pp. 445-453.

ELIZALDE, Ignacio, «Azorín y el estreno de *Electra* de Pérez Galdós», *Letras de Deusto*, 3, 1973, pp. 67-79.

FINKENTHAL, Stanley, *El teatro de Galdós*, Madrid, Editorial Fundamentos, 1980.

FOX, Inman, «*Electra*, de Pérez Galdós. (Historia, literatura, y la polémica entre Martínez Ruiz y Maeztu)» en *La crisis intelectual del 98* y en *Ideología y política en las letras de Fin de Siglo (1898)*, Madrid, Espasa-Calpe, 1988, pp. 65-94.

GARCÍA LORENZO, Luciano, «Bibliografía teatral galdosiana», *Estudios Escénicos*, 18, 1974, pp. 215-221.

LITVAK, Lily, «Los Tres y *Electra*: la creación de un grupo generacional bajo el magisterio de Galdós», *Anales Galdosianos*, VIII, 1973, pp. 89-94.

MAINER, José Carlos, «El teatro de Galdós: símbolo y utopía» en *La crisis de fin de siglo. Ideología y literatura. Estudios en memoria de R. Pérez de la Dehesa*, Esplugues de Llobregat, Editorial Ariel, 1975, pp. 177-212.

MENÉNDEZ ONRUBIA, Carmen, *Introducción al teatro de Benito Pérez Galdós*, Madrid, CSIC, 1983.

—— «Constantes sociopolíticas en los dramas de Galdós entre 1890 y 1900», *Segismundo*, 35-36, 1982, pp. 163-187.
—— ed., *El dramaturgo y los actores. Epistolario de Benito Pérez Galdós, María Guerrero y Fernando Díaz de Mendoza*, Madrid, CSIC., 1984.

RUBIO, Jesús, «*Alma y vida*: El teatro de Galdós en la encrucijada de dos siglos». *Segismundo*, 35-36, 1982, pp. 189-209.

SOBEJANO, Gonzalo: «Razón y suceso de la dramática galdosiana» en Douglass M. Rogers ed., *Benito Pérez Galdós*, Madrid, Taurus, 1973, pp. 455-480.

—— «Política y melodrama en el teatro de Galdós», *Teatro, sociedad y política en al España del siglo XX. Boletín de la Fundación F.G.L.*, 19-20, 1996, pp. 13-26.

MARTÍNEZ SIERRA, Gregorio

EDICIONES

Teatro de ensueño, Madrid, Renacimiento, 1911.

Teatro de ensueño. La intrusa, Ed. de Serge Salaün, Madrid, Biblioteca Nueva, 1999.

ESTUDIOS

BORRÁS, Tomas y CANSINOS ASSÉNS, Rafael, *Un teatro de arte en España. (1917-1925)*. Madrid, Ediciones La Esfinge, 1926.

CHECA PUERTA, Julio Enrique, *Los teatros de Gregorio Martínez Sierra*, Madrid, FUE, 1998.

LEJÁRRAGA, María, *Gregorio y yo: medio siglo de colaboración*, Méjico, Gandesa, 1953.

O'CONNOR, Patricia, *Gregorio y María Martínez Sierra. Crónica de una colaboración*, Madrid, La Avispa, 1987.

REYERO HERMOSILLA, Carlos, *Gregorio Martínez Sierra y su Teatro de Arte,* Madrid: Fundación Juan March, 1980.

RUBIO JIMÉNEZ, Jesús, «Modernismo y teatro de ensueño» en *El teatro poético en España. Del Modernismo a las Vanguardias*. Murcia, Universidad, 1993.

SALGADO, María A., «Teatro de ensueño: colaboración modernista de Juan Ramón Jiménez y Gregorio Martínez Sierra». *Hispanófila*, 38, 1970, pp. 49-58.

STARKIE, Walter, «Gregorio Martínez Sierra and Modern Hispanic Drama». *Contemporary Review*, 125, 1924, pp. 198-205.

GANIVET, Ángel

EDICIONES

El escultor de su alma..., Granda, Imprenta de *El Defensor de Granada*, 1904.

El escultor de su alma. Drama místico. Obras Completas. Volumen 5, Pról. de Francisco Seco de Lucena, Madrid, Francisco Beltrán y Victoriano Fernández, 1926.

El escultor de su alma. Drama místico. Obras Completas. Vol. 2, Pról. de Melchor Fernández Almagro, Madrid, Aguilar, 1962 (3ª).

El escultor de su alma y otros textos dramáticos, Ed. de Ricardo de la Fuente Ballesteros y Luis Álvarez de Castro, Valladolid: Universitas Castellae, 2000.

El escultor de su alma. Facsímil [1904], Ed. de María del Carmen Díaz de Alda Heikkilä, Epílogo de José Antonio González Alcantud, Granada, Universidad/ Centro de Investigaciones Etnológicas Ángel Ganivet, 1999.

BIBLIOGRAFÍA

SANTIÁÑEZ THIÓ, Nil: *Ángel Ganivet: una bibliografía anotada. 1892-1995*. Granada: Diputación Provincial/ Fundación Caja de Granada, 1996.

ESTUDIOS

Ángel Ganivet en su centro, Ed. de María del Carmen Díaz de Alda Heikkilä, *RILCE*, 13-2, 1997.

El libro de Ganivet. [1920], Ed. Facsimilar, Estudio Preliminar de Armando Jiménez Correa, Granada, Universidad de Granada, 1995.

Estudios sobre la vida y la obra de Ángel Ganivet. A propósito de Cartas Finlandesas. Ed. de María del Carmen Díaz de Alda Heikkilä, Madrid, Editorial Castalia, 2000.

L'interpellation du sujet dans l'essai chez Unamuno & Ganivet. Imprévue. 1999-2. Édition du CERS.Université Paul Valéry.

DÍAZ DE ALDA HEIKKILÄ, María del Carmen, «Ángel Ganivet: El escritor y su época». *Intelectuales y ciencias sociales en la crisis de fin de siglo*, José A. González Alcantud y Antonio Robles Egea, eds., Barcelona, Anthropos, 1999.

ESPINA, Antonio, *Ganivet. El hombre y la obra*, Madrid, Espasa-Calpe, 1972.

FERNÁNDEZ ALMAGRO, Melchor, *Vida y obra de Ángel Ganivet*, Madrid, Revista de Occidente, 1952.

GALLEGO MORELL, Antoio, *Ángel Ganivet, el excéntrico del 98*, Madrid, Guadarrama, 1974 (2ª ed.).

—— *Estudios y textos ganivetianos*, Madrid, CSIC, 1971.

HERRERO, Javier, *Ángel Ganivet: un iluminado*, Madrid, Gredos, 1966.

—— «Spain as Virgin: Radical Traditionalism in Ángel Ganivet», *Homenaje a Juan López Morillas*, Madrid, Castalia, 1982, pp. 247-256.

HUTMAN, Norma Louise, «*El escultor de su alma*. (La búsqueda de nuevas dimensiones teatrales.)», *Papeles de Son Armadans*, 40, 1966, pp. 265-286.

LAFFRANQUE, Marie, «Ángel Ganivet y el ocaso de la filosofía grecorromana», *Insula*, 228-229, 1965, pp. 6-7.

LÓPEZ, Nicolás María, *La Cofradía del Avellano. Cartas íntimas de Ángel Ganivet*, Granada: Piñar Rocha, [1936].

MONTES HUIDOBRO, Matías, «El dogma de la Inmaculada Concepción como interpretación de la mujer en la obra de Ganivet», *Duquesne Hispanic Review*, 13, 1968, pp. 9-25.

PAULINO AYUSO, José: «Literatura y autocreación: Ganivet y Unamuno en sus dramas» en *Ángel Ganivet en su centro*, *RILCE*, 13-2, 1997, pp.173-199.

—— «Ángel Ganivet: La secularización de la religión en el Modernismo» *Ilu. Revista de Ciencias de las Religiones*, 3, 1998 209-221.

RAMSDEN, Herbert, *Ángel Ganivet's* Idearium Español. *A Critical Study*, Manchester, Manchester University Press, 1967.

SANTIÁÑEZ TIÓ, Nil, *Ángel Ganivet, escritor modernista. Teoría y novela en el fin de siglo español*, Madrid, Gredos, 1994.

—— «La poética modernista de Ángel Ganivet». *Hispanic Review*, 62, 4, 1994, pp. 497-518.

SCHMIDT, Marie-France, «L'imagerie religieuse dans *El escultor de su alma*, drame mystique d' Angel Ganivet (1898)», *1898: Littérature et crise religieuse en Espagne*. Ed. de Béatrice Fonck. Villeneuve d'Ascq (Nord), Presses Universitaires du Septentrion, 2000, pp. 75-86.

SECO DE LUCENA PAREDES, Luis, *Juicio de Ángel Ganivet*. Granada, Universidad, 1962.

SOBEJANO, Gonzalo, «Ganivet o la soberbia». *Cuadernos Hispanoamericanos*, 104, 1958, pp. 133-151.

UNAMUNO, Miguel

EDICIONES

—— *Teatro Completo*. Madrid: Aguilar, 1959.

—— *Obras Completas*, Tomo I, Madrid: Escélicer, 1966.

—— *Obras Completas*. Tomo V. Madrid: Escélicer, 1968.

—— *Obras Completas*. Tomo III. Ricardo Senabre (ed.). Madrid: Fundación José A. Castro, 1996.

—— *La Esfinge. La venda. Fedra*. J. Paulino (ed.). Madrid: Castalia, 1987.

—— *El otro. El Hermano Juan*. J. Paulino (ed.). Madrid: Espasa-Calpe, 1992.

—— *El otro*. Ricardo de la Fuente (ed.). Salamanca. Ediciones Colegio de España (1993).

—— *Sombras de sueño. Soledad*. J. Paulino (ed.). Orientaciones para el montaje de José L. Alonso de Santos. Madrid: Biblioteca Nueva, 1998.

BIBLIOGRAFÍA

FERNÁNDEZ, Pelayo H., *Bibliografía crítica de Miguel de Unamuno (1888-1975)*, Madrid, José Porrúa Turanzas, 1976.

VALDÉS, Mª Elena de, «Bibliografía sobre Miguel de Unamuno y su obra (1980-1991)», *Cuadernos de la Cátedra Miguel de Unamuno*, 19, 1994, pp. 373-405.

ESTUDIOS

ASÍS, Mª Dolores de, «Recreación del mito de Fedra en la *Fedra* de Unamuno», en Mª Dolores Gómez Molleda (ed.), *Volumen Homenaje Cincuentenario de Unamuno*, Salamanca, Casa Museo Unamuno, 1986, pp. 341-362.

LASAGABASTER, Jesús Mª. (ed.), *El teatro de Miguel de Unamuno*, San Sebastián, Universidad de Deusto, 1987.

BOREL, Jean Paul, «Unamuno o la imposibilidad de vivir» en *Teatro de lo imposible,* Madrid, Guadarrama, 1966, págs. 131-170.

CEREZO GALÁN, Pedro, *Las máscaras de lo trágico. (Filosofía y tragedia en Miguel de Unamuno),* Madrid, Trotta, 1996.

CIRUELO, J. I., «Unamuno frente a los personajes de Medea y Fedra» en I. Rodríguez Alfageme y A. Bravo García, *Tradición clásica y siglo XX*, Madrid, Coloquio, 1986, pp. 56-66.

CHARLEBOIS, Lucile C., «Ser-en-el-mundo. El teatro existencial de Miguel de Unamuno», en Harold L. Boudreau y Luis T. González del Valle (eds), *Studies in Honor Sumner M. Greenfield*, Lincoln: Soc. of Spanish and Spanish-American Studies, 1985, pp. 49-66.

—— «Unamuno y el teatro de su época» *Insula*, 481,1986, pp. 1, 10 y 11.

DUPONT, Denise, «Margarita Xirgu and Miguel de Unamuno, on the stage», *La obra dramática de Unamuno. Hecho Teatral*, 11, 2011, pp. 167-192.

ELIZALDE, Ignacio, «La metáfora senequista del *Theatrum mundi* en Unamuno y Calderón», *Letras de Deusto*, 7, 7, 1977, pp. 32-41.

ESCOBAR, María del Prado, «Dramaticidad en la obra extraescénica de Unamuno», *Monte Agudo*, 15, 1956, pp. 12-15.

FEAL, Carlos, *Unamuno. El Otro. Don Juan*, Madrid, Cupsa, 1976.

—— «Como se hace teatro una novela». *Anales de Literatura Española Contemporánea*, 20,3, 1995, pp. 315-329.

FERNÁNDEZ TURIENZO, Francisco, *Unamuno, ansia de Dios y creación literaria*. Madrid, Alcalá, 1966.

FOX, Arturo A., «Lo imaginario en Unamuno. El caso de *El Otro*», *Revista Canadiense de Estudios Hispánicos*, 16,1, 1991, pp. 61-72.

FRANCO, Andrés, *El teatro de Unamuno*, Madrid, Insula, 1971.

FRANZ, Thomas R., «Unamuno y el teatro español del siglo XIX: condena y congruencia», *La obra dramática de Unamuno. Hecho Teatral*, 11, 2011, pp. 47-62.

FUENTE BALLESTEROS, Ricardo de la y Denise Du Pont (eds.), *La obra dramática de Unamuno. Hecho Teatral*, 11, 2011.

GABRIELE, John P., «Ontological Premise and Postmodern Coincidence in Unamuno's Theater: *Raquel encadenada*, *El otro* and *El hermano Juan o el mundo es teatro*». *La obra dramática de Unamuno. Hecho Teatral*, 11, 2011, pp. 97-116.

GARCÍA-ABAD, Mª Teresa, «La recepción de *Fedra* de Unamuno» *Anales de Literatura Española Contemporánea*, 19, 3, 1994, pp. 261-271.

GARCÍA LARA, Fernando, «El drama desnudo de Miguel de Unamuno y la vanguardia teatral europea», *La obra dramática de Unamuno. Hecho Teatral*, 11, 2011, pp. 31-46.

GONZÁLEZ DEL VALLE, Luis T., *La tragedia en el teatro de Unamuno, Valle-Inclán y García Lorca*, Nueva York, Eliseo Torres, 1975.

GRANJA, José Javier, «El problema de la personalidad a través del teatro de Unamuno». *Letras de Deusto,* 7, 14, 1977. pp. 105-128.

GULLÓN, Ricardo, «Un drama inédito de Unamuno» *Insula,* 181, 1961, pp. 1 y 20.

—— «Teatro del alma» en A. Sánchez Barbudo (ed.), *Miguel de Unamuno,* Madrid, Taurus, 1974, pp. 385-399.

JOHNSON, Roberta Lee, «Archetypes, structures and myth in Unamuno's *El Otro*», en *The Analysis of Hispanic Texts: current trens in methodology. Second York College Colloquium,* New York, Bilingual Press/Editorial Bilingüe, 1976, pp. 32-47.

LASSO DE LA VEGA, José S., «Fedra de Unamuno», en *De Sófocles a Brecht,* Barcelona: Planeta, 1971, pp. 205-248.
LÁZARO CARRETER, Fernando, «El teatro de Unamuno» *Cuadernos de la Cátedra MIguel de Unamuno,* 7, 1956, pp. 5-29.

MACRÍ, Oreste, «La ejemplaridad en el teatro de Unamuno», en A. Sánchez Barbudo (ed.), *Miguel de Unamuno,* Madrid, Taurus, 1974. pp. 377-384.

MARTÍNEZ BLASCO, Angel, «En torno al teatro de Unamuno. La primera redacción, desconocida, de *El Otro*» *In.* 371, 1977, p. 3.

NEWBERRY, Wilma, *The Pirandellian Mode in Spanish Literature from Cervantes to Sastre,* Nueva York, University of New York Press, 1973.

ORRINGER, Nelson R., «Philosophy and Tragedy in Two Newly Discovered *Fedras* by Unamuno» *Anales de Literatura Española Contemporánea,* 22, 2, 1997, pp. 549-564.

PALOMO, María del Pilar, «Simbolo y mito en el teatro de Unamuno», en *El teatro y su crítica. Reunión de Málaga,* Málaga, Diputación Provincial, 1975, pp. 227-243.

—— «El proceso comunicativo de *La Esfinge*», en *Semiología del Teatro,* Barcelona, Planeta, 1975, pp. 145-166.

PARAÍSO, Isabel, «Contribución a la semántica de Medea: Eurípides, Séneca, Unamuno», en *Investigaciones semióticas II. Lo teatral y lo cotidiano,* Oviedo, Universidad, 1988. pp. 303-315.

PAULINO AYUSO, José, «*La Venda:* aproximación a un texto dramático», en *Actas del Congreso Internacional Cincuentenario Miguel de Unamuno,* Salamanca: Universidad de Salamanca, 1989, pp. 391-394.

—— «Literatura y autocreación: Ganivet y Unamuno en sus dramas» *RILCE.* 13-2, 1997,. pp. 173-199.

—— «Protagonistas femeninas en el teatro de Unamuno», *La obra dramática de Unamuno. Hecho Teatral*, 11, 2011, pp. 117-146.

RABATÉ, Colette y Jean-Claude, *Miguel de Unamuno*, Madrid, Taurus, 2009.

ROBERTS, Stephen G. H., «Rescatando a Don Juan: El hermano Juan o el mundo es teatro de Unamuno». *La obra dramática de Unamuno. Hecho Teatral*, 11, 2011, pp. 193-218.

SABBAH-PHOCAS, Jacqueline, «*El Otro* de Miguel de Unamuno: conditions et limites de la représentation de l'Autre», en *Les Représentations de l'Autre*, Paris, Presses de la Sorbonne Nouvelle, 1991.

SALAÜN, Serge, «Unamuno: *La Esfinge* y *La venda*. ¿Una modernidad contrariada?» *La obra dramática de Unamuno. Hecho Teatral*, 11, 2011, pp. 77-96.

SENABRE, Ricardo, «Los arquetipos temáticos en la literatura unamuniana» en D. Gómez Molleda (ed.), *Actas del Congreso Internacional Cincuentenario Miguel de Unamuno*, Salamanca, Universidad de Salamanca, 1989, pp. 165-179.

—— «Unamuno en su teatro», *La obra dramática de Unamuno. Hecho Teatral*, 11, 2011, 63-76.

SHAW, Donald L., «Three plays of Unamuno: a Survey of his dramatic technique», *Forum for Modern Language Studies*, 13, 1977, pp. 253-263.

—— «Imagery and Symbolism in the theater of Unamuno: *La Esfinge* and *Soledad*», *Journal of Spanish Studies*, 7,1, 1979. pp. 87-104.

—— «Sobre algunos aspectos técnicos del teatro de Unamuno» en *Volumen Homenaje Cincuentenario Miguel de Unamuno*, Salamanca, Casa Museo, 1986, pp.501-514.

TORRENTE BALLESTER, Gonzalo, «Un prólogo y un drama de Unamuno», en *Teatro español Contemporáneo*, Madrid, Guadarrama, 1968, pp. 295-300.

VALBUENA BRIONES, Ángel, «El teatro clásico en Unamuno» en E. Inman Fox y G. Bleiberg, *Pensamiento y Letras en la España del siglo XX*, Nashville, University of Vanderbilt Press, 1966, pp. 533-541.

—— «La Fedra de Unamuno a través de la tradición literaria». *Estreno. Cuadernos de Teatro Español Contemporáneo*. 13, 2 (1987), pp. 4-8.

VALDÉS, María Elena de, «Bibliografía sobre Miguel de Unamuno y su obra (1980-1991)». *Cuadernos de la Cátedra Miguel de Unamuno*, 29, 1994, pp. 373-405.

VILANOVA, Antonio, «El tema del gran teatro de mundo» *Boletín de la Real Academia de Buenas Letras,* 23, 1950, pp. 153-188.

—— «La teoría nivolesca del Bufo Trágico», en D. Gómez Molleda (ed.) *Actas del Congreso Internacional Cincuentenario Miguel de Unamuno,* Salamanca, Universidad de Salamanca, 1989, pp. 189-216.

ZAVALA, Iris, *Unamuno y su teatro de conciencia,* Salamanca, Universidad, 1963.

—— *Unamuno y el pensamiento dialógico.* Barcelona: Anthropos, 1991.

ZUBIZARRETA, Armando, *Unamuno en su nivola,* Madrid, Taurus, 1960.

GRAU, Jacinto

EDICIONES

El señor de Pigmalion. Madrid: La Farsa, 1928. Ed. Luciano García Lorenzo, Salamanca, Anaya.

El señor de Pigmalion, ed. de Emilio Peral Vega, Madrid, Biblioteca Nueva, 2009.

Teatro. 1 y 2. Buenos Aires: Losada, 1954. (Contiene: Tomo 1: *El conde Alarcos; Las gafas de don Telesforo o Un loco de buen capricho; Destino.* Tomo 2: *En el infierno se están mudando; Tabarín; Bibí Carabé*).

Los tres locos del mundo. La señora guapa. Buenos Aires: Losada, 1953 (2ª ed.).

Teatro selecto. Ed. e Introd. Luciano García Lorenzo. Madrid: Escélicer, 1971.

ESTUDIOS

CEJADOR, Julio, *Historia de la lengua y de la literatura castellana,* Tomo X, Madrid, 1919. Ed. facsimilar, Madrid, Gredos, 1972. Tomo VI, pp. 234-244.

DOUGHERTY, Dru: «The Semiosis of Stage Decor in Jacinto Grau's *El Señor de Pigmalion*». *Hispania,* 67, 1984, pp.351-357.

FUENTE BALLESTEROS, Ricardo de la: «La teatralidad del *Don Juan* de Jacinto Grau» en *Teatro siglo XX. Actas del Congreso...* Madrid, Universidad Complutense/Facultad de Ciencias de la Información, 1994, pp. 165-1174.

GARCÍA LORENZO, Luciano, *El tema del Conde Alarcos: del Romancero a Jacinto Grau,* Madrid, CSIC, 1972;

—— «Los prólogos de Jacinto Grau», *Cuadernos Hispanoamericanos,* 224-225, 1968, pp. 622-231.

GIULIANO, William: «Jacinto Grau's *El señor de Pigmalion*». *Modern Language Journal,* 24, 1950, pp.135-143.

KAISER LENOIR, Claudina: «*El Señor de Pigmalion* de Jacinto Grau: una subversión doble». *Insula,* 432, 1982, pp.15-16.

KRONIK, John W, .«Art and Ideology in the Theater of Jacinto Grau». *Kentucky Romance Quaterly,* 16, 1969, pp. 261-276.

NAVASCUÉS. Miguel, *El teatro de Jacinto Grau. Estudio de sus obras principales,* Madrid, Playor, 1975.

PÉREZ MINIK, Domingo, «Jacinto Grau o el retablo de las maravillas» en *Debates sobre el teatro español contemporáneo,* Santa Cruz de Tenerife, Viceconsejería de Cultura y Deporte del Gobierno de Canarias, 1991 [1ª ed. 1953], pp. 149-165.

RUEDA, Ana, *Pigmalion y Galatea: refracciones modernas de un mito,* Madrid, Fundamentos, 1998.

Gerardo RODRÍGUEZ SALCEDO, «Introducción al teatro de Jacinto Grau». *Papeles de Son Armadans,* 124, 1966, pp. 13-42.

VELA CERVERA, David, «El estreno en Madrid de *El Señor de Pigmalion* de Jacinto Grau (18-V-1918): la plástica escénica de Salvador Bartolozzi», *Anales de Literatura Española Contemporánea,* 20, 1995, pp. 435-461.

YÁNEZ, María del Pilar, «El concepto de tragedia en Jacinto Grau» en *Actas del XIII Congreso de la Asociación Internacional de Hispanistas,* Ed. de Florencio Sevilla y Carlos Alvar, Madrid, Castalia, 2000, Vol. II, pp. 790-796.

GÓMEZ DE LA SERNA, Ramón

EDICIONES

Los medios seres. Farsa fácil en un prólogo y tres actos. Madrid: Prensa Moderna, 1929. (Col. Teatro Moderno, 226).

Escaleras. Drama en tres actos. Cruz y Raya, 26, 1935, 55-109.

Obras Completas. Edición de Ioana Slotescu. Barcelona: Galaxia Gutenberg/Círculo de Lectores, 1996-1999. Vol. I y V.

Teatro muerto. Ed. de Agustín Muñoz-Alonso y Jesús Rubio Jiménez. Madrid: Cátedra, 1995.

ESTUDIOS

BEGOÑA RUEDA, José, *El tema de la muerte en la obra de Ramón Gómez de la Serna*, Salamanca, Universidad, 1974.

CAMÓN AZNAR, José, *Ramón Gómez de la Serna en sus obras*, Madrid, Espasa-Calpe, 1972.

CARDONA, Rodolfo, *Ramón: A study of Ramón Gómez de la Serna and his works*, Nueva York, Eliseo Torres & Sons, 1957.

DENNIS, Nigel, ed., *Studies on Ramón Gómez de la Serna*, Otawa, Dovehouse Editions, 1988, (Hispanic Studies, 2).

FLÓREZ, Rafael: «Crónica de una batalla anunciada (el estreno de *Los medios seres*), *Cuadernos de la revista El Público*, 33, 1988, pp. 20-21.

GÓMEZ DE LA SERNA, Gaspar, *Ramón*, Madrid, Taurus, 1983.

GRANJEL, Luis S., *Retrato de Ramón*, Madrid, Guadarrama, 1963.

HEINE, Christiane, «*Charlot* de Ramón Gómez de la Serna con música de Salvador Bacarisse: El nuevo género de la *ópera cómica* española», *Revista de Musicología*, XXI, 1, 1998, pp. 37-63.

HERRERO VECINO, Carmen, *La utopía y el teatro. La obra de Ramón Gómez de la Serna*, Boulder: Universidad de Colorado: Society of Spanish and Spanish-American Studies, 1995.

HODDIE, James H; «El programa solipsista de Ramón Gómez de la Serna», *Revista de Literatura* 41, 82, 1979, pp. 131-148.

LÓPEZ CRIADO, Fidel, «El teatro de lo imposible y la imposibilidad del teatro innovador de Gómez de la Serna» en *Semiótica y modernidad,* La Coruña, Universidad de la Coruña, 1994, Tomo II, pp. 197-210.

—— «El 'drama entre paréntesis' de Ramón Gómez de la Serna» en *De Baudelaire a Lorca. Acercamiento a la modernidad literaria,* Kassel, Reichenberger, 1996, pp. 73-84.

MARIMÓN LLORCA, Carmen, «El delirio en soledad. Análisis del *Drama del palacio deshabitado* de Ramón Gómez de la Serna» *Cuadernos de Investigación Filológica*, 18, 1-2, 1992, 5-18.

MARTIN-HERNÁNDEZ, Évelyne, *Ramón Gómez de la Serna. Études réunies par...* Clermont-Ferrand, Université Blaise Pascal, 1999.

MARTÍNEZ-COLLADO, Ana, *Una teoría personal del arte. Antología de textos y estética y teoría del arte. Ramón Gómez de la Serna,* Madrid, Tecnos, 1988.

—— *La complejidad de lo moderno. Ramón y el arte nuevo,* Cuenca, Servicio de publicaciones de la Universidad de Castilla-La Mancha, 1997.

MARTÍNEZ EXPÓSITO, Alfredo, *La poética de lo nuevo en el teatro de Ramón Gómez de la Serna,* Oviedo, Universidad, 1994.

—— «Ramón y el drama breve». *Art teatral,* 4, 4, 1992, pp. 83-85.

—— «La infiltración del cubismo en el teatro joven de Gómez de la Serna» en *Voces de vanguardia,* La Coruña, Universidad de La Coruña, 1995, pp. 57-80.

MUÑOZ-ALONSO LÓPEZ, *Ramón y el teatro. (La obra dramática de Ramón Gómez de la Serna),* Cuenca, Servicio de publicaciones de la Universidad de Castilla-La Mancha, 1993.

—— «Ramón y el teatro», *Teatro. Revista de Estudios Teatrales,* 1, 1992, pp.103-118.

—— «*Charlot.* Una ópera de Ramón Gómez de la Serna» (Estudio y Edición), *Barcarola,* 42-43, 1993, pp. 210-244.

NAVARRO DEOMÍNGUEZ, Eloy, *La formación de las teorías literarias de Ramón Gómez de la Serna (1905-1912),* Northwestern Univesity- Ann Arbor, 1995.

—— *El intelectual adolescente. Ramón Gómez de la Serna 1905-1912,* Madrid, Biblioteca Nueva, 2003.

NEWBERRY, Wilma, «Cubism and Pre-Pirandellianism in Gómez de la Serna», *Comparative Literature,* 21 ,1969, pp.47-62.

PALENQUE, Marta, *El teatro de Ramón Gómez de la Serna. Estética de una crisis.* Sevilla, Universidad de Sevilla/Ediciones Alfar, 1992.

—— «Ramón Gómez de la Serna y la renovación por el drama. Estudio de *Teatro en soledad*», *Teatro. Siglo XX*. José Mª Aguirre, Milagros Arizmendi, Antonio Ubach, eds., Madrid, Facultad de Ciencias de la Información/Universidad Complutense, 1994, pp. 265-274.

PAULINO AYUSO, José. *Ramón Gómez de la Serna: La vida dramatizada.* Murcia, Universidad de Murcia, 2012 .

PENTIMALLI, Dora y SALIVA, Alicia, «La producción dramática de Ramón Gómez de la Serna», *Actas del XIII Congreso de la AIH,* Madrid, Castalia, 2000, Tomo II, pp. 734-741.

Ramón en cuatro entregas, Museo Municipal. Madrid, Ayuntamiento, 1980, pp. 71-72.

RUBIO, Jesús, *El teatro poético en España. Del Modernismo a las Vanguardias.* Murcia, Universidad, 1993.

SOBEJANO, Gonzalo, *Nietzsche en España,* Madrid, Gredos, 1967, pp. 505-510, 587-593.

SOLDEVILA DURANTE, Ignacio, «Ramón Gómez de la Serna entre la tradición y la vanguardia» en *El teatro español entre la tradición y la vanguardia,* Francisca Vilches y Dru Dougherty, eds., Madrid, Fundación FGL/Tabapress, 1992, pp. 69-78.

TORRE, Guillermo de, «Ramón Gómez de la Serna. Medio siglo de literatura» en *Las metamorfosis de Proteo,* Madrid, Revista de Occidente, 1967, pp. 58-75.

TORRENTE BALLESTER, Gonzalo: «Teatro de Ramón» *Insula,* 196, 1963, p.15.

UMBRAL, Francisco, *Ramón y las vanguardias.* Madrid, Espasa-Calpe, 1978.

YNDURAIN, Francisco: «Sobre el arte de Ramón», *Clásicos modernos,* Madrid, Gredos, 1969, pp. 192-201.

ZLOTESCU. Ioana Simatu: «Preámbulo al espacio literario del ramonismo». *Obras Completas de R.G.S. Ramonismo I,* Barcelona, Galaxia Gutenberg/Círculo de Lectores, 1998, pp. 13-33.

MARTÍNEZ RUIZ, José («Azorín»)

EDICIONES

Obras Completas. Teatro, 2 vols. Estudio preliminar de Guillermo Díaz Plaja. Buenos Aires-Madrid, CIAP/Renacimiento, 1929 y 1931.

Obras Completas. 9 tomos. Madrid: Aguilar, 1947-1954. Tomo I: *La fuerza del amor;* Tomos IV, V y VI.

Teatro. Madrid, Escélicer, 1966. (Contiene: *Brandy, mucho brandy; Comedia del arte; Lo invisible; La guerrilla*).

Teatro, Barcelona, Bruguera, 1968.

Angelita en *Teatro inquieto español,* Madrid, Aguilar, 1967.

Judit. Ed. de Mariano de Paco y Antonio Díez Mediavilla, Alicante, CAM, 1993.

Lo invisible. Angelita, Intr. de César Oliva. Orientaciones para el montaje José L. Alonso de Santos, Madrid, BIblioteca Nueva, 1998.

Obras escogidas. Vol. III: *Teatro, cuentos, memorias, epistolario...,* Ed. de Miguel Ángel Lozano Marcos, Madrid, Espasa-Calpe, 1998 (Clásicos Castellanos: Nueva Serie).

ESTUDIOS

BERNARD, Margherita, *Sulla scena. Azorín e il teatrio,* Viareggio-Luca, M. Baroni ed., 2002.

BOBES NAVES, María del Carmen, «El teatro de Azorín: *Comedia del arte»,* *Anales de Literatura Española Contemporánea,* 30, 1-2, 2005, pp. 33-54.

CANOA GALIANA, Joaquina, Angelita *de Azorín,* Oviedo, Universidad, 1987.

CHARLEBOIS, Lucile C., «Una visión sintética del teatro de Azorín», *Segismundo,* 17, 1-2, 1983, pp. 159-181.

DÍAZ PLAJA, Guillermo, «El teatro de Azorín» en Azorín: *Obras Completas II.- Teatro II,* Madrid, CIAP/Renacimiento, 1931, pp. 9-46.

DÍEZ MEDIAVILLA, Antonio, «Azorín y el teatro español del último tercio del siglo XIX», *Anales Azorinianos,* I (1983-1984) 116-129.

—— «Superrrealismo y teatro en Azorín: *Old Spain». Actes du Colloque International José Martínez Ruiz,* « Azorín», Pau , Université, 1985, pp. 171-187.

—— «Algunas unidades dramáticas de *Cervantes o La casa encantada»,* *Insula,* 556, 1993, pp. 23-25.

FERNÁNDEZ GUTIÉRREZ, José Mª., «Reflexiones sobre el hecho teatral en Azorín», *Anales Azorinianos,* 3, 1986, pp. 25-41.

FOX, E.Inman, «La campaña teatral de Azorín. (Experimentalismo, Evreinoff e *Ifach), Cuadernos Hispanoamericanos,* 226-227, 1968, pp. 375-389.

FERNÁNDEZ LADRÓN DE GUEVARA, Miguel Ángel, *El teatro de Azorín.* Tesis Doctoral. Publicada en registro electrónico. CD de la Universidad Complutense de Madrid.

FUENTE BALLESTEROS, Ricardo de la: «La polémica colaboración de Azorín y Pedro Muñoz Seca: *El Clamor», Studia Zamorensia Philologica,* 7, 1986, pp. 355-360.

KATTAN, Olga: «*La guerrilla* de Azorín: Hacia una interpretación», *Cuadernos Hispanoamericanos,* 226-227, 1968, 406-412.

LAJOHN, L.A., «El surrealismo en el teatro de Azorin» en *El surrealismo,* ed. de Víctor García de la Concha, Madrid, Taurus, 1982, pp. 352-358.

LANDEIRA, Ricardo: «Retorno al elemento temporal en el teatro de Azorín», *Anales Azorinianos,* 4, 1993, pp. 439-446.

MAESTRE PAYÁ, R., «Humanización y deshumanización en el teatro de Azorín», *Anales Azorinianos,* 4, 1993, pp. 447-458.

MANSO, Christian, «Recepción del surrealismo en Azorín hasta *Brandy, mucho brandy*», *Surrealismo. El ojo soluble. Litoral,* 174-176, 1987, pp. 208-222.

MARTÍNEZ MENA, Miguel, «El teatro de Azorín», *Anales Azorinianos,* 2, 1985, pp. 105-112.

NIEVA DE PAZ, Pilar: «Crónica de un estreno: *Lo invisible* (1928), de Azorín», *Anales de Literatura Española,* 9, 1993, pp. 103-113.

PACO, Mariano de, «El primer teatro de Azorín: *La fuerza del amor*», *Homenaje a Azorín en Yecla,* Murcia, CAM, 1988, pp. 111-123.

—— «Azorín y el auto sacramental», *Insula,* 556, 1993, pp. 20-22.

PÉREZ MINIK, Domingo: «Azorín o la evasión pura» en *Debates sobre el teatro español contemporáneo,* Santa Cruz de Tenerife, Gaya, 1953, 161-181. (Reed. 1991, pp. 167-186).

SERRANO, Virtudes, «Teatralidad de *Lo invisible*», *Insula,* 556, 1993, pp. 22-23.

STIMSON, Frederick S.: «*Lo invisible*: Azorín's Debt to Maeterlink», *Hispanic Review,* XXVI, 1958, pp. 64-70.

TORRENTE BALLESTER, Gonzalo: «*Lo invisible*» en *Teatro español contemporáneo.* Madrid, Guadarrama, 1968, (2ª), pp. 480-489.

VALVERDE, José Mª.: *Azorín.* Barcelona: Planeta, 1971.

MACHADO, Manuel y Antonio

EDICIONES

Obras Completas,. Madrid, Editorial Plenitud, 1954 (reed.).

Desdichas de la fortuna o Julianillo Valcárcel con *La Lola se va a los puertos,* Madrid, Espasa Calpe, 1978 (Austral, 1011). Con *Juan de Mañara,* ed. de Dámaso Cicharro, Madrid, Espasa Calpe, 1991 (Austral/Literatura, 236).

Las Adelfas con *La Lola se va a los puertos,* Ed. de Dámaso Chicharro, Madrid, Espasa Calpe, 1992, (Austral/Literatura, 271).

El hombre que murió en la guerra con *Las Adelfas,* Madrid: Espasa Calpe, 1964. (Austral, 706. 1ª ed., Buenos Aires, 1947.) Con Edmond Rostand, *El aguilucho,* ed. de Dámaso Chicharro, Madrid, Espasa-Calpe, 2008, (Austral/Teatro, 628).

BIBLIOGRAFÍA

CARRIÓN, Manuel (dir.), *Bibliografía machadiana: (bibliografía para un centenario).* Madrid, Ministerio de Educación y Ciencia, 1976.

ESTUDIOS

BAAMONDE, Miguel Ángel, *La vocación teatral de Antonio Machado,* Madrid, Gredos, 1976.

BARCO, Pablo del, «¿Quién es quién en el teatro de los Machado?», *Cuadernos Hispanoamericanos,* 325, 1977, 155-159.

BROTHERSTON, Gordon, *Manuel Machad,* Madrid, Taurus, 1976.

CRUZ GIRÁLDEZ, Miguel, «Elementos lírico populares en el teatro machadiano» en *Antonio Machado, hoy. Actas del Congreso Internacional conmemorativo del cincuentenario de la muerte de Antonio Machado,* Vol. II., Sevilla, Alfar, 1990, pp. 35-53.

CUTILLA, Vicente, «La temporalidad en las acotaciones de *Las Adelfas* y *El hombre que murió en la guerra*» en *Antonio Machado, hoy. Actas...,* Vol. II, pp. 55-66.

CHICHARRO CHAMORRO, Dámas, *En el contexto del teatro en verso: los Machado y Ángel Lázaro (un intento de aproximación a través de la crítica),* Granada, Universidad, 1976.

—— «Un aspecto de la teoría teatral machadiana» en *Estudios sobre Literatura y Arte dedicados al Profesor Emilio Orozco Díaz,* Vol. I, Granada, Universidad, 1979, pp. 389-403.

—— «El teatro de los Machado: revisión crítica de la bibliografía tras el aluvión del cincuentenario», *Revista de Literatura,* LIV, 108, 1992, pp. 653-664.

FEAL DEIBE, Carlos, «Los Machado y el psicoanálisis (en torno a *Las Adelfas*)», *Ínsula,* 328, 1974, pp. 1 y 14.

323

GARCÍA-ABAD, Teresa, «Una visión crítica del teatro: Manuel Machado» en *El teatro en España entre la tradición y la vanguardia,* ed. de Dru Dougherty y Francisca Vilches, Madrid, CSIC/Fundación Federico García Lorca/Tabapress, 1992, pp. 199-204.

GARCÍA LORENZO, Luciano, «El teatro de los Machado o la imposibilidad de ser», *Homenaje. Cuadernos Hispanoamericanos,* 304-307, 1975-1976, pp.1095-1110.

GONZÁLEZ DEL VALLE, Luis T., «La hermenéutica del espejo existencial en *Las Adelfas»* en *Antonio Machado, hoy. Actas...* Vol. II, pp. 91-104.

GONZÁLEZ TROYANO, Alberto, «Tipologías populares andaluzas» en *Antonio Machado, hoy. Actas...,* Vol II, pp. 105-108.

GUERRA, Manuel H., *El teatro de Manuel y Antonio Machado,* Madrid, Mediterráneo, 1966.

GUTIÉRREZ FLÓREZ, Fabián, «*Juan de Mañara*: ejemplo de la vigente inactualidad del teatro machadiano» en *Antonio Machado, hoy. Actas...,* Vol II, pp.109-126.

MARRAST, Robert, «Un texto olvidado de Machado sobre teatro», *Ínsula,* 212-213, 1964.

MONDÉJAR, José, «El andalucismo ambiental y andalucismo lingüístico en el teatro de los hermanos Machado» en *Antonio Machado, hoy. Actas...,* Vol II, pp. 137-158.

OLIVA, César, «El teatro de los Machado, medio siglo después» en *Antonio Machado, hoy. Actas...* Vol. I, pp. 47-57.

PACO, Mariano: «El teatro de los Machado y *Juan de Mairena»* en *Homenaje al profesor Muñoz Cortés.* Murcia, Universidad, 1976, pp. 463-477.

—— «*El hombre que murió en la guerra* y Antonio Machado» en *Antonio Machado, hoy. Actas...,* Vol. II, pp. 159-175.

PAULINO AYUSO, José: «El teatro de la subjetividad y la influencia del psicoanálisis freudiano», *Teatro, sociedad y política en la España del siglo XX. FLG. Boletín de la Fundación Federico García Lorca,* 19-20, 1996, 69-85.

PÉREZ FERRERO, Miguel, *Vida de Antonio Machado y Manuel.* Madrid, Espasa-Calpe, 1973.

ROBIN, Claire-Nicole, «La búsqueda de la identidad, temática central de la dramaturgia machadiana» en *Antonio Machado, hoy. Coloquio Internacional...* Ed. de Paul Aubert,. Madrid, Casa de Velázquez, 1994.

RUBIO, Jesús, *El teatro poético en España. Del modernismo a las vanguardias,* Murcia: Universidad, 1993.

SÁNCHEZ FERNÁNDEZ, Ascensión y PORRO HERRERA, María José, «Algunos elementos románticos en el teatro de los Machado» en *Antonio Machado, hoy. Actas...,* Vol. II, pp. 277-287.

SESÉ, Bernard, *Antonio Machado (1875-1939). El hombre. El poeta. El pensador,* Madrid, Gredos, 1980, Vol. II, pp. 420.442.

ROMERO FERRER, Alberto, *Los Hermanos Machado y el teatro (1926-1936,* Sevilla, Diputación, 1996.

—— *Los estrenos teatrales de Manuel y Antonio Machado en la crítica de su tiempo,* Cádiz, Universidad de Cádiz, 2003.

URRUTIA, Jorge, «Notas sobre la colaboración teatral de los Hermanos Machado», *Ínsula,* 506-507, 1989,. pp. 77-79.

BAROJA, Pío

EDICIÓN

Obras Completas. Vol. XII. Narraciones. Teatro. Poesía. Barcelona, Círculo de Lectores, 1999.

ESTUDIOS

AZNAR, Manuel, AGUILERA SASTRE, Juan, *Cipriano de Rivas Cherif y el teatro español de su época (1891-1967),* Madrid, Publicaciones de la Asociación de Directores de Escena, 2000.

BAEZA, Fernado, *Baroja y su mundo.* Vol. I. Madrid, Arión, 1962.

CARATOZZOLO, Vittorio, «Sul *Teatro* di Pío Baroja: proposte di lettura», *Il Confronto Letterario,* 17, 34,, 2000, pp. 265-302.

CHARLEBOIS, Lucile C., «El teatro de Pío Baroja: una curiosidad». *Nueva Revista de Filología Hispánica,* 35, 1987, pp. 171-195.

FRANCO, Andrés, «El teatro de Baroja», *Cuadernos Hispanoamericanos,* 299, 1975, pp. 277-289.

LASAGABASTER, Jesús Mª., «El carnaval de la escritura». *Insula,* 617, 1998, pp. 27-29.

MONLEÓN, José, *El teatro del 98 frente a la sociedad española.* Madrid, Cátedra, 1975.

REY FARALDOS, Gloria, «Pío Baroja y El Mirlo Blanco», *Revista de Literatura,* 47, 93, 1985, pp. 117-127.

VALLE-INCLÁN, Ramón Mª del

EDICIONES

Obra Completa. Tomo II. *Teatro. Poesía. Varia.* Madrid, Espasa-Calpe, 2001 (Clásicos Castellanos. Nueva Serie).

El yermo de las almas, ed. de Ángela Ena Bordonada, Madrid, Espasa-Calpe. 1996 (Austral).

Águila de Blasón, ed. crítica de Antón Risco, Madrid, Espasa-Calpe, 1994 (Clásicos Castellanos. Nueva Serie).

Cara de plata, ed. crítica de Antón Risco, Madrid, Espasa-Calpe, 1991 (Clásicos Castellanos. Nueva Serie).

Romance de lobos, ed. crítica de Antón Risco, Madrid, Espasa-Calpe, 1996 (Clásicos Castellanos. Nueva Serie).

Romance de lobos, ed. de Ricardo Doménech, Madrid, Espasa-Calpe, 1999 (Austral).

La marquesa Rosalinda: farsa sentimental y grotesca, ed. crítica de Leda Schiavo, Madrid, Espasa-Calpe, 1992 (Clásicos Castellanos. Nueva Serie).

La marquesa Rosalinda: farsa sentimental y grotesca ed. de César Oliva, Madrid, Espasa-Calpe, 1990 (Austral).

Tablado de marionetas para educación de príncipes, ed. crítica de Jorge Urrutia, Madrid, Espasa-Calpe, 1995 (Clásicos Castellanos. Nueva Serie).

Divinas palabras, ed. crítica de Luis Iglesias Feijoo, Madrid, Espasa-Calpe, 1991 (Clásicos Castellanos. Nueva Serie).

Divinas palabras, ed. de Gonzalo Sobejano, Madrid, Espasa-Calpe, 1996 (Austral).

Luces de Bohemia, ed. crítica de Alonso Zamora Vicente, Madrid, Espasa-Calpe, 1973 (Clásicos Castellanos). 1996-2006, Espasa-Calpe (Austral).

Martes de Carnaval, ed. crítica de Ricardo Senabre, Madrid, Espasa-Calpe, 1996 (Clásicos Castellanos. Nueva Serie).

Martes de Carnaval, ed. de Jesús Rubio Jiménez, Madrid, Espasa-Calpe, 1992 (Austral).

Retablo de la avaricia, la lujuria y la muerte, ed. crítica de Jesús Rubio Jiménez, Madrid, Espasa-Calpe, 1996 (Clásicos Castellanos. Nueva Serie).

Retablo de la avaricia, la lujuria y la muerte, ed. de Ricardo Doménech, 1990/2007 (Austral).

Un Valle-Inclán olvidado: Entrevistas y Conferencias..., Madrid, Fundamentos, 1983.

BIBLIOGRAFÍAS

LIMA, Robert, *Valle-Inclán: An annotated bibliography*. Vol. I. *The works of Valle-Inclán*, London, Grant and Cutler, 1999.

SERRRANO ALONSO, Javier y DE JUANBOLUFER, Amparo, *Bibliografía general de Ramón del Valle Inclán*, Santiago de Compostela, Universidade, 1995.

—— «Bibliografía de Ramón del Valle-Inclán en *Anuario Valle-Inclán, Anales de Literatura Española Contemporánea*, 26-3 a 34-3, 2001-2009.

VALLE INCLÁN, Joaquín y Javier del, *Bibliografía de D. Ramón María del Valle-Inclán (1888-1936)*, Valencia, Pre-Textos, 1995.

ESTUDIOS (OBRAS GENERALES Y DE CONJUNTO)

AZNAR SOLER, Manuel y RODRÍGUEZ, Juan, eds., *Valle-Inclán y su obra. Actas del Primer Congreso Internacional sobre Valle-Inclán*. Sant Cugat/Bellaterra, Cop d'idees,

AZNAR SOLER, Manuel, *Guía de lectura de Martes de Carnaval*, Barcelona, Anthropos, 1992.

AZNAR SOLER, Mauel y SÁNCHEZ, Mª Fernanda, eds., *Valle-Inclán en el siglo XXI, Actas del Segundo Congreso Internacional*, A Coruña, ediciós do Castro, 2004.

BAAMONDE TRAVESO, Gloria, «Divinas Palabras, obra de transición en la dramaturgia de Valle Inclán», *Archivum*, 66, 2006, pp. 7-26.

CABAÑAS, Pilar, *Teoría y práctica de los géneros dramáticos en Valle-Inclán (1899-1920)*, La Coruña, Ediciós do Castro, 1995.

CANOA GALIANA, Joaquina, *Semiología de las Comedias Bárbaras*, Madrid, Cupsa ed., 1977.

CARDONA, RODOLFO y ZAHAREAS, Anthony N., *Visión del Esperpento*, Madrid, Castalia, 1982 (2ª).

CUEVAS, Cristóbal y BAENA, Enrique, eds. *Valle-Inclán universal. La otra teatralidad*, Málaga, Publicaciones del Congreso de Literatura Contemporánea, 1999.

DOUGHERTY, Dru, «Valle Inclán y la tragedia moderna», *Anales de Literatura Española Contemporánea*, 33, 2008-3, pp. 57-88.

. ECHEVARRIA, Evelio, «El esperpento y el teatro de marionetas italiano», Hispanic Review, 43, (1975).

GARCÍA BARRIENTOS, José Luis, «Luces de Bohemia de Valle Inclán. (El triunfo de la transgresión dramática)» en *Análisis de la dramaturgia. Nuevas obras y un método*, Madrid, Editorial Fundamentos, 2007, pp. 113-164.

GARCÍA LORENZO, coord., *Valle-Inclán a escena, Ínsula, Monográfico*, 712, 2006.

GABRIELE, John P., ed., *Suma Valleinclaniana*, Barcelona, Anthropos, 1992.

GONZÁLEZ LÓPEZ, Emilio, *El arte dramático de Valle-Inclán (del dedcadentismo al expresionismo)*, New York, Las Américas, 1967.

GREENFIELD, Sumner M., *Valle-Inclán: Anatomía de un teatro problemático*, Madrid, Taurus, 1990.

HORMIGÓN, Juan Antonio, ed., *Busca y rebusca de Valle-Inclán*, Madrid, Ministerio de Cultura, 1989.

—— *Valle-Inclán, Biografía cronológica, Escritos dispersos y Epistolario*, 2 vols., Madrid, Publicaciones de la ADE/Fundación banco exterior, 2006.

IGLESIAS FEIJOO, Luis, ed., *Valle-Inclán y el fin de siglo*, Santiago de Compostela, Universidad, 1997.

LIMA, Robert L., *The dramatic world of Valle-Inclán*, London, Tamesis, 2003 (Serie A. Monografías, 198).

LYON, John, *The Teatre of Valle-Inclán*, Camdridge, Cambridge University Press, 1983.

OLIVA, César, *El fondo del vaso. Imágenes de Don Ramón María del Valle-Inclán*, Valencia, Universidad, 2003.

PORRÚA, María del Carmen, *La Galicia decimonónica en las Comedias Bárbaras de Valle-Inclán,* A Coruña, Ediciós do Castro, 1983.

RISCO, Antonio, *El demiurgo y su mundo. Hacia un nuevo enfoque de la obra de Valle-Inclán,* Madrid, Gredos, 1977.

RISCO, Antonio, *La estética de Valle-Inclán en los Esperpentos y en El ruedo ibérico,* Madrid, Gredos, 1975 (2ª).

RUBIA BARCIA, José, *Mascarón de proa. Aportaciones al estudio de la vida y la obra de Don Ramón María del Valle Inclán y Montenegro,* A Coruña, Ediciós do Castro, 1983.

RUBIO JIMÉNEZ, Jesús, *Valle-Inclán, caricaturista moderno,* Madrid, Fundamentos, 2006.

RUIZ FERNÁNDEZ, Ciriaco, *El léxico del teatro de Valle-Inclán: ensayo interpretativo.* Salamanca, Universidad de Salaanca/ Caja de Ahorros, 1981.

SÁNCHEZ, Roberto G.: «Gordon Craig y Valle-Inclán». *Rev.Occ.,* 4, 1976, 27-37.

SANTOS SAZ, Margarita, *Valle-Inclán (1898-1998), Escenarios,* Santiago, Universidad de Santiago de Compostela, 2000.

SCHIAVO, Leda, ed., *Valle-Inclán hoy. Estudios críticos y bibliográficos.* Alcalá de Henares, 1993.

SCHIAVO, Leda, ed., *Valle-Inclán, hoy. Estudios críticos y bibliográficos,* Alcalá de Henares, Universidad, 1993.

TORRES NEBRERA, Gregorio, *Las* Comedias Bárbaras *de Valle Inclán. Guía de Lectura,* Madrid, Ediciones La Torre, 2002.

YNDURAIN, Francisco, *Valle-Inclán. Tres Estudios,* Santander, La Isla de los Ratones, 1969.

ZAHAREAS, Anthony N., ed., *Ramón del Valle-Inclán, an appraisal of his life and works,* New York, Las Americas Pub., 1968.

ZAMORA VICENTE, Alonso, *La realidad esperpéntica. (Aproximaciones a Luces de Bohemia),* Madrid, Gredos, 1983 (2ª).

ZAVALA, Iris M., *La musa funambulesca. Poética de la carnavalización en Valle-Inclán,* Madrid, Orígenes, 1990.